D1369262

HISTOIRE

DE FRANCE

—

TOME HUITIÈME

II

ERNEST LAVISSE

HISTOIRE DE FRANCE

DEPUIS LES ORIGINES JUSQU'À LA RÉVOLUTION

PUBLIÉE AVEC LA COLLABORATION DE

MM. BAYET, BLOCH, CARRÉ, COVILLE, KLEINCLAUSZ,
LANGLOIS, LEMONNIER, LUCHAIRE, MARIÉJOL, PETIT-DUTAILLIS, PFISTER,
RÉBELLIAU, SAGNAC, DE SAINT-LÉGER, VIDAL DE LA BLACHE.

TOME HUITIÈME

II

Le règne de Louis XV (1715-1774)

PAR

H. CARRÉ

PROFESSEUR A L'UNIVERSITÉ DE POITIERS

PARIS

LIBRAIRIE HACHETTE ET Cⁱᵉ

79, BOULEVARD SAINT-GERMAIN, 79

LIVRE PREMIER

LA RÉGENCE ET LE MINISTÈRE DU DUC DE BOURBON

CHAPITRE PREMIER

LE GOUVERNEMENT DÉLIBÉRATIF DES CONSEILS [1]

I. LE TESTAMENT DE LOUIS XIV. — II. L'ORGANISATION DES CONSEILS (1715). — III. L'ŒUVRE DES CONSEILS, LE CONSEIL DE FINANCE ET LE DUC DE NOAILLES (1715-1718). — IV. L'ABAISSEMENT DU PARLEMENT DE PARIS (1718). — V. LA RUINE DES CONSEILS (1718-1720).

I. — LE TESTAMENT DE LOUIS XIV

LE testament de Louis XIV fut présenté au Parlement de Paris le 2 septembre 1715, lendemain de la mort du Roi. Il établissait, comme on a vu au précédent volume, un Conseil de Régence. Ce Conseil comprenait le duc d'Orléans, le duc de Bourbon, pour le jour où ce prince, qui avait vingt-trois ans, en aurait vingt-quatre, le duc du Maine et le comte de Toulouse, bâtards du Roi défunt, les

1. SOURCES. *Recueil général des anciennes lois françaises* (Isambert), Paris, 1822-1827, t. XXI (Déclaration du 15 septembre 1715; Règlement du 22 décembre 1715). *Remontrances du Parlement de Paris au XVIIIᵉ siècle*, p. p. Flammermont et Tourneux, Paris, 1888-1898 (collection des Documents inédits), 3 vol., t. I. *Documents relatifs aux rapports du clergé avec la Royauté de 1705 à 1789*, p. p. Mention, Paris, 1903, 2 vol., t. I. Boulainvilliers (De), *Histoire de l'ancien gouvernement de la France*, La Haye et Amsterdam, 1727, 3 vol. in-12. *État de la France*, Londres, 1737, 6 vol. in-12. Saint-Simon, *Mémoires complets et authentiques sur le siècle de Louis XIV et la Régence*, p. p. Chéruel, Paris, 1873, 20 vol. t. XII, XIII, XIV, XV, XVI et XVII. L'édition de Saint-Simon des « Grands Ecrivains de la France » (p. p. De Boislisle) s'arrête actuellement à l'année 1711. Buvat, *Journal de la Régence*, p. p. Campardon, Paris, 1865, 2 vol., t. I. Staal de Launay (Mme de), *Mémoires*, coll. Petitot, t. LXXVII. Marais (Mathieu), *Journal et Mémoires... sur la Régence et le règne de Louis XV* (1715-1737), p. p. De Lescure, Paris, 1863-1868, 4 vol., t. I. Duclos, *Mémoires secrets*, coll. Michaud et Pouj., 2ᵉ série, t. X. Noailles, *Mémoires*, coll. Petitot, t. LXXIII. Villars, *Mémoires*, Paris, 1884-1892, 5 vol., t. IV (Société de l'Hist. de France), Duchesse d'Orléans, princesse

(1)

maréchaux de Villeroy, d'Huxelles, de Tallard, d'Harcourt, les ministres ou secrétaires d'État en fonction. Le Conseil devait pourvoir à toute vacance parmi ses membres. Le duc d'Orléans présidait, mais n'avait de suffrage prépondérant qu'en cas de partage égal des voix. Le Conseil avait droit de délibérer sur toutes les affaires, et de nommer à tous emplois ou commissions, depuis les dignités d'évêques ou d'archevêques, jusqu'aux plus bas grades de l'armée, jusqu'aux petits offices de finance et de judicature. Il était impossible au Régent de s'insurger contre le Conseil; car le testament donnait au duc du Maine, avec la surintendance de l'éducation du Roi, le commandement des troupes de la Maison.

Ainsi Louis XIV, qui ne pouvait avoir oublié le testament de Louis XIII et ce qu'il en advint, essaya pourtant de se survivre en disposant de l'avenir; et par une singulière inconséquence, lui, l'instaurateur de la pleine autorité monarchique, il prétendait instituer un régime où le chef de l'État était dominé par l'oligarchie d'un Conseil.

LE DUC DU MAINE ET LE DUC D'ORLÉANS.

Deux adversaires se trouvent alors en présence, le duc du Maine et le duc d'Orléans. Le premier s'appuie sur « la vieille Cour », c'est-à-dire sur le parti de Mme de Maintenon, sur les Ultramontains, le

palatine, *Correspondance* (Trad. P. Brunet), Paris, 1863. 2 vol. Forbonnais (Véron de), *Recherches et considérations sur les finances de France, depuis l'année 1595 jusqu'à l'année 1721*, Bâle, 1758, 2 vol. in-4°. Boisguilbert, *Détail de la France* (Économistes financiers du XVIIIᵉ siècle, p. p. E. Daire, Paris, 1843, dans la « Collection des principaux économistes », p. p. Blanqui, Rossi et H. Say, t. I).

OUVRAGES A CONSULTER. Lemontey, *Histoire de la Régence et de la minorité de Louis XV, jusqu'au ministère du Cardinal de Fleury*, Paris, 1832, 2 vol., t. I. Lacretelle, *Histoire de France pendant le XVIIIᵉ siècle*, Paris, 1812, 6 vol., 3ᵉ éd., t. I. Jobez, *La France sous Louis XV*, Paris, 1864-1873, 6 vol., 3 éd., t. I. Michelet, *Histoire de France*, t. XIV. De Carné, *La Monarchie française au XVIIIᵉ siècle*, nouv. éd., Paris, 1864. Luçay (De), *Des origines du pouvoir ministériel en France. Les Secrétaires d'État depuis leur institution jusqu'à la mort de Louis XV*, Paris, 1881. Lavergne (De), *Les économistes français du XVIIIᵉ siècle* (Abbé de Saint-Pierre), Paris, 1870. Picot (M.-J.-P.), *Mémoires pour servir à l'histoire ecclésiastique pendant le XVIIIᵉ siècle*, Paris, 1853-1857, Paris, 1893, 7 vol., t. I. Rocquain. *L'esprit révolutionnaire avant la Révolution (1715-1789)*, Paris, 1878. Aubertin, *L'esprit public au XVIIIᵉ siècle*, Paris, 1873, 2ᵉ éd. Vignon (E.-J.-M.), *Études historiques sur l'administration des voies publiques en France aux XVIIᵉ et XVIIIᵉ siècles*, Paris, 1862-1880, 4 vol., t. II. Bailly (A.), *Histoire financière de la France*, Paris, 1830, 2 vol. Levasseur, *Recherches historiques sur le système de Law*, Paris, 1854. Courtois (Alph.), *Histoire des Banques en France*, Paris, 1881, 2ᵉ éd. Vuitry, *Le désordre des finances et les excès de la spéculation à la fin du règne de Louis XIV et au commencement du règne de Louis XV*, Paris, 1885. Clamageran, *Histoire de l'impôt en France*, Paris, 1866-1876, 3 vol., t. III. Houques-Fourcade, *Les Impôts sur le revenu en France au XVIIIᵉ siècle, Histoire du Dixième et du Cinquantième*, Paris, 1889. Paultre (Christian), *La « Taille tarifée » de l'Abbé de Saint-Pierre et l'Administration de la taille*, Paris, 1903, in-8°. Marion, *L'impôt sur le revenu au XVIIIᵉ siècle, principalement en Guyenne*, Paris, 1901. A. Dubois, *Précis de l'histoire des doctrines économiques*, t. I, Paris, 1903, in-8°. Baudrillart (Alf.), *Philippe V et la Cour de France*, Paris, 1890, 4 vol., t. II. Wiesener, *Le Régent, l'abbé Dubois et les Anglais, d'après les sources britanniques*, Paris, 1891, 3 vol. P. Clément, *Portraits historiques* (Le garde des Sceaux D'Argenson), Paris, 1855. Sainte-Beuve, *Nouveaux Lundis*, t. X, 1868 (Louis XV et le Maréchal de Noailles). Baudrillart (H.), *Histoire du luxe privé et public, depuis l'antiquité jusqu'à nos jours*, Paris, 1878-1881, 4 vol., t. IV.

Pape et l'Espagne. Le second a pour lui la sympathie des Jansénistes, par conséquent du Parlement, celle des Pairs, et, en général, de tous les mécontents du dernier règne, et des jeunes; il s'appuie, au dehors, sur George Ier d'Angleterre.

Le Régent[1], très intelligent, très instruit, capable de parler en connaisseur politique et finance, musique et peinture, chimie, médecine, ou mécanique, était débauché, indifférent au bien et au mal, sans ambition, sans haines, sans le « ressort » que ces sentiments inspirent, « incapable de suite dans rien », inappliqué, timide « à l'excès ». Abandonné à lui-même, il aurait sans doute subi le régime du testament; mais il était le chef d'une cabale qui ne pouvait permettre qu'il s'y résignât. Son ami, le duc de Saint-Simon, et son ancien précepteur, l'abbé Dubois, le décidèrent à agir.

CARACTÈRE DU RÉGENT.

Le 2 septembre 1715, le Parlement, « garni des Pairs », s'assembla. Le testament fut ouvert et lu. Le duc d'Orléans, d'une voix basse, hésitante et troublée, déclara ne pouvoir gouverner avec un Conseil de Régence qu'il n'aurait pas choisi. Le duc du Maine, qui avait plus peur encore que le Régent, soutint qu'il ne pouvait prendre la charge de l'éducation du Roi s'il n'avait le commandement de la Maison. Ils en vinrent à se quereller sur le degré de confiance que leur aurait témoignée le feu roi; ils furent à ce point ridicules qu'on les pria de sortir pour aller continuer leur dispute dans une chambre voisine. Quand le duc d'Orléans rentra, il avait pris de l'assurance. Il dit n'avoir pu s'entendre avec son adversaire, promit au Parlement de lui rendre le droit de remontrances, et annonça l'établissement d'un gouvernement où des conseils particuliers prendraient la place des secrétaires d'État. On l'applaudit; le Premier Président recueillit les opinions; un arrêt déclara le duc d'Orléans Régent de France, avec le droit de constituer à son gré le Conseil de Régence et les Conseils qu'il jugerait nécessaires, d'accorder à qui bon lui semblerait charges, emplois, bénéfices et grâces. Le duc du Maine serait surintendant de l'éducation du Roi; mais le Régent aurait le commandement de la Maison militaire.

SÉANCE DU 2 SEPTEMBRE 1715 AU PARLEMENT.

Le 12 septembre, le petit Roi, — il avait cinq ans, — alla tenir un lit de justice. Pour que la décision du 2 septembre fût valable, il fallait en effet que Louis XV la validât. Il s'assit, ayant à ses pieds le duc de Tresmes, à sa droite le duc de Villeroy, son gouverneur, et à sa gauche sa gouvernante, Mme de Ventadour, assis sur des tabourets, au bas des degrés du trône; deux massiers et six hérauts s'agenouillèrent. Le chancelier Voysin parla de l'accablement où la

SÉANCE DU 12 SEPTEMBRE. ABOLITION DU TESTAMENT.

1. Voir *Histoire de France*, t. VIII, 1, p. 444.

mort de Louis XIV avait jeté tout le monde; il loua les vertus de Louis XV et l'esprit sublime du Régent. Le Premier Président, qui avait intrigué pour le duc du Maine, proclama le Régent « l'ange tutélaire de l'État »; les gens du Roi prirent leurs conclusions, et l'annulation du testament fut définitivement prononcée.

II. — L'ORGANISATION DES CONSEILS (1715)

DÉCLARATIONS DU 15 SEPTEMBRE 1715.

DES déclarations du 15 septembre annoncèrent une sorte de révolution dans le gouvernement : en conséquence de la promesse faite dans la séance du 2 septembre, les Cours souveraines recouvrèrent le droit de remontrances; le Chancelier, le Contrôleur Général et les secrétaires d'État furent remplacés par des Conseils.

Le Contrôleur Général Desmaretz fut mis à l'écart sans compensation. Le chancelier Voysin qui avait, par avance, révélé au Régent la teneur du testament, fut pourvu d'une place au Conseil de Régence. Quant aux secrétaires d'État, propriétaires de leurs charges, ils demeurèrent nécessairement en possession de leur titre de propriété. On aurait pu rembourser leurs « brevets de retenue », par lesquels le Roi avait fixé les sommes qu'auraient à leur payer leurs successeurs; mais on ne remboursa que le brevet du secrétaire d'État des affaires étrangères, Torcy, à qui on versa 800 000 livres. Le secrétaire d'État chargé des affaires de la religion prétendue réformée, La Vrillière, le secrétaire d'État de la Maison du Roi et de la Marine, Pontchartrain, le secrétaire d'État de la guerre, qui était le Chancelier Voysin, firent donc de leur titre sans fonction ce qu'ils voulurent. La Vrillière le conserva; Pontchartrain le passa à son fils, Maurepas, alors âgé de quatorze ans; Voysin le céda pour 400 000 livres au conseiller d'État d'Armenonville. Les détenteurs de titres de secrétaires d'État espéraient voir un jour avorter le nouveau régime, et remettre alors en vie ce que Saint-Simon appelle « la carcasse inanimée » de leurs charges.

L'ANGLOMANIE.

Rien n'était plus opposé à l'esprit du gouvernement de Louis XIV que le régime des conseils. On voulait en effet faire du nouveau, faire le contraire. On était las du régime d'autorité, qui avait été cause de tant de misères. Mais que mettre à la place? L'opposition avait fait bien des projets, et même bien des rêves, dans les dernières années de Louis XIV. Les Français enviaient au peuple anglais ses libertés politiques : « C'est chose inconcevable, écrivait de Paris Lord Stairs, l'ambassadeur d'Angleterre, combien ils détestent ici leur condition, et raffolent de la nôtre ». Mais personne n'avait la conception précise de ce que pourrait être chez nous une représentation nationale. Les États généraux, comme toutes les anciennes institutions de la France, étaient bien oubliés. Les problèmes de l'organisation politique n'avaient pas encore été discutés dans le public ; rien n'était prêt pour une grande réforme.

Ce qu'on va essayer, c'est d'appliquer des idées écloses dans l'entourage du duc de Bourgogne, et dont Saint-Simon a été un des principaux inspirateurs : briser les secrétaires d'État, ces « marteaux de l'État », qui avaient mis « la noblesse en poudre », appeler la haute noblesse à participer au gouvernement par le moyen de conseils dont le personnel serait aristocratique. Chose singulière; ce régime ressemblait fort à celui de l'Espagne, où il avait produit de si mauvais effets. Il ne convenait guère à la France, et l'ambassadeur d'Espagne à Paris, Cellamare, vit tout de suite qu'il n'y réussirait pas. « Les Français, dit-il, ont habillé leur gouvernement à l'espagnole; mais la golille[1] leur ira aussi mal que la cravate nous allait mal à nous-mêmes au début. »

L'IMITATION DE L'ESPAGNE

Les Conseils institués en vertu de la Déclaration du 15 septembre furent au nombre de sept.

Le « Conseil général de Régence », présidé par le Régent, a « pour objet toute l'étendue du gouvernement ». Devant lui sont portées « les matières qui auront été réglées » dans les autres Conseils, appelés « particuliers », afin qu'il puisse concilier « les vues différentes ».

ATTRIBUTIONS DES CONSEILS.

Le « Conseil des Affaires du dedans du royaume », connaît des affaires administratives et contentieuses des pays d'élections.

Le « Conseil de Conscience » est chargé des règlements sur la discipline ecclésiastique, veille au maintien des droits de la Couronne, confère les bénéfices, prononce sur les disputes théologiques soulevées dans les universités, sur les élections aux bénéfices soumises à l'approbation du Roi; il surveille les communautés séculières et régulières.

Le « Conseil de Guerre » délivre leurs pouvoirs et leurs « provisions » aux maréchaux de France, lieutenants généraux, brigadiers, gouverneurs, lieutenants du Roi; il dresse l'état des officiers à placer et à remplacer, contrôle les marchés de vivres et de fourrages, et les transports, les approvisionnements d'armes et l'habillement; il a la comptabilité de la guerre, pourvoit à la solde, aux envois de fonds, et règle tous les comptes des fortifications.

Le « Conseil de Marine » a la direction des travaux d'établis-

---

1. La Golille était une espèce de collet empesé que portaient les Espagnols, une partie caractéristique de leur costume.

sement, d'agrandissement, de défense et d'entretien des ports, des havres, rades et arsenaux maritimes. Il pourvoit à la sûreté des côtes et des navires de commerce, protège les négociants et assure le maintien de leurs privilèges. Il protège les Lieux saints, procède au rachat et aux échanges d'esclaves, délibère sur la marine du Levant et du Ponant, sur les galères, les consulats et les colonies.

Le « Conseil de Finance » traite des brevets de la taille, de toutes les impositions ou décharges d'impositions, et il examine les baux des fermes.

Le « Conseil des Affaires étrangères » dirige la diplomatie.

En outre, un « Conseil de Commerce », institué le dernier, par une Déclaration du 14 décembre 1715, a pour attributions « tout ce qui concerne le commerce intérieur et extérieur et les manufactures du royaume ».

PERSONNEL
DU CONSEIL
DE RÉGENCE,

Le duc d'Orléans fit entrer au Conseil de Régence le duc de Bourbon, bien que le testament l'en écartât comme trop jeune; puis « plusieurs personnages que leur état, dit Saint-Simon, ne permettait pas d'en exclure », le duc du Maine, le comte de Toulouse, le maréchal de Villeroy, le maréchal d'Harcourt. Il y appela, comme on a dit, le chancelier Voysin, Torcy, dont il jugeait ne pouvoir se passer. Il crut qu'il y avait intérêt pour lui, et sans doute pour l'État, à garder dans le régime nouveau des hommes qui, comme Torcy, savaient les affaires. Il leur adjoignit son ami personnel, Saint-Simon, le maréchal de Besons, et un ancien évêque de Troyes, Chavigny. La Vrillière et Pontchartrain assistèrent aux séances du Conseil, comme secrétaires, sans voix délibérative.

Sauf Desmaretz, tous les derniers ministres de Louis XIV faisaient partie du Conseil général de Régence.

DES AUTRES
CONSEILS.

Les autres Conseils devant comprendre chacun dix membres, le Régent put satisfaire nombre de convoitises. Il donna la présidence du Conseil du dedans au duc d'Antin, celle du Conseil des affaires étrangères au maréchal d'Huxelles, celle du Conseil de guerre au maréchal de Villars, celle du Conseil de marine au comte de Toulouse, celle du Conseil de finance au duc de Noailles. Il fit du cardinal de Noailles, oncle du duc, le chef du Conseil de conscience, ce qui était provoquer une réaction contre l'ancienne politique religieuse; car Noailles était l'homme des Jansénistes, si durement traités sous le dernier règne [1]. Des Jansénistes marquants, l'abbé Pucelle, l'abbé Dorsanne, entrèrent au Conseil de conscience. Le

1. Voir *Histoire de France*, t. VIII, 1, pp. 324 et suiv.

Régent ouvrit le Conseil de guerre au duc de Guiche, aux marquis de Biron, de Lévis, de Puységur et de Joffreville, et celui de marine aux marquis de Coëtlogon et d'O.

Partout à côté des gens d'épée, il mit des gens de robe : dans les Conseils de guerre et de marine, les intendants Le Blanc, Saint-Contest, Bonrepos, Vauvré; dans le Conseil de finance, les conseillers d'État Rouillé du Coudray et Le Pelletier des Forts, les maîtres des requêtes Gilbert des Voisins et d'Ormesson, le président aux enquêtes Dodun. *GENS DE ROBE.*

Voilà donc en présence les deux noblesses, la noblesse de robe et la noblesse d'épée, et aussi le régime ancien que représentent les ci-devant ministres, les secrétaires d'État, les intendants, et le régime nouveau que représentent les grands seigneurs. L'antagonisme était certain. Les gens de robe, qui savaient leur valeur et la médiocrité de leurs nobles collègues, n'entendirent pas se laisser primer par eux. Ils contestèrent la préséance à qui n'était pas au moins prince ou duc. Ils refusèrent de « rapporter » debout, au Conseil de Régence, à moins que tous les non princes ou non ducs ne se tinssent aussi debout. Le Régent dut chercher des échappatoires pour ne pas avoir à se prononcer sur leurs prétentions.

III. — L'ŒUVRE DES CONSEILS, LE CONSEIL DE FINANCE ET LE DUC DE NOAILLES (1715-1718).

L'ŒUVRE des Conseils n'est pas sans intérêt. Le Conseil du dedans a organisé le corps des Ponts et Chaussées, qui a rendu de si grands services au XVIIIᵉ siècle. Il l'a composé de vingt et un ingénieurs, qu'il a placés sous l'autorité de trois inspecteurs, d'un inspecteur général premier ingénieur, et d'un Directeur Général, le marquis de Beringhen. Le Directeur centralisait la correspondance des ingénieurs et des intendants, faisait dresser les devis de travaux, les états de dépenses, visait les certificats de réception de travaux. On a vu au volume précédent l'état des routes et des ponts[1]. Leur délabrement venait de l'insuffisance d'ingénieurs et du manque d'argent. Les ponts construits au moyen âge tombaient en ruines. En 1714 s'écroule celui de Charenton, en 1716 ceux de Blois et de Saumur, en 1719 celui de Pirmil, à Nantes. Le Corps des Ponts et Chaussées relèvera le pont de Blois, le pont de Pirmil, restaurera les ponts de Charenton, de Château-Thierry, de Toulouse, construira le pont du *LE CONSEIL DU DEDANS. LES PONTS ET CHAUSSÉES.*

1. Voir *Histoire de France*, t. VIII, 1, p. 250.

Rhône, à Lyon; il dirigera les premiers essais d'une route de Clermont-Ferrand à Montpellier, rectifiera la route de Bordeaux à Bayonne, élargira le canal de Briare.

CONSEIL
DE CONSCIENCE.

Le Conseil de conscience fut celui qui attira le plus l'attention du public.

AGITATION
JANSÉNISTE.

Les Jansénistes, qui avaient soutenu le duc d'Orléans contre le duc du Maine par haine des Ultramontains, avaient applaudi au choix fait du Cardinal de Noailles pour présider ce Conseil. Ils entreprirent de l'entraîner plus loin qu'il n'aurait voulu aller. Le Cardinal envoya à Rome deux agents pour négocier une entente; mais la Faculté de Théologie de Paris ouvrit les hostilités en déclarant la Bulle *Unigenitus* « enregistrée, mais non acceptée »[1]. Les évêques opposants de Mirepoix, de Sens, de Montpellier et de Boulogne soutinrent qu'elle renversait les fondements de la morale chrétienne, et ils expédièrent au Pape un huissier du Châtelet qui, au Vatican même, et « parlant à sa personne », lui remit un appel contre la Bulle signé devant notaires (1717). Des chanoines, des curés, des religieuses en appelèrent aux Parlements des excommunications que leurs évêques avaient prononcées contre eux. Les magistrats bretons donnèrent le signal de la guerre contre les Jésuites, en leur ordonnant de faire la déclaration de leurs biens. Des brochures excitaient les Jansénistes à se confédérer. Le Conseil de conscience était saisi d'une requête où l'on demandait la reconstruction de Port-Royal aux dépens des Jésuites; Noailles retirait à la Compagnie le droit de prêcher, de confesser, même de faire des catéchismes, et l'on chantait dans Paris :

> La grâce efficace a pris le dessus,
> Les enfants d'Ignace ne confessent plus :
> Ils sont chus dans la rivière,
> Laire lanla,
> Ils sont chus dans la rivière :
> Ha! qu'ils sont bien là!
> Laire lanla.

Fatigué de tant de bruit, le Régent, par une déclaration du 7 octobre 1717, fit injonction aux Parlements de poursuivre et de punir les auteurs de «livres, libelles, ou mémoires». A ce moment, le cardinal de Noailles, dont la négociation avec le Saint-Siège n'avait pas réussi, se retira du Conseil de conscience, et publia un appel de la Constitution, que, sans oser d'abord le rendre public, il avait consigné sur les registres de son secrétariat. Aussitôt « appelèrent », comme lui, le chapitre de Notre-Dame, presque tous les curés de

1. Voir *Histoire de France*, t. VIII, pp. 328, 329 et 331.

Paris et du diocèse, des communautés séculières et régulières, et une foule d'ecclésiastiques, dont les noms furent proclamés, dit Saint-Simon, avec le bruit et le fracas que l'on peut « se représenter ».

Pendant que se rallumait ainsi la querelle janséniste, le Conseil *LES PROTESTANTS.* de Conscience continuait les rigueurs contre les protestants. Les défenses de vendre leurs biens leur furent renouvelées. Dans les environs de Montauban et à Anduze, des dragons surprirent des assemblées où l'on chantait des psaumes, opérèrent de nombreuses arrestations, et les magistrats condamnèrent les délinquants soit aux galères, soit à la détention perpétuelle. Cependant Noailles avait eu quelques velléités libérales envers les protestants; peut-être avait-il un instant songé à revenir sur la révocation de l'édit de Nantes. Il a du moins indiqué cette idée dans un rapport du 17 juin 1717.

Le Conseil de finance se trouva aux prises avec les plus terri- *SITUATION* bles difficultés. A la mort de Louis XIV, il y avait en tout et pour tout *FINANCIÈRE* sept à huit cent mille livres dans la caisse des Fermes générales, pour *EN 1715.* acquitter les arrérages du passé, et fournir, à l'Hôtel de Ville, des payements de quarante mille écus par jour. Les revenus de l'exercice étant évalués à cent soixante-cinq millions, et diverses dépenses spéciales ou des remises d'impôts en absorbant quatre-vingt-seize, le Trésor ne disposait que de soixante-neuf millions pour faire face à une dépense générale de cent quarante-sept millions, ce qui détermi-nait un déficit de soixante-dix-huit millions. Pour comble de misère, des soixante-neuf millions qui restaient à encaisser, cinq seulement étaient libres; le reste était absorbé par des anticipations. Sur les revenus de 1716, huit ou dix millions seulement paraissaient disponibles; presque la moitié des revenus de 1717 était aussi dépensée. Pour vivre, le gouvernement se trouvait réduit à emprunter quelques millions à des financiers.

Au total, le Conseil de Finance devait faire face aux charges *LA DETTE.* suivantes :

Billets de toute espèce, énumérés dans la
Déclaration du 1er avril 1716................ 596 696 959 livres.

Sommes dépensées par anticipation...... 137 222 259   —

Sommes dues aux fournisseurs de la Cour,
aux pensionnaires de l'État, aux créanciers du
munitionnaire Fargès dont les fournitures
n'avaient pas été payées, etc................ 185 000 000   —

Rentes constituées (86 009 310 l.), corres-
pondant à un capital d'environ.............. 2 000 000 000   —

Gages des offices, et augmentations de gages
correspondant à un capital de............... 542 063 078   —

C'était quelque chose comme trois milliards et demi de livres de dettes, soit plus de 10 milliards de notre temps.

Le duc de Saint-Simon conseilla de déclarer le Roi quitte des dettes, c'est-à-dire de faire simplement banqueroute. Les créanciers du Roi, disait-il, sont des financiers, des roturiers enrichis, et la plus grande partie des trois Ordres doit préférer la banqueroute à une augmentation des impôts. Toute l'histoire antérieure explique que Saint-Simon ait pu avoir cette idée. Ceux qui la repoussèrent la considéraient plutôt comme dangereuse que comme déshonnête, et les banqueroutes partielles, décidées bientôt par le Conseil de finance, équivalurent à peu près à une banqueroute générale.

Le chef nominal du Conseil était le maréchal de Villeroy; le président effectif, et le principal inspirateur, le duc de Noailles. L'inexpérience de ses collègues et aussi l'expérience consommée de Rouillé du Coudray, son conseiller de tous les jours, firent de lui le principal financier de la Régence.

Très ambitieux, Noailles avait épousé par calcul une nièce de Mme de Maintenon. Spirituel et beau diseur, il « ensorcela » d'abord tout le monde; mais, s'il y eut quelques bonnes parties dans son administration, il ne fit guère que manœuvrer la vieille machine et couvrir de formes nouvelles les pratiques anciennes.

La première opération du Conseil de finance fut la revision des effets royaux, laissés dans la circulation par le dernier gouvernement, parmi lesquels les billets de l'Extraordinaire des Guerres, de la Marine et de l'Artillerie, donnés au pair par les trésoriers et les payeurs chargés de la dépense, ou escomptés à perte, par ordre du Roi, dans les besoins les plus urgents. On savait que beaucoup faisaient double emploi; il fallait donc déterminer avec certitude la nature de chacun d'eux, en même temps qu'établir la somme totale à laquelle ils s'élevaient. Le Conseil, le 7 décembre 1715, confia l'opération de la vérification, le *Visa*, comme on disait, à quelques-uns de ses membres et à des maîtres des requêtes. Les assignations de toute nature et les ordonnances sur le Trésor antérieures au 1er septembre durent être apportées dans le délai d'un mois devant ces commissaires. Il serait pourvu à la liquidation ou réduction de ces effets, et procédé à leur conversion en d'autres, qui prendraient le nom de billets d'État et porteraient intérêt à 4 p. 100.

Avant l'opération du Visa, il circulait cinq cent quatre-vingt-seize millions d'effets royaux; après, ils furent représentés par cent quatre-vingt-dix millions de billets d'État. Les porteurs ainsi réduits n'eurent même pas la consolation de posséder une valeur sûre, car le remboursement ne leur étant que promis, et non assuré, les billets baissèrent de 40 p. 100. Ce fut une première banqueroute partielle. Il est vrai qu'elle ne dut pas être très sensible, vu l'énorme dépréciation que subissaient déjà auparavant les billets d'État.

Une autre manière de banqueroute fut la suppression de tous les offices, dont le prix n'avait été versé par les détenteurs que partiellement : offices de courtiers, chargeurs, botteleurs de foin, mesureurs de grains et de farines, gourmets sur les vins, planchéieurs, contrôleurs de porcs, inspecteurs de veaux, inspecteurs et langueyeurs de porcs, aulneurs de toiles, etc. Louis XIV en avait vendu pour soixante-dix-sept millions à deux mille quatre cent soixante et une personnes, qui se trouvèrent ainsi en partie dépouillées. Le public applaudit à la déconvenue des vaniteux qui s'étaient crus officiers et cessaient de l'être, et il ne s'inquiéta pas du manquement aux engagements pris par le Roi. *SUPPRESSIONS D'OFFICES.*

Sept intendants de finance et six intendants de commerce furent supprimés, et l'on réduisit arbitrairement les gages des offices créés depuis 1689, bien que la jouissance en eût été vendue à prix d'argent et qu'il n'appartînt pas à l'une des parties contractantes de changer à son gré les conventions[1].

L'opération la plus grave du Conseil de finance fut la création d'une Chambre de justice : opération traditionnelle, agréable à la noblesse et à la magistrature, toutes deux ennemies de la finance et du faste des « publicains ». *CHAMBRE DE JUSTICE (1716).*

La Chambre de justice s'installa aux Grands-Augustins, le 14 mars 1716. Elle était composée de deux présidents à mortier, MM. de Lamoignon et Portail, d'un procureur général à la Chambre des Comptes, M. Fourqueux, de six maîtres des requêtes, dix conseillers au Parlement, huit maîtres des comptes et quatre conseillers à la Cour des Aides. Elle procéda de la façon la plus expéditive. Elle dressa l'état de tous ceux qui, depuis vingt-cinq ans, avaient eu quelque intérêt dans les emprunts, les fournitures, les fermes et les taxes; elle les convoqua, à l'effet de déclarer la valeur de leurs biens meubles et immeubles, édictant les peines les plus sévères contre les déclarations fausses ou seulement inexactes, et offrant des primes aux dénonciateurs; elle prononça la confiscation des deux septièmes

---

1. Au même moment fut prise une louable mesure. L'usage des écritures en partie double, introduit en France par les Italiens, depuis longtemps adopté par le commerce et pratiqué avec Colbert dans la comptabilité du Trésor, fut appliqué à la gestion des fonds publics, dans tous les pays d'élections. Les receveurs généraux et les receveurs des tailles furent astreints à envoyer tous les quinze jours au Conseil des finances la copie de leur livre-journal; ce qui donnait le moyen de prévenir les détournements de fonds et la fraude dans la comptabilité.

environ des biens déclarés; elle usa de la torture, condamna au carcan, à la prison, même à mort.

Devant la Chambre les délateurs pullulent. Samuel Bernard n'échappe aux poursuites que sur l'intervention du Régent; on dénonce et on poursuit le financier Bourvalais; on incarcère les notaires qui reçoivent en dépôt l'argent des financiers et refusent de dénoncer leurs clients; on poursuit quiconque achète quelque chose aux traitants. Il y a des gens qui, pris de panique, se suicident ou essayent de se suicider. Au mois d'avril 1716, un homme d'affaires du Marais, s'ouvre le ventre parce qu'il est cité à la Chambre de justice; en septembre, le traitant Gruet, condamné à être exposé au pilori, cherche à se pendre dans sa prison; en octobre, un abbé de Brancaccio, qui a trente mille livres de rentes et craint qu'on ne lui demande d'où vient sa fortune, se jette à la Seine; en octobre encore, le receveur des francs-fiefs d'Orléans, ayant reçu ordre de l'intendant d'avoir à rendre ses comptes à la Chambre, se noye dans un puits.

La Chambre de justice condamna quatre mille quatre cent dix particuliers à restituer 219 478 391 livres; mais, suivant la tradition encore, beaucoup obtinrent par faveur des réductions, et l'État ne recouvra pas même une centaine de millions. Un partisan, taxé à douze cent mille livres, reçut d'un grand seigneur l'offre de le tirer d'affaire moyennant trois cent mille : « Vous venez trop tard, Monsieur le Comte, répondit-il, je viens de faire marché avec Mme la Comtesse pour cent cinquante mille ».

L'opinion publique s'indigna de ces scandales et revira. On plaignit Paparel, trésorier de la gendarmerie, condamné à la détention perpétuelle, et son fils réduit à la misère, tandis qu'un capitaine des gardes du Régent, le marquis de La Fare, enrichi de leurs dépouilles, menait grande vie avec des filles d'Opéra; on plaignit le faussaire Le Normand, que son geôlier, pour quelques sous, laissait souffleter par tout venant; on flétrit la Parabère, maîtresse du Régent, qui spéculait sur les arrêts des juges; on se révolta à l'idée que des agents subalternes des finances fussent pendus en Limousin pour dilapidation, tandis que de plus haut placés se tiraient d'affaire avec de l'argent. La Chambre des Comptes de Paris, les Parlements de Grenoble, de Dijon, d'Aix et de Toulouse s'associèrent aux protestations du public. Puis, les industries de luxe, alimentées par le luxe des traitants, se plaignirent. Noailles, effrayé, fit rendre une ordonnance qui supprima la Chambre de justice en mars 1717.

Conformément à la tradition, toujours, le Conseil de finance s'en était pris aux rentes, au moins à celles qui étaient constituées sur les recettes générales. Comme, en 1713, les rentes sur l'Hôtel de Ville avaient été réduites du denier vingt au denier vingt-cinq, c'est-à-dire converties de 5 à 4 p. 100, le Gouvernement fit observer aux possesseurs de rentes constituées sur les recettes générales qu'ils devaient bien s'attendre à une réduction, le taux de leurs rentes au denier douze étant désormais excessif, et il les réduisit au denier vingt-cinq. En outre, les rentes acquises depuis 1702 autrement qu'en espèces subirent une réduction sur le capital, réduction qui alla jusqu'à la moitié pour celles qui avaient été acquises entièrement en papier. Le bénéfice total pour l'État fut de vingt-quatre millions et demi sur le capital, et de plus de trois millions sur les arrérages.

Noailles hésita, paraît-il, quelque temps à pratiquer la refonte des monnaies, mais il y fut contraint par la nécessité. Le 13 août 1715, Louis XIV avait promis de laisser les monnaies sur un pied fixe et immuable; et, le 12 octobre suivant, le Régent avait renouvelé cet engagement. Or, en décembre, un édit annonça une refonte nouvelle. Les particuliers durent porter louis et écus aux hôtels des monnaies; les louis, qui valaient quatorze livres, furent reçus pour seize, et les écus de trois livres et demie pour quatre. L'État devait frapper des louis et des écus nouveaux, du même poids, dont il fixait la valeur à vingt et à cinq livres. Le numéraire français s'élevant à un milliard ou douze cents millions, le Conseil se promettait un bénéfice considérable. Mais le public ne porta à la refonte que le tiers des espèces, et le Trésor gagna tout au plus 90 millions. Puis les faux-monnayeurs redoublèrent d'activité, et le commerce, troublé de toutes façons, perdit dix fois plus que ne gagna le Trésor.

REFONTE DES MONNAIES.

Noailles fit au moins un effort pour substituer la taille proportionnelle à la taille arbitraire dont Boisguilbert et Vauban avaient montré tous les vices. Il invita le public à donner son opinion sur la réforme, et il établit une commission, un « Bureau de rêverie », — comme on l'appela, — pour examiner les mémoires qui proposeraient les moyens de « diminuer les charges de l'État, de faciliter le commerce, de procurer le soulagement du peuple et l'avantage du royaume ». Il vint des mémoires du comte de Boulainvilliers, de l'abbé de Saint-Pierre, d'un ancien officier de marine du nom de Renaut et de beaucoup d'autres. La plupart reprenaient les idées de Boisguilbert et de Vauban, et tous concluaient à l'établissement d'une imposition proportionnelle sur le revenu.

LE « BUREAU DE RÊVERIE ».

Un essai d'imposition proportionnelle fut fait à Lisieux, en vertu d'un arrêt du Conseil du 27 décembre 1717; il réussit très bien. Un autre eut même succès à Evreux, en 1718. Pour asseoir l'imposition on établit cette règle que chaque métier ou profession payerait une somme déterminée, que cette somme serait répartie entre les

ESSAI D'IMPOSITION PROPOR- TIONNELLE.

taillables exerçant le métier ou la profession, que chaque individu serait taxé, soit en raison de ses produits, soit en raison du nombre de ses employés. Dans la généralité de Paris, l'imposition échoua ; les paysans résistèrent parce qu'on ne se contenta pas de les imposer pour leur culture ; on voulut les taxer pour le métier que beaucoup d'entre eux y ajoutaient. Le Conseil ne jugea pas utile de faire une application générale de l'imposition proportionnelle, et se désintéressa des villes où elle avait réussi. Mais, dans la généralité de La Rochelle il expérimenta un autre système qui rappelait la Dîme royale : par arrêt du 20 juin 1718 il fit lever une dîme en nature sur les produits de la terre, et une redevance en argent sur les bénéfices tirés du bétail et du métier. Les évaluations des produits et des bénéfices provoquèrent de telles protestations que la réforme fut abandonnée.

SUPPRESSION DU DIXIÈME.   Louis XIV avait promis de supprimer le Dixième. Pour être conséquent avec la doctrine de la proportionnalité des charges, on aurait dû le maintenir. On appréhenda de mécontenter les nobles, et un édit du 17 août 1717 déclara le dixième supprimé à partir de janvier 1718. En somme, le Conseil de finance n'avait rien réformé ; il avait pratiqué les banqueroutes partielles. Par une économie rigoureuse, des diminutions de pensions et des suppressions d'offices, Noailles avait un peu relevé les finances. La dette consolidée, pour 73 millions de rente annuelle, était encore de 1 825 millions, la dette flottante de 343 millions. En persistant dans le programme d'économies du duc de Noailles, on pouvait entrevoir le temps où l'État sortirait de ses embarras. Mais cette politique prudente et à lointaine échéance n'était faite pour plaire ni au Régent, ni à l'opinion.

IV. — L'ABAISSEMENT DU PARLEMENT DE PARIS (1718).

PEUT-ÊTRE les Conseils auraient-ils disparu plus tôt, si le Parlement de Paris ne leur avait pas fait une opposition que ne voulurent tolérer ni le Régent, ni les deux hommes qui s'apprêtaient à recueillir la succession de ces Conseils, Dubois et Law.

RESSOUVENIRS DE LA FRONDE.   Au Parlement, après le long silence que lui avait imposé Louis XIV, le Régent avait rendu la parole par une promesse faite dans la séance du 2 septembre 1715, et par la déclaration du 15 du même mois. Le Parlement n'avait rien oublié de ses droits ni de ses prétentions. Justement parurent alors les Mémoires de Mme de Motteville et ceux du cardinal de Retz qui ravivèrent le souvenir de la dernière Régence, où le Parlement avait, un moment, tenu tête au Roi. Ces Mémoires « tournèrent toutes les têtes ». On voulut y reconnaître les contemporains. De l'étranger Law on fit un Mazarin, un Broussel du Premier Président, un Beaufort du duc de Villeroy, et, du parti du duc du Maine, une Fronde nouvelle ; enfin la faiblesse du Régent rappelait celle d'Anne d'Autriche.

En septembre 1717, le Parlement fit des remontrances sur divers édits bursaux et, sur la proposition du président Lambert, par cent vingt-cinq voix contre cinquante, il décida de demander communication des états de revenus et dépenses du Roi depuis l'ouverture de la Régence. Le Régent commença par se fâcher ; mais bientôt il entra en pourparlers avec les magistrats, et appela au Palais-Royal les commissaires qu'ils avaient nommés pour vérifier les édits.

REMONTRANCES DU PARLEMENT.

Les commissaires s'assirent autour d'une grande table où présidait le Régent ayant à sa droite le Chancelier, à sa gauche le Premier Président. Le duc de Noailles était là avec ses registres. Le Régent s'exprima « avec beaucoup de grâce et de politesse », promettant de donner à ces Messieurs « tant d'éclaircissements qu'ils voudraient » ; l'on ne pouvait, ajoutait-il, juger sainement ses édits sans connaître la situation laissée par le défunt Roi. Puis Noailles exposa l'état des dettes, et prouva, pièces en main, qu'il était forcé de « grappiller » de tous côtés. A la fin ce fut, entre le Régent et les Parlementaires, comme un « combat d'honnêtetés et de civilités ». A vrai dire, le Parlement avait gain de cause, puisqu'on lui donnait communication des affaires d'État.

PARLEMENTAIRES AU PALAIS-ROYAL.

Pour se débarrasser de cette opposition et de ce contrôle, le Régent voulut mettre à la tête de la magistrature un homme capable de la dompter. D'Aguesseau, chancelier depuis la mort de Voysin (1717), homme d'esprit, cultivé, pieux, paisible, n'était pas propre à cette besogne. En janvier 1718, on lui enleva les Sceaux pour les remettre au lieutenant de police, d'Argenson.

LE GARDE DES SCEAUX D'ARGENSON. LE CHANCELIER D'AGUESSEAU.

D'Argenson [1] avait fait de la lieutenance de police une sorte de ministère [2], et, de la police, « une inquisition transcendante », dit Saint-Simon, qui donne de lui ce portrait :

« Avec une figure effrayante, qui retraçait celle des trois juges des enfers, il s'égayait de tout avec supériorité d'esprit et avait mis un tel ordre dans cette

---

1. Argenson (Marc-René, marquis d'), né en 1652, mort en 1721, laissa deux fils : — René-Louis, marquis d'Argenson, né le 18 octobre 1694, mort le 26 janvier 1757, devait être intendant du Hainaut (1720) et secrétaire d'État des Affaires étrangères (1744-1747) ; — Marc-Pierre, comte d'Argenson, né le 16 août 1696, mort le 22 août 1764, devait être lieutenant-général de police (1720), conseiller d'État (1724), secrétaire d'État de la guerre (1742-1757) ; — de Marc-Louis d'Argenson devait naître Marc-Antoine-René, qui fut marquis de Paulmy (1722-1787).

2. Voir *Histoire de France*, t. VIII, 1, p. 160.

innombrable multitude de Paris, qu'il n'y avait nul habitant, dont, jour par jour, il ne sût la conduite et les habitudes, avec un discernement exquis pour appesantir ou alléger sa main, à chaque affaire qui se présentait, penchant toujours aux partis les plus doux, avec l'art de faire trembler les plus innocents devant lui; courageux, hardi, audacieux dans les émeutes, et, par là, maître du peuple.... »

D'Argenson s'était assuré des amitiés solides à la Cour, en cachant au feu Roi certaines aventures des fils de grande maison.

D'ARGENSON ET LE PARLEMENT.

Il avait une revanche à prendre contre le Parlement. La Chambre de justice, composée en partie de Parlementaires, avait failli le « décréter », sous prétexte de malversation; plusieurs de ses agents avaient été arrêtés. D'ailleurs, il avait le tempérament anti-parlementaire, étant « royal et fiscal », « ennemi des longueurs inutiles ». En même temps que garde des sceaux, il devint président du Conseil de finance. Noailles, en effet, dut quitter cette présidence; il subordonnait le rétablissement de l'ordre financier au maintien d'une stricte économie, tandis que l'Écossais Law, qu'on retrouvera bientôt, devenu chef d'une banque d'escompte et d'une Compagnie d'Occident, affirmait pouvoir libérer l'État de ses dettes, pourvu qu'on lui permît d'appliquer aux finances d'État les méthodes qui faisaient le succès de sa banque et de sa compagnie. Le Régent se prononça dans le sens de Law, et donna la direction des finances à d'Argenson, dont l'incompétence en cette partie était notoire, mais qui devait laisser libre carrière à Law.

REFONTE DES MONNAIES.

D'Argenson procéda à une nouvelle refonte des monnaies.

Un édit de mai 1718 prescrivit la fabrication de nouveaux louis et de nouveaux écus; les louis devaient valoir trente-six livres au lieu de dix-huit, et les écus six livres au lieu de quatre livres dix sous. L'édit ajoutait que quiconque apporterait du numéraire à l'Hôtel des Monnaies, et y joindrait, en billets d'État, une somme égale aux deux cinquièmes de son numéraire, serait remboursé du tout en nouvelles espèces.

LA GRANDE OPPOSITION DU PARLEMENT.

Le Parlement, qui se sentait menacé par d'Argenson et qui d'ailleurs détestait Law, saisit l'occasion pour prendre contre les deux l'offensive. L'édit de mai n'ayant été porté qu'à la Cour des monnaies, il s'assembla tumultuairement et nomma des commissaires qui conclurent à la convocation de toutes les cours souveraines et demandèrent que l'on consultât sur la refonte des monnaies les six corps des marchands et les principaux banquiers. La Chambre des Comptes, la Cour des Aides, la Cour des Monnaies parlaient d'aller délibérer avec le Parlement.

LE TON DES REMONTRANCES.

On peut juger du bruit qu'auraient fait ces corps réunis, par le ton des remontrances arrêtées, le 17 juin, dans le Parlement. L'édit de refonte y est qualifié de « spoliation »; les dépenses de chaque particulier vont augmenter, disent-elles, « avec le prix des denrées »; l'étranger va faire sur nous des bénéfices « immenses », car le Français, en recevant vingt-cinq livres, « valeur réelle du marc d'argent, devra rendre à un prêteur étranger soixante livres pour s'acquitter »; tout au contraire, l'étranger remboursera chez nous ses dettes « au tiers de ce qu'il aura reçu ». Trois jours après, le Parlement défendit aux particuliers d'exposer, de livrer ou de recevoir les espèces de nouvelle refonte, les déclarant illégales, puisqu'il n'avait pas enregistré l'édit de mai. Le Régent mit alors dans la bouche du Roi une   *RÉPONSE DU ROI.* sévère réponse :

« Les lois n'ont besoin que de la volonté seule du souverain pour être lois. Leur enregistrement dans les cours n'ajoute rien au pouvoir du législateur. C'est seulement un acte d'obéissance indispensable dont les cours doivent tenir et tiennent sans doute à honneur de donner l'exemple aux autres sujets. »

Mais le Parlement répliqua par des remontrances et rendit, le 12 août, un arrêt interdisant à tous étrangers de s'immiscer « directement ou indirectement » dans le « maniement et administration des deniers royaux ». Et il fit instrumenter contre Law, qui alla se réfugier au Palais-Royal.

Il fallut bien recourir au grand moyen, le lit de justice. Le   *LIT DE JUSTICE* 26 août, le Parlement fut mandé aux Tuileries, où habitait le Roi.   *DU 26 AOUT 1718.* Il y alla à pied, espérant sans doute émouvoir la foule; mais les gardes du corps, les gendarmes, les chevau-légers, les mousquetaires noirs entouraient les Tuileries.

Le lit de justice avait un double objet. Il s'agissait de casser les arrêts du Parlement sur les édits de finances, et de donner satisfaction aux requêtes des princes du sang et des pairs qui protestaient contre les prérogatives attribuées aux légitimés[1]. Un édit de juillet 1717 avait déjà dépouillé ces princes du droit de succession à la Couronne; le Régent prétendait les ramener au rang que leur assignait la date d'érection de leur pairie, et ne conserver le droit de préséance, à titre personnel et viager, qu'au comte de Toulouse, chef du Conseil de Marine, et généralement aimé.

D'Argenson présenta les édits au Parlement, qui les enregistra de l'exprès commandement de Sa Majesté. Quand les magistrats, dit Saint-Simon, virent en face d'eux leur ennemi « revêtu des ornements de la première place de la Robe » les effaçant tous, et leur faisant « leçon publique et forte », ils détournèrent leurs regards « de dessus

1. Voir *Histoire de France*, t. VIII, 1, p. 470.

cet homme qui imposait si fort à leur morgue,... rendus stupides par les siens, qu'ils ne pouvaient soutenir ». Revenus au Palais, ils hasardèrent une protestation contre tout ce qui s'était passé au lit de justice. La réponse du gouvernement fut l'arrestation d'un président et de deux conseillers qui furent envoyés aux îles Sainte-Marguerite. Le Parlement se tut pour un temps.

V. — LA RUINE DES CONSEILS (1718-1720)

CEPENDANT le travail étant sérieux et aride dans les conseils, les seigneurs commençaient à les déserter, et, les affaires traînant en longueur, les conseils devenaient impopulaires. On s'apercevait d'ailleurs qu'il fallait, dans chaque Conseil, la prédominance d'une volonté. Le président du Conseil de finance en venait à exposer seul les questions importantes; le président du Conseil des affaires étrangères prenait seul connaissance des dépêches du dehors. Peu à peu, le Régent cessa de porter devant le Conseil de Régence les délibérations sur la guerre, les finances ou la politique extérieure. Les présidents des Conseils avaient leurs jours marqués pour lui rendre compte du détail de leurs départements, et jouaient auprès de lui le rôle de ces secrétaires d'État qu'on avait prétendu supprimer. La réforme de septembre 1715 menaçait ruine. Saint-Simon défendit les Conseils auprès du Régent, lui montrant qu'à « faire et défaire » son gouvernement ne pouvait gagner « le respect et la confiance », ni des Français, ni des étrangers; mais il jugeait lui-même qu'ils étaient condamnés : celui de marine est devenu, disait-il, « fort vide et très inutile »; celui de conscience « ne peut plus subsister »; celui du dedans « ne tient qu'à un bouton »; celui de guerre est « une pétaudière ».

L'abbé Dubois fit le procès aux Conseils dans une lettre au Régent, où il donne contre eux diverses raisons :

« Je n'examine pas la théorie des Conseils. Elle fut, vous le savez, l'objet idolâtré des esprits creux de la vieille Cour. Humiliés de leur nullité dans la fin du dernier règne, ils engendrèrent ce système sur les rêveries de M. de Cambrai. Mais je songe à vous, je songe à votre intérêt. Le Roi deviendra majeur. Ne doutez pas qu'on ne l'engage à faire revivre la manière de gouverner du feu Roi, si commode, si absolue, et que les nouveaux établissemens ont fait regretter. Vous aurez l'affront de voir détruire votre ouvrage... Supprimez donc les Conseils, si vous voulez être toujours nécessaire, et hâtez-vous de remplacer de grands seigneurs, qui deviendraient vos rivaux, par de simples secrétaires d'État qui, sans crédit et sans famille, resteront forcément vos créatures » (août 1718).

Les Conseils trouvèrent un avocat auprès du public ; l'abbé de Saint-Pierre, en avril 1718, publia son *Discours sur la Polysynodie*, qui fit grand bruit ; car, pour louer le régime délibératif, il s'en prit à l'absolutisme de Louis XIV et à la tyrannie des secrétaires d'État, ces « vizirs ». Les débris de la vieille Cour, Mme de Maintenon, le maréchal de Villeroy, s'émurent. L'Académie française qui, depuis soixante ans, épuisait les formules de louanges en l'honneur de Louis XIV, s'indigna qu'un de ses membres appelât le feu roi non plus Louis le Grand, mais Louis le Puissant, et Louis le Redoutable. Le cardinal de Polignac dénonça l'abbé à la Compagnie, qui prononça contre lui l'exclusion.

Il fallait une occasion pour rétablir les secrétaires d'État. Le cardinal de Noailles la fit naître en donnant sa démission de président du Conseil de conscience le 16 septembre 1718 ; ce Conseil fut dissous ; ceux des affaires étrangères, de guerre et du dedans le furent huit jours après. L'abbé Dubois devint alors secrétaire d'État des affaires étrangères par commission, la charge de ce département demeurant supprimée. Le Blanc dirigea le ministère de la guerre par commission aussi, le titulaire de la charge étant toujours D'Armenonville. La Vrillière « releva » sa charge de secrétaire d'État de la religion prétendue réformée, Maurepas celle de secrétaire d'État de la Maison du Roi.

Le Conseil de Régence subsista jusqu'en 1723, où l'on rétablit l'ancien Conseil d'en haut. Par égard pour le comte de Toulouse, le Conseil de marine fut conservé jusqu'en mai 1723. Le Conseil de finance disparut après la chute de Law et le rétablissement définitif du contrôle général ; ou, du moins, un nouveau Conseil institué en 1722 ne fit que restaurer l'ancien Conseil du temps de Colbert. La même année, le « Bureau du commerce » remplaça le Conseil de commerce, dissous à la suite du procès intenté à son président, le duc de La Force, pour crime d'accaparement de denrées. Le Bureau du commerce fut composé de vingt-deux membres, dont huit délégués des négociants du royaume, et deux délégués de la Ferme générale.

Ainsi, l'on revint au régime de Louis XIV. L'essai de tempérer le pouvoir royal et d'associer au gouvernement des gens d'épée et des gens de robe, réunis dans des Conseils de gouvernement, n'avait pas réussi. Les causes de l'échec furent diverses et nombreuses : incapacité de beaucoup de ceux qu'on y associa ; incompatibilité d'humeur entre les deux catégories de conseillers, entre l'épée et la robe ; indifférence du public, après l'engouement des premiers jours ; médiocre bonne volonté du Régent ; opposition des hommes qui voulaient, par intérêt personnel, le rétablissement des ministères ; enfin, insuffisance d'une réforme qui ne donnait pas le régime représentatif ni ne permettait un contrôle sérieux du gouvernement. En somme, l'idée vague qu'il y avait à faire du nouveau s'était produite à la fin du règne de Louis XIV, alors qu'étaient apparues clairement, par tant de signes graves et inquiétants, les conséquences de l'absolutisme royal. A cette idée, on avait voulu donner quelque satisfaction; puis, bien vite, on l'avait abandonnée. Louis XV régnera donc sur le modèle de Louis XIV. Mais déjà le régime était condamné par beaucoup d'esprits. Pour lui rendre l'ancienne faveur, il aurait fallu que le successeur de Louis XIV fût le monarque parfait; encore cela peut-être n'aurait-il pas suffi.

CHAPITRE II

LE SYSTÈME DE LAW [1]

I. LES ANTÉCÉDENTS DE LAW. — II. LA BANQUE GÉNÉRALE (1716-1718) ET LA COMPAGNIE D'OCCIDENT (1717-1719). — III. LA BANQUE ROYALE (1718-1720), LA COMPAGNIE DES INDES ET SA FUSION AVEC LA BANQUE ROYALE (1719-1720). — IV. LES VIOLENCES DE LAW ET LA FIN DU SYSTÈME. — V. LES RÉSULTATS DU SYSTÈME. — VI. LA LIQUIDATION PAR LE VISA (1721-1722).

I. — LES ANTÉCÉDENTS DE LAW

L AW tient une place considérable dans l'histoire de la Régence. Il a remué plus d'intérêts et de passions qu'aucun de ses contemporains; il a passé successivement pour un bienfaiteur de l'humanité et pour un ennemi public.

LAW (1671-1729)

Fils d'un orfèvre d'Édimbourg, que les opérations de change et d'escompte avaient enrichi, il se disait, par sa mère, allié à la maison ducale d'Argyle. Il avait reçu une éducation distinguée et, tout jeune, montré des aptitudes singulières pour les choses de finances. Il était « plus beau », dit Michelet, « qu'il n'est séant à un homme de l'être »,

SES ORIGINES.

1. SOURCES. Isambert, Buvat, Saint-Simon, Law, déjà cités.
Du Hautchamp, *Histoire du système des Finances sous la minorité de Louis XV, pendant les années 1719 et 1720*, La Haye, 1739, 6 vol. Du même : *Histoire générale et particulière du Visa*, La Haye, 1743, 4 vol. in-12. Barbier (Avocat), *Chronique de la Régence et du règne de Louis XV ou Journal*, Paris, 1857, 8 vol., et édit. p. p. de La Villegille dans la Soc. de l'hist. de France, 1849-1856, 4 vol. Duclos, *OEuvres complètes*, Paris, 1821, 3 vol., t. III (*Mémoires secrets sur le règne de Louis XIV, la Régence et le règne de Louis XV*). Moufle d'Angerville, *Vie privée de Louis XV*, Londres, 1788, 4 vol., t. I.
OUVRAGES A CONSULTER. Lemontey, Lacretelle, Jobez, Michelet, Bailly, Clamageran, Courtois, Vuitry, et surtout Levasseur, déjà cités.
Cochut, *Law, son système et son époque (1716-1720)*, Paris, 1853. Thiers (Ad.), *Histoire de Law et de son système*, Paris, 1858 (art. de l' « Encyclopédie progressive », 1826). Clément, *Portraits historiques* (Jean Law), déjà cité. Daire, *Notice historique* (Economistes du XVIIIe siècle). Janzé (Mme de), *Les financiers d'autrefois*, Paris, 1886. Du Fresne de Francheville, *Histoire de la compagnie des Indes* (t. III de l'*Histoire générale et particulière des finances*, 1738-1740, 3 vol.). Bonnassieux, *Les grandes compagnies de commerce*, Paris, 1892. Weber (Henry), *La compagnie française des Indes*, Paris, 1905. Sainte-Beuve, *Nouveaux Lundis*, t. IX (Journal de Mathieu Marais).

grand, bien fait, le front haut, le regard très doux, la bouche souriante, la parole séductrice.

A Londres, où il se rendit à la mort de son père, en 1691, il mena la vie de fêtes, eut des intrigues amoureuses, dissipa son bien, tua un homme en duel, fut arrêté, condamné à mort, gracié, ressaisi sur les instances des parents de sa victime, et mis à la Tour d'où il s'évada pour gagner la Hollande en 1695.

Il s'était sans doute intéressé aux débuts de la banque d'Angleterre, qui fut créée à Londres en 1694, tandis qu'il y séjournait. A Amsterdam, il étudia à fond la fameuse banque, vieille d'un siècle déjà, et dont le mécanisme était cependant encore à peu près inconnu en Europe. Il acquit des notions précises sur le capital, les produits, les ressources de cette banque, les comptes que les particuliers avaient avec elle, la distribution de ses fonds, l'ordre qu'elle mettait dans ses registres et ses bureaux, et toute la forme de son administration.

Il se mit à jouer sur tous les effets publics d'Europe, et refit très vite sa fortune. En même temps, d'ailleurs, il pratiquait à la mode du temps d'autres jeux, la « Bassette », le « Pharaon »; même il fut accusé d'y réussir en trichant.

Continuant d'étudier et d'observer, il acquit, sur les causes et sur la distribution de la richesse, des connaissances très étendues, à un moment où personne ne pensait qu'il y eût là matière à une science. Peu à peu, il se crut appelé à remplir quelque part le rôle d'un réformateur. Il visita Venise, Gênes, Florence, Naples et Rome. Il retourna en Écosse en 1700, au moment où l'on essayait de reconstituer à Édimbourg une banque dont les premiers essais n'avaient pas réussi. Il présenta au Parlement d'Écosse un mémoire, les *Considérations sur le numéraire et le commerce* (1700).

Le point de départ de tout son système est dans cet écrit. C'est l'usage de la monnaie, dit-il, qui a tiré les hommes de la vie barbare, et ce sont les progrès de cet usage qui marquent les étapes de la civilisation. Sans monnaie, il n'y a pas de commerce, et, plus on augmentera la quantité de la monnaie, plus on multipliera les échanges. C'est grâce à leur numéraire que les Hollandais « font le monopole du commerce de transport, même au préjudice des Anglais ». Plus le numéraire se meut rapidement, plus il rend de services, car une même somme, en passant dans la caisse de dix négociants, les enrichit à tour de rôle, et enrichit du même coup la nation; au lieu que, si elle reste entre les mains d'un seul, elle ne sert à rien. Or la monnaie n'est autre chose que la mesure avec laquelle on évalue les marchandises. L'or étant rare, et l'argent trop lourd pour les grands maniements, on peut leur préférer une monnaie de transport facile, représentant de grosses sommes sous un petit volume, la monnaie de papier. La Hollande et l'Angleterre doivent l'immense développement de leur industrie et de leur commerce à l'abondance de leur monnaie de papier. La supériorité du papier sur l'or et l'argent vient justement de ce qu'il n'a pas de valeur intrinsèque, tandis que les métaux, étant eux-mêmes des marchandises, ne remplissent que par abus le rôle de moyens d'échange.

En conséquence, Law propose au Parlement d'Écosse d'établir une banque territoriale qui préparerait le règne du papier.

Ce Parlement ayant repoussé son projet, il se retourna vers l'Angleterre, qui ne lui fit pas meilleur accueil. Il se remit à voyager, et arriva en France en 1708. Il « tailla » le Pharaon « chez la Duclos, tragédienne en vogue, chez Poisson, rue Dauphine, et à l'hôtel de Gesvres, rue des Poulies ». Il n'apportait pas moins de cent mille livres en or, chaque fois qu'il devait tailler ; et, sa main ne pouvant contenir la quantité d'or qu'il voulait « masser », il se servait de jetons, dont chacun faisait bon pour dix-huit louis.

PREMIER SÉJOUR A PARIS.

Il entra en relations avec le duc d'Orléans, qui aimait les esprits inventifs, et se fit présenter par lui au contrôleur général Desmaretz. Il avait eu déjà des entrevues avec celui-ci quand le lieutenant de police, d'Argenson, l'expulsa comme trop bon joueur.

Law alla porter ses plans à la Savoie et à l'Empereur, qui les dédaignèrent. A la mort de Louis XIV, il pensa pouvoir compter sur la bienveillance du duc d'Orléans, et revint en France. La France, dont le trésor était vide, et qui n'avait encore guère fait l'expérience des banques, était le pays où il avait le plus de chance de réussir. Il était résolu à y essayer une grande nouveauté. A Venise, Barcelone, Gênes, Nuremberg, Amsterdam, Rotterdam, Stockholm, Copenhague, Londres, Édimbourg et Vienne, il y avait des banques, soit de dépôt, qui émettaient des billets au porteur contre dépôt de métaux précieux ; soit de circulation, qui émettaient des billets faisant office de monnaie, sans être représentés exactement par une encaisse équivalente ; la banque Palmstruch, à Stockholm, en émettait pour une somme très supérieure à son encaisse. Tous ces établissements étaient commandités par des particuliers ; c'étaient des compagnies. L'originalité de Law fut d'avoir voulu créer une banque commanditée par l'État. Sa doctrine est exposée dans les « Considérations » dont il vient d'être parlé, dans deux « Mémoires sur les Banques », publiées en 1715, dans quinze « Lettres » adressées au Régent, trois lettres « Sur le nouveau système des finances » et un « Mémoire sur l'usage des Monnaies » publiés en 1720.

RETOUR A PARIS.

LES ÉCRITS DE LAW.

En 1716, Law présente le projet d'une banque d'État au Conseil. D'après ce projet, l'État sera le seul dépositaire de l'argent des particuliers, le seul banquier, le seul commerçant de France. Il créera des valeurs à cours légal, mettra le crédit à la portée de tout le monde, suscitera de grandes entreprises, développera partout le travail et la richesse. Il remboursera la dette publique et toutes les charges; il abolira les impôts, car l'État vivra des bénéfices de la banque, et l'usure disparaîtra; le décri de l'argent en réduira sans cesse l'intérêt.

Le projet fut repoussé en avril 1716. Une des objections fut que, bon pour les Anglais, chez qui la Monarchie était contrôlée par un Parlement, il serait dangereux en France, où le Gouvernement, par toutes sortes de raisons, serait tenté d'abuser de l'argent déposé dans les caisses. L'opposition était d'ailleurs conduite par le duc de Noailles, qui craignait en Law un rival.

II. — LA BANQUE GÉNÉRALE ET LA COMPAGNIE D'OCCIDENT (1716-1719)

LAW descendit à des prétentions plus modestes. Il obtint, le 2 mai 1716, des lettres patentes qui créaient la Banque générale, compagnie financière au capital de 6 millions. Law émettait douze cents actions à 5 000 livres; il appelait le capital par quart; chaque quart devait être versé 25 p. 100 en espèces, et 75 p. 100 en billets d'État. Law promettait ainsi de retirer de la circulation pour 4 millions 500 000 livres d'un papier fort décrié, puisque ces billets perdaient environ 75 p. 100, et la Banque raffermissait le crédit avant même de commencer aucune opération. Au reste les actionnaires n'eurent à verser que le premier quart, c'est-à-dire en espèces 375 000 livres, et, en billets d'État, 1 125 000 livres.

La Banque générale fut dirigée par Law habilement et honnêtement; la comptabilité y fut rigoureuse; parmi les collaborateurs de Law était le Lyonnais Barrême. La banque avançait des fonds aux commerçants et escomptait leurs lettres de change; elle encaissait et payait au lieu et place des particuliers, moyennant un droit de cinq sous par mille écus; elle émettait des billets payables en écus de Banque, c'est-à-dire en espèces, du poids et du titre qu'avaient les écus le jour de sa création. Elle protégeait les négociants contre les brusques changements des monnaies et contre l'usure. Le privilège dont elle jouissait, pour vingt ans, empêchait qu'aucun établissement semblable lui fît concurrence. A l'origine, elle n'interdisait pas aux négociants d'émettre des effets au porteur, sous leur propre signature. Ce fut seulement en 1717, au mois de mai, que, sous prétexte d'intérêt public, un édit prononça cette interdiction.

Un des premiers effets des opérations de la Banque générale fut l'activité donnée à nos échanges avec l'étranger. « On ne pouvait rien faire de plus utile que la Banque générale, écrit le duc de Noailles le 7 décembre 1716 ; à peine les meilleures maisons d'Amsterdam pouvaient-elles tirer auparavant deux mille écus par semaine sur la France ; et ces traites pourraient à présent être portées pour la Banque à cent mille écus par semaine ». Forbonnais écrit de son côté : « Lorsque les étrangers purent compter sur la nature du payement qu'ils avaient à faire, ils consommèrent nos denrées, valeur en Banque ; le change remonta à notre profit et se soutint par les habiles opérations du directeur. Les négociants recommencèrent leurs spéculations ; les manufactures travaillèrent. »

LE COMMERCE ÉTRANGER.

Ce grand succès encouragea Law à prendre l'offensive contre le Conseil de finance et à s'acheminer vers la réalisation de son projet primitif.

Ordre fut donné, en octobre 1716, aux receveurs des tailles et autres impôts, de faire leurs envois d'argent sur Paris en billets de la Banque, et d'acquitter à vue les billets qui leur seraient présentés ; et, le 10 avril suivant, à tous comptables de recevoir les billets de la Banque pour le payement des impôts et d'acquitter à vue ces billets en argent et sans escompte. Sous l'apparence d'une simplification dans les recettes d'État, on faisait de la Banque le dépôt de tous les revenus publics. On marchait, dit un contemporain, « vers la fortune idéale » que Law rêvait pour sa Banque.

DÉPOT EN BANQUE DES REVENUS PUBLICS.

Ce ne fut pas toutefois sans rencontrer d'opposition de la part des receveurs, mécontents de perdre le bénéfice de leurs lettres de change sur Paris. « La plupart des receveurs, écrivait Noailles, ont eu beaucoup d'éloignement pour l'exécution d'un ordre qui les mettait hors d'état de se servir des deniers de leur maniement et d'en tirer les profits qu'ils étaient accoutumés d'y faire, au grand préjudice du Roi. » Les receveurs généraux des fermes à Bordeaux et à Lyon furent destitués.

La Banque générale fonctionnait depuis un peu plus d'un an, quand Law entreprit de diriger, à côté d'elle, une grande compagnie de commerce. Louis XIV avait concédé l'exploitation de la Louisiane au financier Crozat. Celui-ci ayant renoncé à son privilège, le Conseil des finances l'offrit à Law, à la condition qu'il emploierait

LAW ENTREPREND LE GRAND COMMERCE.

deux millions à coloniser. Law accepta, et des lettres patentes établissant la compagnie d'Occident parurent à la fin d'août 1717. Le traité pour le commerce des peaux de castor du Canada vint à expirer et Law en obtint le renouvellement pour son compte. Il fut, dès lors, en état d'exploiter presque toute l'Amérique septentrionale, avec un privilège de vingt-cinq ans, qui lui fut concédé le 6 septembre 1717.

LA COMPAGNIE D'OCCIDENT.

La Compagnie d'Occident, que le public appela Compagnie du Mississipi, fut une société au capital de 100 millions représenté par 200 000 actions de 500 livres. Chaque action dut être payée en billets d'État pour la totalité de sa valeur, c'est-à-dire pour mettre en train la colonisation de la Louisiane que les créanciers de l'État devinrent actionnaires de la Compagnie. Law, détenteur des billets, en recevait les intérêts, au taux de 4 p. 100, à charge de les distribuer comme dividendes aux actionnaires. Il était seulement stipulé que les intérêts de la première année, soit quatre millions, resteraient à la Compagnie.

Mais, s'il rendait service à l'État en absorbant une nouvelle et plus grosse quantité de son papier décrié, Law plaçait la Compagnie du Mississipi dans une situation très difficile. Coloniser la Louisiane, mettre en valeur son territoire, exploiter ses mines et développer son commerce, ces entreprises eussent exigé du temps et des capitaux considérables. Or Law ne disposait que des quatre millions d'intérêts de la première année. Il chercha d'autres objets d'exploitation d'où il pût tirer bénéfice; le bail des tabacs venant à expirer, il l'obtint pour neuf ans, le 4 septembre 1718. Il en donnait à l'État 4 millions par an, bien que le traitant auquel il succédait n'en eût payé que 2 millions; mais la vente du tabac s'étendait; de grandes plantations se faisaient en Louisiane et il y avait lieu d'espérer un accroissement considérable de ce trafic.

LA BANQUE ET LA COMPAGNIE ASSOCIÉES.

Pour soutenir sa Compagnie, Law compta surtout sur sa Banque. Les actions de la Compagnie déclarées marchandises que chacun pouvait vendre ou acheter passèrent bientôt de mains en mains, et furent l'objet d'une spéculation à outrance [1]. La Banque y gagna, et les deux créations de Law, la Banque générale et la Compagnie d'Occident, se complétant, on commença de voir apparaître le « Système ».

---

1. Pour relever la valeur des actions de la Cie d'Occident, Law imagina d'en acheter un certain nombre livrable dans six mois; et il donna de fortes primes aux vendeurs. Ces primes étaient des espèces d'arrhes, remises au vendeur comme le bénéfice d'un marché qu'il contractait, et l'assurance de l'engagement, pris par l'acheteur, de payer les actions qu'on devait lui livrer. Dès lors on se mit à faire des marchés de cette nature, et cela donna plus d'activité aux affaires de la Compagnie

Il est intéressant de constater que les actions de la Compagnie d'Occident étaient « au porteur », tandis que les actions de la Banque générale étaient « nominatives ». Pour la première fois apparaissaient en France des titres « au porteur ». Autre fait curieux et nouveau : la Compagnie d'Occident était gouvernée par une Assemblée générale d'actionnaires, convoquée tous les ans, au mois de décembre. Il fallait posséder au moins cinquante actions pour y siéger, et tout détenteur d'un nombre d'actions plus considérable y disposait d'autant de voix qu'il avait de fois cinquante actions. L'administration courante des intérêts communs était confiée à trois directeurs ; le Roi les avait nommés pour la première fois, mais ils devaient, dans la suite, être élus par l'Assemblée générale de trois en trois ans. lui fut un des trois directeurs.

Cependant, de grandes jalousies se manifestèrent contre Law dans le monde financier, surtout dans le Conseil de Finance, où le Garde des sceaux d'Argenson devint un de ses plus redoutables adversaires. La hardiesse de Law faisait craindre d'ailleurs qu'il ne conduisît la France aux abîmes. Des hommes d'affaires de premier ordre, les frères Pâris, se mirent à la tête des opposants et formèrent une compagnie que l'on appela l'Anti-Système. Sous le nom du valet de chambre de D'Argenson, Aymard Lambert, ils s'étaient fait adjuger les Fermes générales, c'est-à-dire le droit d'exploiter pendant six ans la perception des aides, traites et gabelles, la majeure partie des impôts indirects ; ils transférèrent leur droit à une société par actions le 16 septembre 1718.

Au reste, ils se contentaient de copier Law. Leurs actions sont émises à 1000 livres, tandis que celles de la Compagnie d'Occident l'ont été à 500 livres ; il y en a 100 000, au lieu de 200 000 ; mais le capital de l'Anti-Système est exactement de 100 millions comme celui de la Compagnie d'Occident. Les Pâris instituent enfin, comme Law, une Assemblée générale d'actionnaires, qui fixe des dividendes et dont font partie les porteurs d'au moins 50 actions.

L'Anti-Système fit une concurrence terrible à la Compagnie d'Occident. Ses actions assuraient un revenu de 12 à 15 p. 100 ; celles de la Compagnie ne donnaient que les 4 p. 100 provenant du Trésor[1]. Le produit des Fermes était d'ailleurs plus certain que celui d'une colonisation lointaine ; et enfin les Pâris groupaient dans un intérêt commun toute l'ancienne maltôte, les fermiers généraux

---

1. Il s'agit de l'intérêt des billets d'Etat, convertis en rente 4 p. 100 et reçus en payement lors de l'émission des actions de la Compagnie d'Occident.

et leur personnel, une foule d'agents, de spéculateurs et d'intéressés. En même temps que la Compagnie d'Occident, ils menaçaient la Banque de Law; et l'on reconnaissait leur main dans des retraits d'or considérables et précipités.

LAW ADJUDICATAIRE DES FERMES.

Law voulut à tout prix se débarrasser de ces opposants et concurrents. Le bail des fermes leur ayant été adjugé pour 48 millions 500 000 livres, il le fit casser en offrant lui-même à l'État 52 millions et il devint ainsi adjudicataire des Fermes, le 27 août 1719. Les actionnaires de la Compagnie dissoute et tous les gens d'affaires qu'elle faisait vivre se jetèrent sur les souscriptions nouvelles émises par Law.

III. — LA BANQUE ROYALE (1718-1720), LA COMPAGNIE DES INDES ET SA FUSION AVEC LA BANQUE (1719-1720)

DÉCLARATION DU 4 DÉCEMBRE 1718.

A ce moment Law était parvenu à faire de la Banque générale une Banque Royale. Une déclaration du Roi du 4 décembre 1718 avait ordonné le remboursement des actionnaires de la Banque; ils furent remboursés en argent des titres acquis par eux avec des billets d'État. Le Roi devint seul propriétaire des actions de la Banque, dont Law fut nommé directeur. Les billets de banque ne furent plus fabriqués qu'en vertu d'arrêts du Conseil; ils furent libellés payables « en écus de banque »[1], ou « en livres tournois ».

AGIOTAGE OFFICIEL.

Mais, puisque le Conseil peut décider à son gré de la fabrication des billets, il y a danger que le nombre n'en devienne illimité. D'autre part, les billets pouvant être payés en livres tournois, valeur essentiellement changeante, la monnaie de banque n'est plus fixe, et l'on va entrer en plein agiotage. Le Roi payant en argent des actions payées récemment en billets d'État, c'est-à-dire trois fois plus cher qu'elles n'ont coûté, les Princes, les Grands et le public escomptent la hausse de ces titres et jouent sur eux; puis, comme les capitaux de la Banque sont employés à l'achat des actions d'une compagnie de commerce, la hausse sur les actions de la Compagnie s'effectue comme sur celles de la Banque.

BUREAUX DANS LES PROVINCES.

Paris s'enfiévra et la fièvre gagna la province. On créa des comptoirs ou bureaux de banque, à Lyon, à La Rochelle, à Tours, à Orléans, à Amiens. Mais on eut soin de n'en pas établir dans les villes de Parlements, de peur d'y faire naître des oppositions dangereuses. Les comptoirs ne furent pas des succursales de la Banque Royale; on n'y ouvrit aucun compte courant, on n'y escompta aucun

1. Pour la définition, voir plus haut p. 24.

Le système de Law.

effet de commerce. On se contentait d'y rembourser des billets ou d'en mettre en circulation.

A peine devenue royale, la Banque emprunta cinquante millions, en émettant des billets, qui devinrent effets royaux ; opération étonnante, si l'on songe que le Trésor aurait eu grand'peine à se procurer un million par édit enregistré au Parlement. Mais déjà Law entre dans la voie dangereuse, où il ne pouvait guère ne pas s'engager, où il ne pouvait pas ne pas se perdre. A partir du 1er janvier 1719, il fut interdit à Paris, et, à partir du 1er mars suivant, dans les villes possédant des comptoirs, d'effectuer aucun paiement en monnaie de billon au-dessus de 6 livres, et en espèces d'argent au-dessus de 100 livres. La Banque Royale voulait rendre les billets de banque plus nécessaires, en forcer la circulation, en multiplier le nombre, avilir ainsi les espèces. Le public ne s'en inquiéta pas d'abord. Les Parisiens, craignant d'être embarrassés de leurs espèces, couraient à la Banque et suppliaient les commis de les leur échanger contre des billets. Un plaisant aurait dit un jour à ces affolés : « Eh ! messieurs, ne craignez pas que votre argent vous reste, on vous le prendra tout. »

BILLETS SUBSTITUÉS AUX ESPÈCES.

Tandis que la Banque générale n'avait émis que pour 12 millions de billets, la Banque Royale en émit, dès les trois premiers mois, pour 71 millions. Elle va devenir l'instrument d'un gouvernement obéré, et, au lieu de favoriser la production de richesses réelles, par le développement du crédit, elle fabriquera des richesses factices.

La Banque Royale fonctionnait depuis quatre mois, quand Law donna au Système une extension nouvelle. Il se fit céder en mai 1719 les privilèges de la Compagnie des Indes Orientales, des Compagnies de Chine, d'Afrique, de Guinée et de Saint-Domingue. Une fois en possession de leurs marchandises et de leurs navires, il prétendit faire le négoce dans les mers orientales, aux îles de Madagascar, de Bourbon ou de France, en Chine, en Mongolie, au Japon, dans les mers du Sud et sur les côtes d'Afrique, tout aussi bien que dans le Nouveau-Monde. Investi du monopole de tout le commerce maritime français, il donna à sa Compagnie d'Occident un nom plus compréhensif : il en fit la Compagnie des Indes en mai 1719.

MONOPOLE DU COMMERCE MARITIME.

Pour acquitter les dettes qu'il avait endossées des anciennes compagnies, et remettre en état leurs entreprises ruinées, Law créa 50 000 actions de 500 livres, qu'il appela actions des Indes. Elles n'auraient dû lui donner que 25 millions, mais il en tira 2 millions et demi en plus, en exigeant de tout acheteur une prime de 10 pour 100, sous le prétexte que les actions de l'Occident dépassaient le pair, et que celles des Indes devaient nécessairement atteindre le même niveau. D'ailleurs il trouva le moyen de faire monter tous ses titres ensemble. Il prévint le public par un arrêt du 20 juin 1719 que, les demandes d'actions des Indes s'élevant à plus de cinquante millions, il n'en serait délivré qu'aux porteurs d'actions d'Occident. Pour obtenir une action des Indes il fallut présenter quatre actions d'Occident, ce qui fit donner à celles-ci le nom de « mères », et aux autres celui de « filles ». Une fois les « filles » distribuées, la hausse continua : les spéculateurs qui avaient réalisé un premier bénéfice redevinrent acheteurs, dans l'espoir de gagner encore.

COMBINAISONS POUR EXCITER AU JEU.

Law déploya une habileté extraordinaire à surexciter la fièvre du jeu ; il éblouit les imaginations par la vision de fortunes rapides et prodigieuses. En n'appelant que des versements successifs et faibles, il permit à la masse du public de jouer sur ses fonds, et de former avec son papier des combinaisons à perte de vue[1]. L'acquéreur d'une action des Indes n'était tenu de verser immédiatement que la prime de cinquante francs, et le vingtième du prix de l'action, soit 25 francs. Peu importaient les versements futurs, si en quelques jours l'action doublait ou triplait.

LAW SURINTENDANT DES MONNAIES.

Cependant, il fallait que Law protégeât la caisse de la Banque contre des demandes de remboursement en argent auxquelles elle eût été incapable de répondre. Il fit donc céder à la Compagnie des Indes le privilège de la fabrication des monnaies, le 25 juillet 1719, et devint surintendant des Monnaies. Dès lors, il pourra fixer à son gré l'état légal des espèces, et soutenir son papier, en changeant le poids et le titre des pièces d'or ou d'argent. De trop nombreux précédents d'opérations de ce genre l'y autorisaient.

ACTIONS DES MONNAIES.

Ayant promis au Roi 50 millions, pour prix de son privilège monétaire, Law émit 50 000 « actions des Monnaies » ; mais, comme, au prix de 500 livres, elles n'auraient produit que 25 millions, il exigea des acquéreurs une prime de 500 livres par action, en donnant pour raison que les actions d'Occident et des Indes valaient déjà 1 000 livres. Puis, pour empêcher le public d'établir des différences entre les titres émis, il voulut que l'acquéreur d'une « action des Monnaies » justifiât de la possession de quatre « mères » ou actions d'Occident, et d'une « fille » ou action des Indes. Les actions des Monnaies devinrent ainsi des « petites-filles ».

---

1. Une des combinaisons les plus usitées fut le prêt sur titres. Beaucoup de porteurs d'actions les déposèrent à la Banque, en gage d'emprunts, qu'ils contractaient en billets pour acquérir de nouveaux titres. Rien ne contribua tant à multiplier outre mesure les émissions de billets, auxquelles Law, désireux de pousser indéfiniment à la hausse de l'action, ne se prêtait que trop facilement.

De là, nouvelle poussée sur toutes les valeurs du Système. L'hôtel Mazarin où siège la Compagnie, rue Vivienne, regorge de souscripteurs; jour et nuit « leur phalange serrée s'avance vers le bureau d'échange, comme une colonne compacte », qui brave la faim et la soif. Pour le papier, les Français en sont venus à dédaigner l'or, l'argent, la propriété. « Toutes les têtes étaient tournées », dit Saint-Simon, « et les étrangers enviaient notre bonheur, et n'oubliaient rien pour y avoir part. Les Anglais eux-mêmes, si habiles, si consommés en banques, en compagnies, en commerce, s'y laissèrent prendre, et s'en repentirent. » Achetées 1 000 livres en juillet, les actions en valaient 5 000 en août, 10 000 en octobre; elles atteignirent ainsi vingt fois leur valeur nominale de 500 francs, quarante fois leur valeur argent. Par une conséquence naturelle, tout le papier du gouvernement se mit à monter; les billets d'État gagnèrent le pair, et même le dépassèrent.

Cependant, quels produits les actions offraient-elles aux actionnaires? Dans une assemblée qui se tint en juillet 1719, Law déclara qu'à partir du 1er janvier 1720, il serait distribué aux actionnaires deux dividendes par an de 6 p. 100, soit 12 p. 100 de leur capital, ou 60 livres par action. Or, d'après ses revenus en rentes, ses premiers bénéfices de commerce et ses gains sur la ferme des tabacs, la Compagnie ne pouvait répondre que de 3 p. 100. Il escomptait donc déjà le produit de la fabrication des monnaies, qu'il évaluait à 6 millions, et celui d'opérations commerciales, à peine engagées, au Sénégal, en Louisiane, à Madagascar et aux Indes. Il escomptait surtout les bénéfices considérables qu'il pensait tirer des Fermes générales, qui lui avaient été adjugées par l'arrêt du 27 août 1719. De fait, il ne tarda pas à y introduire d'utiles modifications; il remit la régie des Fermes à 30 directeurs, de capacité et de moralité reconnues; il supprima les sous-fermiers, petits tyrans détestés des contribuables, et put espérer ainsi, pour ses actionnaires, un surcroît de revenu.

Law était un perpétuel entrepreneur de nouveautés. Dépositaire de la richesse métallique des Français, maître de leur commerce, et d'une partie de leurs impôts, il entreprit de rembourser la dette publique. La multiplicité des valeurs en papier faisant baisser le taux de l'intérêt, et les particuliers en profitant pour payer leurs dettes, il crut que l'État pouvait aussi rembourser les siennes, ou plutôt offrir à ses créanciers un placement d'un attrait plus puissant que la rente.

« La rente, disait-il, a cette commodité qu'elle ne prend rien, ni sur notre temps, ni sur nos soins. Mais elle a aussi cet inconvénient qu'elle ne saurait augmenter comme les biens d'industrie. Les actions participent de la commodité des rentes et des avantages de l'industrie. Occupés d'affaires, ou plus importantes, ou plus agréables, les rentiers, devenus actionnaires, pourront se reposer du soin de faire valoir leurs fonds sur la Compagnie. Ils jouiront tranquillement du fruit de tout le travail qui se fait dans le royaume, dans le commerce, dans la banque et dans la finance ».

C'était un séduisant prospectus, et, tout de suite, Law se mit à l'œuvre.

Il calcule qu'en émettant 240 000 actions nouvelles au prix atteint par celles qu'il a déjà émises, c'est-à-dire 5 000 livres, il peut emprunter 1 200 millions, et il doit prêter au Roi cette somme, destinée à éteindre la plus grosse part de la dette publique. Il n'exigera des souscripteurs ni « mères », ni « filles », ni « petites-filles », car il est désormais superflu d'exciter l'engouement du public.

Trois émissions sont faites, le 13 septembre, le 28 septembre, le 20 octobre; mais, au lieu de 240 000 actions, Law en émet 300 000, et il fait régulariser l'opération par un arrêt du Conseil, en donnant cette raison que la dette en rentes et le prix des offices qu'il veut rembourser peuvent être évalués à 1 500 millions. Les actions étaient payables en dix paiements égaux de 500 livres. L'empressement fut prodigieux à se disputer ces titres qui, dans l'opinion générale, conduisaient droit à la fortune.

Law acheva de mettre la main sur l'État. Les receveurs généraux furent supprimés, et leur « finance » remboursée. L'argent des receveurs des tailles devait être directement versé au Trésor. A ne plus payer aux receveurs généraux la remise des cinq deniers pour livre et l'intérêt de leurs avances, le Roi gagna plusieurs millions.

Il est vrai que les actions atteignaient 10 à 12 000 livres, et comme il devenait impossible de maintenir un dividende raisonnable à un capital aussi élevé, nombre de gens songèrent à réaliser. Mais Law était résolu à ne pas laisser tomber les cours; il fit acheter, vendre et acheter encore ses propres actions. Puis il fixa arbitrairement l'intérêt des titres. Des 624 000 actions jetées sur le marché, il défalquait celles qui appartenaient à l'État et à la Compagnie, comme ne devant toucher aucun intérêt, soit 200 000; il répartit entre les 424 000 autres le revenu de la Compagnie, qu'il estimait à 91 millions, savoir : rente payée par l'État, 48 millions; bénéfices sur les Fermes générales, 12 millions; sur les monnaies, 12 millions; sur le commerce, 12 millions; sur le tabac, 6 millions; sur les recettes générales, 1 million; et il promit 200 livres à chaque action.

Cela se passait le 30 décembre 1719; le 5 janvier 1720, Law fit rétablir pour lui le Contrôle général. Il s'était, à ce dessein, converti du protestantisme au catholicisme. Alors les actions, que l'on désignait toutes, sous le nom de « Mississipi », montèrent au prix fabuleux de 15 000 et de 18 000 livres. Law fut, dit Saint-Simon, « assiégé chez lui de suppliants et de soupirants qui lui demandaient des actions; il vit forcer sa porte, entrer par ses fenêtres, tomber dans son cabinet par sa cheminée ».

Le 22 février 1720, il réunit la Banque à la Compagnie. Qu'on se représente alors la situation. La Banque est un service financier public; la Compagnie a le recouvrement des impositions; elles sont placées l'une et l'autre sous l'autorité et la surveillance du Contrôleur général. La surveillance est évidemment illusoire, et Law est le maître de toute la fortune publique. Personne ne résiste plus; d'Argenson lui-même se soumet; les plus grandes dames font la cour à Mme Law; son fils est admis au ballet du Roi; sa fille est honorée des attentions du Nonce. Il s'établit en France, comme pour toujours y rester. Il a acquis les hôtels de Mazarin, de Rambouillet, la terre de Guermande en Brie, celles de Roissy, de Domfront, de Saint-Germain, de Mercœur, d'Effiat, de Tancarville. Mais l'immense péril caché sous cette fantasmagorie allait bientôt apparaître à tous les yeux.

SITUATION
DE LAW.

IV. — *LES VIOLENCES DE LAW ET LA FIN DU SYSTÈME*

UNE bourse formée pour la négociation des valeurs se tenait dans la petite rue Quincampoix, proche la rue des Lombards, au centre du quartier le plus commerçant de Paris. De vieille date, la rue Quincampoix était habitée par des banquiers et des Juifs; au commencement du siècle, elle était devenue le marché des papiers créés pour soutenir la guerre de la Succession d'Espagne. Dès que Law eut émis ses premières actions, elle fut le rendez-vous des acheteurs et des vendeurs. Toutes les maisons, morcelées en bureaux, se louèrent à des prix fous; il y eut des comptoirs dans les caves, dans de misérables échoppes, jusque sur les toits. Une étrange cohue s'y porta : gentilshommes, robins, bourgeois, gens du peuple, moines et docteurs de Sorbonne, spéculateurs, filles, dupes et fripons, gens de tous pays, Parisiens, Gascons, Dauphinois, Savoyards, Anglais, Hollandais, Allemands s'y heurtèrent, durant des mois, au milieu des cris, des rires et des injures. Pour surveiller ce tumulte, il fallut installer, tous les matins, des pelotons de soldats aux deux bouts de la rue; pour empêcher des enragés de passer là les nuits, il fallut établir des grilles qui fermaient la rue à neuf heures du soir et ne l'ouvraient qu'à six heures du matin.

LA RUE
QUINCAMPOIX.

Ce fut dans ce marché de la rue Quincampoix qu'opéra l'inévitable et terrible ennemi de Law, le « réaliseur ». Des princes du sang donnèrent l'exemple. Le prince de Conti amena des fourgons à l'hôtel Mazarin, donna tout son papier et emporta 14 millions d'espèces. Le duc de Bourbon prit, à son tour, dit-on, plus de 20 millions d'espèces. Une panique se déclara. La spéculation se mit à la baisse.

Alors Law fit la guerre aux adversaires du papier, les métaux précieux. Par arrêt du 27 février 1720, il fut défendu aux particuliers de garder chez eux plus de 500 livres en or ou en argent sous peine de confiscation et d'amende. On ordonna des visites domiciliaires et encouragea les dénonciations. L'argent déposé chez les notaires ou dans les caisses publiques, comme la Caisse des Consignations, fut saisi et remplacé par du papier. En vertu de la Déclaration du 18 février 1720, les orfèvres ne purent vendre aucun ouvrage d'or excédant le poids d'une once, ni aucune pièce d'argenterie pour la table ; ils furent réduits à ne plus fabriquer que des croix pour archevêques, évêques, abbés ou abbesses, et pour chevaliers des ordres du Roi, des chaînes d'or pour les montres, et des vases sacrés. Comme le dit Saint-Simon, l'État entreprit cette chose surprenante de persuader aux Français « que depuis Abraham, qui paya comptant la sépulture de Sarah », on était resté « dans l'illusion et l'erreur la plus grossière sur la monnaie et les métaux dont on la fait ». Beaucoup de gens obéirent, firent porter leur numéraire à la Banque ; mais un plus grand nombre exporta le sien ou le cacha, et la circulation métallique diminua dans d'énormes proportions.

Engagé dans une lutte contre l'impossible, Law en arriva à vouloir imposer aux actions un prix déterminé, et le fixa à 9 000 livres, le 5 mars 1720. Il annonça qu'un bureau serait ouvert à la Banque pour changer à volonté une action contre neuf mille livres de billets, ou neuf mille livres de billets contre une action. Ayant assuré par ses édits la valeur des billets, il estimait fixer le sort des actions en les liant aux billets ; mais il ne fit que discréditer les billets comme les actions.

Pour sauver le billet, il continua sa campagne contre la monnaie métallique. Sous le prétexte de faire baisser le prix des denrées, de soutenir le crédit, de faciliter la circulation, d'augmenter le commerce, une Déclaration du 11 mars annonça que la monnaie d'or cesserait d'avoir cours le 1er mai, et la monnaie d'argent à la fin de l'année. Mais il était insensé de prétendre donner une valeur immuable à l'action, plus insensé encore de vouloir ramener la confiance au papier-monnaie par la proscription du numéraire ; c'est avec raison que l'on a comparé ces efforts désespérés de Law aux mouvements convulsifs d'un homme qui se noie.

Law ferma la rue Quincampoix le 22 mars, comme si les spéculateurs devaient, sur son ordre, cesser de spéculer. Acheteurs et vendeurs, après s'être assemblés d'abord rue Vivienne, aux alentours de la Banque, pour négocier leur papier jusque sous le sabre des archers, prirent l'habitude de se réunir place des Victoires. Law se résigna à ne plus les inquiéter. On établit des tentes pour l'agiotage, d'autres pour les jeux de cartes et les loteries de bijoux, d'autres pour les repas et les rafraîchissements, d'autres pour des marchands de meubles. Le monde élégant se donna rendez-vous place des Victoires, pour jouer ou s'amuser à regarder. Comme le Chancelier, dont l'hôtel était place des Victoires, se trouvait incommodé par le tapage, un grand seigneur, le prince de Carignan, propriétaire de l'hôtel de Soissons situé là où s'élève aujourd'hui la Bourse du Commerce, fit rendre une ordonnance par laquelle, sous prétexte d'assurer la police de l'agiotage, furent interdites toutes les opérations de bourse faites ailleurs que dans les jardins de cet hôtel. Le prince établit 7 à 800 petites baraques, « propres et peintes », dit Barbier, ayant chacune une porte et une fenêtre, « avec un numéro au-dessus de la porte »; il les loua à des banquiers, changeurs, spéculateurs, qui en firent des bureaux; le tout devait lui rapporter, paraît-il, 500 000 livres par an. Mais il ne devait pas longtemps toucher ce joli denier[1].

Law gardait encore des espérances. Il entreprit de coloniser de force la Louisiane. La Compagnie des Indes répandit à profusion des réclames, où elle décrivait des montagnes remplies de métaux précieux, des sauvages prêts à troquer des lingots d'or et d'argent contre de vulgaires marchandises d'Europe, des femmes Natchez travaillant la soie, des roches d'émeraude découvertes dans l'Arkansas. Law chercha des colons en Suisse, en Allemagne, en Italie, fonda avec ceux qu'il trouva 40 villages à raison de 20 familles par village, et concéda à chaque famille 280 arpents de terre. En France, il trouva quelques volontaires; mais il procéda surtout par enrôlements forcés de vagabonds ramassés dans les rues de Paris, ou de malfaiteurs tirés des prisons. Il les mariait avec des filles; de ces malheureuses, il y en eut qui se firent tuer plutôt que de s'embarquer. Puis les hôpitaux fournirent des enfants trouvés des deux sexes. On vit partir,

---

1. Dès lors, il ne fut plus permis de négocier des papiers publics, si ce n'est par l'entremise d'agents de change dont les offices, par arrêt du 30 août, avaient été transformés en commissions. Il n'y eut plus de bourse légale ni de bourse tolérée. Pour passer leurs marchés, les agents de change étaient obligés de se donner rendez-vous à leurs bureaux.

pour Rouen ou La Rochelle, les filles sur des charrettes, les garçons à pied et enchaînés deux à deux. Des curés donnèrent la liste des « fainéants » de leurs paroisses aux archers recruteurs. Le lieutenant de police mit la main sur les compagnons et apprentis qui ne présentaient pas un certificat hebdomadaire délivré par les jurés des communautés d'artisans ou par les maîtres des métiers, constatant qu'ils étaient employés. On prit à certaines familles un garçon sur trois, et jusqu'à deux filles sur trois, de pauvres petites filles de neuf à dix ans, pour les expédier à la Louisiane. En 1720 furent instituées deux compagnies spéciales de recruteurs de colonisation, que le public appelait, à cause de la bandoulière où ils suspendaient leur mousqueton, les Bandouliers du Mississipi. On rapporte que, moyennant quelque argent donné à ces misérables, il fut possible de faire arrêter et expédier au loin un ennemi. Ces horreurs soulevèrent l'indignation publique.

IMPOSSIBILITÉ
D'ENRAYER
LA BAISSE.

Mais les signes de la fin se succédaient. Un arrêt du 21 mai 1720 ramena subitement le prix des actions à 8 000 livres, et annonça que, du 1er juillet au 1er décembre, elles seraient réduites à 5 000 livres à raison de cinq cents livres par mois. Les billets devaient perdre, en même temps, la moitié de leur valeur nominale. A ces nouvelles, le Parlement fit des remontrances ; le public s'exaspéra ; les vitres de l'hôtel Mazarin furent brisées à coups de pierres. Pris de peur, et redoutant une sédition, le Régent fit demander à Law sa démission de Contrôleur général. C'était le 29 mai. Deux jours après, sur l'intervention du duc de Bourbon et des amis de Law, qui redoutaient de voir les actions et les billets baisser plus vite sans lui qu'avec lui, le Régent revint sur la décision qu'il avait prise ; et Law reprit le pouvoir, non plus, il est vrai, avec le titre de Contrôleur général, mais avec ceux de Conseiller d'État d'épée, d'Intendant général du Commerce, de Directeur de la Banque. Le 3 juin, il faisait dresser par la Compagnie le bilan de la situation ; il révoquait la défense de garder chez soi plus de cinq cents livres de numéraire, renonçait à réduire progressivement les actions, essayait de diminuer le nombre des billets. La baisse continuait toujours.

LA DÉFIANCE.

La foule des porteurs de billets s'entassait aux portes de la Banque afin de changer des billets de 100 livres contre dix billets de 10 livres, que des commissaires remboursaient en espèces, deux fois la semaine, le mercredi et le samedi, jours de marché. Pour aborder la caisse de la Banque, on entrait dans l'hôtel Mazarin du côté de la rue Vivienne ; on traversait un jardin, « on passait par une enfilade de sept à huit toises, entre le mur et une barricade de bois. Les ouvriers robustes, pour prendre un rang meilleur, se mettaient sur la barricade, et, de là, se lançaient à corps perdu sur les épaules de la foule. Les faibles tombaient, étaient foulés, écrasés. » Le 3 juin 1720, il y eut, à la Banque, deux hommes et deux femmes étouffés, et des épées tirées ; du 16 au 17, quinze personnes étouffées ; le 3 juillet, trois femmes et deux hommes ; ce jour-là les portes de l'hôtel étant attaquées à coups de pierres, des soldats en sortirent, la baïonnette au bout du fusil, et plusieurs personnes furent encore tuées ou blessées. Un arrêt autorisa la Banque à ne plus payer en argent que 10 livres à une même personne ; alors les demandes se multiplièrent ; la rue Vivienne se remplit, le 17 juillet, d'environ 15 000 individus ; avant cinq heures, on y compta quinze personnes étouffées. La foule, sur des brancards, porta les cadavres devant le Palais-Royal, au Louvre, et devant la maison de Law, dont toutes les vitres furent brisées. Quelques heures plus tard, Law, assailli dans son carrosse, ne fut sauvé que par la vitesse de ses chevaux. Duclos s'étonne, avec raison, que le Régent et Law, détestés comme ils l'étaient, n'aient pas alors péri tragiquement.

ÉMEUTE DANS LA RUE.

En même temps sévissait la hausse des denrées qui prêtaient au jeu de l'accaparement. Le pain, les légumes, la viande, la volaille, la chandelle, le beurre, la cire et le café étaient hors de prix. Le pain se vendit 4 sous et même 5 sous la livre ; le beurre, 25 sous ; le café, 50 sous ; la viande, 15 sous ; une poule, 3 livres. Et tous ces prix doivent être, semble-t-il, quadruplés pour correspondre à ceux de nos jours. Law fit acheter et débiter des bœufs, afin d'évaluer le prix de revient, et il taxa en conséquence les bouchers de Paris ; il autorisa ceux de la campagne à apporter leurs viandes aux halles ; mais l'approvisionnement se fit mal, parce que les marchands ne voulurent plus être payés en billets.

HAUSSE DES DENRÉES.

Il en fallut bien venir à la banqueroute. Law tenta, d'accord avec le Gouvernement, de la réaliser en la dissimulant. Il fit présenter au Parlement un arrêt du Conseil qui retirait de la circulation 1 200 millions de billets, en établissant pour les négociants un compte en banque de 600 millions, et en astreignant la Compagnie des Indes à racheter 600 millions de billets, sur promesse d'une garantie perpétuelle de ses privilèges. Le Parlement refusa l'enregistrement, et fut exilé à Pontoise, le 21 juillet 1720. L'arrêt n'en fut pas moins publié et mis à exécution ; mais le compte en banque ne s'éleva pas au-dessus de 200 millions, et la Compagnie ne put placer les actions qu'elle prétendait émettre pour retirer des billets. D'autres combinaisons échouèrent.

LA BANQUEROUTE.

Law se retira alors dans sa terre de Guermande. Le 10 octobre,

LA FUITE DE LAW.

le Gouvernement fit annoncer au public que la fabrication des billets dépassait infiniment ce qu'avaient autorisé les arrêts du Conseil, et que les billets cesseraient d'être reçus en payement, à partir du 1er novembre. Law demanda des passeports, et, dans une chaise de poste de Mme de Prie, partit pour Bruxelles. Quand il passa à Valenciennes, l'intendant de Maubeuge, fils de D'Argenson, l'arrêta et fit demander à Paris ce qu'il devait faire. Ordre lui fut donné de laisser aller le fugitif qui franchit la frontière en décembre 1720.

Cet aventurier n'avait du moins pas songé à s'enrichir. Sa probité fut révélée aux yeux de ses ennemis, quand ils eurent en mains les écritures de la Compagnie des Indes. Il avait apporté en France 1 600 000 livres; il s'enfuit avec quelques louis.

V. — *LES RÉSULTATS DU SYSTÈME*

RESTE à relever les résultats du Système, et à en exposer la liquidation.

LA BANQUE DISCRÉDITÉE. Law a initié la France à la pratique des spéculations de bourse, où les Anglais et les Hollandais étaient déjà experts. Sa Banque générale a rendu de grands services, mais il ne l'a pas inventée, elle n'était qu'une imitation des banques de Londres et d'Amsterdam. Sans le Système, la France aurait pu acquérir peu à peu les institutions de crédit dont jouissaient les étrangers; au lieu qu'après la ruine du Système le nom de Banque est demeuré, chez elle, pendant longtemps, un objet d'épouvante. L'erreur de Law est qu'il a cru pouvoir imposer ses vues sur le crédit et les causes de la production des richesses par la force d'un gouvernement absolu, tandis que, dans une institution de crédit, les transactions doivent être libres, et les comptes publiquement discutés. Il a pensé que le Régent avait tout intérêt à bien diriger la banque d'État, et les profusions du Régent l'ont en partie ruinée. Il n'existait en France aucun corps qui pût modérer les excès du pouvoir, et Saint-Simon a ainsi jugé du Système : « Tout bon, dit-il, que pût être cet établissement dans une république, ou dans une monarchie telle que l'Angleterre, dont les finances se gouvernent absolument par ceux-là seuls qui n'en fournissent qu'autant et comme il leur plaît; mais dans un État léger, changeant, plus qu'absolu, tel qu'est la France, la solidité y manquait nécessairement, par conséquent la confiance ».

L'AGRICULTURE, L'INDUSTRIE ET LE COMMERCE. Si désastreux qu'aient été, à la fin, les résultats de son système, Law en créant une richesse plus mobile, a rendu service à l'agriculture, à l'industrie et au commerce. Il a favorisé l'écoulement des produits et provoqué sur tous la hausse des prix. Les cultivateurs endettés ont pu se libérer plus facilement, et leurs bénéfices les ont encouragés à mettre de nouvelles terres en culture. La Banque a ranimé l'industrie par son crédit; de tous côtés, les fabriques sont devenues plus actives. Les agioteurs millionnaires ont contribué par leurs profusions à la prospérité du commerce de luxe. Les magasins de la rue Saint-Honoré qui approvisionnaient la France et l'étranger d'étoffes riches furent très prospères.

Malgré les apparences, Law tendait au régime de la liberté *LA LIBERTÉ* commerciale. S'il fit de l'État un commerçant, ce ne fut pas par hos- *COMMERCIALE.* tilité contre le commerce libre; ce fut pour procurer de plus gros bénéfices à ses actionnaires. Il autorisa, par l'arrêt du 28 octobre 1719, le libre commerce des blés à l'intérieur. Il supprima les droits qui gênaient l'introduction des soies en France, différents droits sur les boissons, les huiles et savons, et aussi des offices établis aux quais et marchés de Paris; il diminua les droits sur la houille d'Angleterre. Aux Antilles, il établit le régime de la vente libre des sucres; « les îles » prospérèrent; la Martinique, qui ne possédait, au début du siècle, que 15 000 nègres, en employa après lui, au temps de Fleury, jusqu'à 72 000. Enfin les entreprises de la Louisiane ne furent pas stériles. La Compagnie des Indes n'importait guère, en 1716, que 6 millions de marchandises; dès 1720, ses importations montèrent à 12 millions, et ses exportations à 9. En 1719, sa flotte passa de 16 à 30 vaisseaux.

La prospérité du port de Lorient commence en ce temps-là. Né *LORIENT.* sous Richelieu, Lorient n'était, au temps de Colbert, qu'une bour- gade. Law en fit le centre de son commerce maritime. Des magasins, des ateliers, des édifices y furent construits. En 1730, Lorient aura 14 000 habitants et comptera parmi nos principales places de com- merce.

Les travaux publics reçurent en même temps, dans toute la *LES TRAVAUX* France, une impulsion nouvelle. On a vu déjà l'œuvre des Ponts et *PUBLICS.* Chaussées dans les provinces. A Paris, le quai du Louvre et la place du Palais-Royal s'élargissent; les rues de Bourgogne, de Babylone et des Brodeurs sont prolongées; on pose les fondations d'un nouvel Hôtel des Monnaies.

Mais, d'autre part, le Système amena une laide crise morale. Ce *CRISE MORALE* fut pour beaucoup de consciences une épreuve trop forte que de *ET SOCIALE.* voir la richesse courant les rues et s'offrant à tout le monde. On a calculé qu'un million de familles s'engagèrent dans les affaires du Système. Des valets s'enrichirent subitement; des cochers descen- dirent du siège dans la voiture; des cuisiniers devinrent maîtres de maison. Dans la foule qui s'étouffait aux guichets, n'importe qui bousculait les gentilshommes. C'était l'égalité dans la cohue. Il fallait, pour passer avant les autres, être au moins prince, comme Bourbon et Conti, qui s'enrichirent scandaleusement de la ruine des petits. Des filles nobles épousèrent des gens sans aveu; une La Vallière par exemple, un sieur Panier, enrichi de la veille. Des gentilshommes se vendirent à des « Mississipiens », en promettant d'épouser leurs filles. Un comte d'Evreux reçut 2 millions pour se fiancer à une enfant de onze ans, fille d'un ancien laquais; un marquis d'Oise, au prix de 20 000 francs de rente, prit l'engagement d'épouser la fille d'un sieur André, bien qu'elle n'eût encore que deux ans; après le mariage, on devait lui compter quatre millions de dot.

FOLIES DU LUXE.   L'hiver de 1720 est resté longtemps célèbre à Paris, pour l'éclat des vêtements, la prodigalité des tissus d'argent et d'or, des velours, des étoffes brodées, des dentelles, et surtout des bijoux, des perles et des diamants étalés dans les réceptions, les théâtres et les promenades publiques. Malgré l'arrêt somptuaire du 4 février 1720, qui interdisait de porter des diamants, perles ou pierres précieuses, « un grand nombre de personnes de tous états » employaient à en acheter une part considérable de leur fortune. Dans les maisons riches, l'or et l'argent remplacèrent le cuivre et l'étain. On cisela des vases de nuit en or.

LE LUXE DE LA TABLE.   Ce fut un temps de grandes mangeries. Jamais la consommation de viande n'avait été si considérable à Paris; en une semaine on y mangeait plus de 800 bœufs, quatre fois autant de moutons et de veaux, et, en plus, la volaille et le gibier. Pendant le carême de 1720, la consommation de la viande atteignit des proportions inouïes. Le clergé fulmina contre la violation des préceptes d'abstinence; le lieutenant de police fit des ordonnances pour forcer la population à faire maigre; et les tribunaux en vinrent à prononcer la peine des galères contre des soldats qui transportaient en fraude les victuailles interdites. Tandis qu'avant la Régence, au dire de Duclos, on ne rencontrait de cuisiniers que dans les plus riches maisons, et que « plus de la moitié de la magistrature ne se servait que de cuisinières », les cuisiniers pullulèrent. Toutes les habitudes furent bouleversées :

> « Quantité de services, de fonctions, dit encore Duclos, jadis réservés aux femmes, sont exercés par des hommes, ce qui enlève à la campagne la plus belle jeunesse, augmente dans la ville le nombre des fainéants et des filles que la misère livre à la débauche. »

Et l'écrivain conclut :

> « Si Henri III disait, de Paris, *capo troppo grosso*, que dirait-il, aujourd'hui « que cette capitale est le vampire du royaume? »

Dans cette folie générale, la criminalité augmenta d'une manière effrayante. De grands seigneurs se firent accapareurs, escrocs et voleurs. Un petit-fils du prince de Ligne, descendant des Montmorency, parent du Régent, le comte de Horn, et le comte de Mill, un Piémontais, tuèrent de onze coups de baïonnette, dans un cabaret de la rue Quincampoix, un malheureux Mississipien pour lui voler son portefeuille. Bien que toute la noblesse des Pays-Bas intercédât pour le comte de Horn, il fut roué vif, en place de Grève. LA CRIMINALITÉ.

Il se commet une douzaine de meurtres durant le mois de mars 1720 : on assassine une femme pour lui voler 300 000 livres; on la coupe en morceaux qui, mis en sac, sont abandonnés dans un carrosse de louage. On coupe en morceaux le valet de chambre du comte de Busca. En avril, dans une seule semaine, sept corps d'hommes et de femmes assassinés et jetés à la rivière sont retrouvés à Saint-Cloud. En décembre, un Joseph Lévi assassine un de ses coreligionnaires pour voler 4 millions en espèces et en pierreries; il tue aussi la femme de sa victime, et lui coupe le doigt qui portait un diamant.

Il est impossible de comprendre un des caractères du XVIIIe siècle, qui fut l'irrespect, si l'on ne sait pas qu'il s'ouvre, après les ruines et désastres de la fin de Louis XIV, par ces désordres de la Régence. LES PAMPHLETS.

Des placards et des caricatures circulèrent, où les plus grands noms de France étaient marqués d'une flétrissure méritée. Quand les agioteurs s'établirent à la place Vendôme, on écrivit et afficha que c'était le camp de Condé : M. le Duc y était généralissime, et le duc d'Estrées général; le duc de Guiche commandait les troupes auxiliaires; le duc de Chaulnes était lieutenant général; le duc d'Antin, intendant; le duc de La Force, trésorier; le marquis de Lassé, grand prévôt; le prince de Léon, greffier; l'abbé de Coëtlogon, aumônier; et Law, médecin empirique. De grandes dames étaient vivandières à la suite des régiments : Mme de Verrüe, du régiment de Lassé; Mme de Prie, du régiment de Condé; Mme de Locmaria, du régiment de Lambert; Mme de Parabère, du régiment d'Orléans; Mme de Sabran, du régiment de Livry; Mmes de Monasterel, de Gié, de Nesle, de Polignac et de Saint-Pierre n'avaient pas d'attaches précises, et pour cause.

Le théâtre aussi s'amusa. Dans les « Aventures de la rue Quincampoix », un procureur trouvait moyen de voler son voleur, et une femme faisait passer un billet d'enterrement pour une action des Indes. Dans « Cartouche ou les voleurs », dont le succès fut considérable, on reconnut le duc d'Antin, qui spécula sur les étoffes; le maréchal d'Estrées, qui fit main basse sur le café et le chocolat; et LE THÉÂTRE.

le duc de La Force, qui tint des magasins secrets dans le couvent des Vieux-Augustins, et les remplit, dit-on, de suif et de graisse.

VI. — LA LIQUIDATION PAR LE VISA (1721-1722)

LA liquidation financière du Système se fit malhonnêtement. Il sembla tout naturel de faire rendre gorge aux Mississipiens. Le Gouvernement décida de soumettre à un *Visa* tous les détenteurs d'effets provenant du Système, et même les détenteurs de contrats de rente. Il interdit à tout Français de sortir de France avant deux mois.

Le Gouvernement oubliait qu'il avait usé et abusé de la Banque et de la Compagnie des Indes. Depuis que la Banque était devenue Banque royale et que la Compagnie avait pris à son compte 1 500 millions de dettes de l'État, il y avait entre elles et l'État une solidarité étroite. L'État avait ouvert des bureaux d'achat pour les actions, et poussé la somme des billets émis de 1 200 millions à plus de 2 milliards 700 millions. Cependant le nouveau contrôleur général, Le Pelletier de La Houssaye, rejeta toute la responsabilité sur la Compagnie, qui avait demandé à se charger de l'administration de la Banque, et le 24 janvier 1721 les actionnaires furent condamnés par le Conseil de Régence à subir les conséquences de fautes dont on savait fort bien qu'ils n'étaient pas coupables.

En vertu d'arrêts du 26 janvier, des commissaires furent nommés pour assurer une répartition équitable des dettes de la Banque entre les actionnaires de la Compagnie, et distinguer, parmi eux, les hommes de bonne foi des agioteurs. Les commissaires furent pour la plupart des ennemis de Law et de la Compagnie. A leur tête se plaça l'ancien chef de l'Anti-Système, Pâris du Verney. Dépouillée de tous ses privilèges, la Compagnie dut leur remettre un état détaillé de ses dettes, de ses créances et de ses émissions d'actions, et les particuliers durent leur présenter toutes actions, tous billets, quittances ou contrats demeurés en leur possession. Une armée de 2 000 commis fonctionna sous leurs ordres au Louvre, divisée en 54 bureaux.

Les commissaires trouvèrent la Banque en très bon ordre, les comptes à jour, les résultats clairs, même dans les affaires les plus compliquées. Cet ordre même facilita leur travail. Le 30 juin 1721, ils arrêtèrent les registres, et prirent leurs résolutions. Le Conseil déclarant que le Roi ne pouvait donner, par an, plus de 40 millions à ses créanciers, et que la Compagnie ne pouvait payer les dividendes que de 50 000 actions, ils décidèrent de ramener les dettes de l'État et de la Compagnie à la somme dont l'un et l'autre pouvaient disposer.

En vue de la banqueroute ainsi préparée, les créanciers de l'État ou de la Compagnie furent répartis en cinq catégories : en première ligne ceux qui avaient acheté des actions avec des récépissés du Trésor, ou accepté des billets de banque et des rentes, en échange de valeurs émises par l'État; — ceux-là, étant des actionnaires forcés, ne devaient rien perdre; en seconde ligne ceux qui avaient reçu de particuliers des billets ou des actions, à titre de remboursement; ils perdirent un sixième de leur capital. Les trois dernières catégories subirent une diminution progressive; la cinquième perdit les dix-neuf vingtièmes de ce qui lui était dû : elle comprenait la masse des gens qui ne pouvaient justifier de l'origine de leurs biens, et qui furent suspectés de les devoir à la spéculation pure.

CATÉGORIES DE CRÉANCIERS.

En somme, l'opération du Visa aboutissait à une taxe sur des catégories de personnes. Ces catégories furent arbitrairement établies. Pâris du Verney se garda bien de toucher à M. le Duc, héritier probable de la Régence, et aux agioteurs de haute marque, comme Conti ou d'Antin. Parmi les grands seigneurs, le procès ne fut fait qu'au duc de La Force, qui avait spéculé par des prête-noms, et fut admonesté par le Parlement. Mais 185 personnes furent désignées, par un arrêt du Conseil du 29 juillet 1722, pour subir, sous forme de capitation extraordinaire, une taxe de 187 millions. C'étaient des « gens de rien », devenus tout à coup « trop riches », des « sangsues gorgées de richesses ».

ARBITRAIRE DU VISA.

Au reste l'opération du Visa fut incomplète. Des accapareurs d'espèces firent passer à l'étranger ce qu'ils possédaient; ils y passèrent eux-mêmes. D'autres s'abstinrent de rien présenter à la vérification, aimant mieux perdre leurs titres que d'encourir une taxation arbitraire. Sur les 3 ou 4 milliards que représentaient, dit-on, les effets en circulation, il ne vint au Visa que 2 milliards 222 millions, qui furent présentés par 511 000 chefs de famille. Les commissaires les réduisirent à une valeur totale de 1 milliard 700 millions; en sorte que l'État fit une banqueroute de 522 millions, dont le poids retomba sur ces familles.

BANQUEROUTE DE L'ÉTAT.

La Compagnie des Indes dut aussi faire sa banqueroute. De 125 000 actions soumises au Visa, 69 000 furent annulées, et les 56 000 qui subsistèrent furent attribuées aux catégories d'actionnaires qu'il plut à du Verney de déterminer.

BANQUEROUTE DE LA COMPAGNIE.

Le Gouvernement se radoucit alors à l'égard de la Compagnie. Comme il lui devait une rente de 3 millions pour les 100 millions de billets d'État qu'elle avait retirés de la circulation, lors de l'émission de ses premières actions, il s'acquitta de sa dette en lui attribuant la ferme du domaine d'Occident, c'est-à-dire de l'impôt de 3 pour 100 levé sur les marchandises venues d'Amérique, qui pouvait rapporter 1 million, et celle des tabacs qui valait 6 millions par an. Tout compte fait, la taxe sur les millionnaires, la réduction de la valeur des contrats, et la diminution du nombre des actions, produisaient à l'État un gain d'environ 848 millions. Il se chargea d'ailleurs du payement des dettes subsistantes, c'est-à-dire d'un intérêt de 47 millions par an, 31 millions en rente perpétuelle à 2 1/2 pour 100, et 16 millions en rente viagère à 4 pour 100.

AUTODAFÉ.　　Le dernier épisode du Système et du Visa fut un autodafé. Dans une cage de fer de 18 pieds de long sur 8 pieds de large, on entassa des billets de banque, des actions, des actes de notaires, des contrats et des registres de liquidation; on brûla tout publiquement, et ainsi disparurent les preuves détaillées des violences commises dans le Visa.

Le Régent aurait pu sortir d'embarras, après la chute du Système, sans recourir à la banqueroute et à la spoliation. Une convention pouvait intervenir entre la Banque, la Compagnie des Indes et leurs créanciers; l'État aurait reconnu la Banque; il aurait garanti les chiffres fixés par elle. Mais il était dans les traditions de dénouer violemment les crises financières. La Monarchie, qui n'a jamais su se donner des finances régulières, pour satisfaire à tous ses besoins, s'était habituée à vivre d'expédients et de banqueroutes.

CHAPITRE III

L'ABBÉ DUBOIS [1]

I. LA PHYSIONOMIE DE DUBOIS. — II. LA TRIPLE-ALLIANCE (1716-1717). — III. LA QUADRUPLE-ALLIANCE ET LES DEUX CONSPIRATIONS DE LA DUCHESSE DU MAINE ET DES BRETONS (1717-1720). — IV. LE RAPPROCHEMENT DE LA FRANCE ET DE L'ESPAGNE (1722). — V. LA POLITIQUE MOLINISTE DE DUBOIS (1720-1721). — VI. LA FIN DE DUBOIS ET DU DUC D'ORLÉANS (1723).

I. — LA PHYSIONOMIE DE DUBOIS

TOUTE la Régence est, pour ainsi dire, dominée par deux personnages très singuliers, Law et l'abbé Dubois.

TÉMOIGNAGES SUR DUBOIS.

Personne peut-être n'a été plus maltraité par Saint-Simon que Dubois, cet homme « fort du commun », « de la lie du peuple », et qui s'est élevé « à force de grec et de latin, de belles-lettres et de bel esprit »... « Tous les vices combattaient en lui à qui en demeurerait le maître. Ils y faisaient un bruit et un combat continuel entre

1. SOURCES. Saint-Simon (t. XIII, XIV, XV, XVII, XVIII et XIX), Buvat, Villars (t. IV), Moufle d'Angerville, déjà cités. *Recueil historique d'actes, négociations, mémoires et traitez depuis la paix d'Utrecht jusqu'au second congrès de Cambray inclusivement, par M. Rousset, 21 vol., La Haye, 1728-1755, t. I et II. Lamberty (de), Mémoires pour servir à l'histoire du XVIIIe siècle, contenant les négociations, traitez, résolutions, et autres documents authentiques concernant les affaires d'Etat, 2e éd., Amsterdam, 1735-1740, 14 vol. t. IX, X, XI. Mémoires secrets et correspondance inédite du cardinal Dubois, premier ministre sous la régence du duc d'Orléans, recueillis, mis en ordre et augmentés d'un précis de la paix d'Utrecht, par L. de Sevelinges, Paris, 1814, 2 vol. Alberoni (J.-M.), Lettres intimes adressées au comte J. Rocca, publiées d'après le manuscrit du Collège de Saint-Lazare-Albéroni, par Emile Bourgeois, Paris, 1893. Memoires of the life and administration of sir Robert Walpole, 1798, 3 vol., t. I. Argenson (Mis d'), Journal et Mémoires (1697-1757), p. p. E.-J.-B. Rathery, Paris, 1859-1867, 9 vol., t. I et III. Staal de Launay (Mme de), Mémoires, coll. Petitot, t. LXXVII. Berwick (maréchal de), Mémoires, coll. Petitot, t. LXVI. Chansonnier historique du XVIIIe siècle (Recueil Clairambault-Maurepas), p. p. E. Raunié, Paris, 1879-1884, 10 vol. La Régence, Paris, 1879-1880, 4 vol.* OUVRAGES A CONSULTER : Lemontey, Lacretelle, Jobez, Michelet, Wiesener, Baudrillart (Alf.), Aubertin, Rocquain, Perey (*Le président Hénault*) déjà cités.
E. Bourgeois, *Manuel historique de politique étrangère*, t. I, Paris, 1898. Flassan (de), *Histoire générale et raisonnée de la diplomatie française*, Paris et Strasbourg, 1811, 2e éd., 7 vol. *Le droit public de l'Europe fondé sur les traités conclus jusqu'en l'année 1740, s. l., 1746, 2 vol.*

eux. L'avarice, la débauche, l'ambition étaient ses dieux; la perfidie, la flatterie, les servages, ses moyens; l'impiété parfaite, son repos; et l'opinion que la probité et l'honnêteté sont des chimères dont on se pare et qui n'ont de réalité dans personne, son principe, en conséquence duquel tous les moyens lui étaient bons. »

Ce témoignage porte la trace de préjugés et de rancunes aristocratiques. D'autres le contredisent : la Princesse Palatine, mère du Régent, entretint avec Dubois une correspondance de quinze ans, où l'on voit qu'elle faisait grand cas de lui, et Fénelon témoigna à l'abbé Dubois son amitié et son estime.

ORIGINES DE DUBOIS.

Né d'un médecin de Brive en 1656, Dubois vint faire à Paris sa philosophie au collège de Saint-Michel. Le principal du collège le désigna au précepteur du jeune duc de Chartres, M. de Saint-Laurent, comme capable de le seconder dans ses fonctions. Dubois devint sous-précepteur du prince en 1683, puis précepteur en titre quatre ans plus tard. Averti par Mme de Maintenon du dessein qu'avait Louis XIV de marier le duc de Chartres avec sa fille naturelle, Mlle de Blois, il prépara habilement cette affaire qui se conclut en 1692. Il conserva une grande influence sur son élève et le suivit jusqu'aux armées, ce qui porta ombrage à nombre de gens, et lui valut des avanies. On le raillait sur son « envie de plaire ». Mais Dubois laissait causer les envieux : « Conformément à la routine de ces messieurs, dit-il, on me reproche de n'être pas fils d'un duc et pair; ce qu'ils appellent être né dans la boue ».

SON PORTRAIT.

Ce petit homme maigre, à perruque blonde, au teint plombé, aux yeux perçants et malins, séduisait par une physionomie caressante. Bien qu'il bégayât un peu, il était un causeur endiablé, étincelant de verve, à table surtout, où il ne mangeait ni ne buvait. Il avait un esprit extraordinairement lucide, une facilité de travail sur-

(Mably). Coxe, *L'Espagne sous les rois de la maison de Bourbon depuis Philippe V jusqu'à la mort de Charles III (1700-1788)*, trad. Muriel, Paris, 1827, 6 vol. t. I à III. Seilhac (de), *L'Abbé Dubois, premier ministre de Louis XV*, Paris, 1862. Bliard (le Père P.), *Dubois cardinal et premier ministre (1656-1723)*, Paris, t. I, 1901. Chéruel, *Saint-Simon et l'abbé Dubois* (Revue historique, t. I, 1876). Lord Mahon (Stanhope), *History of England from the peace of Utrecht to the peace of Versailles (1713-1783)*, 7 vol., 1836-1853, t. I et II. Lecky, *History of England in the eighteenth century*, 1878-1890, 8 vol. Weber, *Die Quadrupel-Allianz vom Jahre 1718*, Vienne, 1887. Legrelle, *La diplomatie française et la succession d'Espagne (1659-1725)*, Paris, 1888-1892, 4 vol., t. III et IV. Campardon, *Préface du Journal de Buvat*. Carné (de), *Les Etats de Bretagne et l'administration de cette province jusqu'en 1789*, Paris, 1868 et 1875, 2ᵉ éd., 2 vol. in-8, t. II. La Borderie (de), *La conspiration de Pontcallec* (Revue de Bretagne et de Vendée, t. III, janvier 1858). Boutry (M.), *Une créature du cardinal Dubois, Intrigues et missions du cardinal de Tencin*, d'après les Archives du ministère des Affaires étrangères, 1902. Funck-Brentano (Frantz), *Légendes et archives de la Bastille* (Mlle de Launay), Paris, 1898. Rambaud, *La visite de Pierre le Grand à Paris* (Revue politique et littéraire, t. LII, 1893, 2ᵉ sem.). *Recueil des instructions données aux ambassadeurs et ministres de France* (Russie), t. VIII-IX. Introduction, Paris, 1890. Wassileff (Mathieu), *Russisch-französische Politik, 1689-1717*, t. III. D'Haussonville, *La visite du Tsar Pierre-le-Grand, 1717* (Revue des Deux Mondes, 15 octobre 1896.) Sainte-Beuve, *Nouveaux Lundis*, t. X (Louis XV et le maréchal de Noailles).

prenante, une volonté obstinée. Nul scrupule ne le gênait. A la cour de Monsieur, dans la compagnie d'un chevalier de Lorraine ou d'un marquis d'Effiat, il vécut la vie libertine. Il était très avide; né misérable, il se composera, du fruit de ses abbayes et du traitement de ses charges, un revenu de 630 000 livres, à peu près deux millions d'aujourd'hui. Très ambitieux, prêt à jouer tous les rôles en vue de parvenir, moitié Gil-Blas et moitié Frontin, il fut plus habile et plus fort que tous ceux qui lui disputaient l'influence. Il devint ce qu'il voulut : conseiller d'État, secrétaire d'État, académicien, archevêque, cardinal, premier ministre, maître de la France.

II. — LA TRIPLE-ALLIANCE *(1716-1717)*

C'EST par Dubois que fut dirigée la politique extérieure de la Régence. Au moment où il se mit à l'œuvre, la paix était mal assurée. Philippe V détestait le Régent, qu'il accusait, non sans raison, d'avoir voulu se substituer à lui sur le trône d'Espagne. Il maintenait ses droits à la couronne de France, et il était résolu à les faire valoir, si le petit roi venait à mourir. Pour satisfaire aux engagements pris envers l'Europe, il aurait tenu séparés les deux royaumes, en donnant l'une des deux couronnes à l'un de ses fils. Et puis Philippe V n'avait renoncé qu'à regret aux parties de la succession qu'il avait fallu céder à l'Empereur. Enfin il était poussé aux aventures par sa seconde femme et par Albéroni, son principal ministre. Sa femme Élisabeth Farnèse, nièce de François, duc de Parme, et de Cosme, grand duc de Toscane, voulait assurer à ses enfants la reversibilité de ces deux États. Italien comme la reine, petit abbé, amené par Vendôme en Espagne, favori de la princesse des Ursins, Albéroni avait inspiré le mariage d'Élisabeth. Pour seconder l'ambition de la Reine, il voulait chasser d'Italie les Autrichiens, ou tout au moins leur reprendre le Milanais, les présides de Toscane et le royaume de Naples, anciennes possessions d'Espagne. Les Bourbons d'Espagne menaçaient ainsi à la fois la France et l'Autriche. Très énergiquement, Albéroni travaillait à mettre l'Espagne en force; il réorganisait les finances, l'armée et la marine. Il comprit que, dans les conflits futurs, il aurait besoin de l'amitié de l'Angleterre; Philippe V, malgré sa répugnance de dévot à traiter avec des hérétiques, signa, le 14 décembre 1715, avec les Anglais un traité de commerce qui renouvelait les clauses non appliquées encore du traité d'Utrecht, en particulier celle qui leur permettait d'envoyer tous les ans aux colonies espagnoles d'Amérique un vaisseau chargé de marchandises et d'y faire la traite des nègres[1].

Mais le roi George Ier d'Angleterre avait des raisons de ne pas se brouiller avec l'Empereur. Charles VI avait refusé à Rastadt de garantir la succession d'Angleterre dans la maison de Hanovre, et le Prétendant, Jacques Stuart, avait un parti à la cour de Vienne. Puis, en 1715, George avait acheté Brême et Verden au Danemark qui avait conquis ces villes sur la Suède l'année précédente; il s'était par là grandement fortifié dans son électorat, commandant tout le pays entre le Weser et l'Elbe; mais, pour devenir tranquille possesseur de Brême et de Verden, il lui fallait l'investiture impériale. De son côté, l'Empereur, menacé par l'Espagne, ne voulait pas se faire ennemi du roi George. Le 25 mai 1716, les deux princes se garantirent réciproquement leurs possessions.

Le Régent hésita sur la conduite à tenir. George Ier lui avait fait des avances avant la mort de Louis XIV. Il avait appris que le roi de France avait testé contre son neveu; il appréhendait une régence de Philippe V, et soupçonnait les princes légitimés d'être les amis du Prétendant; il avait donc, par l'intermédiaire de lord Stairs, son ambassadeur, lié partie avec le duc d'Orléans contre le duc du Maine. Mais l'opinion française tenait ferme pour le Prétendant contre le successeur de ce Guillaume d'Orange, que la France avait tant détesté. Elle voulait l'alliance espagnole, ne se résignant pas à l'idée que tant d'argent et de sang français aient pu être dépensés en pure perte. C'était l'opinion de D'Huxelles et de Torcy qui soutenaient que l'alliance espagnole devait être le fondement de la politique française. Devenu régent, le duc d'Orléans n'osa braver l'opinion; il toléra le rassemblement à Boulogne, au Havre et à Dieppe, d'hommes et de munitions destinés à une insurrection jacobite. Il permit au Prétendant de traverser la France et Paris, pour aller s'embarquer à Dunkerque, le 16 décembre 1715. D'ailleurs, en Angleterre, le projet d'entente se heurtait à de grandes résistances. Les ministres ne voulaient pas, disaient-ils, jouer leur fortune et leur tête en négociant une alliance française.

L'insurrection soulevée en Écosse avorta, et le Prétendant, en revenant à l'hospitalité de la France, mit le Régent dans l'embarras. L'ambassadeur Stairs réclama, en avril 1716, le renvoi du Prétendant, l'expulsion de ses partisans, et insista pour que le nouveau canal de Mardick fût mis en tel état qu'il ne pût laisser passer que de petits navires. Un des griefs de l'Angleterre contre la France était

1. Voir *Hist. de France*, t. VIII, 1, p. 137.

que le gouvernement français entreprenait de substituer Mardick à Dunkerque, dont le port avait été détruit, conformément à une stipulation du traité d'Utrecht.

Cependant les raisons subsistaient pour le Régent de se protéger contre l'Espagne. Le rapprochement avec l'Angleterre se fit par l'intermédiaire de la Hollande, qui était sortie mécontente de la guerre de Succession. Au prix d'une dette énorme elle n'avait obtenu que d'augmenter son inutile et coûteuse « barrière ». Elle voulait, pour se refaire, le maintien de la paix, et se trouvait ainsi propre à la fonction de médiatrice. L'ambassadeur de France à La Haye, Châteauneuf, fut donc chargé de négocier avec le Pensionnaire ; il assura que le roi de France désirait conclure une alliance défensive avec le roi d'Angleterre pour le maintien des traités faits à Utrecht, et particulièrement pour garantir l'ordre de succession aux couronnes de France et d'Angleterre. Il ajouta qu'au sujet du Prétendant et de Mardick, il serait facile de calmer les susceptibilités des Anglais, la France étant prête à faire tout ce qui serait compatible avec sa dignité. Il exprimait enfin le désir de voir la Hollande s'adjoindre à l'alliance projetée. Les propositions de Châteauneuf furent bien accueillies en mai 1716.

ARBITRAGE DE LA HOLLANDE.

C'était un succès que d'avoir l'appui de la Hollande ; mais le gouvernement français sentit, sous les protestations de bonne volonté des ministres anglais, l'intention de traîner les choses en longueur. Le Régent résolut d'agir directement et secrètement auprès du roi d'Angleterre par le moyen de l'abbé Dubois, conseiller d'État depuis le 2 janvier, et en relations personnelles avec le ministre Stanhope. Comme George Ier devait faire avec Stanhope un voyage en Hanovre, Dubois décida d'aller l'attendre au passage en Hollande. Se donnant pour un malade en voyage et pour un amateur de livres et de tableaux, il arrive à La Haye en juillet 1716, se fait reconnaître de Châteauneuf, en l'abordant dans les écuries de l'ambassade, obtient des entrevues avec Stanhope, auquel il remet deux lettres, l'une pour le roi d'Angleterre et l'autre pour lui.

DUBOIS A LA HAYE.

Stanhope demanda que le Prétendant quittât la France, avant tous pourparlers, et il représenta la difficulté de faire du traité d'Utrecht la base d'une alliance franco-anglaise, le roi George étant l'allié de l'Empereur, et l'Empereur n'ayant pas reconnu ce traité. Dubois réussit à faire tomber en partie ses préventions et celles de George, qu'il ne vit pas, mais qui fut mis au courant de la négociation. Comme l'abbé n'avait pas les pouvoirs nécessaires pour traiter, il alla les demander à Paris, et rejoignit le roi d'Angleterre à Hanovre.

Installé le 19 août dans la même maison que Stanhope, il négocia du matin au soir, « en robe de chambre et en bonnet de nuit ». Cette négociation était bien son œuvre personnelle; car, auprès du Régent, les partisans de l'ancienne politique travaillaient contre lui. Heureusement pour Dubois, Stanhope avait des raisons d'être accommodant. Tandis que les Danois avaient enlevé à la Suède les territoires de Brême et de Verden, le tsar Pierre avait prêté secours à son neveu, le duc de Mecklembourg, pour réduire sa noblesse à l'obéissance, et en avait profité pour occuper le Mecklembourg. Réconcilié avec Charles XII, il avait, avec lui, projeté de renverser George Ier et de lui substituer le Prétendant. Du Mecklembourg, il menaçait le Hanovre et les duchés de Brême et de Verden. George craignit que le Régent ne s'alliât avec le tsar qui précisément essayait de s'entendre avec la France. Le roi d'Angleterre en vint donc à désirer l'alliance française aussi vivement que le Régent l'alliance anglaise.

Dubois, après avoir fait une belle défense, consentit le renvoi du Prétendant et la démolition des fortifications de Mardick; de son côté, Stanhope consentit la garantie des traités d'Utrecht. Cet accord fut conclu le 10 octobre 1716. Dubois retourna à La Haye, gagna l'adhésion des Hollandais et signa avec eux et l'Angleterre une Triple-Alliance, le 4 janvier 1717. Il écrivit alors au Régent :

> « Vous voilà hors de page, et moi hors de mes frayeurs.... Je m'estime très
> « heureux d'avoir été honoré de vos ordres dans une affaire si essentielle à
> « votre bonheur, et je vous suis plus redevable de m'avoir donné cette marque
> « de l'honneur de votre confiance, que si vous m'aviez fait cardinal. »

La Triple Alliance fut mal accueillie en France. Le Régent qui avait accordé l'expulsion du Prétendant et la démolition de Mardick fut accusé de sacrifier à son intérêt personnel les intérêts de la Nation. On oubliait qu'à la fin de la guerre de la Succession d'Espagne, le salut était venu à la France d'une paix particulière avec l'Angleterre, dont la condition *sine qua non* avait été le sacrifice de Dunkerque. Or, les travaux faits à Mardick avaient pour objet de reprendre ce qui avait été donné. D'ailleurs, en donnant à la France, isolée au début de la Régence et menacée par l'entente anglo-espagnole, l'appui de l'Angleterre et de la Hollande, le Régent ne travaillait pas seulement pour lui. Il assurait le repos à son pays qui, après un règne tout rempli de guerres ruineuses, avait besoin de paix [1].

---

1. D'après Saint-Simon et D'Argenson, Dubois se serait vendu aux Anglais. Or, ni les documents britanniques, ni la correspondance de Dubois ne permettent de le supposer. L'Angleterre n'avait d'ailleurs pas besoin d'acheter un homme qui recherchait son alliance avec ardeur. Il est intéressant de constater que Dubois, au contraire, essaya d'acheter Stanhope. Il a versé de l'argent en Angleterre et en Hollande.

A peine le Régent avait-il conclu la Triple-Alliance que le tsar entreprit de lui montrer l'utilité d'une alliance russe, remplaçant pour la France l'ancienne alliance suédoise; il se faisait fort d'entraîner à sa suite la Prusse et la Pologne. Il vint à Paris, en juin 1717, et son ministre, Kourakine, entra en pourparlers avec le président du Conseil des Affaires étrangères. Mais le Régent et Dubois, voyant les Russes et les Anglais en hostilité dans la Basse-Allemagne et sur la Baltique, pensèrent qu'une alliance russe était inconciliable avec la Triple-Alliance. Ils considérèrent que, celle-ci rompue, ils se retrouveraient isolés en présence de l'Angleterre et de l'Autriche, sans cesser d'avoir l'Espagne pour ennemie. Ils se contentèrent d'offrir leur médiation aux Russes et aux Suédois, pour amener une paix qui devait être signée à Nystadt en 1721.

PROJETS D'ALLIANCE RUSSE.

III. — LA QUADRUPLE-ALLIANCE ET LES DEUX CONSPIRATIONS DE LA DUCHESSE DU MAINE ET DES BRETONS (1717-1720)

REVENU de La Haye à Paris, et entré au Conseil des Affaires étrangères le 26 mars 1717, Dubois passa en Angleterre, au mois de septembre 1717, pour négocier une extension de la Triple-Alliance. Il s'agissait d'amener l'Empereur et le roi d'Espagne lui-même à la politique de la paix générale, toujours sur la base d'Utrecht.

DUBOIS EN ANGLETERRE.

A Londres, Dubois, reçu comme un ami de la nation, courut les bals, les chasses et les concerts, s'assit à des banquets de 800 couverts, eut des indigestions, la fièvre, la goutte, fut mis au traitement du lait et enfin tenu au lit. Remis sur pied, il renonça à gagner l'estime des hommes par sa vaillance à table; il était médiocre mangeur et buveur. Il fit venir de Paris des étoffes et des modèles de robes et une grande poupée, pour montrer aux dames comment se portaient chez nous les robes, les coiffures et les manteaux; il assortit les nuances des étoffes au teint de chacune, à l'air du visage et à la taille; il discuta la longueur des queues de robe et l'article des doublures.

Pendant les conférences de Londres, l'Espagne commit de grandes imprudences. Elle aurait dû prévoir le rapprochement de la Triple-Alliance et de l'Empereur, et se rapprocher elle-même, au plus vite, de Charles VI, pour ne pas demeurer isolée; elle aurait dû tout au moins ne rien faire qui fût une provocation à l'égard de l'Autriche. Albéroni le comprenait; mais il fut obligé de servir la passion du Roi et de la Reine, obstinés dans leurs projets sur l'Italie. Au mois de mai 1717, le grand inquisiteur d'Espagne ayant été

RUPTURE ENTRE L'ESPAGNE ET L'EMPEREUR.

arrêté en Milanais comme sujet rebelle de l'Empereur, qui continuait à porter le titre de roi d'Espagne, le gouvernement espagnol
débarqua des troupes en Sardaigne et prit possession de l'île le
22 août 1717. L'Empereur n'avait pas de navires pour chasser les
Espagnols ; mais, comme il négociait déjà avec George Ier un accord
sur les bases de celui de La Haye, il dénonça à la Triple-Alliance
l'agression de l'Espagne. Stanhope et Dubois préparèrent un accommodement, qui serait réglé selon les termes d'une convention arrêtée
en juillet 1718 : la couronne d'Espagne devait être garantie à Philippe V, et la succession de Toscane et de Parme au fils aîné d'Élisabeth Farnèse ; Victor-Amédée de Savoie céderait la Sicile à l'Empereur et recevrait en échange la Sardaigne. Mais l'Espagne voulait
Parme et la Toscane tout de suite, et refusait de restituer la Sardaigne.
Elle occupa même la Sicile, en juillet 1718. Alors l'Empereur adhéra
à la Triple-Alliance par le traité de Londres du 2 août 1718.

CONVENTIONS DU 18 JUILLET 1718.

Il renonçait à la couronne d'Espagne à condition que Philippe V
ne prétendrait rien sur les Pays-Bas ; il proposait d'échanger avec
le duc de Savoie la Sardaigne contre la Sicile ; les fils d'Élisabeth
Farnèse auraient la Toscane et Parme, dès que la succession en
serait ouverte ; et, comme c'étaient des fiefs impériaux, l'Empereur
leur en donnerait l'investiture. A quelques jours de là, le 11 août,
l'amiral Byng, qui avait pour instructions de s'opposer à tout débarquement des Espagnols en Italie ou en Sicile, rencontrant une flotte
espagnole en vue de Syracuse et du cap Passaro, la détruisit. Au
même moment, le Régent, mis au courant d'une conspiration tramée
contre lui par la duchesse du Maine, de concert avec l'ambassadeur
d'Espagne, se familiarisait avec l'idée de déclarer la guerre à
l'Espagne. Dubois devint secrétaire d'État des Affaires étrangères
par commission en septembre 1718.

QUADRUPLE-ALLIANCE (2 AOÛT 1718).

Le duc du Maine, évincé par le Régent le 2 septembre 1715, et
ramené le 26 août 1718 du rang de prince au rang de pair, était
homme à tout subir. Mais la duchesse, Bénédicte, petite-fille du Grand
Condé, se chargea de venger son mari. Toute petite, presque naine,
charmante, elle avait désolé le duc par le mépris qu'elle faisait de lui,
par ses dépenses, ses caprices et sa vanité. Elle tenait à Sceaux une
cour de seigneurs oisifs qui rêvaient d'un rôle politique, de gens de
lettres, de libellistes et de petits poètes qui chansonnaient tantôt le
Régent, tantôt sa fille, Mme de Berry. Chef de la faction de l'ancienne
Cour, la duchesse voulut lier partie avec Philippe V, qu'elle regardait comme l'héritier de Louis XIV ; elle fut l'inspiratrice du complot
que l'on désigne par le nom de Cellamare.

LA DUCHESSE DU MAINE.

LE COMPLOT.

Ce complot ressemble à un roman. Le jésuite Tournemine présente à la duchesse un aventurier de Liège, le baron de Walef, qui s'offre à faire pour elle un voyage d'Espagne. La duchesse le charge de s'informer des intentions de Philippe V, et elle lui remet cent louis d'or et une lettre de créance. Walef se rend auprès d'Albéroni, et lui soumet le plan d'un partage des royaumes de France, d'Espagne et de Sicile, pour le cas où Louis XV viendrait à mourir.

Mais la duchesse veut correspondre directement avec Albéroni. *LA DUCHESSE* Pour cela, il faut recourir à l'ambassadeur d'Espagne, Cellamare. Elle *ET L'AMBASSADEUR* se met en relations avec lui par le comte de Laval et par un certain *CELLAMARE.* marquis de Pompadour, homme sans ressources, en quête de moyens de fortune. Elle reçoit la visite de l'ambassadeur dans sa maison de l'Arsenal, et lui remet des mémoires où sont exposées les raisons qui devaient déterminer Philippe V à s'allier à la France contre l'Empereur et l'Angleterre. Cellamare se contente de faire connaître à Albéroni, le 25 mai 1718, l'entrevue de l'Arsenal. Mais quand la Quadruple-Alliance est conclue, en août 1718, Albéroni cherche à tirer parti des intrigues de France. Dans de nouvelles entrevues à l'Arsenal, on parle d'agiter l'opinion contre le Régent, de réclamer la convocation des États généraux, et d'établir une autre forme de Régence.

Un certain abbé Brigault conseille la duchesse dans sa corres- *L'ABBÉ BRIGAULT.* pondance avec Madrid. Il rédige des mémoires, et corrige les écrits qu'elle envoie en Espagne : une requête des Français au Roi Catholique, demandant la convocation des États généraux; une lettre que Philippe V écrirait à Louis XV; une circulaire qu'il adresserait aux Parlements de France; un manifeste pour ordonner la convocation des États généraux. On espérait que Philippe V renverrait lettre, circulaire et manifeste avec sa signature.

Mais Philippe sentit bien qu'il ne pouvait prendre la Régence *VUES* pour lui, ni même la faire passer au duc de Bourbon ou au prince de *DE PHILIPPE V.* Conti, encore moins aux bâtards. Il s'arrêta à la combinaison de faire un Conseil de Régence où siégeraient les princes du sang, même les bâtards, avec un certain nombre de grands personnages.

Le bruit courut alors que le Régent allait être enlevé et que 6 000 faux-sauniers, assemblés dans le voisinage de Paris, étaient prêts pour un coup de main. Mais il n'y eut jamais de péril sérieux. Les hommes les plus hostiles au Régent, comme Villars et Tessé, n'étaient pas disposés à s'aventurer; et, dans l'armée, seuls le lieutenant-général Saint-Geniez-Navailles et le comte d'Aydie s'engagèrent nettement avec l'Espagne.

A Londres, pendant son ambassade, Dubois avait été informé du complot, dès le mois de juillet 1718, par Stanhope. Il avertit le

Régent. Un employé de la bibliothèque du Roi, Buvat, dont l'écriture avait été reconnue sur un mémoire envoyé par Cellamare à Londres, fut obligé, pour éviter un châtiment, de tenir le gouvernement au courant du travail de copiste que les conjurés lui confiaient.

Lorsqu'il fut devenu secrétaire d'État des Affaires étrangères, Dubois surveilla mieux que jamais Cellamare. Le 25 novembre, l'ambassadeur français en Espagne, Saint-Aignan, l'avertissait que Philippe V projetait de porter en France la guerre civile, qu'il devait emmener avec lui son fils le prince des Asturies, en laissant le gouvernement de l'Espagne à une junte. Alors, le 5 décembre 1718, Dubois fait arrêter, à Poitiers, l'abbé Porto-Carrero et le fils du marquis de Montéléon, qui portaient en Espagne les dépêches de Cellamare. Le 13 décembre, les papiers de l'ambassadeur sont saisis et lui gardé à vue; l'abbé Brigault, puis le duc et la duchesse du Maine sont arrêtés.

Le duc du Maine fut mis en route pour Doullens, entre un lieutenant des gardes du corps et un brigadier des mousquetaires.

« Le silence fut peu interrompu dans le carrosse, dit Saint-Simon. Par ci, par là, M. du Maine, disait qu'il était... très attaché au Roi, qu'il ne l'était pas moins à M. le duc d'Orléans..., et qu'il était bien malheureux que son Altesse Royale donnât créance à ses ennemis... tout cela par hoquets, et parmi force soupirs; de temps en temps, des signes de croix et des marmottages, bas comme des prières, et des plongeons de sa part à chaque église ou à chaque croix par où ils passaient. »

La duchesse avait reçu de très haut M. d'Ancenis, capitaine des gardes du corps. Elle fut conduite au château de Dijon, y demeura cinq mois, s'ennuyant à périr, fut transférée à Chalon-sur-Saône, ne s'y ennuya pas moins, et finit par faire des aveux et sa soumission pour recouvrer sa liberté.

On emprisonna à la Bastille, avec l'abbé Brigault, Pompadour, Laval, Malézieux, secrétaire des commandements de la duchesse, Mlle de Launay, une de ses filles d'honneur, le cardinal de Polignac, le marquis de Boisdavy et d'autres encore. Quand on eut obtenu de tous des aveux par écrit, on les mit en liberté. Ce n'étaient pas des gens à craindre, et tout ce complot n'était que ridicule. Mais l'Espagne en fut déconsidérée.

Dubois publia les papiers de la conspiration. On s'indigna contre la déloyauté de l'ambassadeur Cellamare. Tout le Conseil de Régence prit parti pour la guerre contre l'Espagne, et Torcy lui-même approuva la politique du Régent, forcé à faire la guerre, pour se défendre, mais, en même temps, pour assurer la paix de l'Europe.

Après une inutile tentative de conciliation faite par la Quadruple-Alliance auprès de Philippe V, l'Angleterre, qui avait déjà ouvert les hostilités contre les Espagnols à Syracuse, leur déclara la guerre le 28 décembre 1718, et la France fit de même, le 9 janvier 1719. Philippe V publia des manifestes que condamnèrent les Parlements, et les hostilités s'ouvrirent.

GUERRE CONTRE L'ESPAGNE (1719).

Albéroni essaya une double diversion en organisant une expédition en Écosse, et en encourageant un soulèvement en Bretagne. Une flotte partit de Cadix, sous le commandement du comte d'Ormond, avec un corps de débarquement de 5 000 hommes, que le Prétendant, appelé d'Italie, devait rejoindre. Mais une tempête s'éleva dans le golfe de Biscaye le 7 mars; les navires espagnols furent désemparés ou dispersés. Deux frégates seulement arrivèrent à destination le 16 avril.

Les Français, sous le commandement de Berwick, franchirent la Bidassoa, le 21 avril. Le 27, prenant le nom de Philippe de France, le roi d'Espagne lança une déclaration où il invitait l'armée d'invasion à se joindre à ses troupes. Les Parlements par des arrêts, et Louis XV par une lettre à Berwick lui répliquèrent. Les principales forces de l'Espagne se trouvant en Sicile, Berwick ne rencontra nulle part de résistance sérieuse. Il occupa le port du Passage, y brûla des navires, des arsenaux, des magasins; il prit Fontarabie le 18 juin, Saint-Sébastien le 19 août. Pendant qu'il assiégeait cette dernière ville, un corps détaché de son armée alla, pour faire plaisir aux Anglais, brûler des navires espagnols à Santona. Le Guipuzcoa était conquis. Philippe V, qui était venu à Pampelune, avait maintes fois cherché à se rendre dans le camp de Berwick. Il croyait qu'un petit-fils de Louis XIV se présentant à des Français serait acclamé par eux.

Comme Berwick n'avait pas le matériel qu'il aurait fallu pour assiéger Pampelune, il revint en France, afin de passer en Catalogne. Il s'empara d'Urgel le 12 octobre et investit Rosas; mais, ne recevant pas d'artillerie, il se retira en Roussillon pour prendre ses quartiers d'hiver, à portée de la Catalogne, où une insurrection contre l'Espagne était toujours possible.

La diversion de Bretagne ne réussit pas mieux que celle d'Écosse. Les États de Bretagne avaient refusé, en 1717, de voter le don gratuit. Ils reprochaient au gouverneur de Montesquiou de violer les essentiels privilèges de la province, le libre vote des impôts, et de rompre ainsi le contrat qui les liait à la France. Les États avaient été dissous et plusieurs gentilshommes et conseillers au Parlement exilés. En 1718, ils avaient consenti le don gratuit; mais le Régent voulant rétablir une taxe sur les boissons, qu'il avait supprimée, la noblesse refusa obstinément de la voter. Bien que le clergé et le tiers consen-

CONSPIRATION DE BRETAGNE.

tissent à l'accepter, la noblesse soutint que son refus faisait loi, que l'unanimité des ordres était requise pour le vote des impôts, et que la perception de la taxe serait illégale. Le Parlement de Rennes adressa des remontrances au Régent le 20 août. Mais c'était le moment où le jeune roi, en lit de justice, interdisait au Parlement de Paris l'usage des remontrances. La noblesse bretonne n'obtint qu'une dure réponse. Elle fit alors déposer une protestation au greffe du Parlement, et cette compagnie, le 7 septembre, interdit toute levée de deniers sans consentement des États. Le lendemain, soixante-trois gentilshommes furent exilés, et Montesquiou signifia aux États, de la part du Roi, que, si quelqu'un osait s'opposer à l'exécution des arrêts du Conseil, la punition ne se ferait pas attendre. Plusieurs membres de la noblesse furent arrêtés; d'autres rédigèrent un acte d'association pour la défense des libertés de la province. Cette pièce fut colportée par Mmes de Kankoën et de Bonnamour, qui déclaraient infâme et dégradé de la noblesse tout gentilhomme qui refusait de la signer.

LAMBILLY ET MÉLAC-HERVIEUX (1719).

    Au mois d'avril 1719, une conspiration s'organisa dans une assemblée tenue à l'abbaye de Lanvaux, à quatre lieues au nord d'Auray. M. de Lambilly proposa de demander l'appui de l'Espagne. Une seule voix se rangea à son avis; il n'en prit pas moins sur lui d'envoyer à Philippe V, à la fin de mai 1719, un messager nommé Mélac-Hervieux, qui se donna comme député de la noblesse bretonne. Philippe promit des troupes aux Bretons et donna en juin 1719 30 000 livres à Mélac pour acheter des armes.

ORGANISATION MILITAIRE.

    Les révoltés Bretons se préparèrent à la guerre contre le roi de France; ils nommèrent les chefs de leur future armée : Coué de Salarum, commissaire général, Le Gouvello de Kerantré, maréchal de camp, de Lambilly, intendant et trésorier général. Les évêchés de Bretagne étaient des subdivisions militaires dont les chefs formaient une sorte de conseil de guerre. Devant ce conseil parut Mélac-Hervieux, arrivant d'Espagne avec des propositions de Philippe V qui furent acceptées. La Bretagne devait mettre sur pied 12 000 fantassins et 2 000 cavaliers, et l'Espagne fournir quatre bataillons, de l'argent et un général. Au lieu de faire tout de suite la guerre de partisans, où ils auraient eu chance de lutter sans trop grand désavantage, les chefs bretons, la plupart d'anciens officiers, voulurent pratiquer la guerre méthodique, et ils attendirent les troupes d'Espagne. Mais l'escadre espagnole fut bloquée par les Anglais, à La Corogne, et les transports immobilisés en septembre 1719.

CHAMBRE ROYALE DE NANTES (OCTOBRE 1719).

    De Santander, un Français avertit le Régent des mouvements espagnols; de Nantes, le subdélégué Mellier, mis au courant par un traître, révéla la conspiration. Ce fut alors une débandade. Quelques seigneurs compromis s'embarquèrent à Lokmariaker et gagnèrent l'Espagne; d'autres furent arrêtés et traduits devant une chambre royale, tribunal exceptionnel créé à Nantes pour les juger en octobre 1719. C'étaient MM. de Pontcallec, de Montlouis, Le Moyne de Talhouët et du Couëdic, pauvres gens dont la défense fut très faible, et qui ne surent expliquer ni la cause, ni le but de leur révolte. Ils furent condamnés à mort et exécutés devant le château le 26 mars 1720. Seize autres furent exécutés en effigie; ils s'étaient réfugiés à Madrid et à Parme.

IV. — LE RAPPROCHEMENT DE LA FRANCE ET DE L'ESPAGNE (1722)

PAR tous ces événements, la politique espagnole était condamnée. Albéroni, quand il vit le territoire espagnol envahi et les complots de France déjoués, essaya de traiter avec l'Empereur et les Anglais; mais les alliés s'étaient engagés à faire de sa disgrâce la première condition de la paix. Philippe V lui donna l'ordre de sortir du royaume en novembre 1719.

DISGRÂCE D'ALBERONI.

L'ambassadeur d'Espagne à La Haye, de Beretti-Landi, annonça le 16 février 1720 aux plénipotentiaires de l'Empereur, du roi de France et du roi d'Angleterre, l'adhésion de son maître à la Quadruple-Alliance. L'acte en fut passé à La Haye le 20 mai.

Dès lors les dispositions du Régent et de Dubois changèrent à l'égard de l'Espagne; du rapprochement auquel ils l'avaient contrainte, ils tâchèrent de faire une alliance intime. L'ambassadeur de Philippe V à Paris, Patricio Laulès, continua quelque temps de lui représenter que la France ruinée par le Système, déchirée par les discordes religieuses, était mûre pour le démembrement; mais, à Madrid, le marquis de Maulevrier et l'abbé de Mornay remirent les choses au point. Le 27 mars 1721, fut signé entre les rois de France et d'Espagne un traité d'alliance défensive, avec garantie réciproque de leurs possessions. L'Espagne recouvrait les places conquises par Berwick; la France lui promettait d'appuyer ses prétentions sur la Toscane, Parme et Plaisance, et même de s'employer auprès des Anglais pour obtenir la restitution de Gibraltar. Les Anglais ne voulurent rien entendre sur Gibraltar, mais ils consentirent à procéder avec la France et l'Espagne à la formation d'une nouvelle Triple-Alliance, le 13 juin 1721.

ALLIANCE FRANCO-ESPAGNOLE (27 MARS 1721).

Philippe V se ralliait à l'idée de l'alliance intime. Il proposa le double mariage de sa fille unique, l'infante Marie-Anne-Victoire, avec

Louis XV, et de son fils aîné, l'infant don Luis, avec Mlle de Mont-pensier, fille du Régent. Le Régent accueillit tout de suite cette proposition.

Un matin, raconte Saint-Simon, il annonça au Roi la grande nouvelle. Louis XV — il avait alors onze ans — pleura à l'idée de prendre pour femme une enfant de trois ans. Son précepteur Fleury eut beaucoup de peine à le faire consentir. Le Conseil de Régence se tint dans l'après-midi.

« Assis tous en place, dit Saint-Simon, tous les yeux se portèrent sur le Roi qui avait les yeux rouges et gros, et avait l'air fort sérieux. Il y eut quelques moments de silence, pendant lesquels M. le duc d'Orléans passa les yeux sur toute la compagnie, qui paraissait en grande expectation; puis les arrêtant sur le Roi, il lui demanda s'il trouvait bon qu'il fît part au Conseil de son mariage. Le Roi répondit un oui sec en assez basse note, mais qui fut entendu des quatre ou cinq plus proches de chaque côté, et aussitôt M. le duc d'Orléans déclara le mariage et la prochaine venue de l'Infante, ajoutant tout de suite la convenance et l'importance de l'alliance, et de resserrer par elle l'union si nécessaire des deux branches royales, si proches, après les fâcheuses conjonctures qui les avaient refroidies. Il fut court, mais nerveux, car il parlait à merveille... »

Le jour même une dépêche partait pour Madrid annonçant le consentement du Roi[1].

Philippe V, au reçu de la nouvelle, fit chanter un *Te Deum* Il écrivit à sa fille, l'enfant de trois ans :

« Je ne veux pas que vous appreniez par un autre que par moi-même, ma très chère fille, que vous êtes reine de France. J'ai cru ne pouvoir mieux vous placer que dans votre même maison, et dans un si beau royaume. Je crois que vous en serez contente. Pour moi, je suis si transporté de joie de voir cette grande affaire conclue que je ne puis vous l'exprimer, vous aimant avec toute la tendresse que vous ne sauriez vous imaginer. Donnez à vos frères cette bonne nouvelle, et embrassez-les bien pour moi. Je vous embrasse aussi de tout mon cœur[2] ».

Les démarches officielles furent faites tout de suite. Le duc d'Ossone se rendit à Paris, et le duc de Saint-Simon en Espagne. L'échange de l'Infante et de Mlle de Montpensier eut lieu sur la Bidassoa. Il fallut arracher l'Infante des bras de la duchesse de Montellano, sa gouvernante. Arrivée à Paris, elle fut saluée avec l'habituelle solennité par les harangues des corps constitués.

1. Le Régent attendit de dix à douze jours avant de déclarer le mariage de sa fille avec le prince des Asturies, sentant bien quelles jalousies il allait soulever contre sa personne et sa maison.
2. Les fils de Philippe V étaient au nombre de quatre. Les deux aînés, don Luis et don Ferdinand étaient nés de la feue Reine Marie-Louise, et avaient, le premier dix ans, le second neuf ans; les deux autres, fils d'Elisabeth Farnèse, étaient don Carlos et don Philippe, le premier âgé de cinq ans, le second d'un an.

Telle fut la politique de la Régence, où Dubois eut la plus grande part. Le principe en fut l'alliance anglaise. L'Angleterre en tira son profit; le danger d'une restauration jacobite fut écarté par le dissentiment entre la France et l'Espagne. Aussi les adversaires de Dubois lui reprochèrent-ils d'avoir sacrifié l'Espagne à l'Angleterre. « Sa politique, a dit Saint-Simon, montrait toute notre servitude « pour l'Angleterre et notre aveuglement sur nos intérêts les plus « évidents. » Dubois ne mérite pas ces reproches. Des ambitions et des intérêts personnels menaçaient la paix de l'Europe; le Prétendant voulait devenir roi d'Angleterre, le roi d'Espagne maintenir ses droits à la couronne de France, et l'Empereur supplanter le roi d'Espagne; la reine d'Espagne avait des enfants à mettre sur des trônes; un ministre, étranger au pays qu'il gouvernait, prétendait à un grand rôle sur le théâtre d'Europe. Par toutes ces causes, la guerre paraissait certaine. Dubois et le Régent se sont défendus contre Philippe V, Élisabeth Farnèse et Albéroni; leur accord avec l'Angleterre, la Hollande et l'Empereur a tout de suite étouffé la guerre commencée. Aussitôt après que l'Espagne eut été réduite à merci, ils se réconcilièrent avec elle, resserrèrent l'alliance par de nouveaux liens très étroits entre Bourbons de France et Bourbons d'Espagne; même ils préparèrent l'établissement de la maison de France-Espagne en Italie, tout en gardant l'alliance anglaise, qui devait durer jusqu'en 1742, et maintenir, sauf pendant une courte guerre, de 1733 à 1735, la paix de l'Europe, si bienfaisante à la France. Il ne semble pas qu'il y eût mieux à faire que ce qui fut fait. Dubois fut un très habile ministre des Affaires étrangères, dans cette période, d'ailleurs médiocrement intéressante, de la politique européenne.

CONCLUSION SUR LA POLITIQUE EXTÉRIEURE.

V. — LA POLITIQUE MOLINISTE DE DUBOIS (1720-1721)

CE fut aussi Dubois qui dirigea la politique ecclésiastique de la Régence. Il avait ses raisons pour s'y intéresser, espérant par là gagner la dignité de cardinal qui achèverait et consoliderait sa fortune. Lord Stairs devina son ambition, et en avisa Stanhope. Le ministre anglais soumit le cas au cabinet de Vienne, et bientôt, entre l'Autriche et l'Angleterre, il y eut partie liée pour assurer le chapeau au négociateur de la Quadruple-Alliance. Stairs mit alors Dubois au courant, et demanda au Régent d'intervenir à Rome. Mais le Régent refusa, ne voulant pas, dit-il, que son secrétaire d'Etat devînt moins dépendant envers lui.

Dubois pensa que les Jésuites pouvaient lui venir en aide, et fit

DUBOIS VEUT ÊTRE CARDINAL.

savoir à Rome, par son envoyé, le P. Lafitteau, qu'il était en mesure de mettre le Régent en bon accord avec les Jésuites et le Saint-Siège. A Rome, pour lui tendre un piège et le déconsidérer s'il acceptait, on se déclara prêt à lui donner le « chapeau » que l'on enlèverait à Noailles, l'archevêque janséniste de Paris. Mais il répondit qu'on ne pouvait ôter à l'archevêque la dignité que le prélat devait à la « nomination » du Roi.

IL EST FAIT ARCHEVÊQUE DE CAMBRAI.

L'Angleterre fit un nouvel effort. Le 21 octobre 1719, le roi George demanda personnellement au Régent d'appuyer Dubois à Rome, et, le 29 novembre, le Régent décida enfin d'écrire à Clément XI. Mais le Pape ne se laissa pas convaincre ; et l'affaire paraissait très compromise quand l'ambassadeur impérial à Londres, Pentenriedter, fut transféré à Paris. A peine installé dans son nouveau poste, il prétendit reprendre en sous-œuvre l'affaire du chapeau, et, à la nouvelle que le cardinal de La Trémoille, archevêque de Cambrai, venait de mourir à Rome, il alla trouver le Régent et lui demanda pour Dubois le siège de Cambrai. Comme le Régent ne faisait pas d'objections, il écrivit à Stanhope ; le roi d'Angleterre écrivit au Régent, fit valoir une fois de plus les importants services de Dubois. Le 4 février 1720, Dubois fut nommé archevêque de Cambrai.

Il portait le petit collet, et on l'appelait l'abbé parce qu'il possédait des abbayes ; mais il n'avait pas reçu les ordres. Il fallut qu'il se fît administrer coup sur coup le sous-diaconat, le diaconat et la prêtrise. Un de ses neveux, chanoine de Saint-Honoré, lui apprit à dire la messe, qu'il dit le jour de son sacre pour la première fois. Le sacre, célébré le 9 juin 1720, dans l'église du Val-de-Grâce, fut magnifique. Le Régent s'y trouva avec « toute la France ». Le prélat consécrateur fut le cardinal de Rohan ; ses assistants furent l'évêque de Nantes, de Tressan, et Massillon, évêque de Clermont. On a reproché à Massillon la complaisance dont il fit preuve à l'égard de Dubois ; mais Saint-Simon explique qu'un homme « aussi mince » ne pouvait moins faire qu'un prélat de grande maison, comme Rohan. Après la cérémonie, un repas superbe fut servi au Palais-Royal. Dubois s'assit au milieu de la table d'honneur, en face du maréchal de Villeroy, ayant autour de lui les cardinaux de Rohan, de Bissy et de Gesvres, le nonce du Pape, un envoyé de l'Empereur, les maréchaux de Berwick, d'Estrées et de Tallard, et nombre de prélats, d'abbés et de gentilshommes. Massillon s'était déshonoré en noble compagnie.

L' « ACCOMMODE-MENT » DE 1720.

Le nouvel archevêque, pensant toujours au « chapeau », essaya de réconcilier les Jansénistes et les Molinistes. Il détermina les chefs du parti de la Constitution, les cardinaux de Rohan et de Bissy, à négocier avec le cardinal de Noailles, toujours considéré comme chef des opposants, et à formuler avec lui un « corps de doctrine » acceptable pour les Jansénistes et les Constitutionnaires. Le texte en fut arrêté avec le concours du P. Latour, général de l'Oratoire, et d'un évêque de Bayonne, du nom de Dreuillet, connu pour l'influence qu'il avait sur Noailles; il était assez vague pour que chacun y trouvât l'expression de ses sentiments. A force de caresses, on gagna à la cause de l' « accommodement » le plus zélé des Constitutionnaires, Languet de Gergy, évêque de Soissons. On y gagna les Jésuites; la plupart des évêques suivirent. Noailles avait donné, par écrit, son approbation; il écrivit un mandement d'adhésion à la Bulle *Unigenitus*, mais refusa de le publier avant que fût enregistrée une Déclaration du Roi sur l' « accommodement ».

La Déclaration parut le 4 août. Elle apprit au public que des explications avaient été échangées entre cardinaux, archevêques et évêques, dans un « esprit de concorde et de charité ». Elle ordonna d'accepter la Bulle, défendit de rien écrire, « soutenir ou débiter » contre elle, même d'en appeler au futur concile. Le Parlement de Paris étant en exil à Pontoise, comme on a vu, depuis le 20 juillet [1], elle fut envoyée au Parlement de Flandre qui l'enregistra. Mais Noailles ne se contenta pas d'un enregistrement de cour provinciale, et la Déclaration fut portée à Pontoise. Elle y rencontra de telles résistances que le gouvernement dut la retirer. Dubois la présenta au Grand Conseil, qui la repoussa. Le Régent se rendit alors au Grand Conseil, le 23 septembre, « avec tous les princes du sang », dit Barbier, des « maréchaux de France » et des « ducs et pairs », trente-cinq personnes qu'il comptait faire voter. Comme il ne trouva en séance que dix-huit conseillers ou présidents, on ne put lui résister. On lui fit, pour la forme, des objections; il y répondit « savamment »; et la Déclaration fut enregistrée, « à la pluralité des voix ». Noailles s'entêta; il n'y avait pour lui d'enregistrement valable qu'au Parlement de Paris. Il était d'ailleurs assailli de scrupules et regrettait les engagements qu'il avait pris. La Déclaration revint donc devant le Parlement qui, vigoureusement travaillé par les Jansénistes, la rejeta comme devant amener la ruine de l'église gallicane; mais, sur la menace d'être exilés à Blois, et de voir leur ressort diminué par la création de deux cours rivales, à Tours et à Poitiers, les magistrats enregistrèrent enfin, le 4 décembre 1720.

Noailles publia alors son mandement; mais aussitôt les Jansénistes le traitèrent de renégat. Les passions s'enflammèrent; des listes d'appelants au futur concile circulèrent; dans l'une d'elles on lisait :

DÉCLARATION IMPOSANT LA BULLE « UNIGENITUS ».

DISCRÉDIT DU CARDINAL DE NOAILLES.

1. Voir plus haut, p. 36.

« Le Roi est maître de nos biens et de nos personnes ; il ne l'est pas
« de nos consciences ».

Les appelants paraissant de nouveau persécutés, le gros public
se déclara pour eux. On raconte qu'une servante, rencontrant un
prêtre constitutionnaire qui portait le viatique à un malade, s'agenouilla et s'écria : « O mon Dieu ! je vous adore, quoique vous soyez
entre les mains d'un hérétique ! » Les Jansénistes n'étaient pas moins
exaltés en province qu'à Paris, comme l'atteste ce dialogue entre un
chanoine de Marseille, au temps où la peste ravage la ville [1], et une
supérieure de couvent suspectée de jansénisme : « C'est à vous, dit
le chanoine, que M. l'Évêque attribue les fléaux qui affligent son
diocèse » ; l'abbesse réplique : « Ainsi les païens accusaient autrefois
les chrétiens de tous les maux de l'Empire, parce qu'ils n'adoraient
pas leurs idoles ».

Mais Dubois, ayant accordé les chefs des deux partis, devenait
très fort contre les opposants. Il fit condamner, par arrêt du Conseil,
l'appel qu'en 1717 les évêques de Mirepoix, Senez, Montpellier et
Boulogne, avaient interjeté de la Bulle au futur concile, et que la
Sorbonne avait approuvé ; il annula les actes d'appel des chapitres,
et rendit les supérieurs des communautés responsables des résistances de leurs inférieurs. Il surveilla lui-même de près les Bénédictins et les Pères de l'Oratoire ; il distribua des lettres de cachet,
provoqua des mécontentements et des colères, mais parvint à rétablir la paix pour un moment. Et il se crut en droit de compter sur la
reconnaissance de la Cour de Rome.

Rome refusa pourtant le « chapeau » tout le temps que vécut
Clément XI. Quand le pape mourut en 1721, Dubois se démena pour
obtenir l'élection d'un pontife plus docile. Par l'entremise de Lafitteau, il négocia avec les cardinaux Gualterio et Albani ; il envoya
30 000 écus au cardinal de Rohan, pour se créer des partisans, fit
partir pour le conclave les cardinaux français de Bissy, de Polignac
et de Mailly, enfin envoya un homme de confiance, l'abbé de Tencin,
chez le cardinal Conti, qui était un des papables, pour lui promettre
l'appui des Français sous la condition qu'il donnerait la pourpre à
Dubois. Conti promit et signa sa promesse. Une fois pape, sous le
nom d'Innocent XIII, il tarda à s'exécuter. Dubois faisait l'indifférent ; il écrivait à Tencin : « Il n'y a point de coiffure qui me paraisse

---

1. Un navire de commerce, venant de Saïda, avait abordé à Marseille le 15 mai 1720, et y
avait apporté la peste. Une mortalité effroyable avait sévi ; les gens aisés s'enfuyaient, les
autres étaient menacés de famine. La peste atteignit les villes voisines, Arles et Toulon.
Le Gévaudan fut contaminé, le Dauphiné menacé. L'évêque Belzunce, prélat constitutionnaire, attribuait la peste à la colère divine, encourue par l'existence du Jansénisme à
Marseille.

aujourd'hui plus extravagante qu'un chapeau de Cardinal »…. Mais il ajoutait : « La rage et la noirceur de ceux qui nous traversent me mettent en fureur ». Cependant il envoya encore 100 000 livres pour la famille du Pape, famille « pauvre », dit Tencin, « glorieuse et affamée ».

Enfin Dubois est fait Cardinal, et, le 25 juin 1721, le duc d'Orléans le présente au Roi comme le prélat auquel Sa Majesté doit la tranquillité de son État et de l'Église de France. *DUBOIS CARDINAL (JUIN 1721).*

De cette promotion, comme du sacre, comme de toutes les choses qui se passaient à cette étrange époque, Paris s'amusait. On chantait :

> Que chacun se réjouisse !
> Admirons Sa Sainteté
> Qui transforme en écrevisse
> Ce vilain crapaud crotté.
>
> Après un si beau miracle
> Son Infaillibilité
> Ne doit plus trouver d'obstacle
> Dans aucune Faculté.

VI. — LA FIN DE DUBOIS ET DU DUC D'ORLÉANS (1723)

DUBOIS, sans s'émouvoir, poursuivit son chemin. Cardinal comme l'avaient été Richelieu et Mazarin, il voulut devenir, comme eux, premier ministre, c'est-à-dire placer les ministres et secrétaires d'État, ses collègues, sous son autorité, donner une orientation uniforme à l'administration, faire « converger », comme il disait, toutes les parties du Gouvernement « vers un point fixe ». Il crut utile d'entrer d'abord au Conseil de Régence, qui subsistait toujours dans sa forme première. Mais, pour ne soulever aucun débat qui lui fût personnel au sujet du rang qu'il prétendait y tenir, il commença par y introduire le cardinal de Rohan. Rohan réclama la préséance sur les ducs et pairs et sur les maréchaux; ceux-ci se retirèrent, et le chancelier d'Aguesseau les suivit. Comme le Conseil ne comprenait plus que des princes, à qui les cardinaux ne disputaient pas le rang, Dubois y entra. *DUBOIS PREMIER MINISTRE.*

L'ambition qu'il avait d'être premier ministre fut secondée par le Régent. L'époque de la majorité du Roi approchait, et le Régent ne pensait pouvoir conserver son autorité une fois le Roi majeur, que par l'intermédiaire d'un homme à lui. Peut-être craignait-il de heurter l'opinion, en restaurant pour lui-même les fonctions de premier ministre. Dubois lui remit un mémoire où il exposait que, s'il était nécessaire de laisser à chacun des secrétaires d'État leurs attributions particulières, il ne l'était pas moins de concerter avec eux journellement les résolutions de son Altesse Royale et d'éviter « les inconvénients d'un gouvernement partagé ». Le 22 août 1722, des lettres patentes firent Dubois premier ministre. Le Régent conservait la présidence du Conseil de Régence; il devait présider aussi les Conseils des dépêches et des finances, rétablis sous la forme où ils étaient avant la Régence; il conservait la signature des états et ordonnances de fonds.

Quand le Roi devint majeur le 16 février 1723, le duc d'Orléans lui remit ses pouvoirs; Dubois fut confirmé dans les siens, et, en sa faveur, Louis XV érigea de nouveau en charge le secrétariat d'État des Affaires étrangères. Le Conseil de Régence disparut, et à sa place fut rétabli l'ancien Conseil d'en haut, où siégèrent le Roi, les ducs d'Orléans et de Chartres, le duc de Bourbon, Dubois et le précepteur du Roi, Fleury.

DUBOIS ENTRE A L'ACADÉMIE, PRÉSIDE L'ASSEMBLÉE DU CLERGÉ.

Dubois eut encore l'honneur d'entrer à l'Académie. Le jour où il y fut reçu, l'évêque de Soissons, Languet, lui dit en parlant de la Compagnie : « Formée sous les auspices du Cardinal Premier Ministre, elle en voit avec plaisir reparaître l'image, et elle se flatte de voir bientôt, dans la même dignité, les mêmes prodiges. Elle se flatte de trouver en vous un second Richelieu. » Enfin il présida l'assemblée du Clergé de France, qui en fut si fière, qu'elle vota 8 millions de Don gratuit.

MORT DE DUBOIS.

C'est en cette pleine gloire que la mort s'annonça. On sut dans la Ville que le médecin La Peyronie appelé auprès du cardinal malade, avait diagnostiqué un abcès dans la vessie. On chanta des couplets grossiers :

> Monsieur de La Peyronie,
> Visitant le Cardinal,
> Dit : C'est à la vessie
> Que Son Éminence a mal !

MORT DU DUC D'ORLÉANS.

Dubois mourut le 10 août 1723, âgé de soixante-six ans. Le duc d'Orléans fut déclaré Premier Ministre; mais il était devenu de plus en plus indifférent à toutes choses; les plaisirs l'avaient usé. Le 2 décembre, il mourut d'apoplexie.

CHAPITRE IV

LA COUR, LES MŒURS, L'ART ET LA MODE PENDANT LA RÉGENCE[1]

I. LA COUR ET LES MŒURS. — II. LES ARTS ET LES MODES.

I. — LA COUR ET LES MŒURS

UN grand changement s'est produit dans la vie de Cour, au début de la Régence. La Cour a cessé d'habiter Versailles. Pour obéir à l'ordre de Louis XIV mourant[2], le petit Roi avait été conduit à Vincennes; puis le Régent fit préparer le palais des Tuileries pour le recevoir. Le 1er janvier 1716, Louis XV s'y installa. Le Régent pensait par là plaire aux Parisiens et aux courtisans; il croyait aussi

CHANGEMENT DANS LA VIE DE COUR.

1. Sources. Saint-Simon (t. XII, XIII, XVI et XVII), Buvat (t. II), Staal de Launay, Mathieu Marais, Duchesse d'Orléans, déjà cités.
Pour Voltaire et Montesquieu, voir la bibliographie au chapitre III du livre II.
Ouvrages a consulter. Lemontey, Michelet, Jobez (t. II), Baudrillart (H.), Wiesener, Perey (*Le Président Hénault*), déjà cités.
Franklin, *La vie de Paris sous la Régence*, Paris, 1897 (*La Vie privée d'autrefois*, t. XXI). A. de Gallier, *La vie de province au XVIIIe siècle ; les femmes, les mœurs, les usages*, Paris, 1877. Goncourt (E. et J. de), *La femme au XVIIIe siècle*, Paris, 1877. Des mêmes, *Portraits intimes du XVIIIe siècle*, Paris, 1879. Desnoiresterres, *Les cours galantes*, Paris 1860-1864, 4 vol. Jullien (Ad.), *La comédie à la Cour ; les théâtres de société pendant le dernier siècle. La duchesse du Maine et les grandes nuits de Sceaux*, Paris, s. d. Campardon, *L'Académie royale de musique au XVIIIe siècle*, Paris, 1883. Lescure (de), *Les maîtresses du Régent*, Paris, 1892. Feuillet de Conches, *Les Salons de conversation au XVIIIe siècle*, Paris, 1883. Soury, *Études de psychologie. Portraits du XVIIIe siècle*, Paris, 1879. Perey et Maugras, *Une femme du monde au XVIIIe siècle. La jeunesse de Mme d'Epinay*, Paris, 1882. Giraud, *La maréchale de Villars* (Séances et travaux de l'Académie des Sciences morales et politiques, t. CXIV, 1880). Sainte-Beuve, *Causeries du lundi*, t. I, 1851 (Adrienne Lecouvreur). Marquiset, *La duchesse de Fallary* (1697-1782), Paris, 1907. F. Masson, *La jeunesse de Mme de Tencin et la Régence* (Revue des Deux Mondes, 1er février 1908). Saint-René-Taillandier, *Maurice de Saxe*, Paris, 1870. Heulhard, *La foire Saint-Laurent, son histoire et ses spectacles*, Paris, 1878. Levasseur, *Histoire des classes ouvrières et de l'industrie en France avant 1789*, 2e éd., Paris, 1901-1903, 2 vol. Rambaud, *La visite de Pierre le Grand à Paris* (Revue politique et littéraire, t. LII, 1893, 2e sem.). *Recueil des instructions données aux ambassadeurs et ministres de France. Russie*, p. p. Rambaud, t. VIII-IX, Introduction, Paris, 1890, in-8.
Sur les Arts. *Abecedario de P.-J. Mariette et autres notes inédites de cet amateur sur les arts et les artistes*, Paris, 1851-1860. Blanc (Charles), *Histoire des peintres de toutes les écoles ; École française*, Paris, 1862, 3 vol., t. II. Goncourt (E. et J. de), *L'Art au XVIIIe siècle*,

qu'en faisant de Paris le siège du Gouvernement il rendrait le travail des administrations plus facile. Plus tard, Dubois jugea au contraire qu'il valait mieux tenir le Gouvernement éloigné du Parlement et des agitations de Paris; peut-être aussi pensa-t-il devoir éviter à Louis XV, qui grandissait, le spectacle de la vie du Régent. Au mois de juin 1722, le Roi retourna à Versailles.

Durant sept ans, il n'y eut donc, à dire vrai, plus de Cour de France. Le Roi était aux Tuileries, le duc d'Orléans au Palais-Royal, les grands seigneurs chez eux, disséminés dans Paris. Les grands recherchaient les plaisirs communs à tout le monde, le théâtre, les bals, et se plaisaient à la vie de la Ville. Ils étaient comme émancipés; au même temps, l'organisation des Conseils leur donnait l'illusion qu'ils tenaient plus de place dans l'État.

LOUIS XV;
SA BEAUTÉ.

Le jeune Roi était parfaitement beau. Il a, dit Madame, de grands yeux très noirs et de longs cils qui frisent, un joli teint, une charmante petite bouche, une longue et abondante chevelure, de petites joues rouges, une taille droite et bien prise, une très jolie main, de jolis pieds. Sa démarche est fière. On remarque qu'il met son chapeau comme le feu Roi. Il danse bien. Adroit à tout ce qu'il fait, il commence déjà à tirer des faisans et des perdrix; il a une grande passion pour le tir.

Ce bel enfant était adoré par tout le royaume. Dans les ruines et les scandales de la Régence, ce fut une consolation que d'espérer en lui. En 1721, après une grave maladie, sa guérison fut fêtée par des feux de joie, des bals en plein air, des banquets, des illuminations et des *Te Deum*. La foule s'amassa sous ses fenêtres, et l'appela par des acclamations.

SON ÉDUCATION

Comme presque tous les rois, Louis XV fut mal élevé. Sa gouvernante, Mme de Ventadour, autrefois galante, devenue dévote, obéissait à ses caprices, l'initiait aux pratiques de l'étiquette, et l'habituait à se regarder comme un être à part. Son gouverneur, le

3ᵉ éd. Paris, 1881-1883, 2 vol. Alexandre (Ars.), *Histoire de l'art décoratif du XVIᵉ siècle à nos jours*, Paris, 1892. Du même, *Histoire populaire de la peinture : Ecole française*, Paris, s. d. (1896). Marcel (Pierre), *La peinture française au début du XVIIIᵉ siècle (1690-1721)*, Paris, 1906. Havard, *Dictionnaire de l'ameublement et de la décoration*, Paris, 1888-1889, 4 vol. Champeaux (de), *Le Meuble*, Paris, 1885, 2 vol.; t. II. Dussieux, *Le château de Versailles*, Paris, 1881, 2 vol. De Julienne, *Abrégé de la vie d'A. Watteau*, Paris, 1735. De Caylus, *La vie d'A. Watteau, peintre de figures et de paysages.* (Dans les Goncourt, *L'art au XVIIIᵉ siècle*, t. I). Mantz (Paul), *Antoine Watteau*, Paris, 1892, Josz (Virgile), *Watteau, mœurs du XVIIIᵉ siècle*, Paris, 1893, 2ᵉ éd. (Société du Mercure de France). Séailles (Gabriel), *Watteau* (collec. des Grands Artistes), Paris, s. d. Dargenty (G.), *Antoine Watteau* (collec. des Artistes célèbres), Paris, 1891. C. Gabillot, *Watteau, Pater et Lancret*, Paris, 1907. L. de Fourcaud, *Antoine Watteau* (Revue de l'Art ancien et moderne, mai 1901). Duplessis (Georges), *Les Audran* (collec. des Artistes célèbres), Paris, 1892. Quicherat, *Histoire du costume en France*, Paris, 1874.
2. Voir *Histoire de France*, t. VIII, 1, pp. 473 et 474.

vieux Villeroy, frivole et fat, engoué de ses titres et de ses habits, lui enseignait la politesse et les manières de Cour. Vrai type de courtisan, on lui a prêté ce mot : « Il faut tenir le pot de chambre aux ministres, tant qu'ils sont en place, et le leur verser sur la tête, quand ils n'y sont plus ». Son amour pour le Roi se manifestait d'une façon singulière ; il se donnait l'air de le protéger contre les intentions régicides du Régent. Il assistait à tous les repas de l'enfant, goûtait à tout ce qu'il buvait ou mangeait, et enfermait dans un buffet, dont il avait seul la clef, le pain et l'eau des repas. Un jour que le Régent voulut servir à l'enfant son café à la crème, Villeroy renversa la tasse, comme par mégarde, et en fit apporter une autre [1].

L'éducation intellectuelle de Louis XV fut à peu près nulle. Il avait peu de goût pour l'étude, et on craignait de lui fatiguer l'esprit. Son précepteur, Fleury, personnage insinuant et souple, ambitieux surtout de gagner le cœur du maître, faisait à peu près tout ce qu'il voulait. Quand il venait le trouver, pour lui donner sa leçon de latin, il apportait, dit le marquis d'Argenson, un Quinte-Curce et un jeu de cartes, et le livre demeurait ouvert longtemps à la même page. Pour Louis XV majeur, le Régent et Dubois firent composer des mémoires sur la politique, la guerre et les finances. S'il les a lus, il a dû surtout y goûter la démonstration de la puissance illimitée des rois.

Sur le caractère du jeune Roi, les témoignages sont presque tous *SON CARACTÈRE.* sévères. « Il s'amuse, dit Marais, à faire des malices à toutes sortes de gens, coupant les cravates, les chemises, les habits, arrachant les perruques et les cannes, et donnant quelquefois de bons coups aux jeunes seigneurs qui l'approchent. » On raconte qu'il prenait plaisir à égorger des oiseaux ; qu'un jour il tua une biche apprivoisée qui le caressait ; qu'il n'aimait personne. Pourtant il paraît avoir eu de l'affection pour Fleury et pour le Régent, dont il pleura la mort. Saint-Simon le dépeint « très glorieux, très sensible, très susceptible là-dessus, où rien ne lui échappait, sans le montrer ». Au reste, cet enfant, mal élevé, mal instruit, est déjà ennuyé, blasé, indolent. Sous le charme des apparences, il est une personne inquiétante.

Le Régent continue au Palais-Royal la vie qu'il menait à Saint-Cloud, à la fin du dernier règne, une vie épicurienne à la façon des Vendôme. Il a pour société ceux qu'on appelle les « roués » [2] : Canillac, *LES ROUÉS.*

1. A la suite d'une altercation qu'il eut avec Dubois, Villeroy fut éloigné de la Cour, le 12 août 1722. C'est alors que le précepteur du Roi, Fleury, qui avait promis au gouverneur de lier sa fortune à la sienne, quitta subitement Versailles et alla coucher à Basville, chez le président de Lamoignon, son ami. Louis XV fut alors si désolé qu'on courut chercher Fleury, qui revint aussitôt.

2. Le nom de « roué » paraît venir de la vieille expression « bon rompu », signifiant bon compagnon. Par manière de raillerie, le Régent aurait donné au mot le sens de « bon à

de grandes manières et spirituel; D'Effiat, mauvaise langue, « fort glorieux, sans âme », dit Saint-Simon; Nocé, qui dut sa faveur à un sans-gêne affecté et à une brusquerie qui singeait la franchise; le président Maison, esprit fort; Noailles, qui se fait vicieux pour se mettre au ton de la maison; Brancas, un impie qui se convertira; De Broglie, raffiné d'impiété, grand maître en intrigues; La Fare, Biron, Nancré, Simiane, etc.

LES DAMES.   Puis les dames : Mme de Parabère, de qui la Palatine dit que son fils l'aimait « parce qu'elle buvait comme un trou », et ne lui coûtait « pas un cheveu »; Mmes d'Averne, de Phalaris et de Sabran qui furent les rivales de la Parabère. Mme de Tencin prétendit à la même faveur, dit-on; elle était toute fine et spirituelle, délicate et douce, mais le Régent ne put se faire à ses airs d'ancienne chanoinesse; elle se jeta dans la littérature, agiota, et tint un salon où l'on défendit la bulle *Unigenitus*. Mme du Deffand, une des grandes beautés du temps, fit la conquête du Régent au bal de l'Opéra; elle ne le garda pas longtemps, bien qu'elle eût le ton qu'il aimait dans la conversation, le trait hardi, la riposte prompte et brillante; elle demeura du moins dans la familiarité du Prince, avec Mmes de Léon et de Gesvres, de Flavacourt, de Nicolaï, de Sessac, de Brossay, de Verrüe, des Portes et de Mouchy.

Parmi ces grandes dames, trottinaient les « petites souris », Mlles Uzée, Le Roy, Emilie, et la fameuse Desmares, filles d'Opéra.

LA DUCHESSE DE BERRY.   La duchesse de Berry[1] ne faisait rien pour démentir les vilains bruits qui couraient sur elle. La Grange-Chancel a écrit contre elle et le Régent des vers atroces, et Saint-Simon, dont la femme fut cependant dame d'honneur de la duchesse, a parlé d'elle comme d'une misérable. Elle était charmante et détraquée, orgueilleuse à vouloir se faire adorer. Un soir, à une représentation d'*Œdipe*, — l'incestueux Œdipe, — elle remplit l'amphithéâtre de dames, de gentilshommes et de gardes, et se plaça sous un dais avec des airs d'idole. De temps en temps, elle allait s'enfermer chez les Carmélites du faubourg Saint-Jacques, suivait tous les offices, même ceux de nuit, jeûnait et s'abîmait dans la prière; après quoi, elle allait reprendre sa vie au Luxembourg.

SOUPERS DU PALAIS-ROYAL.   La fête se faisait au Palais-Royal, au Luxembourg, à Asnières, à la Muette, mais surtout au Palais-Royal. Ici, à partir de six heures du soir, s'installaient dans l'antichambre deux de ces laquais herculéens qu'on appelait alors « Mirebalais »; ils tenaient la porte close

rouer »; ses courtisans auraient accepté le sobriquet pour se distinguer de leurs valets qu'ils appelaient « pendards », ou « bons à pendre ».
1. Voir *Histoire de France*, t. VIII, 1, p. 444.

aux importuns. Les convives faisaient la cuisine eux-mêmes dans des ustensiles d'argent, ou du moins aidaient les cuisiniers. Mme de Parabère excellait à faire une omelette, et le Régent cuisinait selon des recettes qu'il avait rapportées d'Espagne.

Dans les soupers, on se donnait des noms de guerre. La Fare devenait « le Poupart » ; Canillac « la Caillette triste » ; Brancas « la Caillette gaie » ; de Broglie « le Brouillon » ; Parabère « le petit Corbeau noir » ; Sabran « l'Aloyau » ; Mme de Berry « la princesse Joufflotte ». Les conversations étaient une perpétuelle raillerie, qui ne respectait ni religion, ni morale, ni rien. Mme de Sabran disait : « Lors de la création, Dieu fit deux pâtes ; de l'une il tira les hommes, de l'autre les laquais et les princes ». Ce grand monde se rendait justice en se méprisant soi-même et en préparant sa ruine.

A l'exception de la duchesse de Berry, la famille du duc d'Orléans vécut à l'écart[1]. Sa mère, la Princesse Palatine, continua de chasser, d'élever des animaux et d'écrire, juge sévère de toutes les laides choses qu'elle voyait, indulgente à son fils qu'elle adorait. Elle mourut en décembre 1722. La duchesse d'Orléans, belle, vertueuse et molle, ne s'indignait ni même ne paraissait s'étonner de la vie du Régent. On disait du duc de Chartres, leur fils aîné, qu'il réunissait les tares que se partageaient les autres Princes du Sang : la bosse du prince de Conti, la voix rauque du duc de Bourbon, la sauvagerie de M. de Charolais. La seconde fille du Régent se fit religieuse ; ce fut l'abbesse de Chelles, qui se donna toute au Jansénisme, à l'art

FAMILLE DU RÉGENT.

1. La famille d'Orléans comprenait alors : Charlotte-Élisabeth de Bavière (la Palatine), seconde femme de Philippe, duc d'Orléans, mort en 1701, et mère du Régent ; née à Heidelberg en 1652, elle mourut à Saint-Cloud le 8 décembre 1722. — Philippe, duc de Chartres, puis duc d'Orléans et Régent, né à Saint-Cloud le 2 août 1674 (mort à Versailles le 8 décembre 1723), avait épousé en 1692 Mlle de Blois, fille légitimée de Louis XIV et de Mme de Montespan. De ce mariage, il avait sept enfants :

I. Louis, né à Versailles le 4 août 1703, mort à Paris le 4 février 1752.
II. Marie-Louise-Élisabeth, duchesse de Berry (1695-1719).
III. Louise-Adélaïde, abbesse de Chelles.
IV. Charlotte-Aglaé, duchesse de Modène.
V. Louise-Élisabeth (Mlle de Montpensier), reine d'Espagne en 1722.
VI. Philippine-Élisabeth (Mlle de Beaujolais).
VII. Louise-Diane, princesse de Conti.

La famille de Condé (branche aînée), dont il est aussi question ci-dessus, comprenait :

Louis-Henri de Condé, duc de Bourbon, né le 18 août 1692, mort à Chantilly le 27 janvier 1740, marié en premières noces à Marie-Anne de Bourbon, fille de François-Louis, prince de Conti, n'a pas d'enfants au temps de la Régence.

Charles, comte de Charolais, né à Chantilly le 19 juin 1700 (meurt en 1760).

Louis, comte de Clermont, né le 15 juin 1709, abbé de Saint-Germain-des-Prés (meurt en 1771).

Marie-Anne-Gabrielle-Éléonore, abbesse des Champs, née en 1690.

Louise-Élisabeth, mariée en 1713 à Louis-Armand de Bourbon, prince de Conti.

La branche cadette de Condé était représentée par :

Louis-Armand de Bourbon, prince de Conti, né le 10 novembre 1695, marié à Louise-Élisabeth de Bourbon, a eu d'elle un fils, Louis-François, né en 1717, qui mourra en 1776. Lui-même meurt le 4 mai 1727.

et à la science; une fois par semaine, le Régent allait entendre les sermons qu'elle lui faisait. Mlle de Valois se compromit avec le duc de Richelieu; Mlle de Montpensier, mariée au prince des Asturies, et Mlle de Beaujolais, fiancée à don Carlos, fils aîné de Philippe V et d'Élisabeth Farnèse, déséquilibrées comme Mme de Berry, étonnèrent l'Espagne par leurs caprices fous et d'énormes scandales.

C'est la Régence qui a inventé les bals de l'Opéra. Un neveu de Turenne, le chevalier de Bouillon, conseilla au Régent d'établir dans ce théâtre un bal public, où l'on entrerait, masqué ou non, à raison de 6 livres par tête. On danserait sur un parquet. Cette bonne idée valut 6 000 livres de pension au « donneur d'avis ». Les bals commencèrent en 1716. Ils eurent tant de succès qu'il fallut transformer la salle de l'Académie française, au Louvre, en salle de bal, pour dédoubler l'Opéra. Comme l'Opéra communiquait avec le Palais-Royal, le Régent y allait souvent. On raconte qu'un jour il s'y rendit déguisé, avec Dubois, qui, pour mieux assurer l'incognito, lui donnait de grands coups de pied : « L'abbé, dit le prince en se retournant, tu me déguises trop ». Le Régent avait une petite loge, où il amenait ses roués, dont la gaieté amusait les loges voisines. Un soir, dit Saint-Simon, le duc de Noailles « complètement ivre » y commit toutes sortes « d'indécences »

Le grand monde fréquentait ces bals publics, où il trouvait une société très mêlée. Il aimait d'ailleurs le mélange. Les barrières croulaient, les rangs se confondaient. On vit M. de Bouillon et M. de Lorges souper avec les chanteurs Thévenard et Dumesnil. De grandes dames aimèrent Thévenard et l'acteur Baron.

Comme dans la rue Quincampoix, comme dans les lieux de plaisir, seigneurs et roturiers se rencontrèrent dans les salons.

La vie de salons commence avec la Régence. La duchesse du Maine, avant et après sa captivité, réunit à Sceaux les gens de lettres et d'esprit, parmi lesquels le président Hénault, Voltaire, la marquise du Deffand. On y discute art et littérature, et la duchesse conduit la manœuvre; son salon s'appelle « les galères du bel esprit ».

Chez la marquise de Lambert, veuve d'un lieutenant-général des armées du Roi, fréquentaient Fontenelle et La Motte-Houdard, Marivaux, qui débutait dans les lettres, le marquis d'Argenson, Trudaine, le comte de Plélo, la maréchale de Villars, Mme Dacier, l'actrice Adrienne Lecouvreur, qui donnait au théâtre le ton simple et noble, et qui eut un célèbre amour pour le maréchal de Saxe. La maîtresse de la maison était une honnête femme, moraliste sans pédantisme.

Son salon, qui rappelait un peu l'hôtel de Rambouillet, — la marquise naquit en 1647, — était un lieu académique, où l'on préparait des candidatures.

Le duc de Sully recevait le comte d'Argenson, Plélo, Voltaire, le Président de Lamoignon, l'évêque de Blois, M. de Caumartin, l'abbé de Bussy, la très belle et honnête Mme de Flammarens, Mme de Gontaut, beauté moins sévère. Le duc de Sully s'imprégnait d'esprit en cette compagnie ; il était, disait-on, le flacon qui garde, bien que vide, le parfum de l'eau de senteur qu'il a contenue.

HÔTEL DE SULLY.

Tenir un salon et la table ouverte qui en faisait l'accompagnement était une façon de se distinguer, recherchée même par ceux qui n'avaient pas le moyen d'en faire les frais, comme il est arrivé à certaines victimes du Système. Le prince et la princesse de Léon n'ont que 15 000 francs de rente, mais reçoivent tout Paris. Leur matinée se passe à « amuser les créanciers » et à « fournir des inventions à un cuisinier qui doit faire quelque chose avec rien ».

HÔTEL DE LÉON.

Les principaux rôles dans les salons de la Régence sont tenus par le Président Hénault, Voltaire et Montesquieu.

Hénault, né en 1685, fils de fermier général, président de chambre aux Enquêtes du Parlement de Paris, auteur de tragédies et de comédies médiocres, de poésies légères qui valaient mieux, réussissait dans le monde par des talents divers. Comme dit Voltaire :

LE PRÉSIDENT HÉNAULT (1685-1770).

> Les femmes l'ont pris fort souvent
> Pour un ignorant agréable,
> Les gens en « us » pour un savant,
> Et le Dieu joufflu de la table
> Pour un connaisseur très gourmand.

L'Académie lui donna en 1723 le fauteuil de Dubois. On vit plus tard qu'il était capable de travaux plus sérieux que ceux qui lui avaient valu cet honneur.

Voltaire — de son vrai nom François-Marie Arouet — naquit à Paris en 1694, d'un père notaire, qui avait pour clients les ducs de Saint-Simon et de Richelieu. Chez les Jésuites du Collège Louis-le-Grand, Voltaire fut un très bon élève des pères Porée et Tournemine, et il fit de belles connaissances, parmi lesquelles les deux d'Argenson. Il voulut, de bonne heure, se faire une réputation de poète et une place dans la société brillante. Il se fit introduire au Temple, chez les Vendôme, fut reçu chez les Richelieu en Poitou et en Touraine, chez Bolingbroke ; celui-ci, ancien ministre de la reine Anne, exilé après l'avènement de George Ier, s'était réfugié en France. Il était l'ami des plus célèbres écrivains d'Angleterre, contempteur de toutes les

VOLTAIRE (1694-1778).

traditions religieuses, libre-penseur, athée. Voltaire débuta par de menues poésies. Pour une satire contre la mémoire de Louis XIV, il fut mis à la Bastille. Là il compose quelques chants d'une épopée nationale et philosophique, *la Henriade*, dont une première édition parut clandestinement en 1723. En 1718, il lut chez la duchesse du Maine *Œdipe*. Médiocre épopée d'ailleurs que la *Henriade*, et médiocre tragédie qu'*Œdipe*; mais Voltaire les a semées d'allusions politiques et de sentences audacieuses sur la religion et sur les rois. Il commença ainsi à se faire un public. Les amis de Bolingbroke l'applaudirent; il ira bientôt les visiter en Angleterre.

MONTESQUIEU (1689-1755).
　　　　Charles de Secondat, baron de La Brède et de Montesquieu, naquit près de Bordeaux, en 1689, dans une famille parlementaire. En 1716, il fut président à mortier au Parlement de Bordeaux. Il avait beaucoup de distinction dans le caractère et dans la pensée. Magistrat, la procédure l'intéressait peu, mais il aimait le droit. Toutefois sa principale curiosité pendant sa jeunesse fut pour les sciences. Il lut à l'Académie de Bordeaux des mémoires sur le phénomène de l'écho. Il projeta une histoire physique de la Terre, pour laquelle il demanda, en 1717, par circulaire, le concours de tous les savants. Il appliquait déjà sa méthode de noter les faits scientifiques et de chercher des causes physiques aux mœurs et coutumes des hommes. Mais sans doute il n'avait pas la longue et régulière patience qu'il faut à une carrière de savant. Sa verve et son activité rappelaient un peu Montaigne, son compatriote. Dans le monde où il fréquentait beaucoup, il prit le ton du libertinage élégant qui était alors à la mode, et qui ne répugnait pas à son esprit. Il était observateur très fin et grand liseur.

LETTRES PERSANES (1721).
　　　　En 1721, la venue à Paris d'un ambassadeur turc, Méhémet-Effendi, mit les conversations sur les mœurs de l'Orient. Montesquieu imagina deux Persans en voyage, Usbeck et Rica, qui écrivaient à leurs amis demeurés en Perse, pour les entretenir des choses d'Occident, et recevaient d'eux en retour des nouvelles d'Ispahan. Ce furent les *Lettres persanes*. Des détails sur l'Orient empruntés au voyageur Chardin, des histoires de sérail piquantes et voluptueuses y alternent avec la satire des mœurs occidentales où sont maltraités les courtisans, les nouvellistes parisiens, les érudits, les petits maîtres, avec des remarques sur l'esprit des différentes nations, sur la décadence de l'Espagne, les réformes du tsar Pierre le Grand, le système de Law, avec des réflexions sur Dieu, sur la tolérance, sur le Pape, « vieille idole qu'on encense par habitude », etc. Sous cette ironie brillante, qui a ses moments de gravité, s'annonçait la philosophie du siècle.

II. — LES ARTS ET LES MODES

LA transformation des arts, commencée dans les dernières années de Louis XIV [1], se précipita pendant la Régence. Le « grand goût » est devenu décidément intolérable. Aux appartements à la Louis XIV, la société de la Régence préfère les boudoirs, les « cabinets »; elle ne voulait plus de ces salons solennels dont la hauteur correspondait à deux étages, qui avaient deux rangs de croisées, et dont le plafond était cintré, plus d'immenses galeries ni d'escaliers monumentaux. Dans les hôtels princiers, le « salon de réception » continue d'être en honneur; mais, chez les particuliers et même chez les princes, on fait désormais des salons moins vastes, moins élevés de plafond, plus faciles à chauffer, où l'on peut recevoir dans l'intimité; ce sont des « salons d'hiver », des « salons de compagnie ». Les premiers essais d'une nouvelle distribution des appartements se firent au Palais Bourbon, en 1722. Aux ornements solennels succèdent les décorations de menuiserie, légères et variées; aux énormes bas-reliefs surmontant les cheminées, des glaces légères et lumineuses.

GOÛT NOUVEAU DANS L'ARCHITECTURE ET LA DÉCORATION.

Meissonier est le grand artiste décorateur de ce moment. Il déteste les lignes droites, les formes régulières, carrées, rondes ou ovales; il fait bomber les moulures et les corniches et rompt la symétrie des panneaux. Il emploie à profusion les coquilles, les nuages, les plantes, même les feuilles de chou. Cet orfèvre ciseleur, a traité le bois et le marbre aussi bien que les métaux; ses consoles sont « prodigieuses de difficultés vaincues ».

MEISSONIER (1695-1750).

La façon nouvelle des appartements appelait un mobilier nouveau; ici, le grand maître est Cressent, ébéniste, sculpteur et ciseleur. Ses meubles n'ont plus l'aspect sévère de ceux de Boule; à l'ébène grave il substitue les bois de couleur; aux incrustations de métal ou d'écaille, des placages de bois de rose ou d'amarante et des ciselures en bronze d'une délicieuse légèreté. Il avait un goût prononcé pour l'ornementation « simiesque ». Le singe prenait sa revanche du dédain que Louis XIV avait affecté pour les magots, comme il appelait les figures des maîtres flamands.

MOBILIER NOUVEAU. CRESSENT.

La Régence vit mourir en 1722 Gillot, ce spirituel peintre, dessinateur et graveur, qui aimait à représenter les décors d'opéra et les scènes de comédie italienne, à faire des culs-de-lampe ou des trophées avec des instruments de musique, des armes et des torches, et à dessiner des tapisseries décorées de feuillages, de guirlandes et

MORT DE GILLOT ET DE WATTEAU.

1. Voir *Histoire de France*, VIII, 1, pp. 420 et suiv.

d'herbes folles. Watteau [1], qui fut un moment son élève, l'avait précédé d'un an dans la mort. Le Régent l'avait nommé peintre du Roi,
avec le titre de « peintre des fêtes galantes ». L'artiste qui peignit
avec de la « lumière portée sur la toile » ces paysages admirables par
leurs horizons fuyant dans la brume légère, par leurs percées de
lumière, la grâce de leurs fontaines, de leurs balustrades, de leurs
statues et de leurs grands vases, et qui peupla ce décor idéal, où l'on
sent qu'il aurait fait du pur réel s'il eût voulu, de personnages légers
comme des ombres, vêtus de soies roses, bleues ou jaunes, caressées
par le soleil ; ce peintre des joies du beau monde et du monde des
théâtres, était un malade mélancolique.

Il avait, disent les frères de Goncourt, ses biographes, le « masque
inquiet, maigre et nerveux, le sourcil arqué et fébrile ; l'œil noir,
grand, remuant ; le nez long, décharné ; la bouche triste, sèche, aiguë
de contour, avec, des ailes du nez au coin des lèvres, un grand pli de
chair tiraillant la face. » Et, d'année en année, il maigrissait, « ses
longs doigts perdus dans ses amples manchettes ; son habit plissé
sur sa poitrine osseuse ; vieillard à trente ans ; les yeux enfoncés, la
bouche serrée, le visage anguleux, ne gardant que son beau front
respecté des longues boucles d'une perruque à la Louis XIV ».
Watteau avait trente-sept ans quand il mourut en 1721 [2].

APPARITION DU
PASTEL.
LA ROSALBA.

L'art du pastel apparut en France sous la Régence. Il ne serait
pas impossible de le rattacher à Watteau, qui fit de si élégants dessins
à la sanguine ; ou même à Lebrun et à Largillière, à Vivien, Robert
de Nanteuil, Daniel Dumoustier ou Lagneau, qui pratiquèrent les
crayons de couleur, au temps de Louis XIV, de Louis XIII ou de
Henri IV. Mais le véritable pastel fut importé d'Italie en 1720, par la
Vénitienne Rosalba Carriera. Il eut tout de suite un grand succès
Les femmes se disputèrent l'honneur d'avoir un portrait fait par la
Rosalba, qui fut admise à l'Académie de peinture. La Tour, tout
jeune encore, sous la Régence, illustrera cet art nouveau.

CHANGEMENT DE
MODES. COIFFURES
BASSES.

La mode, comme l'art, avait commencé de changer dans les dernières années de Louis XIV.

En 1714, les dames, à la Cour, portaient de hautes coiffures
échafaudées. Deux Anglaises y parurent avec des coiffures basses,

---

1. Voir *Histoire de France*, VIII, 1, p. 426.
2. Le Musée du Louvre possède son *Embarquement pour Cythère*, son *Gilles*, au costume
de satin blanc, sa *Finette* jouant de la mandoline, son *Indifférent*, son *Assemblée dans un
parc ;* Berlin, Potsdam, Dresde, Madrid, Londres et la Russie ont aussi des Watteau. Au
Palais-Royal de Berlin se trouve, en deux morceaux, l'*Enseigne de Gersaint*, l'avant-dernier
tableau du maître.

qui firent scandale; mais le vieux Roi les trouva de son goût, et les
Françaises se coiffèrent à l'anglaise; sur quatre étages de cornettes,
elles en supprimèrent trois. De Versailles, la coiffure basse passa à
Paris, d'où elle se répandit dans toute la France. Les dames portèrent les cheveux courts, coupés, comme on disait, à trois doigts de
la tête; elles y attachèrent leur cornette avec des épingles très en
arrière, se frisèrent en grosses boucles comme les hommes, et mirent
dans les cheveux un bijou, une plume ou un petit bonnet à plumes;
coiffure assez simple et légère qu'on nomma « coiffure à la culbute ».
Comme elle ressemblait un peu à celle des hommes, les dames
s'adressèrent à des coiffeurs. Le sieur Frison fut lancé par Mme de
Prie et le sieur Dagé par Mme de Châteauroux.

Les paniers ou jupes ballonnées apparaissent à Paris en 1718, *LES PANIERS.*
quatre ans après les coiffures basses, et ce fut la fin des modes solennelles du dernier règne. Peut-être vinrent-ils d'Angleterre; dès 1711,
on portait à Londres des jupons à cerceaux, ressemblant un peu aux
vertugades du temps de François Iᵉʳ; à Paris, on donna quelque grâce
à cette mode bizarre.

Il y eut des paniers « à guéridon », en forme d'entonnoir; des
paniers « à coupole », arrondis par le haut; des paniers « à bourrelets »,
évasant le bas de la jupe; des paniers « à gondoles », qui faisaient
ressembler les femmes à des porteuses d'eau; des paniers « à coudes »,
appelés ainsi parce qu'à la hauteur des hanches ils offraient aux
coudes comme des points d'appui. Il y eut aussi des paniers jansénistes et des paniers molinistes; ceux-là, qu'on appelait des « considérations », n'étaient que de courts jupons, doublés de crin et piqués;
ceux-ci, de libre allure, donnèrent plus de majesté aux grandes
femmes, amincirent les grosses, grossirent les minces; et ce fut une
joie de sortir des « fourreaux » de l'ancienne mode pour entrer dans
ces cercles de baleines légères.

Naturellement cette mode amusa le public. Au théâtre, Arlequin,
devenu marchand de paniers, criait à tue-tête : « J'ai des bannes, des
cerceaux, des volants, des matelas piqués; j'en ai de solides pour les
prudes, de pliants pour les galantes, et de mixtes pour les personnes
du tiers état ».

Avec les paniers, plus de paquets d'étoffe ramassée sur la *LES NÉGLIGÉS*
croupe, mais des robes très amples et flottantes, un corsage ajusté
sur la poitrine, très décolleté, à manches plates, avec de larges
parements, des manches en forme d'entonnoir, ou « manches en
pagode ». Ces « négligés », qu'on a appelés une « indécence parée »,
mêlaient, « dans une confusion piquante, la recherche et l'abandon,
le luxe et la simplicité ». Les étoffes, — des soies couleur d'eau ou

couleur de feu, des gazes, des tissus impalpables de l'Inde, — étaient
délicieuses.

Les hommes quittèrent les amples vêtements chargés de dentelles et de rubans et les perruques immenses pour des habits plus
serrés, plus simples, des culottes en fourreau de pistolet, des houp-
pelandes à grand collet pendant, des perruques aplaties sur le
crâne, avec toupet bas, ou, comme on disait, « quatre cheveux par
devant ». Leur habit, ou justaucorps, portait des deux côtés, à partir
d'un bouton cousu sur les hanches, cinq ou six gros plis qu'on rem-
bourrait avec du crin ou du papier. On manifesta, par la couleur
des rubans, ses opinions; en 1715, les rubans blancs, rouges et
jaunes, révélaient un janséniste, et les rubans noirs et rouges un
constitutionnaire. On appela « galons du Système » des galons en
or faux.

Quand l'ambassadeur turc, Méhémet-Effendi, vint à Paris en 1721,
on lui montra trois habits de Louis XV : un garni de perles et de
rubis; un autre, de perles et de diamants; le troisième, de très beaux
diamants. L'ambassadeur admira deux rangs de perles grosses comme
des noix muscades, une « perle d'orphelin » absolument ronde, fort
brillante et non percée, et le fameux diamant « le Régent », trouvé au
sud de Golconde; il pesait brut quatre cent dix carats; la taille avait
demandé deux ans, coûté cent vingt-cinq mille livres, et le laissait à
cent trente-six carats.

Louis XV, pour recevoir l'ambassadeur, était vêtu d'un habit
de velours couleur de feu, chargé de pierreries, qu'on estimait plus
de vingt-cinq millions, et qui pesait de trente-cinq à quarante livres;
il avait à son chapeau une agrafe de gros diamants. Le même jour,
le Régent portait un justaucorps de velours bleu, tout brodé d'or,
avec une grosse agrafe de diamants au chapeau, et les insignes du
Saint-Esprit et de la Toison d'Or, enrichis de diamants. Tous les seigneurs étaient superbement vêtus.

CHAPITRE V

LE MINISTÈRE DU DUC DE BOURBON
(1723-1726)[1]

I. MONSIEUR LE DUC ET MADAME DE PRIE. — II. L'ADMINISTRATION DE PARIS DU VERNEY (1723-1726). — III. LA DÉCLARATION DE 1724 CONTRE LES PROTESTANTS. — IV. LA POLITIQUE EXTÉRIEURE DU MINISTÈRE BOURBON. — V. LA DISGRACE DE MONSIEUR LE DUC (1726).

I. — MONSIEUR LE DUC ET MADAME DE PRIE

QUAND le duc d'Orléans fut mort, le duc de Bourbon demanda le titre de Premier Ministre que Louis XV lui donna. Fleury, précepteur du Roi, ne jugeait pas que le moment fût venu pour lui de prendre le pouvoir, et le Duc était, parmi les Princes du Sang, le seul en état de l'exercer; les bâtards s'en trouvaient écartés à tout jamais, et ni le comte de Charolais, frère du Duc, ni le prince de

LE DUC
DE BOURBON.

1. Sources. Rousset, Lamberty, D'Argenson (t. I), Barbier (t. I), Duclos, déjà cités. Hénault (Président), *Mémoires*, Paris, 1855. Voltaire, *OEuvres*, Paris, 1830-1840 (Ed. Beuchot), 72 vol., notamment le *Précis du siècle de Louis XV* (t. XXI).
Ouvrages a consulter. Lemontey, Lacretelle (t. II), Michelet (t. XV et XVI), Jobez (t. II), Rocquain, Bailly, Clamageran (t. III), Houques-Fourcade, Marion, de Janzé, Coxe, Baudrillart (Alf.), Perey déjà cités. Clément, *Portraits historiques* (Les Frères Pâris), Paris, 1855. Rey, *Un intendant de province à la fin du XVIIᵉ siècle, 1686-1705* (Bull. de l'Académie delphinale, 4ᵉ série, t. IX, Grenoble, 1895). Costes, *Les institutions monétaires de la France avant et depuis 1789*, Paris, 1885. Thirion, *Mme de Prie*, Paris, 1907. Delahante, *Une famille de finance au XVIIIᵉ siècle*, Paris, 1881, 2 vol. *Inventaire des Archives du Puy-de-Dôme*, Série C (Tentatives de maximum en Auvergne). Afanassiev, *Le commerce des céréales en France au XVIIIᵉ siècle*, traduction Boyer, Paris, 1894. Gébelin, *Histoire des milices provinciales (1688-1791)*, Paris, 1882. Broglie (Emmanuel de), *Les portefeuilles du Président Bouhier*, Paris, 1896. Armaillé (Comtesse d'), *La reine Marie Leckzinska*, Paris, 1870. Raynal, *Le mariage d'un Roi (1721-1725)*, Paris, 1887. Gauthier-Villars, *Le mariage de Louis XV*, Paris, 1900. Nolhac (De), *Louis XV et Marie Leczinska*, Paris, 1902. Green, *Histoire du peuple anglais* (trad. Monod), Paris, 1888, 2 vol. Syveton, *Une Cour et un aventurier au XVIIIᵉ siècle : Le Baron de Ripperda d'après les documents inédits des Archives impériales de Vienne et des Archives du ministère des Affaires étrangères de Paris*, Paris, 1896. Rodriguez Villa, *La Embajada del baron de Ripperda en Viena* (Boletin de la Real Academia de la Historia, enero 1897). De Swarte, *Un intendant secrétaire d'Etat; Claude Le Blanc, sa vie, sa correspondance*, Dunkerque, 1900.

Conti, ni le fils du Régent, seulement âgé de vingt et un ans, ne pouvaient le lui disputer [1].

Il avait trente et un ans. Il était grand et d'assez belle tournure, mais très laid et de physionomie effrayante : il avait perdu un œil par accident de chasse. Ses manières étaient hautaines et dures. Le marquis d'Argenson, qui du temps de la Régence avait vécu familièrement avec lui, le trouva « collet-monté », dès qu'il fut ministre. Sa fortune, grossie par le Système, lui permettait de mener grand train ; il donnait, à Chantilly, des chasses splendides ; il n'avait jamais moins de cent personnes à sa table.

LE MINISTÈRE.

Inintelligent et incapable d'aucunes vues politiques, il se montra surtout occupé de sa haine contre les Orléans. Sa grande inquiétude était de voir Louis XV mourir, et le fils du Régent lui succéder. Il garda les ministres qu'il trouva en fonctions : D'Armenonville, garde des Sceaux, Dodun, contrôleur général, Fleuriau de Morville, secrétaire d'État des Affaires étrangères depuis la mort de Dubois, La Vrillière, secrétaire d'État des Affaires de la religion prétendue réformée, Maurepas, secrétaire d'État de la Maison du Roi et de la Marine, Le Blanc, chargé du secrétariat d'État de la Guerre dont l'office appartenait à D'Armenonville. Mais les ministres eurent un rôle subalterne, les grandes affaires étant réservées au Conseil d'en haut où M. le Duc délibérait avec Fleury, Villars, et un seul d'entre les ministres, de Morville. Le jeune duc d'Orléans, membre du Conseil, n'y allait pas.

LA MARQUISE DE PRIE.

Fleury croyait qu'il gouvernerait sous le nom du Duc ; mais il eut à compter avec Mme de Prie. Elle était fille du financier Berthelot de Pléneuf, et elle avait épousé un marquis ruiné, dont on avait fait un ambassadeur à Turin. Elle avait tenu à la petite cour de Savoie un grand état de maison ; mais la Chambre de justice ruina son père, et les De Prie renoncèrent à leur ambassade pour venir chercher fortune à Paris en 1717.

La marquise était née en 1698 ; elle avait des « yeux à la chinoise », vifs et gais, « un air de nymphe », des cheveux cendrés ; elle était « la fleur des pois du siècle », disait le marquis d'Argenson, qui lui trouvait « des je ne sais quoi qui enlèvent ». Étourdie quelquefois, mais fine, ambitieuse, elle gardait, quoiqu'elle n'eût ni croyances ni mœurs, toutes les apparences de la décence et de la modestie. Elle avait le goût de la politique et se croyait faite pour gouverner l'État. Après d'inutiles tentatives sur le Régent, elle s'était rabattue sur M. le Duc, dont elle devint la maîtresse en 1721. Elle

1. Voir plus haut, p. 69.

le poussa à prendre connaissance des affaires, le releva à ses propres yeux, même aux yeux du public. Quand il devint premier ministre, elle lui montra que, pour gouverner, il fallait se faire servir par d'autres gens que les « roués ». Elle fit de Pâris Du Verney un « secrétaire des commandements » du duc ; et, avec ce titre vague, Du Verney disposa d'une très grande autorité. Elle écarta du gouvernement ses ennemis personnels, le comte d'Argenson à qui elle enleva la lieutenance de Police pour la donner à un de ses parents, d'Ombreval ; Le Blanc, à qui elle enleva le département de la Guerre pour le donner au marquis de Breteuil. Du Verney se subordonna les ministres, particulièrement le contrôleur général et le secrétaire d'État de la Guerre. Le secrétaire d'État des Affaires étrangères, bien qu'il eût entrée au Conseil d'en haut, dut subir son influence. Les mesures projetées par Du Verney furent toutefois soumises au Conseil, et, à l'occasion, y furent combattues.

II. — L'ADMINISTRATION DE PÂRIS DU VERNEY (1723-1726)

PÂRIS DU VERNEY est le troisième des frères Pâris. Originaires du Dauphiné, où leur père, à ce qu'on dit, avait tenu auberge sur la grande route de Lyon à Grenoble, dans la petite ville de Moirans, les Pâris commencèrent leur fortune dans les fournitures de vivres à l'armée d'Italie, pendant la guerre de la ligue d'Augsbourg ; en 1702, ils fournirent l'armée de Flandre, où ils firent des merveilles.

PÂRIS DU VERNEY.

Du Verney est l'inspirateur et le chef de ses frères. Il aime les affaires pour elles-mêmes, pas seulement pour y gagner de l'argent. Il manie des milliards, et laissera une fortune médiocre. Probe, mais rusé, mêlé dès sa jeunesse à toutes les pratiques des marchés, il était, pour ses fournisseurs, un objet d'admiration.

La guerre de la Succession d'Espagne finie, il vient à Paris, où il révèle un talent prodigieux de calculateur. Il conduit les opérations du premier et du second Visa, décide souverainement de la fortune de ses concitoyens et s'attire ainsi de grandes haines. Il est accusé d'avoir fait passer d'énormes quantités de blé à l'étranger, et de les avoir fait rentrer en France pour les revendre à des prix exorbitants. Accusation absurde, de telles opérations ne pouvant se faire sans une foule de complices.

Il s'occupa d'abord des monnaies. La disproportion qui existait entre la valeur intrinsèque et la valeur nominale des monnaies lui paraissait expliquer la crise commerciale et le haut prix des mar-

OPÉRATIONS SUR LES MONNAIES (1724).

chandises. Il abaissa la valeur nominale des espèces et releva ainsi leur titre. Par l'arrêt du 4 février 1724, les louis passèrent de 27 livres à 20 livres; les écus, de 6 livres 18 sous à 4 livres. La valeur intrinsèque de la livre monta, par suite, en valeur d'aujourd'hui, de 82 centimes à 1 fr. 25.

Cette opération coûta au Trésor une quarantaine de millions, et jeta partout la panique. Contrairement aux prévisions de Du Verney, et contrairement au bon sens, les prix, au lieu de baisser, s'élevèrent encore; alors les ouvriers se coalisèrent pour obtenir des augmentations de salaires. On voyait bien que le rapport du titre et de la valeur nominale des monnaies était mieux proportionné que par le passé; mais on redoutait que l'État ne revînt aux pratiques anciennes et ne baissât le titre, après l'avoir élevé.

*TAUX
DES DENRÉES.*

Du Verney s'obstina. Pour mettre les salaires et le prix des denrées d'accord avec la valeur nouvelle qu'il attribuait aux espèces, il fit arrêter, emprisonner, sabrer des ouvriers récalcitrants. Il publia des tarifs officiels sur les denrées, non à Paris, où il craignait de compromettre les approvisionnements, mais dans les provinces : à Libourne, par exemple, la viande fut taxée à 9 sous la livre, et la douzaine d'œufs à 4 sous; une couple de poulets ne put se vendre que 8 sous; les souliers de drap pour femme, 2 livres 10 sous; les souliers de soie, 3 livres 10 sous; la journée d'un tonnelier, d'un charpentier, d'un menuisier, d'un maçon valut 15 sous, et celle d'un manœuvre 8 sous. En Auvergne, aux foires de Clermont, l'intendant taxa toutes les étoffes; à Ambert, le subdélégué avertit les marchands qu'il ferait fermer leurs boutiques s'ils ne baissaient pas d'un tiers le prix de leurs marchandises. Partout il y eut des résistances. Les subdélégués du Velay et du Forez, c'est-à-dire des généralités de Montpellier et de Lyon, n'arrivèrent pas à modifier les salaires; les ouvriers et les journaliers s'enfuyaient dès qu'on voulait les taxer au-dessous de 25 sous par jour.

*NOUVEAUX
REMANIEMENTS
DES MONNAIES.*

On vit bientôt que le public avait eu raison de se méfier; cédant à l'opposition qu'il rencontrait, Du Verney opéra en sens inverse et diminua la valeur des espèces. En février 1726, la livre descendit à 1 fr. 22; en mai, elle tomba à 1 fr. 02. Des peines furent édictées contre ceux qui conservaient les anciennes monnaies, plus riches en métal précieux : on confisqua ces monnaies; en cas de récidive, on frappa d'amendes doubles de leur valeur ceux qui les détenaient; on bannit les détenteurs; on condamna aux galères les joailliers qui déformaient les monnaies pour les employer à leurs ouvrages, et au carcan quiconque les faisait fondre.

Tandis que ces remaniements de monnaies rendaient le commerce plus difficile, Du Verney tentait d'assurer l'équilibre du budget. Avec 204 millions de recettes, contre 208 ou 210 millions de dépenses, il aurait pu y parvenir, s'il n'avait eu à solder les anticipations des années précédentes. Mais, au 1er janvier 1724, le déficit était de 43 millions pour les arrérages des rentes payables en 1722 et 1723 ; et en 1725, on devait encore 14 millions sur les arrérages de 1723, 8 sur ceux de 1724 ; en outre le payement des gages était en retard d'une trentaine de millions. De toute nécessité, le moment était venu de pourvoir au remplacement du Dixième, si imprudemment supprimé en 1717. La guerre, alors imminente entre la ligue de Hanovre et l'Espagne unie à l'Autriche [1], forçait le Gouvernement à se procurer de nouvelles ressources.

A l'instigation de Du Verney, le contrôleur général Dodun proposa donc de percevoir, pendant douze ans, une taxe d'un cinquantième de tous les revenus des biens-fonds sans nulle exception, en nature sur les produits de la terre, en argent sur les autres produits. Il invoqua l'exemple de la Hollande où se levait un impôt analogue ; il soutint que l'on en pouvait tirer 25 millions par an. Avec cette ressource nouvelle, disait-il, on payerait toutes les dettes du Roi et le crédit renaîtrait. Le projet du Cinquantième, présenté au Conseil d'en haut le 5 juin 1725, n'y fut pas voté sans résistance. Villars le combattit ; ils proposa de doubler la capitation, et de faire des économies sur la Maison du Roi. Fleury quitta la séance pour ne pas avoir à se prononcer, et c'est en son absence que l'impôt fut voté. Une Déclaration du Roi en ordonna la levée, à compter du 1er août suivant ; sous aucun prétexte, elle ne pourrait être continuée au delà du 1er octobre 1737.

La Déclaration du Cinquantième, enregistrée en lit de justice au Parlement de Paris, le 8 juin, fut fort mal accueillie dans tout le royaume. Les parlements de Bretagne et de Bourgogne en refusèrent l'enregistrement ; celui de Bordeaux ne l'effectua qu'après deux mois de résistance. Les évêques se plaignirent au Pape et lui demandèrent d'intervenir. La récolte s'annonçait d'ailleurs comme devant être mauvaise ; des pluies continuelles empêchaient les blés de mûrir ; la disette menaçait ; le pain se vendait quatre sous la livre. Se croyant plus menacés par le nouvel impôt que par le Dixième, les privilégiés encourageaient les populations à la résistance. Les paysans s'insurgèrent partout ; des femmes, armées de fourches, parcoururent les campagnes, menaçant de brûler quiconque percevrait ou payerait le Cinquantième. Souvent on ne put trouver, dans les

---

1. Voir plus loin, p. 90.

paroisses, d'adjudicataires à qui remettre la perception de cet impôt. Il fut donc impossible, en 1725, d'appliquer la Déclaration; on ne le put qu'en 1726, après la chute de M. le Duc. Encore fallut-il alors la modifier. On ne perçut le Cinquantième qu'en argent, sous forme de répartition et d'abonnement, et cet impôt qui devait, croyait-on, produire vingt-cinq millions, en produisit à peine cinq.

CAUSES DE L'ÉCHEC. Les difficultés pratiques du recouvrement d'un impôt en nature ont sans doute fait appréhender les vexations des agents de l'État; mais la cause principale du soulèvement contre le Cinquantième a été le retour d'un impôt de surcroît, qui rappelait le Dixième. D'ailleurs, le Dixième coïncidait avec une récolte mauvaise. Le Gouvernement qui avait proclamé l'abolition définitive du Dixième, paraissait le rétablir, en le dissimulant sous un nom nouveau et une forme nouvelle.

DROIT DE JOYEUX AVÈNEMENT. Pressé par le besoin d'argent, Du Verney eut recours à un droit de l'époque féodale, le droit de « confirmation » ou de « joyeux avènement », que le Régent et Dubois avaient intentionnellement négligé de faire valoir, et auquel M. le Duc avait eu l'imprudence d'annoncer qu'il renonçait. Un édit de juin 1725 en décida la levée; une instruction officielle en régla l'assiette; les seuls magistrats des cours souveraines en furent exemptés. Comme ce droit avait donné vingt millions en 1643, il semblait devoir produire bien davantage. On ne l'adjugea cependant que pour vingt-quatre millions à des traitants. Ils firent d'énormes bénéfices, d'autant plus que les ministres qui se succédèrent au pouvoir leur accordèrent des délais invraisemblables. Leurs comptes ne furent définitivement réglés que cinquante ans après l'établissement de la taxe, en 1773.

LA « CEINTURE DE LA REINE ». A l'occasion du mariage de Louis XV, en 1725, un certain nombre de maîtrises de métiers furent mises en vente au profit de la Couronne. C'était un vieil usage, connu sous le nom de « droit de ceinture de la Reine ». L'industrie était si languissante que les maîtrises trouvèrent difficilement acquéreurs. Le public chanta :

> Pour la ceinture de la Reine,
> Peuples, mettez-vous à la gêne,
> Et tâchez de bien l'allonger;
> Bourbon le borgne vous en prie,
> Car il voudrait en ménager
> Une aune ou deux pour la De Prie.

MISÈRE EN 1725. La misère était générale en cette année 1725. A Paris, au faubourg Saint-Antoine, les ouvriers attaquaient les boutiques des boulangers, et le guet les dispersait. A Caen, l'intendant s'enfuyait devant une populace affamée; à Rouen, des émeutiers s'emparaient du duc de Luxembourg, gouverneur de la province, qui ne leur échappait qu'à grand'peine, se réfugiait dans le Vieux Château, et s'y mettait en défense; à Lisieux, on pillait les maisons. Un peu partout, les parlements entretenaient l'agitation. Le peuple croyait ferme que les ministres étaient des spéculateurs qui empêchaient les producteurs de grains d'amener leurs marchandises sur les marchés. Une ordonnance prescrivit des achats de blés à l'étranger et, à Paris, plusieurs fois par semaine, des parlementaires s'assemblèrent chez le Premier Président, afin d'aviser aux partis à prendre sur les subsistances. Ils fixaient le prix du blé; quand ils pouvaient disposer de grands approvisionnements, ils procédaient à la répartition entre les provinces. *RENSEIGNEMENTS SUR LES GRAINS.* Du Verney eut idée d'un Bureau destiné à renseigner le Contrôleur Général sur l'apparence des récoltes, sur les prix des grains dans tous les marchés du royaume, sur leur abondance ou leur rareté dans les pays étrangers. Mais ses ennemis à la Cour craignirent qu'il ne devînt trop puissant s'il acquérait une action continue sur l'alimentation publique, et ils eurent assez d'influence sur les membres du Conseil pour faire ajourner la création du Bureau de renseignements.

La misère accrut le nombre des mendiants, au point qu'une fois de plus il fallut essayer des moyens législatifs contre la mendicité. *ORDONNANCE SUR LA MENDICITÉ (1724).* Par ordonnance du 18 juillet 1724, les mendiants avaient été divisés en deux classes : ceux qui ne pouvaient travailler, ceux qui ne le voulaient pas. Les premiers seraient nourris dans les hôpitaux; les seconds seraient enrôlés pour le service des ponts et chaussées ou employés à divers métiers qu'on installerait dans les hôpitaux. Attendu que le mendiant valide était un perturbateur public, volant le pain des infirmes et des vieillards, il serait marqué au bras de la lettre M à la première récidive; à la seconde, il serait flétri d'une fleur de lys à l'épaule et condamné aux galères au moins pour cinq ans.

La pénurie du Trésor rendit ces rigueurs inapplicables. Réduits à ne donner aux mendiants que le pain et l'eau et à les coucher sur la paille, les administrateurs d'hôpitaux favorisèrent l'évasion de ces misérables. Les troupes et la maréchaussée, prises de pitié, refusèrent de les arrêter. Il fallut que le Gouvernement recrutât des archers en Suisse pour cette besogne. La nouvelle force publique fut aussi haïe que, naguère, les bandouliers du Mississipi.

Une des meilleures idées de Du Verney fut de doter la monarchie d'une force nouvelle par l'institution des milices. Au moment *ORGANISATION DES MILICES.* où une alliance conclue entre Philippe V et l'Empereur fit appréhender une guerre européenne, il imagina de constituer, par l'ordonnance du 27 février 1726, une armée de seconde ligne, tirée du peuple, forte de 60 000 hommes, soumise à un service temporaire, mais conservant pendant la paix l'habitude des armes.

L'idée n'était pas neuve. On a vu que Louvois avait institué des corps de milice en 1688, mais ils n'avaient pas duré longtemps. Ils ne figurèrent pas dans la guerre de la Succession d'Espagne. Ils reparurent pendant la courte guerre de 1719; mais l'institution n'avait pas le caractère de régularité définitive que Pâris Du Verney prétendit lui donner. La répartition des miliciables se fit par provinces, et chaque province fut divisée en autant de cantons qu'elle fournissait de compagnies. Tout homme non marié, ayant seize ans au moins, et quarante ans au plus, mesurant cinq pieds et reconnu en état de servir, put être requis pour la milice. Le recrutement se fit par tirage au sort en présence d'officiers, de l'intendant ou de son représentant, de gentilshommes et de commissaires des guerres. Les officiers miliciens furent payés sur les fonds de la guerre; l'armement dut être fourni par les arsenaux, et les provinces n'eurent à leur charge que l'habillement.

POURQUOI ELLE NE RÉUSSIT PAS.

Mais, dans une société fondée sur le privilège et sur l'inégalité des charges, le recrutement des milices ne pouvait s'effectuer de façon équitable; la classe des miliciables se réduisait à celle des petites gens et presque exclusivement aux habitants des campagnes. En dépit de l'ordonnance qui déclarait qu'aucune paroisse ne pouvait être dispensée de contribuer aux milices, nombre de villes parvinrent à s'y soustraire. A ce vice près, qui était grave, les milices furent un premier essai des armées de réserve, et elles annoncèrent le système de la conscription.

III. — LA DÉCLARATION DE 1724 CONTRE LES PROTESTANTS

APRÈS la mort de Louis XIV, les Protestants s'étaient repris à célébrer leur culte, surtout en Languedoc, en Dauphiné, en Guyenne, en Poitou. Dès la Régence, il y avait eu des persécutions contre eux; mais, sous le ministère de M. le Duc, plusieurs prélats se plaignant qu'on n'appliquât pas les édits, déclarations et ordonnances de Louis XIV, l'évêque de Nantes, de Tressan, fut chargé de rédiger une loi générale contre l'hérésie. Ce fut la Déclaration du 14 mai 1724.

Elle vise particulièrement les assemblées d'hérétiques, les prédicants, les mariages d'hérétiques, l'éducation de leurs enfants. Tout homme convaincu d'avoir assisté à une « assemblée illicite » devra être puni des galères perpétuelles, toute femme de la détention perpétuelle ; les biens de l'un et de l'autre seront confisqués. Les prédicants seront punis de mort. Nul ne pourra contracter mariage hors des solennités prescrites par les canons, à peine de nullité du mariage. Les gens ayant professé la religion prétendue réformée, ou ceux dont les parents l'auront professée, seront astreints à faire baptiser leurs enfants par les curés, dans les vingt-quatre heures qui suivent la naissance ; les sages-femmes sont tenues de donner avis des accouchements aux curés. Il est enjoint aux parents suspects d'hérésie d'envoyer leurs enfants aux catéchismes jusqu'à quatorze ans, aux instructions qui se font les dimanches et fêtes jusqu'à vingt ans et aux curés de veiller à l'instruction des dits enfants. Il est interdit, sous peine d'amende, de faire élever ses enfants à l'étranger.

Il est prescrit aux prêtres catholiques de visiter les « nouveaux convertis » quand ils sont malades, de les voir « en particulier et sans témoins », de les exhorter à recevoir les sacrements de l'Église, et au cas où, s'y étant refusés, ils reviendraient à la santé, le Roi ordonne à ses procureurs de les poursuivre, aux baillis et sénéchaux de les juger ; ce sont des « relaps », et, du fait de leur apostasie, ils doivent être bannis à perpétuité ; leurs biens seront confisqués. Ces mesures rappelaient les procédés de la persécution des protestants par Louis XIV. Sur certains points, les rigueurs du XVIIe siècle furent aggravées. Louis XIV avait voulu que l'apostasie fût constatée par des officiers de justice qui s'enquéraient du fait en interrogeant les accusés. Louis XV établit en 1724 que le fait serait tenu pour constaté par la seule déposition des prêtres.

LES NOUVEAUX CONVERTIS ET LES RELAPS.

« Voulons, dit-il, que le contenu au précédent article (bannissement à perpétuité et confiscation des biens) soit exécuté, sans qu'il soit besoin d'autre preuve que le refus qui aura été fait par le malade des sacrements de l'Église offerts par les curés, vicaires ou autres ayant charge d'âmes.... sans qu'il soit nécessaire que les juges du lieu se soient transportés dans la maison des dits malades pour y dresser procès-verbal de leur refus,.... dérogeant à cet égard aux déclarations des 29 avril 1686 et 8 mars 1715.... »

L'incapacité des religionnaires à exercer des fonctions publiques fut répétée une fois de plus :

LES PROTESTANTS ÉCARTÉS DES FONCTIONS PUBLIQUES.

« Ordonnons que nul de nos sujets ne pourra être reçu en aucune charge de judicature dans les cours, bailliages, sénéchaussées, prévôtés et justices, ni dans celles des hauts justiciers, même dans les places de maires et échevins et autres officiers des hôtels de ville,.... dans celles de greffiers, procureurs, notaires, huissiers et sergents,.... et généralement dans aucun office ou fonction publique, soit en titre ou par commission, sans avoir une attestation du curé, en son absence du vicaire de la paroisse,.... de l'exercice actuel qu'ils font de la Religion Catholique, Apostolique et Romaine.... »

La persécution recommença principalement dans le diocèse de Nîmes, dans celui d'Uzès, et en Dauphiné. Les États généraux de Hollande réclamèrent en faveur de leurs coreligionnaires; la Suède et la Prusse offrirent un refuge aux protestants français et l'émigration recommença.

IV. — LA POLITIQUE EXTÉRIEURE DU MINISTÈRE BOURBON; LE MARIAGE DU ROI

LA QUESTION DU MARIAGE DU ROI.

LA grande affaire extérieure du ministère Bourbon fut le mariage de Louis XV; elle faillit mettre le feu à l'Europe.

Quand M. le Duc arriva au ministère, l'Infante avait six ans. Il fallait laisser passer une dizaine d'années avant de la marier; mais Louis XV aurait alors vingt-trois ans, et c'eût été attendre bien longtemps. Il était prudent de le marier au plus vite, pour sauvegarder ses mœurs, et aussi pour avoir des héritiers directs de la Couronne. S'il venait à mourir sans laisser un dauphin, le duc d'Orléans succéderait, et l'idée que cela pût être faisait horreur à M. le Duc. D'ailleurs, les Bourbons d'Espagne ne manqueraient pas de représenter leurs droits, et alors ce serait une grande crise. On regrettait donc à la Cour de France l'accord intervenu en 1721 entre le Régent et Philippe V, et l'on songeait à s'en dégager, quand se produisirent en Espagne des faits extraordinaires.

Le 10 janvier 1724, Philippe V abdiqua la couronne par scrupule de dévot débile. Son fils Louis Ier, le gendre du Régent, lui succéda; mais, après s'être épuisé en exercices violents, à la chasse et au jeu de paume, il mourut subitement le 31 août, et Philippe V reprit la couronne. La fille du Régent, dès lors, n'était plus qu'une reine veuve, et l'Espagne se trouvait seule retirer un bénéfice de l'arrangement de 1721.

LA RECHERCHE D'UNE REINE DE FRANCE.

Il fut donc résolu dans le Conseil de rompre le mariage espagnol, et de chercher une autre reine pour la France. Le secrétaire d'État des Affaires étrangères, le comte de Morville, fit dresser une liste de quatre-vingt-dix-neuf princesses à marier; dix-sept furent retenues, entre lesquelles serait fait le choix. On se préoccupa des précautions à prendre contre le mécontentement de l'Espagne, et l'on espéra que, par les bons offices du P. Bermudez, confesseur de Philippe V, on ferait comprendre au roi d'Espagne le danger qu'une prolongation de célibat ferait courir à Louis XV, si bien que, par raison de conscience, il rappellerait sa fille.

Le 29 octobre 1724, dans un conseil secret, le renvoi de l'Infante fut décidé. On avait convenu d'attendre, avant d'informer la Cour d'Espagne de cette résolution, que la nouvelle fiancée fût choisie; mais, le Roi ayant été pris d'un gros accès de fièvre au mois de février 1725 après une partie de chasse, l'idée de sa mort sans héritier se représenta. Alors on brusqua les choses. Tessé, ambassadeur à Madrid, peu propre à faire la désagréable commission auprès de Philippe V, à cause du grand attachement qu'il avait pour ce prince, fut rappelé. Ce fut l'abbé de Livry, chargé d'affaires à Lisbonne, qui alla présenter au roi d'Espagne la lettre où le roi de France essayait de justifier l'affront qu'il infligeait à son oncle. Le président Hénault raconte que l'abbé entra dans le cabinet de Philippe V, « et, tout tremblant, lui présenta la lettre de son maître. La Reine était au bout du cabinet occupée à travailler. Elle entendit tout à coup le Roi frapper avec violence sur la table, en s'écriant : « Ah! le traître! » Elle accourut... Le Roi lui donna la lettre en disant : « Tenez, madame, lisez! » La Reine lut; et puis, lui remettant la lettre, elle répondit d'un grand sang-froid : « Eh bien! Il faut envoyer recevoir l'Infante. »

Aussitôt la nouvelle connue dans Madrid, les Espagnols entrèrent en fureur; ils promenèrent par les rues, en l'outrageant, l'effigie de Louis XV. Les Français craignirent pour leur sûreté; sur la frontière des Pyrénées, les bergers des deux pays se menacèrent. Philippe V ordonna, en mars 1725, à l'abbé de Livry et aux consuls de France, à la veuve de Louis Ier et à sa sœur, Mlle de Beaujolais, promise à Don Carlos, de sortir d'Espagne.

L'Infante fut mise en route. Elle emportait les pierreries et les présents qu'elle avait reçus, à son arrivée en France. On parvint, paraît-il, à lui cacher la cause de son départ; elle crut qu'elle allait seulement faire une visite à sa famille.

Parmi les jeunes filles que le comte de Morville estimait les plus dignes du choix de Louis XV, figuraient deux filles du prince de Galles, une fille du roi de Portugal, une princesse de Danemark, la fille aînée du duc de Lorraine, la fille du roi dépossédé de Pologne, Stanislas Leczinski, la fille du tsar Pierre Ier, une fille du roi de Prusse, quatre autres princesses allemandes, enfin les propres sœurs de M. le Duc, Mlles de Sens et de Vermandois. L'idée d'un mariage de Louis XV avec une demoiselle de Bourbon déplaisait à Fleury. D'ailleurs, le duc craignait qu'on ne lui imputât tout l'odieux du renvoi de l'Infante dès qu'on y verrait l'intérêt de sa maison. Fleury pensa qu'un mariage avec une princesse d'Angleterre conviendrait le mieux, bien qu'il impliquât la volonté d'exclure à jamais le Prétendant du trône d'Angleterre. On chargea donc le comte de Broglie de pressentir George Ier. C'était au moment où l'abbé de Livry gagnait Madrid.

REFUS DE GEORGE Ier.

M. le Duc se croyait sûr du succès. Le portrait du jeune Roi, envoyé à Londres, avait fait sensation. Mais il est surprenant que ni lui, ni l'entourage, n'aient compris que la religion serait un obstacle insurmontable à l'alliance projetée; ils mettaient comme condition que la princesse anglaise se convertirait au catholicisme, alors que la dynastie de Hanovre occupait le trône d'Angleterre en vertu de sa qualité d'hérétique. Le 17 mars, au moment où parvenaient à Versailles les premières dépêches de Livry rendant compte de son entrevue avec Philippe V, une lettre de Broglie apporta la nouvelle du refus de George Ier, accompagné de ses regrets, il est vrai.

PROJET DE MARIAGE RUSSE.

Pendant que M. le Duc s'irritait d'une mésaventure qui fut connue de toute l'Europe, il reçut une offre singulière : l'impératrice de Russie, Catherine Ire, lui proposa de marier Louis XV avec sa fille Elisabeth, et de le marier lui-même avec Marie Leczinska. M. le Duc serait devenu le candidat de la Russie à la succession d'Auguste II en Pologne. Mais on disait la princesse Élisabeth belle, intelligente et dominatrice, et Mme de Prie, qui entendait conserver son influence après le mariage du Roi, fit en sorte que cette proposition fût écartée [1].

CHOIX DE MARIE LECZINSKA.

Cependant un agent secret, le sieur Lozillières, ancien secrétaire d'ambassade à Turin, avait parcouru l'Allemagne, sous le nom de chevalier de Méré, prenant sur les princesses à marier des renseignements qu'il envoyait à Versailles. Il s'était présenté au château des Leczinski, à Wissembourg, comme un artiste en voyage. Il y avait vu la fille de Stanislas, et avait fait sur elle un rapport. Il louait sa physionomie, son instruction, sa piété, sa charité, sa douceur, sa belle santé qui promettait la fécondité. Il est vrai qu'elle avait sept ans de plus que le Roi, qu'elle n'était point belle, qu'élevée monastiquement elle n'avait pas de monde, qu'elle était pauvre, sans alliances, sans crédit en Europe. Mais une raison détermina sans doute M. le Duc et Mme de Prie : cette reine leur devrait une si belle couronne inespérée qu'ils pourraient compter sur sa reconnaissance. Il paraît que Fleury refusa son avis sur le mariage; le Roi donna

---

1. Le 21 mai 1725, le comte de Morville écrivit au ministre de France à Saint-Pétersbourg pour excuser la Cour d'avoir porté ailleurs le choix du Roi. Il alléguait la différence des religions.

son consentement, le 2 avril 1725, sans se montrer ni mécontent, ni empressé.

Dès qu'ils furent avisés de la résolution prise, Leczinski et sa fille allèrent s'établir à Strasbourg, où ils attendirent la venue des ambassadeurs extraordinaires, MM. d'Antin et de Beauveau, délégués pour demander la main de Marie Leczinska, et le duc d'Orléans qui, par procuration, devait l'épouser. Le mariage fut célébré le 15 août, dans la cathédrale de Strasbourg, décorée des tapisseries de la Couronne. La Reine était vêtue de brocart d'argent; le duc d'Orléans portait un manteau d'étoffe d'or; le cardinal de Rohan, évêque de Strasbourg, rayonnait au milieu de ses abbés mitrés et de ses chanoines-comtes. Des harangues furent prononcées par Rohan, les évêques d'Angers et de Blois, le Premier Président et le premier Avocat-Général du Parlement de Paris.

Puis l'on se mit en route pour Fontainebleau, où le Roi devait se rendre. Arrivée à Metz, Marie Leczinska reçut les échevins, la compagnie des cadets formée de jeunes gens de grandes familles, le Parlement, et toutes sortes de députations. L'Hôtel de Ville lui offrit des boîtes de mirabelles et de framboises; les Juifs, deux coupes de vermeil et un vase de cristal de roche, enrichi de pierreries; ils la comparèrent à Esther, à Judith et à la reine de Saba. Le peuple était dans l'enthousiasme; les cloches sonnaient à toute volée; on chantait des *Te Deum*; les rues s'illuminèrent.

Le voyage s'attrista dans les plaines de Champagne. Des pluies continuelles avaient défoncé les routes; on avait requis les paysans pour les réparer, partout où devait passer la Reine; l'eau tombant sur la terre remuée les avait rendues pires. Des fondrières s'étaient creusées; en plusieurs endroits, la Reine pensa se noyer; une fois, on la retira de son carrosse à force de bras. Le marquis d'Argenson, qui l'a vue au passage à Sézanne, raconte que les chevaux étaient sur les dents; on réquisitionnait les chevaux des paysans, jusqu'à dix lieues à la ronde; « on les payait comme on pouvait, et on ne les nourrissait point ». Un paysan a dit à D'Argenson que « les siens n'avaient rien mangé depuis trois jours ».

Le Roi alla au-devant de la Reine, de Fontainebleau à Moret; il descendit de carrosse à son approche; elle fit de même, et, comme elle voulait s'agenouiller devant lui, il l'en empêcha, l'embrassa, la fit remonter en voiture et la conduisit au château.

La France n'avait pas appris sans surprise le choix de Louis XV, mais les grâces modestes de la Reine lui gagnèrent les cœurs. Pour quelque temps, Marie Leczinska fut populaire, bien que son mariage ait été suivi de menaces de guerre.

Le mariage, en effet, vint tout à point pour donner crédit à un aventurier du nom de Ripperda, Hollandais devenu Espagnol, protestant devenu catholique, qui représentait à Vienne la Cour de Madrid, et s'était mis en tête de jouer les Alberoni. Il avait proposé à l'Empereur de marier les archiduchesses Marie-Thérèse et Marie-Anne à Don Carlos et à Don Philippe. L'infant Ferdinand, disait-il, seul fils qui restât à Philippe V de son premier mariage, était valétudinaire et ne pouvait manquer de mourir sous peu ; il laisserait le trône à Carlos ; et si Charles VI mourait sans enfants mâles, Carlos deviendrait empereur, tandis que Philippe passerait des duchés italiens à Madrid. L'Empereur avait accueilli ces combinaisons avec indifférence, et Ripperda avait dû se contenter de lui proposer un traité d'alliance défensive. Après le renvoi de l'Infante, il reçut de Madrid l'ordre de conclure un traité coûte que coûte.

LA LIGUE DE VIENNE (1725). Il fit aux Impériaux des offres invraisemblables. Il ne parlait de rien moins que de les aider à reprendre l'Alsace, les Trois-Évêchés, la Bourgogne, la Flandre. Sans penser que l'Espagne fût en état de réaliser ce programme, l'Autriche consentit à signer, le 30 avril 1725, un traité d'alliance défensive et de commerce. Philippe V et Charles VI renonçaient à leurs prétentions sur leurs États respectifs. Philippe V reconnaissait et garantissait une loi de succession, ou *Pragmatique sanction*, publiée par Charles VI en 1713, et par laquelle l'Empereur prétendait faire passer sa succession à sa fille Marie-Thérèse, au détriment des filles de son prédécesseur, Joseph Ier, et en violation des dispositions de son père, qu'il avait, en 1711, juré de respecter. Le roi d'Espagne reconnaissait encore une compagnie de commerce que l'Empereur avait créée dans les Pays-Bas, à Ostende, le 19 décembre 1722 ; en outre, au préjudice de l'Angleterre, de la Hollande, et de la France, il ouvrait tous ses ports aux sujets autrichiens des Pays-Bas. Il renonçait à établir d'avance Don Carlos en Italie et à envoyer des garnisons dans les duchés ; il était moins exigeant à l'égard de l'Empereur qu'envers les puissances qui naguère étaient intervenues entre lui et l'Empereur. — Quant à Charles VI il reconnaissait les droits de Don Carlos à la succession des duchés de Parme et de Toscane, offrait à l'Espagne ses bons offices et sa médiation pour l'aider à recouvrer Gibraltar et Minorque, promettait de consentir à ce que « l'une de ses filles » épousât un des fils du roi d'Espagne, mais ainsi se réservait de marier à son gré sa fille aînée. Si Philippe V tirait pour l'instant un assez mince profit du traité, il pouvait se croire en état de se passer des Français. Il était persuadé que si une guerre européenne venait à éclater, Charles VI lui concéderait les mariages dont rêvait toujours Élisabeth Farnèse.

Le traité de Vienne ne méritait pas le retentissement qu'on lui donna, étant au fond une duperie. Nul n'avait moins envie de faire la guerre que l'Empereur, et Ripperda serait resté sans doute quelque peu ridicule, s'il n'avait atteint le but qu'il poursuivait par-dessus tout, assurer sa fortune personnelle. Il devint duc et grand d'Espagne; quand il reparut à Madrid, il eut la haute main sur l'administration intérieure de l'Espagne aussi bien que sur sa politique étrangère.

Son entente avec l'Empereur eut ce résultat précis : faire comprendre à la France et à l'Angleterre qu'une alliance austro-espagnole risquait de leur enlever la primauté politique en Europe. Elles signèrent une contre-alliance à Hanovre, où elles reçurent la Prusse comme partie contractante, le 3 sept. 1725. Les trois puissances prenaient l'engagement de s'opposer au mariage autrichien de Don Carlos, à l'établissement de la Compagnie d'Ostende, et de maintenir l'équilibre européen. Un an plus tard, la Hollande adhérait à la ligue de Hanovre; l'Europe se trouvait partagée en deux camps; la guerre paraissait possible; la création de la milice, à cette date, est une preuve qu'on le croyait.

LA LIGUE DE HANOVRE.

V. — *LA DISGRACE DE MONSIEUR LE DUC (1726).*

CES actes furent les derniers du ministère de M. le Duc. Depuis le premier jour, il était surveillé de près dans toute sa conduite, par Fleury. Il essaya de s'appuyer sur la Reine pour résister à la malveillance du vieux précepteur. Marie Leczinska, qui savait combien Fleury aimait le Roi, hésitait à intervenir dans cette affaire; mais elle ne voulut pas paraître ingrate envers l'homme auquel elle devait sa fortune. Mme de Prie lui fit comprendre que le premier ministre était tenu en échec par Fleury, et qu'il ne pouvait disposer à son gré des grâces et des places, Fleury les obtenant toutes du Roi pour ses amis à lui; elle dit encore à la Reine que M. le Duc ne pouvait jamais voir le Roi seul à seul, Fleury assistant à tous les entretiens, et la pria d'obtenir pour le prince des audiences particulières. La Reine y consentit et, un soir que Louis XV était avec Fleury, elle l'envoya prier de venir chez elle. Le Roi y alla, mais trouva chez elle M. le Duc qui, sous divers prétextes, l'entretint d'affaires. Fleury, pendant ce temps, attendait. Devinant ce qui se tramait, il écrivit le lendemain au Roi que ses services devenant inutiles, il se retirait à sa campagne d'Issy.

RIVALITÉ ENTRE FLEURY ET LA REINE.

Louis XV ordonna aussitôt à M. le Duc de rappeler le prélat qui revint à Versailles. Sûr de son crédit, Fleury représenta au Duc et à la Reine la nécessité qu'il y avait d'éloigner Mme de Prie. M. le Duc

EXIL DE MONSIEUR LE DUC.

ne se croyait pas cependant à la veille d'une disgrâce. Louis XV, qui avait décidé de le renvoyer, le caressait, pour détourner ses soupçons. Le 11 juin 1726, en partant pour la chasse, il lui laissa un billet qui l'exilait à Chantilly; il chargeait, en même temps, son précepteur de remettre à Marie Leczinska cet autre billet : « Je vous prie, Madame, de faire tout ce que l'évêque de Fréjus vous dira de ma part, comme si c'était moi-même ». La Reine en pleura.

MORT DE MADAME DE PRIE (1727).

　　En attendant que le ministère fût remanié, les Pâris furent exilés. Du Verney s'en alla en Champagne, et bientôt fut mis à la Bastille. Quant à Mme de Prie, Maurepas l'informa que le Roi l'exilait en Normandie, dans son château de Courbépine, près de Bernay. On lui donnait dans son exil « son mari pour compagnie ». Elle s'ennuya à périr. Elle y reçut pourtant des gens de Cour, Mme du Deffand par exemple, sa rivale en beauté et en galanterie; elle donna des bals, et joua la comédie. La marquise eut bientôt assez de cette vie, tomba malade et mourut le 7 octobre 1727. Elle avait à peine vingt-huit ans.

LIVRE II

L'ÉPOQUE DE FLEURY ET DE LA SUCCESSION D'AUTRICHE

CHAPITRE PREMIER

DU MINISTÈRE DE FLEURY (1726-1743)[1]

I. LE CARACTÈRE DE FLEURY. — II. L'ADMINISTRATION FINANCIÈRE ET ÉCONOMIQUE : LE PELLETIER DES FORTS (1726-1730) ET ORRY (1730-1745). — III. LES AFFAIRES RELIGIEUSES : LE JANSÉNISME ET LES PARLEMENTS. — IV. LA POLITIQUE EXTÉRIEURE ET LA GUERRE. SUCCESSION DE POLOGNE ET SUCCESSION D'AUTRICHE (1726-1743). — V. LE DÉCLIN ET L'IMPOPULARITÉ DE FLEURY.

I. — LE CARACTÈRE DE FLEURY

NÉ à Lodève en 1653, fils d'un receveur des décimes et entré dans l'Église pour « alléger sa famille », André-Hercule de Fleury se poussa auprès du cardinal de Bonzi, grand aumônier de la Reine Marie-Thérèse, qui le protégea; en 1679, il devint aumônier de cette princesse, et, en 1683, aumônier du Roi. Fort bel homme, il plut à

LES ANTÉCÉDENTS DE FLEURY.

---

1. SOURCES. D'Argenson (t. I et III); Barbier (t. I et II); Hénault, Moufle d'Angerville (t. I et II), déjà cités. Luynes (De), *Mémoires sur la Cour de Louis XV* (1735-1758), publ. par L. Dussieux et E. Soulié, Paris, 1860, 17 vol. in-8 (t. IV, V et VIII). *Lettres du lieutenant général de police de Marville au ministre Maurepas* (1742-1747), p. p. A. de Boislisle, Paris, 1896. Archives nationales F. II : Tableaux récapitulatifs du commerce extérieur dressés par le service de la balance du commerce sous le ministère de Necker.
OUVRAGES A CONSULTER. Michelet, Jobez (t. II et III), de Luçay, Aubertin, Rocquain, Bailly, Clamageran, Houques-Fourcade, Vignon (*Administration des voies publiques*), de Lavergne, Armaillé (Comtesse d'), Perey (*Président Hénault*), déjà cités. Montyon (De), *Particularités et observations sur les ministres des finances de France les plus célèbres de 1660 à 1791*, Paris, 1812. *Dictionnaire encyclopédique du Commerce*, Paris, 1789, 3 vol. Thirion, *La vie privée des financiers au XVIIIe siècle*, Paris, 1895. Levasseur, *La population française*, Paris, 1889, 3 vol., t. I. Biollay, *Études économiques sur le XVIIIe siècle; le pacte de famine*, Paris, 1885. Boissonnade, *Essai sur l'organisation du travail en Poitou, depuis le*

Louis XIV; très adroit, il se fit admettre dans les meilleures compagnies et bien voir des dames. En 1698, il devint évêque de Fréjus; comme cet évêché était situé à deux cents lieues de Versailles, il se disait, « évêque de Fréjus, par l'indignation divine ».

COMMENT
IL ARRIVE
AU POUVOIR.

L'année qui précéda la mort de Louis XIV, il devint, par l'appui des Jésuites, précepteur du futur Louis XV. Il fut pour son élève le complaisant que l'on sait. Lorsqu'il eut fait disgrâcier le duc de Bourbon, il persuada à Louis XV qu'il était temps qu'il fît son métier de roi en gouvernant par lui-même. Il lui conseilla de supprimer la fonction de premier ministre et se contenta du titre de ministre d'État, sans se faire assigner un département ministériel. Quatre jours après le renvoi de Bourbon, le 15 juin, Louis XV adressait aux intendants et aux gouverneurs de provinces une circulaire où il annonçait sa décision d'exercer le pouvoir en personne, comme Louis XIV. Il annonçait aussi que « l'ancien évêque de Fréjus » assisterait toujours aux Conseils. Ce fut par les Conseils, où il fut prépondérant, que Fleury devint le seul maître du gouvernement.

LE CONSEIL
D'EN HAUT
ET LES MINISTRES.

Au Conseil d'en Haut siégèrent avec lui, comme par le passé, le duc d'Orléans, le maréchal de Villars, le secrétaire d'État de Morville, et deux nouveaux venus, les maréchaux d'Huxelles et de Tallard. Les départements ministériels furent autrement répartis que sous M. le Duc. Le Blanc reparut au secrétariat d'État de la Guerre, où il devait mourir le 19 mai 1728; il y fut remplacé alors par d'Angervilliers. Le Contrôle général fut attribué au conseiller d'État Le Pelletier des Forts. Le Garde des Sceaux d'Armenonville, disgrâcié en août 1727,

*XI*e *siècle jusqu'à la Révolution*, Paris, 1900, 2 vol. Boyé (P.). *Les travaux publics et le régime des Corvées en Lorraine au XVIII*e *siècle*, Paris et Nancy, 1900 (Extrait des Annales de l'Est). Le Taconnoux (J.), *Le régime de la Corvée en Bretagne au XVIII*e *siècle* (Extrait des Annales de Bretagne). Funck Brentano (Frantz), *Mandrin, capitaine général des Contrebandiers de France, d'après des documents nouveaux*, Paris, 1908 (Première partie : Les fermes générales). Bonnassieux (P.), *Les Grandes Compagnies de Commerce. Étude pour servir à l'étude de la colonisation*, Paris, 1892. Weber (Henry), *La Compagnie française des Indes (1604-1875)*, Paris, 1904. Masson (Paul). *Histoire des établissements français et du Commerce barbaresque, 1560-1593* (Algérie, Tunisie, Tripolitaine, Maroc), Paris, 1903. Lacour-Gayet, *La Marine militaire de la France sous le règne de Louis XV*, Paris, 1902. Arnould, *De la balance, du commerce et des relations commerciales extérieures de la France dans toutes les parties du globe, particulièrement à la fin du règne de Louis XIV et au moment de la Révolution*, Paris, l'An III*e* de la République. Jullian (Camille), *Histoire de Bordeaux depuis les origines jusqu'en 1895*, Bordeaux, 1895. Malvezin (Th.), *Histoire du Commerce de Bordeaux depuis les origines jusqu'à nos jours*, Bordeaux, 1892, 3 vol. Julliany (Jules), *Essai sur le Commerce de Marseille*, Marseille, Paris, 1843, 3 vol. Garnault (Emile), *Le Commerce Rochelais au XVIII*e *siècle, d'après les documents composant les anciennes archives de la Chambre de Commerce de la Rochelle*, Paris, 1888-1900, 5 vol. De Carné, *La monarchie française au XVIII*e *siècle*, Paris, 1859. Sicard (l'abbé), *L'ancien Clergé de France*, Paris, 1893-1894; t. I (*Les évêques avant la Révolution*). Cabasse, *Essais historiques sur le Parlement de Provence*, Paris, 1886, 3 vol., t. III. Desnoiresterres, *La comédie satirique au XVIII*e *siècle*, Paris, 1885. De Goncourt, *La duchesse de Châteauroux et ses sœurs*, Paris, 1879. Bonhomme, *Louis XV et sa famille, d'après des lettres et des documents inédits*, Paris, 1873.

fut remplacé dans ses fonctions, par le président à mortier Chauvelin, et, au même moment, de Morville le fut dans les siennes par le même Chauvelin. Maurepas, et le comte de Saint-Florentin qui avait succédé à son père La Vrillière en 1725, demeurèrent en place.

Fleury était au pouvoir depuis deux mois, quand il fut fait cardinal, le 20 août 1726. Il avait soixante-treize ans.

Il eut l'esprit de ne pas garder rancune à la Reine, et ne prit, dans l'intérieur des jeunes souverains, qu'une discrète autorité paternelle. Il fut défiant à l'égard des ministres ses subordonnés, redoutant les lumières supérieures aux siennes, aimant les gens ordinaires, avec qui il se sentait à l'aise, surtout les flatteurs comme le Lieutenant de police Hérault et le Contrôleur général Orry. Il fera disgracier le secrétaire d'État des Affaires étrangères, Chauvelin, dès qu'il le jugera capable de trop plaire au Roi. Il fut tout-puissant; les courtisans ne manquaient pas son petit coucher. Toute la Cour s'y presse, dit D'Argenson, pour le voir ôter « sa culotte », et la plier « proprement », passer sa robe de chambre et sa chemise, peigner « ses quatre cheveux blancs ».

Au reste Fleury prenait le pouvoir à une heure favorable; la nation fatiguée des secousses que lui avaient données le Système, le Visa, le Cinquantième et les alarmes de la politique étrangère demandait qu'on la laissât tranquille. Or, Fleury désirait remuer le moins possible.

COMMENT GOUVERNE FLEURY.

FLEURY ET L'OPINION.

II. — L'ADMINISTRATION FINANCIÈRE ET ÉCONOMIQUE; LE PELLETIER DES FORTS (1726-1730) ET ORRY (1730-1745)

DEUX contrôleurs généraux ont dirigé, pendant le ministère Fleury, l'administration financière et économique, Le Pelletier des Forts et Orry.

Des Forts débuta bien. Une Déclaration du 15 juin 1726 fixa d'une façon définitive la valeur des monnaies. Le prix du marc d'or fut désormais de 740 livres 9 s. 1 d., celui du marc d'argent de 51 l. 3 s. 3 d.; la livre tournois valut 1 franc 2 centimes de notre monnaie; et en il fut ainsi jusqu'en 1785. Cette fixité des monnaies fut une des principales causes de la prospérité commerciale française au XVIIIe siècle.

Une Déclaration du 24 juin suivant ordonna que le Cinquantième serait payable exclusivement en argent; une autre, du 8 octobre, que les revenus ecclésiastiques seraient exempts de toutes impositions, sans exception, ni réserves, quelque événement qui pût arriver.

LE PELLETIER DES FORTS.

DÉCLARATION SUR LES MONNAIES.

SUPPRESSION DU CINQUANTIÈME.

Toutes deux préparaient la suppression du Cinquantième qui fut prononcée le 7 juillet 1727. L'impôt devait cesser d'être perçu le 1er janvier suivant. Son impopularité et le peu de ressources qu'il donnait déterminaient Fleury à le supprimer.

FERME GÉNÉRALE RESTAURÉE.

On a vu que les Fermes avaient été adjugées à Law en 1718, et que la Compagnie des Indes les avait perçues par des régisseurs. Après la chute de Law, Du Verney avait décidé de maintenir le système de la régie, dont quarante financiers avaient assuré le fonctionnement. En principe, la régie valait mieux que la ferme; mais, par défaut de vigilance, les régisseurs laissèrent s'accumuler un arriéré considérable. Il est vrai que la régie n'était possible qu'avec une administration bien organisée, et cette administration n'existait pas sous l'ancien régime. Fleury rétablit la ferme et transforma les régisseurs en fermiers généraux.

LE BAIL CARLIER.

Sans suffisamment se renseigner sur les produits que la régie avait tirés des grandes et petites gabelles, des douanes et traites, des impôts sur les boissons, du contrôle et domaine de France, Des Forts, le 19 août 1726, afferma le tout pour la somme de 80 millions. Or, le produit net était monté, en 1725, à environ 92 millions et demi. Mais, par suite du désordre de la comptabilité, ce chiffre n'était pas encore connu. Pâris du Verney ne le croyait pas supérieur à 87 millions; le contrôleur général Dodun l'évaluait à 85. Il était inévitable d'ailleurs que l'État, en se déchargeant sur les fermiers des frais et des incertitudes de la perception, subît par là même une perte. Ainsi fut passé le fameux bail Carlier qui fut tant de fois reproché à Fleury. Le sieur Carlier était le prête-nom des adjudicataires. En six ans, le produit brut de toutes ces fermes fut de 504 760 000 livres; déduction faite des 480 millions de fermage payés à l'État, les fermiers eurent un bénéfice de plus de 24 millions.

LE BAIL BOURGEOIS.

Pour recouvrer les taxes arriérées, ce que l'on appelait « les restes », un autre bail, le bail Bourgeois, de 461 millions, fut conclu le 10 septembre avec les mêmes fermiers généraux, qui gagnèrent encore, de ce côté, une quarantaine de millions. En 1726 a donc commencé la grande fortune de ces fermiers, qui ne fera que grandir au détriment de l'État, et en contraste avec sa misère. Fleury fut rendu responsable de cet abus. A sa mort, dans un prétendu testament, il disait à Louis XV :

> Je recommande à vos bontés
> Mes fermiers, vos enfants gâtés;
> J'en ai fait, par leur opulence,
> Quarante grands seigneurs de France;
> Il faut, pour les gratifier,
> Encore un bail du sieur Carlier.

En même temps, les créanciers de l'État étaient durement traités. *RETRANCHEMENTS*
Le 19 novembre 1726 fut ordonné « un retranchement » sur les rentes *SUR LES RENTES.*
perpétuelles et viagères; c'était, suivant la nature des rentes et leur
date, une banqueroute d'un tiers, d'une moitié, des trois cinquièmes,
parfois même des cinq sixièmes. Le prétexte donné fut que ces
rentes provenaient de papiers achetés à vil prix. On espérait réaliser
un profit de 27 millions sur les arrérages non payés, un profit de
14 millions sur les arrérages payables à l'avenir. Comme les gages
des officiers n'étaient pas menacés et que les rentiers dépouillés
n'étaient guère que de petites gens, le Parlement fit des remontrances
bénignes; mais la clameur publique fut assez forte pour que Fleury
en fût intimidé. Il rejeta tout le tort sur le Contrôleur général, qui
ne toucha pas aux rentes inférieures à trois cents livres. D'autres
rentiers surent se faire exempter de la réduction qui, en fin de
compte, ne dépassa pas cinq millions et demi de rente.

Quoique très impopulaire, Des Forts demeura Contrôleur général *LE RENVOI*
jusqu'en 1730; mais alors le bruit courut que, pour spéculer, il s'était *DE LE PELLETIER*
fait remettre des titres déposés dans les caisses de la Compagnie des *DES FORTS.*
Indes. Sa femme, disait-on, et son beau-frère, le conseiller d'État
Lamoignon de Courson, étaient ses complices, et les détournements
opérés montaient à 5 ou 6 millions. Une nuit, on afficha ce placard
sur sa porte : « Maître à rouer, femme à pendre, et commis à pilo-
rier! » Des Forts dut quitter le Contrôle général en mars 1730.

Son successeur, Orry, avait servi dans l'armée, puis était devenu *ORRY CONTRÔLEUR*
maître des requêtes et successivement intendant de Perpignan, de *GÉNÉRAL.*
Soissons et de Lille. Il s'était bien tiré de ces fonctions, et l'on
pensait alors qu'un intendant de province devait faire un meilleur
Contrôleur général que les intendants des finances, formalistes et
bureaucrates. Orry avait trente-huit ans quand il prit le Contrôle.
Grand, lourd, et sans usage du monde, il fit à la Cour l'effet d'un
« bœuf dans une allée ». Quelqu'un lui reprochant d'être inabor-
dable, il répondait : « Comment voulez-vous que je ne marque pas
d'humeur? Sur vingt personnes qui me font des demandes, il y en a
dix-neuf qui me prennent pour une bête ou pour un fripon! » Il eut
le défaut d'être médiocre, sans idées, entêté dans la routine. On
peut lui reprocher aussi d'avoir été, malgré ses airs rigides, « souple
de conduite » envers le Roi et les maîtresses, pour lesquelles il
n'épargnait pas l'argent. Mais il était probe, exact au travail, et il
aimait l'État. Aussi Fleury remerciait-il Dieu de lui avoir « réservé »
un tel homme.

Sous l'administration d'Orry, les fermiers généraux consentirent, *IMPÔTS INDIRECTS.*
pour le renouvellement de leurs baux, des prix plus élevés. Par le

bail de 1726, ils ne devaient payer que 80 millions; par celui de 1732, ils en payèrent 95[1]; par celui de 1738, 99.

IMPÔTS DIRECTS.

En matière d'impôts directs, Orry perçut avec rigueur les droits établis avant lui. Il augmenta quelque peu les tailles qui, entre 1730 et 1742, passèrent de 49 036 000 livres à 50 069 000 livres; il fit rentrer les capitations de la Cour, toujours très en retard, par exemple celle du duc de Villeroy, qui devait quatre années, soit 13 200 livres, et celle du duc de Retz, qui en devait huit, soit 16 800 livres. A partir de 1740, il obtint du Clergé que son don gratuit annuel, jusque-là de 2 millions, fût de 3 millions 1/2.

LE DIXIÈME.

Le rétablissement du Dixième fut la grande affaire de son administration. Comme c'était la taxe qui se prêtait le mieux aux dépenses imprévues d'une guerre, la perception en fut ordonnée par une Déclaration du 17 novembre quand la guerre éclata en 1733; le dixième fut perçu jusqu'à la fin de 1736 et rétabli au début de la guerre de la succession d'Autriche.

Le principe que le Dixième devait s'étendre à toutes les classes de la société reçut, dans la pratique, les mêmes tempéraments qu'en 1710 : rachat du Clergé par des dons gratuits, abonnement des provinces, des villes, des particuliers. Ne portant pas, comme le Cinquantième, sur les produits bruts, mais seulement sur le revenu, il ne suscita point les mêmes résistances de la part des privilégiés, et rentra beaucoup mieux. En 1733, il produisit une trentaine de millions; en 1749, 36 millions.

DÉCLARATIONS ET CONTRÔLEURS.

Pour établir la cote de chaque particulier, le Contrôleur général exigea les déclarations des propriétaires, des maires et des syndics, ces derniers parlant au nom des villes ou des paroisses. Pour en vérifier l'exactitude, il les fit comparer aux produits que la dîme d'Église tirait des biens désignés; il fit délivrer à ses agents les extraits des baux, des contrats de vente, des partages passés chez les notaires. Comme le Contrôleur général pouvait quand même être trompé par des déclarations inexactes, il nomma des directeurs du Dixième, un par généralité. Ces fonctionnaires eurent sous leurs ordres des contrôleurs ambulants qui examinèrent les déclarations sur place. Ils tarifèrent, paroisse par paroisse, le produit moyen, — toutes charges défalquées — de la mesure usuelle de chaque sorte de terre, suivant la qualité. Il leur était facile, en rapprochant ce tarif des déclarations individuelles, de contrôler celles-ci. Quand les estimations étaient contestées par les autorités, ils le mentionnaient sur

---

1. Les 4 millions produits par les droits sur les quais, halles et marchés de Paris avaient été distraits de la Ferme en 1730.

les déclarations, laissant aux plaignants le loisir d'apporter des
« arpentements » de leurs biens. Ils profitaient de leur passage dans
les paroisses pour procéder avec les habitants les plus honorables à
la division des terres en catégories : les bonnes, les médiocres, les
mauvaises ; ils distinguaient la nature des cultures, céréales, vignes,
prés ou bois. Ils pouvaient toujours se faire présenter les contrats de
location de chaque sorte de bien. Quoique cette organisation fût fort
bien entendue, les difficultés pratiques furent très grandes ; en beaucoup d'endroits, notamment en Guyenne, on dut se borner, pour
aller plus vite, à faire du Dixième une simple annexe de la taille ; cet
impôt fut ainsi dénaturé.

Le Dixième sur les produits du commerce s'appelait le Dixième
d'industrie. Comme il était encore plus difficile d'appliquer cet impôt
aux commerçants qu'aux propriétaires de terres, Orry se montra à leur
égard accommodant. Dans une correspondance qu'il entretint en 1741
et 1742 avec l'intendant de Bordeaux, on voit qu'il ne savait trop sur
quoi se baser : « Je sens, dit-il, que le peu de certitude que l'on a de
la vraie situation des négociants et commissionnaires jettera toujours
beaucoup de doute sur ce à quoi on doit les imposer », et il conseille
de s'en rapporter à « leur état de vivre ou leurs facultés connues ; ..
et, en cas que ni l'un ni l'autre de ces moyens ne pût guider, la cote
la plus légère à laquelle ils pourraient être mis serait la même somme
pour laquelle ils sont employés sur les rôles de la capitation ». L'intendant parle de s'enquérir de la fortune de chacun ; mais le Contrôleur général lui répond :

> « Je crains que ces perquisitions n'alarment le commerce ; d'ailleurs vous ne
> pourriez acquérir de certitude que sur de très bons et très gros marchands et
> négociants qui se plaindraient toujours, et les médiocres ou les petits mar-
> chands échapperaient à vos recherches...
>
> « Les difficultés qui se présentent pour acquérir la connaissance des facultés
> de ceux qui sont sujets à cette imposition sont si insurmontables que je ne puis
> indiquer un parti général, parce que je pense qu'on n'en peut déterminer aucun
> que relativement à la position des lieux, au commerce qui s'y fait, et même au
> génie des habitants. »

Orry inclinait donc à transformer le Dixième d'industrie en une
contribution proportionnelle à la Capitation ; mais il se contentait
de donner à ses subordonnés des indications sur ses vues et leur
laissait les mains libres.

A Bordeaux encore, il eut à se prononcer sur les réclamations
d'Anglais, Hollandais et Hanséates qui, soit en 1737, soit en 1743,
prétendirent se faire exonérer du Dixième d'industrie en leur qualité
d'étrangers. Mais ils furent imposés au même titre que tous les marchands et artisans.

Orry dénatura donc en Guyenne le Dixième d'industrie comme il dénaturait le dixième sur les propriétés foncières. Il se borna souvent à taxer les corporations de marchands ou d'artisans à une somme donnée, en laissant à la corporation elle-même le soin de répartir la taxe à sa guise entre ses membres.

Le Dixième eut le défaut de ménager les négociants, tandis qu'il pesait sur les propriétaires et les cultivateurs. Le Clergé était exempt; mais, pendant la guerre de Succession d'Autriche, il multiplia les dons gratuits: 12 millions en 1742, 15 en 1745, 11 en 1747, 16 en 1748.

EMPRUNTS.

Sans parler des avances remboursables à bref délai, qu'il demanda tantôt aux fermiers généraux, tantôt aux receveurs généraux, Orry contracta un certain nombre d'emprunts. Il revint aux emprunts sous forme d'offices créés; en 1730, par un édit de juin, il rétablit des offices supprimés à la mort de Louis XIV, et il en tira 34 millions. Il fit revivre la vénalité des offices municipaux en novembre 1733, et il en vendit pour 31 millions. Quatre ans plus tard, il est vrai, les fonctions municipales redevinrent électives; ceux qui les avaient achetées, ou leurs héritiers, ne devaient être définitivement remboursés qu'en 1777[1]. En 1733, 1737 et 1739, Orry créa des rentes viagères et organisa des loteries royales. En 1738, 1740, 1741 et 1742, il émit des rentes perpétuelles sur les postes. Des créations de rentes et des loteries il aurait tiré environ 100 millions.

RECETTES ET DÉPENSES.

Les recettes annuelles, au temps d'Orry, varient entre 230 et 240 millions, avec le produit du Dixième; entre 199 et 210 millions, sans ce produit. Les dépenses, qu'on ne peut évaluer avec autant de précision, paraissent avoir été légèrement inférieures aux recettes pendant les années de paix.

Ces résultats sont dus en partie à l'esprit d'économie du vieux cardinal. Cette économie, d'ailleurs, a été fort exagérée. On a dit, en le lui reprochant, qu'il avait sacrifié la marine; le reproche est injuste. Il n'a pas renoncé non plus aux dépenses de luxe, puisque l'entretien des maisons royales passe avec lui de 9 à 14 millions, et ne tombe pas, en temps de guerre, au-dessous de 10 millions. Les pensions données par le Roi descendirent officiellement du chiffre de 19 millions, constaté sous M. le Duc, à celui de 6 millions, mais, au vrai, elles demeurèrent à peu près les mêmes. Il existe un état de comptant où l'on voit comment des personnes en crédit, des ministres en fonction, d'anciens ministres, des magistrats, reçurent, en 1731, sous forme d' « indemnités, gratifications, compensations », une somme de 11 millions 477 000 livres. Par exemple, Chauvelin et

1. Voir *Hist. de France*, t. VIII, 1, p. 156.

Orry touchaient chacun 80 500 livres; D'Aguesseau, 61 000; Maurepas, 27 000; le procureur général Joly de Fleury, 4 000. S'il y eut des victimes de la réduction des pensions, ce furent les pensionnés les moins appuyés, vraisemblablement les plus dignes d'intérêt.

La prospérité relative des finances à cette époque a pour causes la fixité des monnaies, l'extension du réseau des routes, qui ont rendu les transactions commerciales plus sûres, plus faciles, plus nombreuses, et aussi les progrès du commerce extérieur et de la marine marchande. Il en résulta une plus-value dans le produit des fermes.

LE BON ÉTAT DES FINANCES.

Un des actes principaux d'Orry fut l'instruction de 1738 sur la construction et l'entretien des routes et des chemins par la « corvée royale ». On s'était, avant lui, toujours servi de la corvée pour exécuter des travaux urgents; mais le régime en était arbitraire et irrégulier. Orry le régularisa.

LA CORVÉE DES CHEMINS.

L'état des routes exigeait, comme on a vu, un grand effort; elles étaient souvent impraticables aux voitures. En Guyenne, les voyages ne se faisaient guère qu'à cheval. De Bordeaux à Libourne, on allait à cheval jusqu'à la Dordogne; en hiver, on devait passer par le bec d'Ambez.

Il y avait cinq catégories de routes ou de chemins : les grandes routes conduisant de Paris aux ports de mer et aux frontières; les routes reliant Paris et les capitales des provinces qui n'étaient pas traversées par les grandes routes; les grands chemins entre les capitales des provinces et les autres villes; les chemins royaux entre villes non capitales; enfin les chemins de traverse. Orry répartit les routes et les chemins en sections et les sections en ateliers.

Chaque atelier est attribué à une paroisse du voisinage, dont il ne doit pas être distant de plus de trois lieues; la paroisse doit faire les terrassements et transporter les matériaux dans un nombre de jours déterminé. Les groupes de travailleurs arrivent sous la conduite des maires ou syndics, apportant avec eux des vivres et des outils, amenant des charrettes, des chevaux, des bœufs, des vaches et des ânes. On requiert les hommes de seize à soixante ans, mais l'on accepte que les femmes et les enfants remplacent les pères de famille. L'instruction d'Orry ne disant pas combien de jours de travail doit le corvéable, les intendants en décident arbitrairement; la durée varie de huit à quarante jours par an. La surveillance des ateliers se fait par des sous-ingénieurs ou inspecteurs, munis de grands pouvoirs; ils jugent sommairement les récalcitrants, les mutins, les défaillants. L'inspecteur des corvées a le droit d' « emprisonner les ouvriers mutins ou rebelles », sauf à en référer au subdélégué, qui

LES ATELIERS DE LA CORVÉE.

prononce définitivement la peine encourue. Les sentences sont exé-
cutées par la maréchaussée.

Le grand défaut de la corvée, c'est qu'elle était imposée surtout
aux pauvres gens. Outre les privilégiés, nombre de roturiers parvinrent à s'en faire dispenser : les anciens officiers de troupe, les
possesseurs d'offices, les collecteurs des tailles, les employés des
fermes, les gardes des eaux et forêts, les gardes des haras, les
maîtres des postes, les chirurgiens en exercice, les maîtres d'écoles
gratuites, les maîtres de forges et de verreries, les ouvriers des pape-
teries et des pépinières royales et leurs garçons, les bergers et vachers
communs des villages, les pères des miliciens tombés au sort, et
tous ceux qui disposaient de quelque appui auprès de l'administration. Cette foule d'exemptions rendit la corvée odieuse à ceux qui la
subissaient.

D'après une lettre de Trudaine à l'intendant de Rouen, on aurait
proposé à Orry de substituer à la corvée un impôt en argent, et il
aurait sagement répondu :

> « J'aime mieux leur demander (aux corvéables) des bras qu'ils ont que de
> l'argent qu'ils n'ont pas; si cela se convertit en imposition, le produit viendra
> au trésor royal; je serai le premier à trouver des destinations plus pressées à
> cet argent; ou les chemins ne se feront pas, ou il faudra revenir aux corvées;
> les exemples de ce qui s'est passé, avant et depuis, par rapport aux fonds
> très modiques qui s'imposent pour les ouvrages d'art et les employés n'auto-
> risent que trop cette crainte. »

Toutefois l'instruction de 1738 a donné de bons résultats. Les
intendants, dès le début, ont obtenu des corvées un travail d'une valeur
de 5 à 6 millions par an. Les Ponts et Chaussées disposaient, d'autre
part, de 2 500 000 livres. L'intendant d'Auvergne, Trudaine, a ouvert
une route allant des confins du Bourbonnais à ceux du Languedoc,
par Riom, Clermont, Brioude; il l'a reliée à la route de Limoges à
Pontgibaud, à la route de Clermont à Lyon par Thiers. Il a fait construire la route de Clermont à Aurillac. L'intendant de Guyenne,
Tourny, a tracé, de Libourne à Périgueux, une route destinée à se
prolonger vers Limoges et Paris. Les intendants de Touraine, de
Picardie, de Caen se sont montrés particulièrement exigeants à
l'endroit des corvéables; en Normandie, la corvée royale a eu pour
effet d'empêcher quelque temps l'élevage des chevaux.

Trudaine, en 1743, devint Directeur général des Ponts et
Chaussées. Il créa en 1747 l'École des Ponts et Chaussées, pour y
former le personnel capable d'entretenir et de compléter le réseau des
routes. Durant les trente dernières années du règne de Louis XV, les
travaux des routes se multiplièrent au point qu'en 1774 l'ingénieur

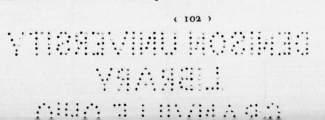

Perronet évalua le produit de la corvée royale au double de ce qu'il était au temps d'Orry. A la fin de l'Ancien Régime, les routes et les chemins étaient admirés par les étrangers. « Si les Français, disait Young, n'ont pas d'agriculture à nous montrer, ils ont de grandes routes. »

En matière de commerce et d'industrie, Orry est un colbertiste qui exagère le colbertisme. Il met des droits excessifs sur les objets de fabrication étrangère ou même leur oppose la prohibition pure et simple. Il proscrit les toiles peintes et les étoffes de Chine, des Indes et du Levant ; en 1733, un de ses intendants, Lenain, rend en Poitou une ordonnance de police qui frappe d'amendes énormes quiconque en vend ou en achète. Il prohibe ou soumet à des droits considérables tous les tissus d'Angleterre et de Hollande. Il établit des manufactures privilégiées ; par exemple une, de velours de Gênes, à Tours, en 1739 ; une autre, de petites étoffes blanches pour l'exportation, à Argenton, la même année ; une, de papier, à Angoulême en 1740. Il fixe par le menu tous les détails de la fabrication, tous les devoirs des patrons et des ouvriers. Les draps de France prenant trop facilement la poussière parce que les laines sont mal dégraissées, défense est faite aux dégraisseurs d'employer la craie et le blanc d'Espagne ; ils ne se serviront que de savon. Pour que les fabricants n'emploient pas des laines tondues avant leur maturité, la date de la tonte des bêtes sera la Saint-Jean pour toute la France. Orry ne revient sur cette décision qu'après que les intendants lui ont objecté que la maturité des laines est variable, suivant le climat ou la race.

*PRINCIPES
ÉCONOMIQUES
D'ORRY.*

Les inspecteurs des manufactures se multiplient ; il y en a de généraux pour l'ensemble des manufactures et de spéciaux pour les étoffes de soie et de laine, pour les toiles, les tapisseries, les draps, pour les bouteilles et les carafons ; ces inspecteurs résident à Amiens, Saint-Quentin, Limoges, Marseille, Saint-Gaudens, etc.

L'idéal ministériel était de garantir à chaque corps de métier sa spécialité, d'assurer aux maîtres leurs ouvriers, de fixer les ouvriers auprès des maîtres, de régler tout le travail. Orry intervint, par exemple, à Poitiers pour empêcher les cardeurs et les peigneurs de fabriquer des draps comme les drapiers ; pour répartir en communautés distinctes les teinturiers du « grand teint », qui teignaient les laines en couleurs d'un prix élevé, et les teinturiers du « petit teint », qui teignaient à bas prix ; pourtant, au grand mécontentement des teinturiers, il autorisa les bonnetiers et les drapiers à teindre les ouvrages de leur fabrication. Pour que les patrons ne se débauchassent pas les ouvriers par des offres d'augmentation de salaire, il interdit aux ouvriers de quitter

*INTERVENTION
CONSTANTE
DE L'ÉTAT.*

les maîtres « sans cause légitime » ; or, ce n'était pas une cause légitime qu'une augmentation de salaire, car, en 1730, le Conseil de Commerce condamna à l'amende des fabricants de draps de Louviers qui avaient augmenté ceux de leurs ouvriers. En 1734, il fut interdit aux ouvriers du Languedoc de se coaliser en vue d'amener la hausse des salaires. Les intendants fixèrent parfois la durée de la journée de travail, comme cela eut lieu à Limoges en 1739, et le taux même des salaires, comme cela se produisit à Sedan en 1750. Tout naturellement, Orry interdit l'émigration aux ouvriers sous les peines les plus sévères [1].

LA GRÈVE DE LYON (1744).

Il se trouva en présence d'une grève et d'une insurrection à Lyon.

MAÎTRES MARCHANDS ET MAÎTRES OUVRIERS.

Il y avait à Lyon trois catégories de personnes appliquées à l'industrie et au commerce des étoffes de soie : les « maîtres marchands », les « maîtres ouvriers » ou « maîtres fabricants », les compagnons et apprentis. Les « maîtres marchands » avaient le droit de fabriquer, mais ne fabriquaient pas eux-mêmes : disposant de gros capitaux, ils achetaient la matière première, passaient des traités avec les « maîtres ouvriers », leur fournissaient des dessins et leur faisaient des avances. Certains occupaient jusqu'à cent « maîtres ouvriers ». Dans la première moitié du XVIIIᵉ siècle, les maîtres marchands n'étaient guère que deux à trois cents. Ils assuraient la vente des produits fabriqués. Les maîtres ouvriers tissaient la soie chez eux, avec des métiers leur appartenant. Ils étaient trois à quatre mille, travaillant les uns pour le compte des maîtres marchands, les autres pour leur propre compte. De trois à quatre mille compagnons et presque autant d'apprentis étaient nourris et logés chez les maîtres ouvriers ; les seuls compagnons étaient payés.

RÈGLEMENTS DE 1737 ET DE 1744.

Comme les maîtres ouvriers, qui, pour acquérir la maîtrise, devaient payer un droit de trois cents livres, n'avaient d'ordinaire pas d'argent devant eux, ils ne pouvaient que difficilement fabriquer et vendre pour leur compte ; ils étaient à la discrétion des maîtres marchands. En 1737 intervint un règlement qui leur était très favorable. Il supprimait le droit de trois cents livres et permettait à tous, marchands et autres, de « fabriquer, et faire fabriquer,... soit pour leur usage ou même pour en faire le commerce, toutes les étoffes dont la fabrique était permise,... de les vendre, acheter, troquer et échanger, tant en gros qu'en détail ». C'était la suppression des privi-

---

1. Pour l'agriculture aussi, le régime réglementaire est maintenu. La circulation des blés est soumise à des autorisations. La culture de la vigne n'est pas libre : un cultivateur ne peut pas planter une vigne sans la permission de l'intendant, auquel il doit prouver que sa terre n'est pas propre à une autre culture. L'évêque de Poitiers ayant demandé en 1732 l'autorisation de planter des vignes dans sa terre de Dissais, Orry la lui refusa.

lèges des maîtres marchands. Ceux-ci protestèrent auprès du Contrôleur général et obtinrent qu'un nouveau projet fût mis à l'étude. Ce projet fut soumis à une députation de maîtres marchands et de maîtres ouvriers; ces derniers, qui avaient été désignés par le prévôt des marchands de Lyon, sans l'assentiment des autres maîtres, acceptèrent le projet sans protestation.

Ainsi fut promulgué le règlement du 19 juin 1744 : quiconque voulait fabriquer à son compte devait payer deux cents livres et ne pouvait avoir que deux métiers; pour avoir le droit de faire fabriquer, il fallait payer huit cents livres. Le règlement fortifiait donc l'aristocratie des entrepreneurs. Il confinait les maîtres ouvriers dans le petit travail et les maigres bénéfices.

Il fut connu à Lyon au début de juillet. Le mécontentement *GRÈVE*
couva durant un mois; puis les maîtres ouvriers, et, à leur suite, *ET INSURRECTION.*
les compagnons s'attroupèrent et s'entendirent pour suspendre tout travail tant que le règlement ne serait pas rapporté. Ils décidèrent d'infliger une amende de douze livres à quiconque ne quitterait pas son métier, et une amende de vingt-quatre livres à quiconque prendrait le métier abandonné par un autre. Le 5 août, le guet ayant arrêté quelques meneurs, on l'assaillit à coups de pierres, et une insurrection éclata. Les chefs réclamèrent du prévôt des marchands la mise en liberté des prisonniers; le prévôt l'accorda. Le lendemain, l'émeute était maîtresse de la ville. Le prévôt fit publier à son de trompe une ordonnance déclarant que le nouveau règlement serait considéré comme non avenu, et que celui de 1737 serait remis en vigueur. Les désordres n'en continuèrent pas moins. Les émeutiers envahirent la maison de l'intendant pour le contraindre à revêtir de son sceau l'ordonnance du prévôt, et pour s'emparer du sieur de Vaucanson qu'ils savaient être à l'Intendance, et qu'ils détestaient parce qu'il cherchait à transformer le métier à tisser; ils lui reprochaient encore d'avoir rédigé le règlement de 1744. Vaucanson s'enfuit déguisé en minime et regagna Paris. On se vengea sur un maître marchand de ses amis, dont on pilla la maison.

Les jours suivants, l'émeute s'apaisa. Le 10 août, d'ailleurs, un *LA RÉPRESSION.*
arrêt du Conseil annulait le règlement de 1744 et restaurait celui de 1737. Mais le Roi envoya le comte de Lautrec à Lyon avec des troupes pour assurer la tranquillité de ses sujets, et, quelques mois après, le 25 février 1745, un nouvel arrêt du Conseil déclara que le règlement de 1744 était rétabli. Lautrec fit afficher que Sa Majesté allait faire justice des instigateurs d'émeutes; un ouvrier fut condamné à mort et exécuté, deux autres aux galères à perpétuité, deux aux galères à temps, vingt à des peines plus légères.

Sous la haute direction du Contrôleur général, sous la direction réelle du Bureau de Commerce [1], le commerce extérieur se développa durant les vingt années qui suivirent la chute du Système. En créant la Compagnie des Indes, Law avait donné à la marine marchande et aux entreprises coloniales une impulsion extraordinaire. Les Français, pensait Voltaire, doivent à Law, non seulement leur Compagnie des Indes, mais « l'intelligence du commerce ». Il écrivait en 1738 : « On entend mieux le commerce en France, depuis vingt ans, qu'on ne l'a connu depuis Pharamond jusqu'à Louis XIV. »

En fait, vers 1730, le commerce français occupe en Espagne et au Portugal 200 navires; en Italie et dans les Échelles du Levant, plus de 700; aux Antilles, dans les îles à sucre, près de 600. Le seul port de La Rochelle expédie, pour la « traite », à la côte de Guinée, 35 navires. Dans son ensemble, y compris les bateaux destinés au cabotage, à la pêche côtière, à la pêche du hareng, de la morue, de la baleine, la marine marchande française compte, en 1730, 5 364 bâtiments de tout tonnage, montés par 41 900 hommes d'équipage. D'après les tableaux récapitulatifs du commerce extérieur qui furent dressés sous le premier ministère de Necker par le service de la balance du commerce, les échanges de la France qui, en 1716, ne dépassaient pas 80 millions, seraient passés en 1730 à 174 millions, en 1736 à 195 millions, en 1740 à 293 millions, et en 1743 à 308 millions. De 1716 à 1743, le commerce aurait presque quadruplé.

Le commerce colonial se faisait par l'intermédiaire de compagnies et de ports privilégiés.

La Compagnie des Indes a toujours son siège social à Paris, rue Vivienne. Elle a été réorganisée par divers arrêts ou ordonnances de 1723 à 1731. De son ancienne administration, elle a conservé des directeurs; mais, de vingt-quatre qu'ils étaient au temps de Law, les directeurs ont été réduits à douze puis à six; les assemblées d'action-

---

1. Un règlement du 29 mai 1730 a institué le *Conseil royal du Commerce.* Il devait se réunir tous les quinze jours. Il se composait du Roi, du duc d'Orléans, du Garde des Sceaux, des secrétaires d'État des Affaires étrangères et de la Marine, du Contrôleur général et de quelques conseillers d'État. Les secrétaires d'État et le Contrôleur général devaient y faire le rapport sur les matières d'industrie et de commerce concernant leur département. Ce *Conseil* ne se réunit que très rarement, et eut peu d'action sur le commerce. Le *Bureau de Commerce*, au contraire, établi par un arrêt du 22 juin 1722, fonctionna régulièrement et rendit des services. Il comprenait des conseillers d'État choisis parmi ceux qui avaient « le plus d'expérience au fait du commerce » et les intendants de Commerce; il était placé sous l'autorité du Contrôleur général. Le Contrôleur général Le Pelletier des Forts avait été président du Bureau. L'ancien intendant des finances Fagon lui succéda, et Orry fit de lui une espèce de directeur du Commerce; les intendants de commerce correspondaient avec Orry tantôt directement, tantôt par l'intermédiaire de Fagon. Quand Fagon mourut, en mai 1744, ce fut Machault, le futur Contrôleur général, qui devint président du *Bureau de Commerce.* (V. sur cette administration : A. Girard, *La réorganisation de la Compagnie des Indes*, dans la Rev. d'Hist. mod., nov.-déc. 1908).

naires doivent pourvoir aux vacances qui se produisent parmi eux; mais comme le Roi, qui les a d'abord nommés, n'a pas fixé de limites à leur mandat, ils sont investis de fonctions viagères. Le Roi les soumet au contrôle de trois inspecteurs tirés de son Conseil et de deux syndics élus par les assemblées d'actionnaires. Inspecteurs et syndics doivent posséder chacun cinquante actions des Indes. Les services de la Compagnie se répartissent en six départements dont quatre à Paris, un à Lorient, un à Nantes, ayant chacun à sa tête un directeur. En 1748, le Gouvernement modifiera quelque peu l'administration de la Compagnie; les inspecteurs prendront le nom de « commissaires »; et comme, dans la guerre contre l'Angleterre, le gouvernement aura recours à la bourse des actionnaires, ceux-ci exigeront une plus grande part dans l'administration de leurs intérêts; ils se feront concéder huit directeurs au lieu de six, et six syndics au lieu de deux. Le Gouvernement continuera d'intervenir dans les affaires de la Compagnie; ses commissaires assistent aux assemblées d'administration; le Contrôleur général peut présider ces assemblées.

D'assez bonne heure, la Compagnie des Indes a limité ses entreprises aux colonies et aux régions où elle pensait faire le plus de profit. En 1724, elle a renoncé au privilège du commerce de Saint-Domingue; en 1730, à celui du commerce de Berbérie, qui fut transféré à une compagnie de Marseille, la Compagnie Auriol; en 1731, elle abandonnait aussi le commerce de la Louisiane. Elle ne conserve en Amérique que le privilège de la traite du castor. Pour les ports français qu'il plaît au Roi de désigner, le commerce d'Amérique, excepté le Canada, devient donc libre.

ÉTENDUE DU DOMAINE DE LA COMPAGNIE.

Le domaine que se réserve la Compagnie comprend : le comptoir de Québec, les deux concessions du Sénégal et de la Guinée, les établissements des îles Mascareignes, l'île de France et l'île Bourbon, les établissements de l'Inde, les comptoirs de Moka et de Canton

ADMINISTRATIONS COLONIALES.

Les organes principaux de l'administration de la Compagnie dans ces divers pays sont des gouverneurs et des conseils. Le gouverneur, appelé aussi directeur, représente la Compagnie, et agit en son nom; le conseil, assistant le gouverneur, dirige les employés, assure la police, rend la justice et décide de l'emploi des troupes de la Compagnie. Ces troupes sont distinctes de celles du Roi; la Compagnie les recrute en France, à l'étranger, même dans les colonies. — Il y a des différences entre les colonies : l'Inde, qui est dite « gouvernement parfait », a un Gouverneur général et un Conseil supérieur pour l'ensemble de son territoire, des gouverneurs particuliers et des conseils provinciaux pour ses différentes provinces; les « gouvernements imparfaits », d'exploitation moins importante, ont des Gouverneurs généraux et des Conseils supérieurs, mais pas de conseils dans les provinces, seulement des chefs de comptoirs ; telles sont la Louisiane, le Sénégal, la Guinée, la Berbérie. La Compagnie a enfin des « comptoirs « ou « loges », qu'elle administre tantôt par des gouverneurs assistés de conseils, tantôt par des chefs de comptoirs ; ainsi Moka et Canton. En Inde, le gouverneur général de Pondichéry tient sous son autorité les gouverneurs ou directeurs de Chandernagor et de Mahé, de Karikal, de Yanaon, de Surate. Du Conseil supérieur de Pondichéry, relèvent les conseils provinciaux dont les membres sont nommés par le Gouverneur général ; en tant que tribunal le Conseil supérieur juge en appel les causes qu'ont jugées en première instance les conseils provinciaux.

TRAFIC.

Au Sénégal et en Guinée, la Compagnie des Indes achète des nègres, des cuirs, de la gomme, de la cire, de la poudre d'or, des plumes d'autruche, des dents d'éléphant, de l'ambre gris, de l'indigo. Elle est tenue à fournir par an 3 000 nègres aux îles françaises d'Amérique. Dans les mers orientales elle achète à Mahé le poivre, pour le revendre en Europe, au Bengale ou en Chine. Elle tire de Pondichéry les toiles de coton, blanches ou peintes ; elle rassemble dans les grands magasins de cette ville les objets de commerce des Indes. Elle fait de Chandernagor un des principaux marchés de l'Orient pour les soieries et les produits de Birmanie. En Chine, ses navires chargent du thé, des porcelaines, du bois de sampan, des papiers peints, des éventails, du nankin, de la rhubarbe.

La Compagnie expédie en Inde et en Extrême-Orient des vins, des eaux-de-vie, des draps, des coraux de Berbérie, du fer, du plomb, de la verrerie, toutes sortes de petite quincaillerie.

BÉNÉFICES.

Elle réalise de plus importants bénéfices sur les produits qu'elle achète en Orient que sur ceux qu'elle y vend. Sur les vins elle gagne, il est vrai, 100 p. 100, sur les coraux, 200 p. 100 ; mais, en général, une cargaison d'Europe ne lui rapporte pas au delà de 50 p. 100, au lieu que ses bénéfices sur les articles orientaux, poivre, laques, mousselines, toiles ou cotons de l'Inde ou de la Chine sont, en moyenne, de 200 p 100. Elle transporte ces marchandises à Lorient, où s'exerce le contrôle des agents des fermes.

SITUATION SOUS FLEURY.

La période de prospérité de la Compagnie des Indes est le ministère Fleury. De 1725 à 1743, malgré des charges grandissantes que lui ont imposées l'acquisition de Mahé en 1727, et les frais de l'expédition confiée à La Bourdonnais, son bénéfice annuel passe de 3 989 746 livres à 8 003 290 livres. Ses actions demeurent à des cours élevés, tant que la paix maritime n'est pas troublée. Cotées à 680 livres en 1725, elles atteignent le cours de 1 330 livres en 1730, de 2 085 livres en 1736, de 2 316 livres en 1740.

Tandis que Lorient avait le monopole des opérations de la Compagnie des Indes, les autres ports s'enrichissaient à exploiter l'Amérique. C'étaient : Calais, Dieppe, Le Havre, Rouen, Honfleur, Saint-Malo, Morlaix, Brest, Nantes, La Rochelle, Bordeaux, Bayonne, Cette et Marseille. Ils expédiaient en Louisiane, au Canada, à Cayenne, aux Antilles, des objets manufacturés, des vins, des eaux-de-vie, des vivres, des nègres. Ils en tiraient du sucre, du café, du cacao, de l'indigo, du camphre, du tabac, des cuirs, des bois précieux. De jour en jour, se développait leur esprit d'entreprise. A Bordeaux, vers 1730, tout le monde se mêlait du « commerce des îles ». On voyait des cordonniers, des artisans, et jusqu'à des domestiques, devenir armateurs, sans avoir un sou. Le trafic maritime, qui n'avait d'abord été que de douze millions en 1717, devait atteindre, en 1741, cinquante-trois millions. Le port était comme encombré de navires. Il allait se former à Bordeaux des dynasties commerciales, celles des Gradis, des Nayrac, des Bonnaffé.

Le sucre était un des produits les plus rémunérateurs des colonies françaises du Nouveau Monde. Tous les ans, le transport de cette denrée occupait de cinq à six cents navires. Le sucre, dit un mémoire de 1733, donne plus de profit à la France que toutes les mines du Pérou n'en donnent à l'Espagne. Les plantations de cannes se multiplient à Saint-Domingue; on défriche avec ardeur et l'on espère que la traite des noirs permettra de mettre tout le pays en valeur. D'autre part, nombre de raffineries s'établissent à La Rochelle, à Bordeaux, à Marseille. A Bordeaux, l'industrie du sucre acquiert et conserve durant tout le xviiie siècle une importance considérable. Bordeaux fournit pour la plus grande part à la consommation de la France et de l'Europe.

Les cafés ne commencèrent à être importés en quantité d'Amérique en France qu'à partir de 1738. Le caféier avait été introduit à Cayenne en 1722, à la Martinique en 1728. La Compagnie des Indes ayant le monopole de la vente de ce produit, les cafés américains durent être d'abord transportés dans quelques ports désignés, à Marseille, Bordeaux, Bayonne, La Rochelle, Nantes, Saint-Malo, Le Havre, Dunkerque; ils y entraient dans des entrepôts, et n'en sortaient, pour être exportés à l'étranger, que par permission des commis de la Compagnie des Indes. Sur la consommation française, la Compagnie, d'après un règlement de 1736, percevait un droit de dix livres du cent pesant.

Si grande fut l'extension du commerce colonial et si fort l'accrois-

LE COMMERCE D'AMÉRIQUE.

LE SUCRE.

LE CAFÉ.

sement de la flotte marchande, qu'il devint difficile de recruter la marine de guerre; aussi le commerce était-il mal protégé. Les ports se plaignaient, et l'État ne pouvait ou n'osait les protéger contre la concurrence des contrebandiers d'Angleterre ou de Hollande.

LA MISÈRE AU TEMPS DE FLEURY.

Malgré les progrès du commerce et le développement des manufactures, où l'on voit bien que la France n'était pas incapable d'une grande activité économique, la misère demeura grande dans la masse du royaume. L'argent était aux mains des spéculateurs, des fermiers généraux, des banquiers, des courtisans. Les profits du trafic et de l'industrie s'accumulaient dans les grandes villes et dans les ports. Mais les ouvriers n'avaient que de maigres salaires; s'ils gagnaient 13 ou 14 sous par jour à Abbeville, ils en gagnaient 8 en Poitou; les femmes étaient payées en Poitou 3 ou 4 sous, les enfants 2 à 3 sous. Au prix où était le pain, même grossier, on se demande comment ils vivaient. Il y eut de terribles années. La disette sévit surtout en 1739 et 1740. Après deux mauvaises récoltes, des pluies ravagèrent tout le centre de la France, depuis le Bordelais jusqu'au Maine et à l'Anjou, depuis l'Angoumois jusqu'au Berry. D'Argenson qui, il est vrai, exagère et toujours pousse au noir, a fait au Roi, en 1739, un affreux tableau de la misère en Touraine. Massillon, la même année, a dépeint à Fleury l'Auvergne dévastée, ses habitants sans meubles, sans lits, sans pain. D'Argenson est allé jusqu'à dire que, de 1738 à 1740, il était mort de misère plus de Français que n'en avaient tué toutes les guerres de Louis XIV.

En mai 1740, le peuple se souleva dans les marchés de Paris. Le 18 septembre, le Roi, passant par le faubourg Saint-Victor, entendait crier : « Du pain! du pain! » Fleury, traversant la ville, fut arrêté quelques jours plus tard par des bandes de femmes qui saisirent ses chevaux à la bride, et hurlèrent qu'elles mouraient de faim. Orry, qui se savait « en exécration par tout le royaume », s'alarma, mais ordonna quand même de presser la rentrée des impôts. Le fisc continua ses habituelles rigueurs : pénalités atroces contre les contrebandiers et les faux sauniers; garnisaires ruineux, imposés aux contribuables récalcitrants; emprisonnements, ventes de bétail, ventes de meubles, de fenêtres, de portes, de loquets de portes. D'Argenson impute ces barbaries au Contrôleur général qu'il traite de « bourreau ». Mais le vrai coupable, c'était le régime financier, qui, malgré d'intéressants essais de réforme, demeurait détestable et compromettait la monarchie.

III. — *LES AFFAIRES RELIGIEUSES : LE JANSÉ-NISME ET LES PARLEMENTS*

LES querelles de religion, au temps de Fleury, ont une importance exceptionnelle; les Jansénistes, devenus de plus en plus un parti politique, menacent à la fois le haut clergé, les Jésuites, le Gouvernement lui-même.

Du côté des Jansénistes, se trouvaient des prélats de mœurs pures et de grande charité, Noailles, de Verthamon, évêque de Pamiers, de Bezons, évêque de Carcassonne, Soanen, évêque de Senez. La cause de l'autre camp a été compromise par de Tencin, archevêque d'Embrun, l'ancien homme de confiance de Dubois auprès de qui l'avait poussé sa sœur, qui était de l'entourage du Régent. D'Argenson accuse Tencin d'inceste et de simonie. Sur le fait de simonie, il est vrai qu'en 1722, au Parlement, il fut convaincu d'avoir, par une convention secrète, conservé les revenus d'un bénéfice cédé par lui à une autre personne.

SOANEN ET TENCIN.

En 1726, l'évêque de Senez, ayant publié une instruction pastorale où il rétractait son adhésion au « corps de doctrine » établi en 1720 [1], Tencin le dénonça à l'Assemblée du Clergé. Le Roi autorisa l'archevêque à convoquer un concile provincial à Embrun, pour juger Soanen. L'évêque fit signifier au concile ses récusations contre Tencin le simoniaque. Le concile ne l'en déclara pas moins coupable, en 1727, et le suspendit de ses fonctions. Sur l'appel qu'il fit au futur concile général, Soanen fut exilé, par lettre de cachet, à l'abbaye de la Chaise-Dieu, où il devait mourir en 1740.

LE CONCILE D'EMBRUN.

Le retentissement de ces événements fut énorme. Tandis que les Constitutionnaires comparaient le concile d'Embrun à « l'exposition du Saint-Sacrement » — le mot était de Tencin — les Jansénistes le qualifiaient de « brigandage ». Pour la masse du public, Soanen était un martyr. Douze évêques, dont Noailles, adressèrent au Roi une lettre de protestation. Cinquante avocats de Paris signèrent une consultation concluant à la nullité des opérations du concile. Des estampes montraient Soanen, la tête entourée d'un rayon de gloire, et ses persécuteurs assis sur les genoux des Jésuites. Des satires traitaient le concile de « sabbat ». Les *Nouvelles ecclésiastiques*, organe des Jansénistes, défiaient les recherches de la police étant protégées par la complicité universelle. Elles agirent autant sur l'opinion qu'avaient fait naguère les *Provinciales*, et que feront, en 1762,

PROTESTATIONS JANSÉNISTES.

1. Voir plus haut, p. 60-61.

les *Extraits des assertions dangereuses*, tirés des livres de la Société de Jésus.

Tout Paris passa au jansénisme : magistrats, professeurs, bourgeois, menu peuple, femmes et petits enfants. On insultait les Constitutionnaires; on déclamait contre les Papes.

DÉFECTION DE NOAILLES.

L'archevêque Noailles fit subitement défection, par un mandement où de nouveau il acceptait la Constitution. Son grand âge, l'affaiblissement de ses facultés, les efforts de sa nièce, la maréchale de Gramont, les instances réitérées de Fleury, enfin sa versatilité expliquaient sa conduite. Trente curés protestèrent; mais des évêques jansénistes et l'Université de Paris suivirent l'exemple de Noailles, persuadés qu'ils allaient ainsi rendre la paix à l'Église. Après qu'il eut perdu ses chefs religieux, le jansénisme ne s'avoua pas vaincu; il devint presque exclusivement laïque et s'exaspéra. Des Parisiens insultèrent Noailles par ce placard : « Cent mille écus à qui retrouvera l'honneur de l'Archevêque! » Noailles étant mort — le 4 avril 1729, — on composa cette épitaphe :

> Ci-gît Louis Cahin-Caha
> Qui dévotement appela;
> De oui, de non s'entortilla;
> Puis dit ceci, puis dit cela;
> Perdit la tête et s'en alla.

M. DE VINTIMILLE.

Le nouvel archevêque, de Vintimille, constitutionnaire ardent, fut attaqué violemment. Son goût pour la table lui valut le surnom de « Ventremille »; et, comme son prédécesseur s'appelait « Antoine », on raconta que saint Antoine, en quittant ce monde, y avait laissé le diocèse à son compagnon. Vintimille interdit environ trois cents prêtres suspects de jansénisme; ce fut un tolle général. Les curés n'osèrent plus lire ses mandements au prône; dès qu'on affichait ces mandements, ils étaient couverts de boue. Dans les églises, les prédicateurs étaient interpellés. Sur la porte du collège Louis-le-Grand on colla ce placard : « Les comédiens ordinaires du Pape donneront ici les *Fourberies d'Ignace* et *Arlequin-Jésuite* ».

DÉCLARATION DU 24 MARS 1730.

Le Roi adressa au Parlement de Paris, le 24 mars 1730, une Déclaration où il était enjoint une fois de plus à tous les ecclésiastiques du royaume de recevoir purement et simplement la Constitution *Unigenitus*.

LE PARLEMENT.

L'agitation redoubla; les magistrats enregistrèrent la Déclaration en lit de justice, le 3 avril; mais, par arrêt, ils ordonnèrent que les curés suspendus par les évêques continueraient leurs fonctions. Ils supprimèrent les mandements de Tencin, et admirent l'appel comme d'abus contre ceux de l'évêque de Laon; ils citèrent même à leur barre ce prélat, pour un mandement, et le ministère n'évita le scandale qui en pouvait résulter qu'en faisant supprimer le mandement par arrêt du Conseil. Les parlements de province imitèrent celui de Paris; le Parlement d'Aix en particulier prit parti pour les PP. de l'Oratoire qu'attaquait l'évêque Belzunce en les accusant de jansénisme, et il fit lacérer et brûler un mandement de l'archevêque d'Arles qui contenait des attaques contre la magistrature. Chaque jour quelque incident se produisait. Le Parlement de Paris ayant établi, dans un arrêt du 7 septembre 1731, qu'il n'appartenait pas aux ministres de l'Église de fixer les limites du pouvoir temporel, institué directement par Dieu, et que les canons de l'Église n'étaient des lois qu'à condition d'être approuvés par le Souverain, le Conseil cassa l'arrêt et déclara la Constitution *Unigenitus* « jugement de l'Église universelle ». Ordre fut donné au Premier Président Portail d'empêcher toute délibération à ce sujet. De là, colère dans les Chambres et demi-insurrection contre Portail. Fleury manda devant le Roi une députation du Parlement; Louis XV reçut mal les magistrats; il leur déclara que tout ce qu'ils avaient fait était nul, leur interdit de discuter des limites de la puissance civile et de la puissance ecclésiastique, et les menaça, s'ils éludaient ses ordres, de les traiter en rebelles. Pour un temps le silence se fit au Palais[1]. Mais quelques prêtres de l'église collégiale de Saint-Benoît, un curé de Gien, et vingt et un curés de Paris ayant été traduits devant l'Official pour avoir refusé de publier un mandement où l'archevêque de Paris condamnait les *Nouvelles ecclésiastiques*, le Parlement reprit la parole.

Des orateurs s'illustrèrent dans ces débats. L'abbé Pucelle, qui traitait la Constitution sur le ton de Démosthène apostrophant Philippe de Macédoine, devint l'idole de Paris. Au mois de mai 1732, Louis XV, qui se trouvait à Compiègne, fit venir une députation du Parlement; il dit aux députés : « Je vous ai fait savoir ma volonté, et je veux qu'elle soit pleinement exécutée. Je ne veux ni remontrances ni réplique. Vous n'avez que trop mérité mon indignation. Soyez plus soumis et retournez à vos fonctions. » Le Premier Président ayant fait mine de parler, Louis XV lui cria : « Taisez-vous! » Portail n'osa pas donner au Roi un discours que sa compagnie l'avait chargé de lui remettre avant de se retirer; mais Pucelle s'avança, plia le genou, et déposa un exemplaire du discours aux pieds du Roi, qui ordonna de déchirer ce papier. De retour à Paris, Pucelle et un autre conseiller, du nom de Titon, furent arrêtés.

L'ABBÉ PUCELLE.

----

1. C'est alors que fut fermé, avec de grandes précautions militaires, le cimetière Saint-Médard, le 29 janvier 1732, dont il sera question plus loin, p. 115.

Paris prit parti pour les magistrats; les quolibets et les chansons se multiplièrent. Pour protester contre l'emprisonnement de leurs confrères, les magistrats cessèrent leurs fonctions. Par lettres patentes, le Roi leur ordonna de les reprendre; ils rentrèrent au Palais, mais aussitôt arrêtèrent qu'un mandement où l'archevêque de Paris parlait de la Constitution comme d'un décret apostolique rendu par l'Église serait déféré au Procureur général.

De nouvelles arrestations de magistrats furent opérées et une nouvelle députation appelée à Compiègne. « Je vous ai déjà fait connaître mon mécontentement, dit le Roi aux députés; soyez plus circonspects. Je veux bien encore suspendre les effets de ma colère. » Le lendemain, 20 juin, tous les conseillers, sauf trois ou quatre, signèrent les démissions de leurs charges.

Dans ces conjonctures, Orry et Maurepas reprirent, dit-on, l'idée qui s'était déjà présentée dans les Conseils du Roi, et qui devait reparaître à la fin du règne, d'une réforme totale de la magistrature. Toutefois on se contenta de menaces à l'adresse des Parlementaires. Pardonnant une fois de plus, Louis XV leur fit reprendre leurs démissions, les rappela, et se contenta, par la Déclaration du 18 août, d'ordonner qu'à l'avenir tout édit enregistré en sa présence fût mis à exécution le jour même de sa publication. Il fit enregistrer cette déclaration en lit de justice le 3 septembre. Un arrêt du Parlement ayant frappé de nullité cet enregistrement, le ministère exila cent trente-neuf juges; mais bientôt Fleury rappela les exilés et mit la Déclaration en surséance. Le gouvernement se perdait par cette alternative de rigueur et de faiblesse. Les opposants s'enhardissaient. Un mémoire qui fit grand bruit en 1732, le *Judicium Francorum*, réédita la grande théorie des Parlementaires, à savoir que le Parlement était aussi ancien que la Couronne, qu'il représentait la Nation même, et que le Roi ne pouvait faire de lois qu'avec son concours. Le Parlement condamna le mémoire par un arrêt du 13 août 1732, mais au fond il pensait comme l'auteur.

Les théories parlementaires étaient d'autant plus dangereuses que déjà on commençait à voir que le Roi était incapable de gouverner. L'autorité ne se faisait plus obéir. Les trois quarts du corps de police, dit Barbier, étaient infectés de jansénisme.

Fleury se déconsidérait de plus en plus. Les Jansénistes l'accusaient de conspirer avec Rome contre les libertés de l'Église gallicane; il avait, disaient-ils, fait plus de mal avec la Constitution que n'aurait pu en faire la famine ou la peste. Les Ultramontains lui reprochaient de ne pas les défendre contre les Parlements qui supprimaient des mandements d'évêques. Ils s'indignèrent qu'on laissât le

Parlement d'Aix condamner l'archevêque d'Arles pour un mandement, et qu'on exilât ce prélat dans son abbaye de Saint-Valéry-sur-
Mer. Ils bravaient la magistrature dans des thèses de Sorbonne où
ils élevaient le pouvoir spirituel au-dessus du temporel. Entre les
deux partis, Fleury tergiversait. Le désordre était tel qu'on croyait
voir revenir le temps de la Ligue.

Tout à coup se produisit un phénomène rare en France, une
crise de folie religieuse. Un diacre du nom de Pâris était mort
en 1727 avec une réputation de sainteté. On racontait qu'il n'avait
point voulu s'élever à la prêtrise, s'en jugeant indigne, et qu'il était
resté jusqu'à deux ans sans communier, ne se croyant pas en état de
recevoir le sacrement. Il avait toute sa vie partagé aux pauvres son
revenu, dix mille francs par an, et il était mort dans une baraque en
planches du faubourg Saint-Marceau. Les pauvres gens mirent ses
habits et ses meubles en morceaux pour se les partager comme des
reliques. Il fut enterré au cimetière de l'église Saint-Médard.

LE DIACRE PÂRIS.

Bientôt on apprit que des malades, en se couchant sur son tombeau, retrouvaient la santé. On publia les noms de malades guéris
de toutes sortes de maux, ulcère à la jambe, squire au ventre, cécité
consécutive à une petite vérole, surdité, paralysie. Des témoins cer-
tifiaient les faits; on en dressait des procès-verbaux que signaient
des médecins et des apothicaires et que des notaires enregistraient.
Tout Paris se rua au cimetière Saint-Médard : grands seigneurs,
évêques, magistrats, pauvres diables. Comme il s'y passait des scènes
étranges, — des hommes et des femmes, une princesse de Conti, un
marquis de Légale, un chevalier de Folard, y tombaient dans des
convulsions et des épileptiques y écumaient, la police, le 29 janvier 1732, ferma le cimetière.

*LE CIMETIÈRE
SAINT-MÉDARD.*

Mais les miracles continuèrent en cachette, dans des greniers ou
des caves. Des convulsionnaires en arrivèrent aux folies furieuses,
à la façon de l'Inde ou du Thibet. Des femmes se faisaient donner
des coups violents sur le crâne ou dans la poitrine; on clouait des
hommes et des femmes sur des croix et on leur enfonçait des épées
dans le flanc. Les suppliciés prophétisaient; les spectateurs chan-
taient des hymnes. Entre convulsionnaires, on se donnait le nom de
« frères » et de « sœurs ». On appelait « secours » les supplices qu'on
s'infligeait. Six cents filles réclamaient le secours et 6 000 frères le
leur administraient. Les « secouristes » se divisaient en sectes : les
Figuristes, les *Multipliants*, les *Éliséens*. Le frère Augustin fut le
chef des *Figuristes*; il se couchait sur une table, dans la posture de
l'Agneau et se faisait adorer. Les *Multipliants* s'abouchaient la nuit.
Les *Éliséens* reconnaissaient le prophète Élie dans un pauvre prêtre

*SCÈNES DE
FANATISME*

du nom de Vaillant. Les miracles jansénistes de Saint-Médard rendirent jaloux les Molinistes, qui crurent un moment avoir leur saint en la personne d'un Père Gourdan, à qui la Vierge était apparue; mais le Père Gourdan n'eut aucun succès.

La Provence, en 1731, fut troublée par l'affaire Cadière. Une jeune mystique de ce nom, pénitente d'un Père Girard, qui la fit entrer dans un couvent à Ollioules, tomba en des extases et se couvrit des stigmates du Christ. Elle faisait des miracles. Un jour, elle accusa le Père de l'avoir séduite. Le Père la poursuivit en justice devant le Parlement d'Aix; mais les suffrages des juges se partagèrent également, et les parties furent mises hors de cause. Le public prit parti pour ou contre le Jésuite; le plus grand nombre se prononça contre lui. Les magistrats favorables à Girard furent insultés et menacés dans les rues d'Aix. Des Jésuites furent brûlés en effigie à Toulon; à Marseille, le populaire essaya d'incendier les maisons des Pères. Paris se passionna aussi; la Cadière y passa pour une héroïne. On vendit des meubles, des habits, des tabatières, des éventails à la Cadière, et on chanta des chansons contre le Père Girard.

La même année, les Parisiens s'amusaient à voir jouer au théâtre des marionnettes le *Malade par complaisance*, où était ridiculisé Languet, évêque de Soissons, qui venait de raconter les austérités et les conversations avec Jésus de Marie Alacoque, morte en 1690 au couvent de la Visitation à Paray-le-Monial. Les œufs à la coque s'appelèrent désormais les « œufs à la Soissons », et Marie Alacoque, la « mère aux œufs ». Mais Languet publia, en 1729, la *Vie de Sœur Marie Alacoque*, et ce livre prépara l'établissement d'un culte nouveau, celui du Sacré-Cœur de Jésus, qui fut autorisé en 1765 par la Cour de Rome. D'autre part, en 1731, la *Femme docteur*, œuvre d'un Jésuite, imprimée à Paris, à Lyon, à Rennes, à Rouen, à Arras et qu'on joua dans les couvents et dans les séminaires, fit rire aux dépens des doctrines jansénistes sur la grâce. Ainsi toutes les manifestations religieuses étaient tour à tour ridiculisées. L'incrédulité faisait des progrès énormes à la Cour et dans le beau monde. On prêtait au maréchal de Saxe ce propos : « Si j'avais l'avantage en me battant contre les Tartares, je leur ferais quartier; mais si je triomphais d'une armée de théologiens, je les exterminerais ». Et ce n'était pas seulement l'aristocratie qui perdait la foi. L'avocat Barbier, bourgeois éclairé, tolérant, mais pas du tout révolutionnaire, écrivait : « Plus on creuse la matière, soit sur les prophéties, soit sur les anciens miracles de l'Église, et plus on voit l'obscurité des unes et l'incertitude des autres qui se sont établis dans les temps reculés avec aussi peu de fondement que ce qui se passe aujourd'hui sous nos yeux ».

IV. — *LA POLITIQUE EXTÉRIEURE ET LA GUERRE.*
SUCCESSION DE POLOGNE ET SUCCESSION D'AUTRICHE
(1726-1743)[1]

FLEURY voulut maintenir la paix de l'Europe. Sa politique était de conserver l'alliance avec l'Angleterre et de vivre en bonne intelligence avec l'Espagne et avec l'Autriche. Il eut, un des premiers, l'idée de rompre avec la tradition qui faisait de l'Autriche l'ennemie héréditaire de la France.

INTENTIONS DE FLEURY.

On peut dire que le Cardinal louvoya entre des menaces de guerre. Le roi d'Espagne espérait toujours la succession de France; il voulait pour ses fils du second lit les duchés italiens; il prétendait reprendre Gibraltar à l'Angleterre. L'Empereur résistait à laisser les Espagnols s'établir dans les duchés tant que ceux-ci ne seraient pas vacants. D'autre part, il inquiétait, par sa compagnie d'Ostende et par l'activité commerciale de ses Pays-Bas, l'Angleterre et la Hollande. Le premier ministre d'Angleterre, Robert Walpole, qui était pacifique, et son frère Horace, ambassadeur en France, s'entendaient très bien avec Fleury; mais l'opinion publique anglaise était passionnée pour

MENACES DE GUERRE GÉNÉRALE

1. Sources. *Recueil historique d'actes, négociations et traités,* par M Rousset déjà cité. *Recueil des Instructions données aux ambassadeurs et ministres de France,* Autriche, p. p. Sorel, Paris, 1884 (Introduction); — Bavière, p. p. Lebon, 1889 (Introduction); — Naples et Parme, p. p. J. Reinach (Introduction); — Pologne, p. p. L. Farges, 1888, 2 vol. (Introduction), 1893; — Espagne p. p. A. Morel-Fatio et H. Léonardon, Paris 1894-1899. 3 vol. *Correspondance de Louis XV et du Maréchal de Noailles,* p. p. C. Rousset, Paris, 1865, 2 vol. in-8. Frédéric II, *Histoire de mon temps,* t. II et III des *Œuvres,* Berlin, 1846 et suiv. Du même, *Politische Correspondenz,* Berlin, 1878 et suiv. *Mémoires des négociations du marquis de Valori, ambassadeur de France à la Cour de Berlin,* Paris, 1820, 2 vol. Choiseul (Duc de), *Mémoires,* Paris, 1904.

Ouvrages a consulter. Flassan, Coxe, déjà cités. Himly, *Histoire de la formation territoriale des Etats de l'Europe Centrale,* Paris, 1876, 2 vol. Léger, *Histoire de l'Autriche-Hongrie,* Paris, 1879. Arneth (d'), *Geschichte Maria Theresia's,* Vienne, 1868-1879, 10 vol , t. I à III. *Die Kriege Friedrichs des Grossen.* Hrsgg. vom Grossen Generalstabe, *Abteilung für Kriegsgeschichte,* Berlin, 1890 et suiv. *Œsterreichischer Erbfolgekrieg* (publication des Archives de la Guerre d'Autriche), Vienne, 1896 et suiv., t. V, 1901, p. p. Porges et Edlen von Rebrach. Droysen, *Geschichte der preussischen Politik,* Berlin, 1855-1881, 5 vol. Koser, *Kœnig Friedrich der Grosse,* 2ᵉ éd., Stuttgart, 1904, 2 v. Dubois (P.), *Frédéric le Grand d'après sa correspondance politique,* Paris, 1902, Broglie (Duc de), *Frédéric II et Marie-Thérèse,* Paris, 1883, 2 vol. Du même, *Frédéric II et Louis XV,* Paris, 1885, 2 vol. Haussonville (d'), *Histoire de la réunion de la Lorraine à la France,* Paris, 1860, 4 vol., t. IV. Lavisse, *Le Grand Frédéric avant l'avènement,* Paris, 1893. Fournier, *Origines de la pragmatique sanction de Charles VI* (Hist. Z., t. XXXVIII, 1877). Wolf, *La Pragmatische Sanction,* Paris, 1849. Broglie (A. de), *Le cardinal Fleury et la Pragmatique Sanction* (Rev. Hist., t. XX). Rathery, *Le comte de Plélo,* Paris, 1876. Réaulx (Marquise de). *Le roi Stanislas et Marie Leczinska,* Paris, 1895. P. Boyé, *Le père d'une reine de France, Stanislas Leczinski* (Revue de Paris, 1ᵉʳ novembre 1900). H Sage, *Dom Philippe de Bourbon, Infant de Parme (1720-1765),* Paris, 1904. Stryienski, *Le gendre de Louis XV : Dom Philippe, Infant d'Espagne et Duc de Parme,* Paris, 1904. Vandal, *Une ambassade française en Orient sous Louis XV; la mission du marquis de Villeneuve (1728-1741),* Paris, 1887. Major Z. *La guerre de la succession d'Autriche. 1° La Campagne de Silésie,* Paris, 1901 ; — 2° *La Campagne de 1741-1743,* Paris ., 1904. Capitaine Sautai, *Les Préliminaires de la guerre de la succession d'Autriche,* Paris, 1907.

UNE GUERRE ÉTOUFFÉE.

les intérêts commerciaux et la grandeur maritime de l'Angleterre

En février 1727, les Espagnols attaquèrent Gibraltar. Si l'Empereur les avait soutenus, comme ils le lui demandèrent, c'était de nouveau une guerre européenne. La diplomatie française agit partout avec grande prudence. Dès les premiers jours de son ministère, le Cardinal avait fait assurer la Cour de Vienne de ses bonnes intentions, ébauchant ainsi un accord de la France et de l'Autriche. L'Empereur ayant consenti à négocier avec l'Angleterre et la Hollande, la négociation se fit à Paris, où furent signés, le 31 mai 1727, les *Préliminaires* préparatoires d'un congrès qui devait s'ouvrir en France l'année d'après. Fleury, d'autre part, négociait avec l'Espagne. Secrètement, il promit à Philippe V la succession de France, si le Roi venait à mourir sans laisser de Dauphin. Philippe V, en juin 1727, fit cesser l'investissement de Gibraltar et accéda aux préliminaires de Paris. Le Congrès prévu, où devaient être résolus tous les litiges, se réunit à Soissons l'année d'après.

CHAUVELIN. POLITIQUE ANTI-AUTRICHIENNE.

Mais, de ce congrès, la guerre faillit sortir. L'Empereur se faisait prier pour sacrifier aux Provinces-Unies sa compagnie d'Ostende. En outre, il persistait à ne pas permettre l'établissement immédiat des Espagnols dans les duchés; de nouveau, la guerre menaça d'éclater entre l'Espagne et l'Autriche. Dans ces conjonctures intervint un homme pressé de jouer un grand rôle, Chauvelin. C'était un savant magistrat du Parlement de Paris, allié aux Le Tellier, ami de grandes familles, mais de vie laborieuse et simple; au demeurant très ambitieux et qui aspirait à gouverner la France. Il avait fait agir tant d'influences auprès du Régent que « les pierres elles-mêmes » rappelaient au prince le nom de Chauvelin. Le Régent mort, il avait prévu que le gouvernement de M. le Duc ne serait qu'un « feu de paille », et s'était attaché à Fleury. Le Cardinal le fit garde des sceaux et secrétaire d'État des Affaires étrangères. Or Chauvelin avait, sur la politique à suivre, une toute autre opinion que celle de Fleury. Il tenait pour l'alliance avec l'Espagne, pour la guerre avec l'Autriche, ennemie héréditaire, et n'eût pas reculé devant un conflit avec les puissances maritimes. Un parti de Cour avait les mêmes sentiments, qui étaient très dangereux. Chauvelin présenta donc à Fleury le projet, expédié de Madrid en août 1729, d'une alliance entre la France et l'Espagne. L'Espagne s'y faisait promettre l'occupation immédiate des duchés. Elle ne voulait accorder aux Anglais aucune des satisfactions qu'ils réclamaient pour leur commerce, tant qu'elle ne serait pas rentrée en possession de Gibraltar et de Minorque. Accepter ce traité, c'eût été provoquer la coalition de l'Autriche et des puissances maritimes contre la France, comme au temps de la succession d'Espagne. Fleury, qui répugnait à cette folie, aurait dû congédier Chauvelin, ou, tout au moins, lui imposer sa volonté; mais il n'avait pas l'énergie nécessaire pour concevoir cette résolution et pour s'y tenir. Plus que jamais il louvoya.

LE TRAITÉ DE VIENNE (MARS 1731).

Par un traité conclu à Séville, en novembre 1729, entre l'Espagne, la France, l'Angleterre et la Hollande, l'Espagne restitua aux marchands des trois pays les privilèges qu'elle leur avait enlevés pour les donner aux sujets de l'Empereur par le traité de Vienne de 1725; en échange, elle fut autorisée à débarquer six mille hommes en Italie pour assurer à Don Carlos, fils aîné d'Élisabeth Farnèse, la possession des duchés. Fleury contenta ainsi les partisans de l'alliance espagnole. Mais l'Empereur s'apprête à se défendre en Italie et l'Espagne réclame l'aide de l'Angleterre et de la France. Fleury fait des promesses aux Espagnols, et, en même temps, rassure les Autrichiens. Il perd alors la fonction d'arbitre qu'il a tenue jusque-là. Il avait un moyen de désarmer l'Empereur; c'était de reconnaître la Pragmatique par laquelle Charles VI voulait assurer son entière succession à sa fille Marie-Thérèse; mais il ne voulut pas aller si loin; il n'allait jamais jusqu'au bout des choses. Ce fut l'Angleterre qui décida l'Empereur à la paix. Par le traité de Vienne de mars 1731, elle garantit la Pragmatique; en échange, elle obtint pour l'Espagne le consentement de l'Empereur à l'occupation des duchés, et, pour elle, l'abolition de la Compagnie d'Ostende.

L'ÉTAT APRÈS LE TRAITÉ.

De toute cette politique, l'Angleterre avait tiré de grands avantages pour son commerce. Elle s'était montrée, de plus en plus, puissance dirigeante. La conduite de Fleury avait été incertaine et molle. Du moins, il contribua plus que personne à épargner à l'Europe une nouvelle grande guerre. Quelques jours après la signature de la paix de Vienne, le dernier des Farnèse étant mort, Don Carlos entra en possession de Parme; le grand-duc de Toscane le reconnut comme son héritier. L'Espagne avait donc satisfaction. D'autre part, la naissance d'un Dauphin en 1729 avait assuré en France la succession directe; il n'y eut donc plus de prétentions espagnoles à la Couronne de France. On put croire la paix assurée pour longtemps.

SUCCESSION DE POLOGNE.

Mais, le 1ᵉʳ février 1733, mourut Auguste II, l'électeur de Saxe, roi de Pologne. La vacance de ce trône électif ouvrit une crise européenne. Depuis que la France, restant fidèle à son vieux système d'alliance avec la Suède, la Pologne et la Turquie, avait repoussé les avances de la Russie[1], cette puissance nouvelle s'était alliée avec

---

1. Voir plus haut, p. 56.

l'Autriche. Un traité avait été conclu à Vienne en août 1726; Autriche et Russie s'étaient promis de s'entendre entre autres choses sur les affaires polonaises. La Pologne[1] était depuis longtemps menacée par ces deux puissants voisins et par un troisième, le roi de Prusse. En attendant que vînt l'heure d'un partage depuis longtemps prévu, l'Autriche et la Russie étaient naturellement résolues à ne point laisser arriver au trône de Pologne un client de la France. Ensemble elles agréèrent la candidature du fils d'Auguste II, Auguste III. Celui-ci avait gagné la sympathie de l'Empereur par l'adhésion qu'il avait donnée à la Pragmatique, adhésion d'autant plus précieuse à l'Autriche qu'il était un des mieux qualifiés pour contester cet acte.

STANISLAS
LECZINSKI ÉLU
ET CHASSÉ.

Or, la France avait son candidat, Stanislas Leczinski. Fleury vit bien qu'une intervention de la France dans la « Succession de Pologne » serait une cause de guerre et de grande guerre; il aurait voulu éviter ce malheur. Mais la reine de France plaida la cause de son père; le Roi voulut relever la condition de son beau-père. Toute l'opinion se prononça pour Stanislas. On était humilié que le Roi n'eût épousé qu'une « demoiselle »; on voulait que la reine « de France » fût « fille de roi ». Fleury se résigna. L'ambassadeur de France en Pologne dépensa des millions pour gagner des suffrages à Stanislas qui, déguisé en marchand, traversa l'Allemagne pour se rendre à Varsovie. La Diète d'élection — 60 000 électeurs à cheval — l'acclama; le 12 septembre, il fut proclamé roi; mais quelques milliers de dissidents proclamèrent Auguste douze jours après. Vingt mille Russes entrèrent en Pologne. La Diète d'élection s'était dissoute; aucune force ne se trouva pour arrêter les Russes. Stanislas fut obligé de se retirer à Danzig.

DÉCLARATION
DE GUERRE
DE LA FRANCE
A L'AUTRICHE.

Alors parla haut en France le parti de la guerre. Il ne pouvait s'en prendre à la Russie lointaine; il s'en prit à sa complice, l'Autriche. L'homme de la politique anti-autrichienne, Chauvelin, « escamota » la paix au Cardinal; la guerre fut déclarée à l'Autriche en octobre 1733. Mais il fallait faire quelque chose pour secourir le roi Stanislas. Il ne pouvait être question de faire traverser l'Allemagne par une armée. En transporter une à Danzig eût été une opération très difficile, et qui eût effarouché les puissances maritimes. On décida que

EXPÉDITION
DE DANZIG.

6 000 hommes seulement seraient envoyés par mer à Danzig, en quatre convois. Le premier, de 1 500 hommes, arriva sous le commandement du général de La Motte de La Peyrouse, le 10 mai 1734. La Peyrouse vit les positions des Russes, leurs travaux de siège, l'insuffisance ridicule

---

1. Voir *Hist. de France*, t. VII, 2, p. 201 et suiv.

de ses forces, et revint à Copenhague. La France était représentée dans cette ville par le comte de Plélo. Cet ambassadeur était alors menacé de disgrâce pour avoir écrit « le diable » du ministère auquel il avait inutilement conseillé une expédition en Pologne par le continent. Il était d'ailleurs un vaillant homme, qui voulut faire un coup d'éclat et mériter une grande récompense ou mourir. Il décida La Peyrouse à retourner à Danzig. La petite troupe, débarquée le 24 mai sous le fort de **Weichselmünde**, fut abîmée par le feu. Plélo tomba criblé de balles. On raconta qu'il avait été tué par les soldats français, « enragés d'aller à une si mauvaise besogne ».

Danzig fut bombardée. La tête de Stanislas était mise à prix. Il sortit de la ville au début de juillet, déguisé en matelot, traversa le camp russe et atteignit la frontière d'Allemagne. Il a raconté son évasion ; l'on voit dans son récit quels furent jusqu'au bout son sang-froid, sa bonne humeur et son courage.

La revanche fut prise sur l'Autriche. L'octogénaire Berwick, après avoir occupé la Lorraine, prit Kehl, ouvrit la tranchée devant Philippsbourg, et fut tué par un boulet le 12 juin 1734. Son successeur, d'Asfeld, entra dans la place le 18 juillet.

Pour combattre l'Autriche en Italie, la France avait aisément trouvé deux alliés, le roi de Sardaigne et les Espagnols. Depuis longtemps, le roi de Sardaigne invitait Louis XV à intervenir contre l'Autriche. Par un traité du 26 septembre 1733, il s'engageait à remettre le duché de Savoie aux Français, qui, de leur côté, lui promettaient le Milanais, combinaison à laquelle il avait été déjà pensé et qui devait aboutir en 1859. L'Espagne, par le traité de Madrid, le 25 octobre suivant, obtint l'assurance d'être aidée à conquérir pour Don Carlos, déjà duc de Parme, le royaume des Deux-Siciles. L'octogénaire Villars traversa le mont Cenis, rallia l'armée sarde à Verceil, prit Pavie, Novare, Milan et Pizzighetone. En moins de trois mois, la Lombardie était conquise à l'exception de Mantoue ; le Roi de Sardaigne prit le titre de duc de Milan. Après la mort de Villars, survenue le 7 juillet 1734, de Coigny et de Broglie gagnèrent les batailles de Parme, le 29 juin, et de Guastalla, le 19 septembre. La Cour de Madrid ordonna à son général, le duc de Montemar, de conduire Don Carlos à Naples. Les Autrichiens vaincus à Bitonto ne purent défendre Naples, et l'Infant s'y établit.

Chauvelin, se souvenant de Richelieu et de Mazarin, voulait ruiner l'Autriche dans la Péninsule en y organisant une sorte de confédération d'États clients de la France. Le vieux cardinal s'inquiétait et se désolait ; c'était chose comique de l'entendre se plaindre. Mais Chauvelin rencontra un adversaire, le roi de Sardaigne.

Charles-Emmanuel craignit qu'une fois les Autrichiens rejetés dans le Tyrol, les Espagnols restassent trop puissants en face de lui. Il multiplia les preuves de sa mauvaise volonté. Et l'Empereur donna à Fleury le moyen de prendre sa revanche sur Chauvelin, en « escamotant » à celui-ci la guerre. Il offrait au Cardinal de négocier seul à seul et en secret. Il parlait de la rivalité des Bourbons et des Habsbourg comme d'un conflit suranné. Un agent français, De La Baune, partit pour Vienne, où il s'aboucha avec les ministres Zinzendorf et Bartenstein. Des préliminaires de paix furent établis le 3 octobre 1735. L'Autriche abandonnait les Deux-Siciles à l'Infant; Tortone et Novare, avec les fiefs impériaux de Langhe en Montferrat au roi de Sardaigne; elle cédait à Stanislas Leczinski les duchés de Bar et de Lorraine qui, après la mort de Stanislas, devaient revenir à la France; le duc François de Lorraine, fiancé à Marie-Thérèse d'Autriche, devait être indemnisé avec la Toscane dont le duc allait mourir sans postérité. L'Autriche recouvrerait la Lombardie sauf les territoires cédés à Charles-Emmanuel. La France reconnaissait la Pragmatique Sanction.

C'étaient là des conditions très acceptables pour la France; mais le cabinet de Vienne essaya de revenir sur les préliminaires, surtout sur le mode de cession de la Lorraine. Le Cardinal, honteux de lui mal résister, invita Chauvelin à négocier à sa place en janvier 1736. Chauvelin disputa plus d'un an, et n'eut raison de l'Autriche qu'en la menaçant de garder Kehl et Philippsbourg. Le duc de Lorraine signa enfin, le 13 février 1737, l'acte portant cession de son duché. Stanislas Leczinski avait déjà abdiqué la couronne de Pologne; le roi de Sardaigne avait souscrit aux préliminaires; l'Espagne avait récriminé, mais s'était résignée. Le traité de Vienne, ratifiant les préliminaires, fut signé le 18 novembre 1738. C'était un grand succès pour la maison de Bourbon, qui s'établissait en Italie avec Don Carlos, roi des Deux-Siciles, et pour le royaume de France qui acquérait la Lorraine. Depuis longtemps la France convoitait la Lorraine. Désormais l'Alsace était reliée à la Champagne, et nos provinces de l'Est formaient une masse compacte.

La disgrâce de Chauvelin avait suivi de quelques jours la signature de la cession de la Lorraine par son duc. Chauvelin persistait dans sa politique anti-autrichienne; il avait sa diplomatie à lui, opposée à celle du cardinal. Il intriguait à la Cour où il avait les sympathies des compagnons de chasse de Louis XV, les familiers des « cabinets », les « Marmousets », D'Épernon, De Gesvres, De La Trémoille. La Cour se partageait en deux camps, celui du Cardinal, celui de Chauvelin. Les ennemis de Chauvelin insinuaient qu'il encourageait la rébellion des Jansénistes et des Parlementaires, qu'il avait entretenu une correspondance secrète avec l'Espagne et faisait des profits illicites sur les appointements de ses subalternes et sur les cadeaux destinés aux étrangers. La vraie raison de sa disgrâce fut le juste mécontentement du cardinal contre un ministre qui le trahissait. Le 20 février 1737, une lettre de cachet exila Chauvelin à Bourges.

Le nouveau secrétaire d'État des Affaires étrangères, Amelot de Chaillou, ancien intendant des finances, une créature de Maurepas, avait quarante-huit ans. Il ne risquait pas de porter ombrage à Fleury. Petit et bègue, timide et méticuleux, il fut pour le Cardinal un commis. Avec quelque culture littéraire, et des notions sur les finances, il ne savait rien de la diplomatie. Le commis Pecquet aurait pu le mettre au courant, mais fut incarcéré à la Bastille, comme ami de Chauvelin. On fit revenir de Vienne un autre commis, le Sr du Theil, pour diriger Amelot et lui apprendre, disaient de mauvais plaisants, à distinguer la mer du Nord de celle du Sud.

AMELOT DE CHAILLOU.

Pourtant, pendant le ministère d'Amelot, la diplomatie française remporta de grands succès en Orient. Le mérite en revint à M. de Villeneuve, ambassadeur de France à Constantinople. Après qu'elle eut annulé l'influence française en Pologne par l'exclusion de Leczinski, la Russie poursuivant le plan de conquêtes dont Pierre-le-Grand lui avait légué l'ambition, s'en était prise aux Turcs, qui avaient d'ailleurs fait passer des secours aux partisans de Stanislas. Elle avait envoyé une armée devant Azow et annonçait l'intention de réclamer le droit de navigation dans la mer Noire; elle avait persuadé à l'Autriche d'entrer en ligne avec elle. Amoindrie en Italie et en Allemagne, l'Autriche espérait trouver des compensations en Orient; elle offrit sa médiation aux Turcs qui ne virent pas d'abord qu'elle agissait en raison d'un plan concerté avec la Russie. La France s'inquiéta; depuis les *Capitulations* conclues en 1535 par l'ambassadeur de François Ier, La Forest, la Turquie était pour elle une espèce de colonie où elle exportait ses produits, et dont Marseille tirait sa prospérité. La concurrence anglaise et hollandaise l'y avait troublée au xviie siècle, mais elle y avait repris la prépondérance. Elle ne pouvait laisser les Russes mettre des navires sur la mer Noire et s'emparer ainsi du commerce de l'Orient; en outre elle avait intérêt à maintenir l'intégrité du vieil allié, l'empire ottoman. Villeneuve devint le conseiller très écouté du Sultan, après que l'Autriche eut envahi la Valachie, pays tributaire de la Porte.

POLITIQUE EN ORIENT.

Comme les Russes avaient occupé Azow, ce fut surtout aux Autrichiens que la Turquie eut affaire, en Bosnie, en Serbie, en Haute

TRAITÉ DE BELGRADE (1739).

Bulgarie. Dans les campagnes de 1737 et 1738, ses troupes opposèrent une résistance qui surprit l'Europe. En 1739, le Grand-Vizir attaqua même Belgrade, le boulevard de la Hongrie. L'Empereur envoya un plénipotentiaire au camp turc. Villeneuve, qui s'y trouvait, joua naturellement le rôle de médiateur. Il seconda si bien nos alliés que l'Autriche leur céda la Serbie, la Valachie, Orsova, et même Belgrade. Le retour de l'ambassadeur de France à Constantinople fut une espèce de triomphe.

SITUATION EN 1740.

Le succès des Turcs aida la France à reconstituer la ligue des États secondaires du Nord et de l'Orient. Le 19 juillet 1740, la Suède, par l'intermédiaire de Villeneuve, conclut un traité avec la Porte. Le roi de Pologne parut même vouloir se rapprocher de la France.

Le vieux Cardinal avait alors en Europe la réputation d'un habile et heureux homme d'État. Le roi de Prusse Frédéric II pense qu'il a « relevé et guéri » la France, et il loue « la pénétration et la prévoyance » des ministres français. Après les traités de Vienne et de Belgrade, Louis XV semblait « le maître et l'arbitre » de l'Europe, comme disait Barbier. Désormais il était possible de se soustraire à l'amitié de l'Angleterre, qui, utile au temps de la Régence, avait toujours été onéreuse, et d'enlever aux Anglais « la balance des affaires de l'Europe ». La politique coloniale et maritime de l'Angleterre était de plus en plus agressive. Les Anglais abusaient du « vaisseau de permission », que l'Espagne leur avait concédé , pour inonder de leur contrebande les colonies espagnoles. Comme l'Espagne essayait de s'y opposer, les marchands anglais demandèrent au Parlement de l'obliger à renoncer au droit de visite. Le pacifique Walpole, pour garder le ministère, obéit à leurs injonctions. L'Espagne ayant refusé de céder son droit, l'Angleterre lui déclara la guerre en octobre 1739. Au bout de quelques mois, les Anglais irrités que la guerre de course ne décidât rien et ruinât leur commerce, mirent à la mer un armement considérable à destination de l'Amérique espagnole. Du Ferrol partirent aussitôt douze vaisseaux espagnols, mais comme c'était une force insuffisante pour tenir les Anglais en respect, le gouvernement français, à la fin d'août 1740, expédia de Toulon en Amérique une escadre de douze vaisseaux, et de Brest, le 1er septembre, quatorze vaisseaux et cinq frégates. Il publiait en même temps un manifeste où il disait que sa démonstration ne pouvait être considérée comme une déclaration de guerre. Les Anglais furent un moment intimidés. Des tempêtes qui survinrent dans les mers d'Amérique firent ajourner d'ailleurs toute opération.

1. Voir *Hist. de France*, t. VIII, 1, p. 137.

A peu de temps de là, en octobre 1740, mourut l'empereur Charles VI, et la question fut de savoir ce qu'il adviendrait de sa Pragmatique. Par cet acte, il avait réglé que la succession des royaumes et principautés de la maison d'Autriche reviendrait à sa fille Marie-Thérèse, et non à ses nièces, les filles de l'Empereur Joseph, à qui elle aurait dû appartenir en vertu de dispositions prises par son père Léopold Ier. Charles avait fait renoncer ses deux nièces à leurs droits, lorsqu'elles épousèrent l'une le prince électoral de Saxe, et l'autre le prince électoral de Bavière. Il avait fait accepter la Pragmatique par les « états » des différents pays de la monarchie, puis par toutes les puissances européennes. Mais, sitôt qu'il fut mort, les maris de ses nièces, Auguste, devenu électeur de Saxe et roi de Pologne, et Charles-Albert, devenu électeur de Bavière, réclamèrent la succession entière. D'autre part, le roi de Sardaigne demanda le Milanais ; le roi d'Espagne, comme représentant les droits de la branche aînée d'Autriche, la Hongrie et la Bohême, qu'il offrait d'ailleurs d'échanger contre le Milanais ; et le roi de Prusse Frédéric II, des duchés silésiens, en se fondant sur un contrat conclu l'an 1537.

LA SUCCESSION D'AUTRICHE

Le cardinal aurait mieux aimé s'en tenir à l'engagement qu'il avait pris de respecter la Pragmatique. Il n'admit pas les prétentions de l'électeur de Bavière à la succession autrichienne. Le seul profit qu'il eût voulu tirer de la circonstance, c'eût été de distraire de la succession la couronne impériale, que convoitait le gendre de Charles VI, François de Lorraine, pour la faire donner au Bavarois. Cela même lui paraissait dangereux ; il y renonça. Mais il ne prit pas une attitude nette ; il ne sut ni tenir simplement sa parole, ni faire acheter à Marie-Thérèse l'appui ou la neutralité de la France. Et il croyait devoir payer de bonnes paroles les divers candidats à la succession, pour ne mécontenter personne. Il joua un jeu subtil de petits papiers.

L'EMBARRAS DU CARDINAL.

Or, les esprits en France étaient férus de la vieille passion contre l'Autriche. L'occasion semblait trop belle d'anéantir l'ennemie de François Ier, de Henri IV, de Louis XIII et de Louis XIV. A la Cour, tout un parti de noblesse désœuvrée réclama la guerre. Le comte de Belle-Isle en fut le chef. Petit-fils de Fouquet, Belle-Isle avait été tenu à l'écart du vivant de Louis XIV ; en crédit auprès du Régent, il était tombé en disgrâce au temps de Mme de Prie ; il avait retrouvé la faveur par la protection d'une tante, la duchesse de Lévis, amie de Fleury. Son frère, le chevalier de Belle-Isle, lui donnait des idées et mettait de la suite dans sa conduite. Le comte avait, à cinquante-six ans, la fougue d'un jeune homme. Ce grand maigre, très alerte,

LES ANTI-AUTRI-CHIENS. BELLE-ISLE.

de manières nobles, beau parleur, groupait autour de lui toute une armée de clients; il passait pour une manière de grand homme.

Fleury s'émut de la vivacité des attaques dirigées contre lui par Belle-Isle et ses amis. Lui qui continuait à croire qu'il n'y avait qu'un parti à prendre, celui de « rester tranquilles », il commença à laisser entendre que les engagements pris au sujet de la Pragmatique étaient conditionnels, que la France respecterait les droits de tous, mais qu'elle était libre d'agir selon ses intérêts. Il reprit l'idée de pousser le Bavarois à l'Empire. Selon son habitude de vouloir contenter tout le monde, il envoya Belle-Isle représenter la France à la Diète de Francfort, où allait se faire l'élection. Sans doute il n'était pas fâché d'éloigner de la Cour le bruyant personnage.

Belle-Isle fit à Francfort en 1741 une entrée triomphale. Devant lui marchaient douze chevaux, tenus en main, douze voitures à quatre chevaux avec des couvertures de velours vert portant l'écusson de ses armes en bosse, et des bâtons de maréchal de France entrelacés de guirlandes d'or; cent cinquante valets de pied en livrée verte, avec culotte et veste écarlate, nœuds d'argent à l'épaule, chapeaux galonnés surmontés de plumets verts des pages; vingt-quatre seigneurs formant l'ambassade; le chevalier de Belle-Isle; De Blondel, envoyé de France à la Cour électorale de Mayence; le chevalier d'Harcourt. Belle-Isle montait un cheval superbe, au harnais étincelant d'or et de pierreries. Il ne fut bientôt question à Francfort que des réceptions de l'ambassadeur de France, de l'argent qu'il faisait jeter au peuple, de ses laquais, de ses pages, courriers, secrétaires, des cent personnes attachées à sa cuisine et au service de sa table. Pour fêter la Saint-Louis, Belle-Isle dépensa en trois jours plus de 60 000 livres; en un an, il devait dissiper plus d'un million.

Cependant Frédéric II, prêt avant tout le monde, avait envahi la Silésie en décembre 1740; au printemps d'après, il entra dans Breslau. Belle-Isle alla l'y trouver; il avait pouvoir de traiter avec lui; mais Fleury, qui se défiait de ce jeune « fanfaron » de Frédéric, avait limité ce pouvoir. Belle-Isle devait assurer le Roi du prix qu'on attachait à son amitié et obtenir qu'il donnât sa voix à l'électeur de Bavière. Il n'était question ni d'alliance formelle ni de plan de campagne. Ces instructions étaient conformes à un projet de traité qui avait été envoyé de France à Frédéric après le départ de Belle-Isle. Il n'y avait pas été dit mot d'une participation de la France à la guerre. Mais Frédéric n'était pas homme à se contenter de si peu. Aussi représenta-t-il qu'il ne s'engagerait pas à la légère; il était inquiet du côté de la Russie, dont les ministres étaient alors dévoués à l'Autriche, et il craignait tous ses voisins, Danemark, Hanovre,

Saxe. Il reprochait à la France de ne s'être pas encore déclarée, ni même préparée à la guerre, de faire dépendre ses préparatifs militaires de la conclusion d'un traité, alors qu'il fallait faire l'inverse. Il parla de s'entendre avec Vienne, et il fit à une ligue avec la France des conditions telles que Belle-Isle quitta Breslau le 2 mai, sans avoir rien conclu. Frédéric hésitait encore sur le parti à prendre. Il négociait avec les Anglais en même temps qu'avec les Français, appelant les premiers « les têtes les plus épaisses », et les seconds « les gens les plus orgueilleux » de l'Europe. Quand il vit qu'il n'y avait rien à faire du côté des Anglais, il se décida pour une alliance avec la France et renoua avec Belle-Isle. Un traité fut signé le 4 juin. Les conditions principales étaient que la France soutiendrait par ses armes l'électeur de Bavière, de façon qu'il pût tenir tête à l'Autriche; qu'elle garantirait au roi de Prusse la possession de la Basse-Silésie et de Breslau. Frédéric renonçait aux vieilles prétentions de sa maison sur l'héritage de Berg et de Juliers en faveur de la maison palatine de Sulzbach, cliente de la France. Il promettait de voter pour l'électeur de Bavière.

Quand ce traité arriva à Versailles, il y eut grande émotion. Belle-Isle réclamait par lettres pressantes l'entrée en campagne. La cour de France n'était pas si pressée. Elle ne voulait pour le moment que fournir de l'argent aux Bavarois et envoyer des troupes prendre des quartiers d'hiver en Bavière et en Autriche, plus un corps sur la Moselle. Fleury, qui s'était laissé peu à peu engager, entendait faire le moins possible. Alors Belle-Isle, qui avait promis à Frédéric la mise en marche de trois grandes armées, vint à Versailles sans autorisation. Le 11 juillet, fut tenu un Conseil qui dura neuf heures; on dit que Belle-Isle parla six heures à lui seul. Deux autres jours encore, on délibéra. Belle-Isle travailla avec le Roi, avec Fleury, avec le nouveau secrétaire d'État de la guerre, Breteuil. Il imposa son avis. On décida que 30 000 hommes seraient envoyés en Westphalie, pour inquiéter et contenir l'électeur de Hanovre, roi d'Angleterre, et 40 000 hommes en Bavière. La première armée serait commandée par Maillebois et la seconde par Belle-Isle. Les troupes se mirent en marche à la mi-juillet.

LA GUERRE DÉCIDÉE A VERSAILLES.

Marie-Thérèse, à ce moment, n'a que des ennemis. Elle a affaire à l'électeur de Saxe et au roi de Sardaigne qui n'ont pas renoncé à faire valoir leurs droits sur sa succession; au roi de Prusse; à l'Espagne et à la Bavière qui se sont coalisées avec la France par traité conclu le 18 mai 1741 à Nymphenbourg, près de Munich. Le roi d'Espagne fait valoir sa qualité de seul représentant de la descendance masculine de Charles-Quint; il espère bien obtenir encore

LES ENNEMIS DE MARIE-THÉRÈSE.

d'autres établissements en Italie pour ses enfants. Enfin la France est devenue la principale ennemie de Marie-Thérèse.

MARIE-THÉRÈSE
EN HONGRIE.

A la diète de Presbourg, où Marie-Thérèse prit le manteau et la couronne de saint Étienne, le 25 juin 1741, les magnats de Hongrie l'accueillirent mal d'abord, ne songèrent qu'à réclamer leurs privilèges, et ne lui permirent pas d'associer son mari François de Lorraine à la royauté hongroise. Les délibérations de la diète durèrent plusieurs mois. Mais deux armées françaises marchant contre l'Autriche, et l'Angleterre demeurant indécise, Marie-Thérèse proposa aux Hongrois la levée en masse, qui fut votée d'enthousiasme en septembre 1741.

POLITIQUE
DE L'ANGLETERRE.

Un grand secours vint d'Angleterre à l'Autriche. Les Anglais craignirent que l'Allemagne, sous un empereur bavarois, ne fût à la discrétion de la France. L'étroite union de la France et de l'Espagne semblait faire revenir le temps de la succession d'Espagne. D'ailleurs l'Angleterre souhaitait une guerre générale qui lui permît de s'emparer des colonies espagnoles et surtout des colonies françaises. Le traité d'Utrecht avait enlevé à la France Terre-Neuve et l'Acadie, mais lui avait laissé l'île du Cap-Breton, près de Terre-Neuve, et le Saint-Laurent. Le Saint-Laurent, l'Ohio, le Mississipi étaient des voies par où les colons français du Nord pouvaient communiquer avec ceux de la Louisiane. Mais les colons anglais convoitaient le cap Breton, rival de Terre-Neuve, et voulaient prendre position entre le Canada et la Louisiane. Les sympathies de Walpole pour la France lui étaient reprochées par l'opinion anglaise, comme une espèce de trahison. Aussi, après avoir promis à Fleury de demeurer neutre, il intervint en faveur de Marie-Thérèse, qu'il réconcilia avec le roi de Sardaigne, le 1er février 1742. Cependant, comme il paraissait ne vouloir faire la guerre qu'à demi, il fut renversé le 11 février. L'Angleterre allait fournir à l'Autriche des subsides, une armée, et combattre bientôt la France et l'Espagne.

CAMPAGNE
EN BOHÈME.

Commandant de l'armée de Bavière, Belle-Isle, au lieu de marcher sur Vienne, pénétra en Bohême, après avoir laissé à Lintz un corps détaché, pour garder la Haute-Autriche. Il prit Prague, où l'électeur de Bavière fut couronné roi, mais le maréchal tomba malade et quitta l'armée. Il commit la faute d'y conserver des intelligences, et de vouloir la diriger, de Francfort où il était retourné; ce qui troubla la discipline, et mécontenta son successeur, De Broglie. Les troupes demeurées sur le Danube furent bloquées par les Autrichiens, dans Lintz, qui capitula le 23 janvier 1742. C'était de mauvais augure pour l'électeur de Bavière, qui fut élu empereur à Francfort le 24 janvier et prit le nom de Charles VII.

Cependant le roi de Prusse suivait ses voies particulières. Au lieu d'entrer en campagne pour soutenir les Français dans leurs opérations, il avait conclu avec Marie-Thérèse la convention secrète de Klein-Schnellendorf, le 9 octobre 1741, qui lui donnait la Basse-Silésie pour prix de la cessation des hostilités. Mais, craignant que Marie-Thérèse ne se relevât trop vite, ce qui eût mis sa conquête en péril, il envahit la Moravie, la Bohême, et battit Charles de Lorraine à Czaslau, le 10 mai 1742. On eut en France l'illusion de croire qu'il allait devenir un allié efficace. Il injuriait la reine de Hongrie, encourageait Belle-Isle et de Broglie. C'était pour dissimuler ses négociations avec l'Autriche; sa victoire elle-même n'était qu'une phase de ses négociations. A Breslau, le 11 juin 1742, Marie-Thérèse lui céda la Silésie haute et basse et la principauté de Glatz. De ses alliés, qui si mal conduisaient leurs affaires, il n'avait eu cure. La France demeura engagée dans l'Empire pour la vaine gloire d'y soutenir l'apparence d'empereur qu'était l'électeur de Bavière.

L'ÉLECTEUR DE BAVIÈRE ÉLU EMPEREUR (1742).

DÉFECTION DE FRÉDÉRIC.

La situation militaire devint très mauvaise en Bohême. De Broglie s'y empara d'Egra, le 20 avril 1742; mais les populations étaient autour de lui si hostiles que ses soldats ne pouvaient s'aventurer hors de son camp. Toute l'armée française finit par être cernée dans Prague.

DE BROGLIE EN BOHÊME.

Belle-Isle était retourné en Bohême, grandement diminué par les revers, dont l'opinion le rendait responsable. Il était presque tombé en disgrâce. Le ministère avait mis toutes les troupes sous le commandement de De Broglie, Belle-Isle demeurant auprès de lui à titre de conseiller.

Pour aider la retraite de l'armée de Bohême, ordre fut donné à Maillebois d'aller au-devant d'elle avec l'armée de Westphalie. Maillebois s'avança sur le haut Eger, mais ne voyant pas que Broglie et Belle-Isle eussent l'idée de marcher vers lui, il se replia vers la Bavière.

Maillebois fut disgracié; de Broglie reçut l'ordre d'aller le remplacer à la tête de l'armée, et Belle-Isle celui de sortir en hâte de Prague, et d'évacuer la Bohême. La retraite de Prague fait honneur à Belle-Isle, qui la conduisit, mais par-dessus tout à l'endurance des soldats. Une nuit d'hiver, 11 000 hommes d'infanterie, 3 000 cavaliers, 300 voitures et 6 000 mulets sortirent, échappèrent à l'ennemi, et, avec une rapidité surprenante, marchèrent vers Egra, qu'ils atteignirent en cinq jours, malgré neige et verglas. La petite troupe décimée, ayant perdu ses transports, mais gardé ses canons, rentra en France. Chevert, demeuré dans Prague avec 4 000 hommes épuisés de privations, menaçait les Autrichiens de mettre le feu aux quatre coins de la ville. Il ne pouvait plus tenir; ses hommes avaient dévoré les chevaux, les

RETRAITE DE PRAGUE.

chiens, les chats et jusqu'aux rats. Le 2 janvier 1743, il obtint de sortir avec tous les honneurs de la guerre.

V. — LA MORT DE FLEURY

LES DERNIÈRES ANNÉES DU CARDINAL.

QUAND Belle-Isle ramena en France les restes de son armée, le Cardinal venait de mourir, le 29 janvier 1743. Il était nonagénaire. Depuis quatre ou cinq ans, on le disait tantôt mourant, tantôt à la veille de se retirer volontairement. Mais plus il se sentait envié et menacé, plus il s'attachait à sa place. Les courtisans prédisaient sa chute et nommaient son successeur, Tencin ou Maurepas, Chauvelin ou Belle-Isle. Un moment, on put croire que Louis XV allait se débarrasser du vieillard, sans le disgracier. Le Saint-Siège devint vacant, par la mort de Clément XII, en 1740, et Fleury parut avoir toute chance d'être élu pape. Louis XV projetait déjà, disait-on, de le conduire à Marseille et de l'y embarquer; mais le conclave fit choix d'un Italien, Prosper Lambertini, qui prit le nom de Benoît XIV.

INTRIGUES CONTRE LUI.

Deux ans avant sa mort, Fleury fut très menacé par une maîtresse du Roi, Pauline de Nesle. Elle l'empêchait, dit d'Argenson, de voir Louis XV « plus d'un quart d'heure par semaine ». Belle-Isle, qui était alors tout-puissant, la secondait. Tout un parti se formait pour faire entrer au Conseil, comme ministres d'État ou ministres sans département, des amis des ultramontains et du clan dévot des Noailles, le cardinal de Tencin et le comte d'Argenson. Ils y entrèrent le 25 août 1742. Fleury, combattu par presque tous ses collègues, était soutenu seulement par Amelot, un incapable, par Orry, « un tyran ». « Cagneux comme un cheval usé », il se maintenait malgré tout. Il surveillait la cabale adverse, caressait ses ennemis, surtout le valet de chambre du Roi, Bachelier, qu'il soupçonnait de vouloir faire rappeler Chauvelin. Il avait, dit le marquis d'Argenson, « des ruses de vieux singe ». Jusqu'à son dernier souffle, il voulut gouverner et gouverna.

CHAPITRE II

LA COUR, LA FAMILLE ROYALE ET LES PREMIÈRES MAITRESSES. LES MINISTRES ET LE ROI

I. LA FAMILLE ROYALE : LE ROI, LA REINE, LE DAUPHIN, MESDAMES; LES PRINCES. — II. LES PREMIÈRES MAITRESSES : MESDAMES DE MAILLY, DE VINTIMILLE ET DE CHATEAUROUX.

I. — LA FAMILLE ROYALE : LE ROI, LA REINE, LE DAUPHIN, MESDAMES; LES PRINCES [1]

LOUIS XV est « impénétrable et indéfinissable », dit D'Argenson; il a une « attitude impassible », ajoute le policier Mouhy. C'est d'abord qu'il est un timide; on dirait qu'il a « un sort sur la langue ». Quelquefois il veut parler et ne peut. Dans ses réponses aux harangues, les mots sortent péniblement; même aux présentations des dames à la cour, il est muet. Ses maîtresses, les sœurs de Nesles,

TIMIDITÉ DU ROI.

1. Sources. D'Argenson (t. I, II, IV, V, VI, VII, VIII), Barbier (t. II et III), Luynes [Duc de], (t. I, III, IV, V, VI, VII, VIII, IX, XI et XX), *Correspondance de Louis XV et du maréchal de Noailles*; Moufle d'Angerville (t. II); Voltaire (*Précis du règne*), Hénault, Choiseul, déjà cités.

Sénac de Meilhan *Le gouvernement, les mœurs et les conditions en France avant la Révolution*, Paris, 1862. Dufort, comte de Cheverny, *Mémoires*, Paris, 1886, 2 vol., t. I. *Journal inédit du lieutenant général de police Feydeau de Marville (1744)*, p. p. P. d'Estrée (pseudonyme de Quentin), Paris, 1897; *Lettres inédites du roi Stanislas, duc de Lorraine et de Bar, à Marie Leczinska (1754-1766)*, p. p. Pierre Boyé, Paris, 1901. Monbarrey (Prince de), *Mémoires autographes*, Paris, 1826-1827, 3 vol.

Ouvrages a consulter. Lacretelle (t. III), Michelet, Jobez (t. III), de Carné (*La monarchie française au XVIIIᵉ siècle*), Aubertin, Bonhomme (*Louis XV et sa famille*), de Nolhac (*Louis XV et Marie Leczinska*), Masson (*Mme de Tencin*), de Goncourt (*La duchesse de Châteauroux*), Perey (*Le président Hénault*), Marquise des Réaulx, Stryenski (*Le Gendre de Louis XV*); Dussieux (*Le château de Versailles*), déjà cités. Taine, *Les Origines de la France contemporaine*, t. I : *L'Ancien Régime*, Paris, 1877; de Broc, *La France sous l'Ancien Règime*, Paris, 1887-1889, 2 vol. Witt (Cornélis de), *La Société française et la Société anglaise au XVIIIᵉ siècle*, Paris, 1864. Boutaric, *Étude sur le caractère et la politique personnelle de Louis XV*, en tête de : *Correspondance secrète inédite de Louis XV... avec le comte de Broglie, Tercier, etc.*, Paris, 1866, 2 vol. P. d'Estrée, *Un journaliste policier : le chevalier de Mouhy*

l'aideront à vaincre « le sort »; mais il aimera toujours ceux qui parlent peu ou point et qui ne font pas de bruit. Il sait gré à Mme Amelot, femme du secrétaire d'État, de l'extrême embarras qu'elle ressent en sa présence; il la fait souper dans les « cabinets », ravi de trouver quelqu'un plus timide que lui. Il n'aime pas les nouveaux visages; la crainte d'en voir lui a fait garder des ministres plus longtemps qu'il n'aurait fallu.

SES BIZARRERIES.   Il a des mouvements d'humeur qui peuvent, si on les contrarie, tourner en accès de fureur. Il a aussi des bizarreries d'hypocondriaque comme son oncle Philippe V d'Espagne. Il parle fréquemment de maladies, d'opérations chirurgicales, de mort; il trouve une sorte de jouissance à demander aux vieillards et aux gens maladifs où ils comptent se faire enterrer. Un jour qu'il passe en voiture avec Mme de Pompadour auprès d'un cimetière, il fait arrêter, et envoie un écuyer voir s'il y a quelque tombe fraîchement remuée. A M. de Fontanieu qui saigne du nez, il dit froidement : « Prenez garde, Monsieur, à votre âge, c'est un avant-coureur de l'apoplexie ». Quand Mme de Châteauroux tombe malade à Reims, en 1744, il ne parle plus que du tombeau qu'il conviendra de lui élever. Au moment où le corps de Mme de Pompadour est emporté de Versailles, il se met à une fenêtre, tire sa montre et calcule l'heure à laquelle le convoi arrivera à Paris.

Il a des idées et des mots qui déconcertent. Il s'amuse à lire à ses maîtresses les sermons de Bourdaloue. Il aurait écrit à son homme de confiance, Bertin, en 1758 : « Ne placez pas sur le Roi; on dit que ce n'est pas sûr ». De Luynes raconte qu'en apprenant la mort de M. de Mailly, mari d'une de ses maîtresses, il alla l'annoncer à la Reine; comme le pauvre homme ne paraissait jamais à la Cour, la Reine demanda : « Quel Mailly? » Le Roi aurait répondu : « Le véritable. »

SA DÉVOTION.   Louis XV ne manque jamais de faire sa prière matin et soir, et, chaque jour, il entend la messe. Il a, dit Moufle d'Angerville, un livre d'heures « dont il ne lève pas les yeux, et le mouvement de ses lèvres marque qu'il en articule chaque mot. Il assiste à vêpres, au sermon, au salut. Plein de vénération pour les ministres de la religion, il a en horreur les indévots. » Il suit les processions, s'agenouille dans la

(Revue d'histoire littéraire de la France, t. IV, 15 avril 1897). Barthélemy (E. de), *Mesdames de France, filles de Louis XV*, Paris, 1870. Broglie (Emmanuel de), *Le fils de Louis XV; Louis, dauphin de France (1729-1765)*, Paris, 1877, de Grandmaison (C.), *Mme Louise de France*, Paris, 1906 Lion, *Le Président Hénault*, Paris, 1903. De Nolhac, *Le voyage de Metz; chronique de la Cour de France*, 1744 (Revue politique et littéraire, 3 et 10 novembre 1900). Stryienski, *La mère des trois derniers Bourbons, Marie-Josèphe de Saxe et la Cour de Louis XV*, Paris, 1902.

rue sur le passage du viatique; mais ni la piété ni la crainte de l'enfer ne le préservèrent d'aucune sorte de vices.

Louis XV n'eut qu'une grande qualité, la bravoure. Au siège de Menin, en 1744, il s'exposa comme un soldat, et dîna dans la tranchée. L'année suivante, à Fontenoi, la veille de la bataille, il chanta; quand l'action fut engagée, il se montra sensé et ferme au milieu d'un désarroi qui pouvait tout perdre. En face de l'ennemi on eût dit qu'il se transfigurait. Il fut fier d'être le premier roi de France qui, depuis la bataille de Poitiers, se fût mesuré avec les Anglais.

SA BRAVOURE.

Intelligent et sagace, il aurait fort bien pu gouverner par lui-même. Il en avait manifesté l'intention lors de la disgrâce de Bourbon, en 1726, et il la manifesta de nouveau après la mort de Fleury. Il déclara aux secrétaires d'État qu'il travaillerait avec eux, et ne mettrait personne entre eux et lui. Mais il ne tint pas sa promesse et la France fut gouvernée, comme dit Frédéric II, par des « rois subalternes », indépendants les uns des autres, et qui ne se communiquaient pas leurs affaires, les secrétaires d'État.

SES VELLÉITÉS DE TRAVAIL.

Le Roi assistait régulièrement au Conseil d'en haut, dont faisaient partie : le duc d'Orléans, qu'on n'y voyait jamais; le cardinal de Tencin, de qui la sœur était devenue l'Amphitryonne des écrivains et des philosophes; le duc de Noailles, l'ancien membre du conseil de régence et président du conseil des finances, devenu maréchal de France après la prise de Philipsbourg; les secrétaires d'État de la Guerre, de la Marine et des Affaires étrangères; le Contrôleur général Orry[1]. Il n'y avait aucun accord entre ces hommes. Ils se jalousaient. Le cardinal de Tencin avait espéré la succession du cardinal Fleury. Noailles essayait de séduire le Roi en lui prêchant des maximes à la Louis XIV; il se donnait des airs de premier ministre; c'était, disait le marquis d'Argenson, un « inspecteur importun », qui, n'étant « maître de rien », « se mêlait de tout ». Maurepas cachait maintes qualités sérieuses sous ses airs de frivolité. Comme il avait Paris dans son département de secrétaire d'État et qu'il y exerçait la haute police, il amusait le Roi par des nouvelles, des cancans et des chansons. Il avait des liaisons avec la famille royale et avec les dévots. Les d'Argenson, qui tenaient deux secrétariats d'État, détenaient une

LE CONSEIL D'EN HAUT.

---

1 Au secrétariat de la Guerre, Breteuil a succédé à Augervilliers en 1740, et le comte d'Argenson à Breteuil en 1743, Maurepas a gardé le secrétariat de la Marine, et Amelot celui des Affaires étrangères, où il sera remplacé par le marquis d'Argenson en 1744. — Ni le chancelier d'Aguesseau, qui avait repris les sceaux après la disgrâce de Chauvelin, ni Saint-Florentin, secrétaire d'État des affaires de la religion réformée, n'avait entrée au Conseil d'en haut. — Sur le Conseil d'en haut, les ministres et les secrétaires d'État, voir *Hist. de France*, VII, 1, p. 150.

grande part d'autorité dans le gouvernement, et l'auraient voulue plus grande encore. Pour faire marcher ensemble ces personnages, il eût fallu la ferme volonté du maître. Louis XV ne se donna pas la peine de cette volonté. Il savait les ambitions et les intrigues de ses ministres; sans doute, il les méprisait. Chacun continuait donc à ne s'occuper que de ses affaires et de ses intérêts. Le Conseil où ils se réunissaient était un « conseil pour rire ».

LE « COMITÉ »

Lorsqu'Amelot, en 1744, se fut démis du secrétariat d'État des Affaires étrangères, le Roi eut la velléité de se réserver la direction des relations extérieures. Il annonça qu'il recevrait lui-même les ambassadeurs et que deux commis rédigeraient les dépêches en son nom. Mais il se lassa vite de ce travail, qui retomba sur le « comité ». On appelait ainsi un Conseil qui avait été établi au temps du Cardinal pour préparer l'étude des questions. Le comité se réunissait chez le cardinal de Tencin; Maurepas et Noailles en faisaient partie. D'après le marquis d'Argenson, c'était une pétaudière :

« On n'y aurait pas entendu Dieu tonner. Le maréchal de Noailles s'y prenait aux crins avec tout ce qui lui disputait quelque chose; il frappait des pieds, faisait voler son chapeau par la chambre... Monsieur de Maurepas glapissait et riait de tout, et donnait des épigrammes pour des maximes d'État indubitables. Le cardinal de Tencin recourait à Moréri [1] à chaque notion des plus communes qu'il ignorait, ce qui revenait souvent. »

Au reste, le Roi rétablit les choses dans l'état où elles étaient avant la démission d'Amelot. L'année ne s'était pas écoulée quand il donna au marquis d'Argenson le secrétariat des Affaires étrangères.

Louis XV avait l'air de se désintéresser absolument de ses affaires. Mme de Tencin écrivait, en 1743, à propos du Conseil d'en haut :

« Ceux qui voudraient s'y occuper sérieusement sont obligés d'y renoncer pour le peu d'intérêt que le Roi a l'air d'y prendre. On dirait qu'il n'est pas du tout question de ses affaires. Il a été accoutumé à envisager celles du royaume comme lui étant personnellement étrangères. »

LE « SECRET DU ROI ».

Mme de Tencin se trompait. Le Roi s'intéressait à ses affaires, mais à part lui, en cachette. Une des plus grandes bizarreries de ce personnage étrange, c'est qu'il se donna une police secrète et qu'il eut pour les Affaires étrangères des agents particuliers. Il avait un secret, « le secret du Roi ». Mais il ne faisait rien des renseignements qui lui parvenaient; il laissait commettre des erreurs et des fautes qu'il voyait telles. Sans doute il était paralysé par la timidité, par la

---

1. *Le Dictionnaire historique* de Moréri avait été publié pour la première fois en 1673, en un vol. in-f°. Il avait été ensuite corrigé et accru dans des éditions successives; celle de 1732 avait 6 vol. in-f°. La dernière, celle de 1759, est en 10 vol. in-f°. Elle est encore très utile aujourd'hui.

paresse, et par l'ennui. L'ennui, ont dit les Goncourt, « frappe d'impuissance les dons heureux de sa nature; il réduit son intelligence à l'esprit, et il fait son esprit mordant, sceptique et stérile; il vieillit, désarme et éteint sa volonté; il étouffe sa conscience ».

Presque étranger au gouvernement, Louis XV partageait son temps entre ses plaisirs. Il chassait avec frénésie, courait le cerf au moins trois fois la semaine, le chevreuil et le sanglier entre temps. En 1738, il prit, dit Luynes, cent dix cerfs avec une meute, quatre-vingt-dix-huit avec une autre, et il forma une troisième meute.

LES PLAISIRS : LA CHASSE.

« Le Roi, dit d'Argenson, fait véritablement un travail de chien pour ses chiens; dès le commencement de l'année, il arrange tout ce que les animaux feront jusqu'à la fin. Il a cinq ou six équipages de chiens. »

Il s'occupait à combiner la force de chasse et de marche des meutes. Il calcule avec le plus grand soin leurs déplacements sur le calendrier et sur la carte.

« On prétend, ajoute d'Argenson, que Sa Majesté mènerait les finances et l'ordre de la guerre à bien moins de travail que tout ceci. »

Mais on était habitué à voir le Roi ne s'intéresser qu'à ce travail, si un jour il ne chassait pas, on disait : « Le Roi ne fait rien aujourd'hui ».

De bonne heure il a aimé la table, le vin, et ces parties des rendez-vous de chasse, où de petites tables, montées par une trappe au moyen d'un mécanisme, apportaient les mets et les boissons aux convives qui se passaient de valets. Un jour qu'il se présenta chez la Reine après une de ces orgies, il fut mal reçu par elle.

LA TABLE.

La Reine, qui n'était pas belle, avait de la grâce. Un léger accent étranger donnait du charme à sa voix. Très bonne, elle donnait chaque année aux pauvres les 100 000 livres dont elle disposait, et même elle vendait ses bijoux pour payer ses charités. Quand il le fallait, elle prenait le grand air; mais elle gardait, de la vie modeste qu'elle avait menée naguère, un train bourgeois et mesquin. D'intelligence médiocre, elle faisait des lectures sérieuses qu'elle ne comprenait pas toujours. Elle exagérait les pratiques de la religion. Médiocre musicienne, elle ennuyait Louis XV à jouer du clavecin, de la vielle et de la guitare. Le Roi trouvait ridicules les essais de peinture dont elle avait la candeur de lui faire hommage.

LA REINE

Le couple royal fit assez longtemps bon ménage; de 1727 à 1737 naquirent dix enfants. Mais cette fécondité fatigua la Reine et la vieillit. Comme elle n'était pas coquette, elle ne se défendit pas; elle eut l'air d'avoir vingt ans de plus que son mari qui la délaissa. Il fal-

LES DIX ENFANTS.

lut alors qu'elle s'habituât au régime des maîtresses, tantôt maltraitée, comme par « l'infernale duchesse de Châteauroux », tantôt ménagée, comme par Madame de Pompadour, à propos de laquelle elle dira : « Puisqu'il faut absolument que le Roi ait une maîtresse, j'aime mieux celle-là qu'une autre ».

LA REINE SANS CRÉDIT.

Depuis que le Roi la dédaignait, elle était sans crédit à la Cour. Essayait-elle de recommander un officier au secrétaire d'État de la Guerre, celui-ci la renvoyait à Fleury, qui « se renfrognait » Si elle se plaignait au Roi, elle s'attirait cette réponse : « Que ne m'imitez-vous, Madame? Jamais je ne demande rien à ces gens-là ».

LA BONNE CHÈRE.

Marie Leczinska se consolait par des plaisirs médiocres. Elle disait, en plaisantant : « Que faire quand on s'ennuie? Il faut bien se donner des indigestions; c'est toujours là une occupation. » Elle faisait de petits soupers avec Mmes de Villars et d'Armagnac. Son dîner, en son particulier, était de vingt-neuf plats, « sans compter le fruit », et plus abondant au grand couvert. Elle mangeait « avec réflexion »; et le marquis de Flamarens, grand louvetier, qui passait pour le plus fort mangeur de France, venait assister à ses repas.

LES SOIRÉES

Le soir, elle allait chez quelque dame du palais, surtout chez les duchesses de Villars et de Luynes, ou bien recevait chez elle. Pauvres réunions, à en croire le comte de Cheverny. Il y venait les « dames Validés de la Cour », Mmes de Mazarin, d'Egmont, de Nivernais, le duc de Luynes, le cardinal de Rohan, de vieux courtisans, quelques officiers des gardes du corps, quelques capitaines des gardes, ceux-ci souvent à contre-cœur. On jouait le cavagnol de sept à neuf heures. Le lecteur Moncrif débitait des vers; le président Hénault, des vers aussi et des chansons. Ce petit cercle prit une couleur politique. Là se rencontraient le Dauphin et ses sœurs, les dévots, les Constitutionnaires, et des hommes politiques, comme Maurepas, Tencin et le comte d'Argenson, qui, par leur assiduité chez la mère, se faisaient valoir auprès des enfants.

Des dix enfants de Marie Leczinska survécurent un fils et six filles : le Dauphin Louis, Mesdames Élisabeth et Henriette, sœurs jumelles, Madame Adélaïde, Madame Victoire, Madame Sophie, Madame Louise, que Louis XV appelait « Madame Dernière ».

LE DAUPHIN 1729-1765).

La naissance du Dauphin, le 4 septembre 1729, fut accueillie avec enthousiasme. Paris eut des fêtes splendides; Louis XV vint y entendre un *Te Deum*, soupa à l'Hôtel de Ville et fit jeter au peuple, en pièces d'or ou d'argent plus de trente mille livres. Samuel Bernard ouvrit sa maison à tout venant et fit couler le vin à flots; il dépensa de cinquante à soixante mille livres. Pendant huit jours, des bandes d'ouvriers et de harengères partirent pour Versailles, au son des violons, et allèrent s'amasser dans la cour de marbre, pour y crier : Vive le Roi!

Le Dauphin eut pour précepteur un prélat moliniste, Boyer. Il étudia le droit public, la diplomatie, et, choses nouvelles dans l'éducation princière, l'agriculture et la littérature anglaise. Son gouverneur, Châtillon, austère et dévot, encouragea son inclination à la dévotion étroite. Le prince aimait à ce point la musique d'église qu'on lui faisait la réputation de chanter vêpres à la journée. On disait aussi qu'il s'enfermait pour se donner la discipline et réciter son bréviaire.

SA PIÉTÉ.

Il était naturellement l'ennemi — jusqu'à l'horreur — des idées nouvelles et des écrivains qui les répandaient. Il détestait la conduite de son père et témoignait son aversion aux maîtresses. Il se tenait à l'écart autant qu'il pouvait et avait l'air de conspirer.

Le Dauphin épousa, le 23 février 1745, Marie-Thérèse-Antoinette d'Espagne, qui mourut en 1746, après avoir accouché d'une fille ; il se remaria le 10 janvier 1747. Marie-Joseph de Saxe, la seconde Dauphine, était assez jolie, pas très intelligente, très pieuse, pas très aimable ; elle ne prit pas d'empire sur son mari. Elle fut la mère de Louis XVI, de Louis XVIII et de Charles X.

LES DEUX DAUPHINES.

De Mesdames, la seule qui se maria fut l'aînée, Louise-Élisabeth. Elle épousa en 1739 Don Philippe d'Espagne, qui devint duc de Parme, pauvre seigneur vivant dans un palais délabré ; elle ne l'aima pas et ne fut pas aimée par lui. La seconde, Henriette, eut son roman d'amour. Elle aima le duc de Chartres, fils du duc d'Orléans, mais le Roi ne permit pas qu'elle l'épousât. Quand le jeune prince vint lui annoncer qu'il allait se marier avec Mlle de Conti, elle lui souhaita tout le bonheur possible. On a raconté qu'en apprenant que la duchesse de Chartres se conduisait mal et que le duc était malheureux, elle tomba malade d'un mal dont elle mourut. Mme Adélaïde, la troisième fille, était le contraire d'une mélancolique. A onze ans, elle parlait d'aller en guerre contre les Anglais, de dormir, comme Judith, avec leurs généraux pour les assassiner, et ramener les ennemis vaincus aux pieds de « Papa-Roi ». Elle était très intelligente, parlait l'italien et l'anglais, étudiait les mathématiques, construisait des horloges. Elle jouait du clavecin, du violon, du cor, de la guimbarde. L'étiquette la gênait, et la fâchait ; elle avait de libres allures, au point qu'elle se compromit avec un garde du corps. Elle se servait, pour qualifier ceux qu'elle n'aimait pas, de mots à ne pas redire. Le Roi l'appelait « Mme Torchon ». Les trois dernières Mesdames avaient été élevées à l'abbaye de Fontevrault ; Victoire, qui suit partout

MESDAMES DE FRANCE.

laïde comme un chien suit son maître, est nonchalante et molle, et se plaît à table, comme la Reine, sa mère; Sophie regarde de côté comme les lièvres; est timide, effarouchée, le bruit du tonnerre l'affole; Louise, toute petite, espiègle, cavalière passionnée, a pourtant des inclinations dévotes, et mourra au Carmel. D'ailleurs, Mesdames sont toutes de pieuses personnes.

SENTIMENTS PATERNELS DU ROI.

Le Roi les aimait; il avait plaisir, quand elles étaient petites, à les voir chez elles. Il leur faisait « cent caresses » et elles l'adoraient. Comme il se piquait de talents culinaires, il leur portait des « ragoûts » accommodés de ses mains, pour les manger en famille. « La tendresse du Roi pour ses enfants, écrira en 1750 Mme de Pompadour, est incroyable, et ils y répondent de tout leur cœur. » Louis XV se détacha de son fils quand il crut le voir devenir le chef d'une opposition; mais, si le Dauphin tombait malade, le sentiment paternel reprenait vite le dessus. Dès que Mesdames furent des jeunes filles, elles menèrent une vie de représentation. Quand le Roi était à Versailles, elles allaient chez lui tous les jours en habit de Cour pour l'accompagner à la messe. La messe dite, elles revenaient chez elles changer de costume, et attendaient l'heure du dîner où elles devaient encore « représenter ». Elles reprenaient la robe de Cour, pour se trouver au débotté du Roi et enfin au jeu de la Reine. Une « dame de semaine » se plaignant à Mme Adélaïde d'être habillée et déshabillée quatre fois par jour, et de n'avoir pas un quart d'heure dont elle pût disposer, la princesse répliqua : « Vous en êtes quitte pour vous reposer une semaine; mais moi, qui fais ce service toute l'année, permettez que je garde ma pitié pour moi-même ».

Mesdames étaient, comme leur frère, les ennemies des favorites et les protectrices du parti dévot. Madame Adélaïde était le chef de ce qu'on pourrait appeler le parti de la famille.

LES PRINCES DU SANG.

Les princes du sang sont demeurés sans crédit durant tout le règne. Les d'Orléans se tiennent à l'écart. Louis, fils du Régent, après avoir perdu sa femme, tombe en mélancolie, se retire à l'abbaye de Sainte-Geneviève et se soumet à de telles austérités qu'il en perd l'esprit; il meurt en 1752. Son fils, Louis-Philippe, après avoir pris part à quelques campagnes, ira mener à Bagnolet l'existence d'un grand seigneur lettré. Le prince de Condé, M. le duc, achève sa vie dans une espèce d'exil à Chantilly. Le prince de Conti, spéculateur qui s'était signalé au temps du Système par sa cupidité, lieutenant-général en 1736, généralissime des armées de France et d'Espagne en Italie, en 1744, et chargé d'un commandement aux Pays-Bas, en 1746, sera mis à l'écart par Mme de Pompadour; il prendra parti pour les Parlementaires, et Louis XV l'appellera : « Mon cousin l'avocat ». Le prince de Dombes, fils du duc du Maine, est des plus effacés. Le duc de Penthièvre, fils du comte de Toulouse, devient amiral de France en 1734, grand veneur et gouverneur de Bretagne en 1737; il paraîtra aux armées, pour ensuite vivre dans la retraite. Sa fille épousera Louis-Philippe d'Orléans; elle sera la mère du roi Louis-Philippe Ier.

II. — LES PREMIÈRES MAITRESSES; MESDAMES DE MAILLY, DE VINTIMILLE ET DE CHATEAUROUX

L'ÈRE des maîtresses, qui devaient être à la Cour et dans le gouvernement de bien plus importantes personnes qu'elles n'avaient été au temps de Louis XIV, commença discrètement en 1733. Que le Roi prît une maîtresse, cela ne pouvait être un objet de scandale pour ses sujets. « Sur vingt seigneurs de la Cour, dit l'avocat Barbier, il y en a quinze qui ne vivent point avec leurs femmes, et qui ont des maîtresses. Rien n'est même si commun à Paris, entre particuliers; il est donc ridicule de vouloir que le Roi, qui est bien le maître, soit de pire condition que ses sujets et que tous les rois ses prédécesseurs. » Les courtisans entreprirent donc de « déniaiser » Louis XV.

UNE THÉORIE DE BARBIER.

Mme de Mailly, fille du marquis de Nesle, femme du comte Louis-Alexandre de Mailly, dame du palais de la Reine, se prêta au jeu. Elle avait trente ans, des yeux noirs et hardis, de l'entrain; dans les soupers du Roi, elle tenait tête aux hommes le verre en main. Elle ne coûta pas très cher à son amant. Chauvelin lui donna quelque argent pris sur les fonds de son ministère. Après qu'il eût été disgracié, les libéralités devinrent plus rares. Le vieux cardinal n'avait fait au Roi, à propos de ce premier désordre, que des remontrances assez douces; mais il entendait bien ne pas financer pour plaire à la dame. Quand Mme de Mailly traitait le Roi, elle empruntait des flambeaux d'argent pour la table et des jetons pour le jeu. On disait qu'elle portait des chemises trouées. Quand elle quittera la Cour, elle aura, au dire de Luynes, pour plus de 600 000 livres de dettes. Elle obtint du moins les distinctions qui désignaient au public une favorite. Elle se promena dans les voitures du Roi, lui offrit le pied de cerf au retour des chasses, s'assit à côté de lui dans les soupers des cabinets, eut une place en vue au jeu et à la chapelle. Elle prit même une certaine influence, du jour où sa sœur, Pauline de Nesle, lui eut démontré la nécessité d'avoir un parti à la Cour. Elle fit nommer Belle-Isle ambassadeur extraordinaire et plénipotentiaire à la diète de Francfort et lui obtint une mission auprès des électeurs et

MADAME DE MAILLY.

des princes d'Empire ; il y eut comme partie liée entre elle et Belle-Isle. Une fois la guerre engagée en Allemagne, le secrétaire d'État de la guerre, Breteuil, fit assez de cas d'elle pour l'instruire au jour le jour des événements, comme il en instruisait Fleury.

Mme de Mailly s'était donné une rivale en la personne de cette sœur Pauline ; elle l'avait présentée le 22 septembre 1738 au Roi, qui s'éprit d'elle, tout en gardant sa première maîtresse. Pauline était une grande fille laide, hardie, spirituelle, qui avait annoncé, dès le couvent, que le Roi l'aimerait et qu'elle gouvernerait la France et l'Europe. Le Roi la maria à un M. du Luc, marquis de Vintimille, petit-neveu de l'archevêque de Paris, la dota de 200 000 livres, et lui donna l'expectative d'une place de dame du palais de la Dauphine, avec 6 000 livres de pension et un logement à Versailles. Elle fut la forte tête de sa famille et la première maîtresse politique. Elle écrivit à Louis XV plus de deux mille lettres en deux ans et forma le projet, que reprendra plus tard la duchesse de Châteauroux, de tirer le Roi de son apathie, et de lui apprendre à vouloir. Elle seconda Belle-Isle dans sa politique anti-autrichienne et complota le renvoi du cardinal Fleury, qui la gênait. Mais, après avoir mis au monde un fils, elle mourut, le 9 septembre 1741.

Le Roi fut très ému de cette mort. Il ne mangea ni le soir de la mort, ni le lendemain ; il se laissa entraîner à la chasse, mais sans dire un mot à qui que ce fût. Il semblait, dit le duc de Luynes, que les « réflexions de religion » amenassent en lui « un grand combat ». Peu à peu, Mme de Mailly le ressaisit. Pour distraire cet ennuyé, elle s'adjoignit ses trois jeunes sœurs, Mmes de Flavacourt, de Lauraguais et de La Tournelle. Il ne paraît pas que Mme de Flavacourt soit devenue la maîtresse du Roi ; Mme de Lauraguais, au contraire, l'aurait séduit par sa gaîté et ses plaisanteries. « Grosse vilaine », courte et vulgaire, dit D'Argenson, elle s'amusait aux ridicules des gens, appelait Saint-Florentin « le cochon de lait », Orry « le hérisson », le comte d'Argenson « le veau qui tette », et Maurepas, « le chat qui file ». On la crut un moment à la veille d'être maîtresse en titre ; mais cet honneur était réservé à Mme de la Tournelle.

Mme de La Tournelle avait un teint éblouissant, de grands yeux bruns, des lèvres charnues et rouges, une démarche élégante et souple, de la majesté. Confiante en la puissance de sa beauté, elle résolut de devenir la maîtresse du Roi à des conditions qu'elle dicterait. Le duc de Richelieu offrit de la servir ; il composa les lettres d'amour qu'elle et le Roi échangèrent, et il traita de la capitulation de la dame comme il eût fait pour une place de guerre. Elle ne voulait entendre parler ni du petit logement, ni des soupers économiques de Mme de Mailly. Il lui fallait une maison montée, un carrosse à six chevaux, un brevet de duchesse et des rentes considérables. Elle exigea le renvoi de sa sœur. Elle eut tout ce qu'elle voulut; le 10 novembre 1742, elle parut à l'Opéra, dans la splendeur d'une « maîtresse déclarée ». Quelques jours auparavant, Mme de Mailly avait été chassée de Versailles.

Le Parlement de Paris enregistra les lettres patentes qui faisaient don à Mme de La Tournelle du duché de Châteauroux, d'une valeur de 80 000 livres de rente. Des crieurs distribuèrent ces lettres dans les rues, et le public put lire, au préambule, que la générosité du Roi récompensait les rares vertus de Mme de La Tournelle et son attachement pour la Reine. On s'amusa de cette cascade d'amours dans une même famille :

> L'une est presque en oubli, l'autre presque en poussière;
> La troisième est en pied ; la quatrième attend,
>   Pour faire place à la dernière.
>   Choisir une famille entière
>   Est-ce être infidèle ou constant?

RÔLE POLITIQUE DE MADAME DE CHÂTEAUROUX.

A la mort de Fleury, la duchesse de Châteauroux fut persuadée de jouer un rôle politique par le duc de Richelieu et par son associée en intrigue, Mme de Tencin. Le duc avait alors quarante-sept ans. Il brillait de l'éclat de son nom, de sa figure, de sa richesse et de sa bravoure. Aucun scrupule d'aucune sorte ne gênait son ambition. Mme de Tencin et Richelieu entreprirent donc de réveiller le Roi de son assoupissement par le moyen de la favorite, qui serait pour eux un instrument de règne. Mme de Châteauroux entra dans leurs vues avec emportement; le Roi ne l'entendit plus parler que paix et guerre, ministres et parlements, intérêt des peuples et grandeur de l'État. Surpris, il se plaignait : « Vous me tuez, Madame! » Elle répondait : « Tant mieux, Sire, il faut qu'un roi ressuscite! » Le Roi ressuscita, en effet, mais Mme de Châteauroux n'eut pas à se louer de l'événement.

MALADIE DE LOUIS XV A METZ (1744)

Le 4 mai 1744, Louis XV partit pour l'armée de Flandre; la duchesse courut à Lille, où les soldats la chansonnèrent. Les Impériaux étant entrés en Alsace, au mois de juillet 1744, Louis XV partit pour Strasbourg; Mmes de Châteauroux et de Lauraguais l'accompagnaient; mais à Metz, il tomba malade, le 4 août, et se trouva presque tout de suite en danger de mort. La France entière en fut bouleversée. « On priait, on pleurait dans les églises; on assiégeait la poste pour avoir des nouvelles; on se portait au devant des courriers. » Le 12 août, le chirurgien La Peyronie déclara que le Roi n'en avait plus pour deux jours et il fallut songer aux derniers sacrements; mais l'évêque de Soissons, Fitz-James, ne voulut porter le viatique au mourant que si la « concubine » quittait la ville. La duchesse reçut l'ordre de s'éloigner. Pour lui épargner les insultes, le gouverneur de Metz la fit monter dans un carrosse à ses armes, stores baissés. A Bar-le-Duc, on l'accabla d'outrages, on lui jeta de la boue; à La Ferté-sous-Jouarre, elle faillit être assommée.

SA GUÉRISON.

Louis XV cependant était revenu à la santé; il avait reçu avec attendrissement la Reine accourue à Metz, et lui avait demandé pardon des humiliations qu'il lui avait fait subir. Quant au Dauphin auquel il avait donné l'ordre de ne pas dépasser Châlons, et qui avait poussé jusqu'à Metz, il le reçut mal, croyant voir dans l'empressement de son fils l'impatience de lui succéder. Il exila le gouverneur du Dauphin, Châtillon, pour avoir trop librement parlé et s'être cru trop tôt « maire du palais ».

ENTHOUSIASME PUBLIC.

La nouvelle que le Roi était sauvé fut accueillie par des transports de joie dans tout le royaume. A Paris, le courrier qui l'apportait fut « entouré, caressé et presque étouffé par le peuple. On baisait ses bottes et son cheval. Des gens qui ne se connaissaient pas, se criaient, du plus loin qu'ils se voyaient : Le Roi est guéri! Ils se félicitaient et s'embrassaient. Il n'y eut pas une société d'artisans qui ne fît chanter un *Te Deum*. Paris semblait « une enceinte immense pleine de fous ». Quand le Roi, au retour, rentra dans sa capitale, ce fut comme un « triomphe d'empereur romain ».

MORT DE MADAME DE CHATEAUROUX.

Cependant Mme de Châteauroux sut bientôt que le Roi était inconsolable de l'avoir perdue. Elle acheta une maison de campagne à Puteaux, où elle le revit; elle exigea une rentrée en grâce éclatante. Mais, le 8 décembre 1744, elle mourut; ses partisans crurent qu'elle avait été empoisonnée et soupçonnèrent, sans raison, Maurepas, que l'on savait jaloux du crédit des maîtresses et engagé dans le parti de la famille. Mais la place de maîtresse du Roi ne devait pas demeurer longtemps vacante; la marquise de Pompadour va succéder à la duchesse de Châteauroux.

LA POLITIQUE ET LA GUERRE, DE LA MORT DE FLEURY A LA PAIX D'AIX-LA-CHAPELLE (1743-1748)[1]

I. LA POLITIQUE ET LA GUERRE CONTINENTALE; LE MARQUIS D'ARGENSON; LE MARÉCHAL DE SAXE. — II. LA GUERRE MARITIME; LE COMTE DE MAUREPAS; LA BOURDONNAIS ET DUPLEIX. — III. LA PAIX D'AIX-LA-CHAPELLE ET L'ÉVOLUTION DE L'OPINION PUBLIQUE (1748).

I. — LA POLITIQUE ET LA GUERRE CONTINENTALE; LE MARQUIS D'ARGENSON; LE MARÉCHAL DE SAXE

APRÈS la capitulation de Chevert à Prague, de Broglie, avec l'armée dont le commandement avait été enlevé à Maillebois, descendit par la Naab sur le Danube, pour trouver une route de retraite vers le Rhin; mais les Autrichiens, sous le commandement de Charles de Lorraine, frère de François, l'époux de Marie-Thérèse, l'avaient empêché de dépasser Donauwerth. Les Anglais venaient

COALITION CONTRE LA FRANCE.

---

1. SOURCES. *Recueil historique d'actes, négociations et traités*, par M. Rousset; *Recueil des Instructions données aux ambassadeurs et ministres de France...*; Frédéric II, *Histoire de mon temps, et Correspondance*, déjà cités. Walpole (Horace), *Letters*, p. p. Yonge, Londres, 1860, 2 vol. Voltaire, *OEuvres*, t. XII (Poème de Fontenoy). *Les Français dans l'Inde. Journal d'Anandarangappoullé*. Extraits traduits du tamoul, par M. Vinson, Paris, 1893 (publication de l'Ecole des langues orientales).
OUVRAGES A CONSULTER. D'Arneth, Coxe, duc de Broglie, *Frédéric II et Marie-Thérèse*, — *Frédéric II et Louis XV*, Droysen, Koser, *Kriege Friedrichs des Grossen; OEsterreichischer Erbfolgekrieg.....* Léger, Saint-René Taillandier, Weber, déjà cités. Lacour-Gayet, *La marine militaire de la France sous le règne de Louis XV*, Paris, 1902, in-8. Pajol (Comte), *Les guerres sous Louis XV*, Paris, 1881-1891, 5 vol. Bernhardi (de), *Friedrich der Grosse, als Feldherr*, Berlin, 1881, 2 vol. D'Espagnac, *Histoire de Maurice, comte de Saxe*, Paris, 1775; Pezay (Marquis de), *Histoire des campagnes de M. le Maréchal de Maillebois en Italie, pendant les années 1745 et 1746*, Paris, 1775, 3 vol. et atlas. Broglie (Duc de), *Le secret du Roi, correspondance secrète de Louis XV avec ses agents diplomatiques (1752-1774)*, Paris, 1878, 2 vol. Du même, *Maurice de Saxe et le marquis d'Argenson*, Paris, 1893, 2 vol. *La paix d'Aix-la-Chapelle*, Paris, 1892 Zévort, *Le marquis d'Argenson et le ministère des Affaires étrangères du 18 nov 1744 au 10 janv 1747*, Paris, 1879. Rousset (Camille), *Le Comte de Gisors (1732-1758)*, Paris, 1887. Colin, *Les Campagnes du maréchal de Saxe* : 1re partie, *L'armée au printemps de 1744*, Paris, 1901, 1 vol. *Louis XV et les Jacobites* (Le projet de débarquement en Angleterre de 1743 à 1744). Pichot, *Histoire de Charles-Édouard*, Paris, 1845-1846, 2 vol. Lefèvre-Pontalis, *La*

d'ailleurs d'entrer en ligne sur le continent sans déclarer la guerre ; ils avaient résolu de se joindre aux Autrichiens pour accabler de Broglie et porter ensuite la guerre en France. Le successeur de Walpole, Carteret, qui obtenait en mai 1743 la promesse d'un contingent de Hollande, et qui allait réconcilier en juin Marie-Thérèse et Frédéric, reconstituait contre la France et l'Espagne la Grande Alliance de 1701. Une armée d'Anglais, de Hanovriens, de Hollandais, conduite par lord Stairs, passa donc des Pays-Bas en Allemagne ; elle devait opérer sa jonction avec Charles de Lorraine dans le Palatinat bavarois, marcher sur Broglie, l'anéantir, revenir sur l'Alsace.

BATAILLE DE DETTINGEN.

Elle eut bientôt comme général en chef le roi George II. Le maréchal de Noailles, avec 60 000 hommes, courut au devant de George et le joignit au pied du Spessart, à Dettingen. Il y fut vaincu le 27 juin 1743. Les alliés se trouvèrent alors dans la situation de Marlborough, au lendemain de la bataille d'Hochstedt ; leur indécision seule préserva la France d'une invasion. La division s'était mise entre les chefs de cette armée disparate, auxquels George II ne sut pas imposer son autorité.

ÉLECTION ET DÉSARMEMENT DE CHARLES VII.

Noailles et de Broglie, repliés sous Strasbourg, ne songèrent plus qu'à protéger l'Alsace. Ainsi l'Allemagne était évacuée par les troupes françaises. Même Charles VII, qui avait été élu empereur en janvier 1742, fut réduit, après que la Bavière eût été évacuée par de Broglie, à signer avec Marie-Thérèse une convention de neutralité, où il consentit l'occupation de ses États jusqu'à la paix. Dès lors, dans quel intérêt, pour quoi et pour qui la France allait-elle combattre ? La seule Angleterre avait intérêt à ce que cette guerre continuât.

LES TRAITÉS DE WORMS ET DE FRANCFORT.

Dans ces conjonctures, Noailles conseilla de garder la défensive du côté de l'Allemagne, de n'y intervenir que par des subventions aux princes qui voudraient se liguer contre Marie-Thérèse, de tourner toutes nos forces contre les Pays-Bas, de les conquérir et, en même temps, de préparer la chute de la dynastie de Hanovre en favorisant

mission du marquis d'Éguilles, *1745-1748* (Nouvelle revue rétrospective, 1887). Macaulay, *Essais d'histoire et de littérature,* trad. p. G. Guizot, Paris, 1882. Moris, *Opérations militaires dans les Alpes et les Apennins, pendant la guerre de succession d'Autriche,* 1886. Arvers, *Les guerres des Alpes (1742-1748),* Paris, 1893, 2 vol. Vitzthum d'Eckstædt, *Maurice, comte de Saxe, et Marie-Josèphe de Saxe, dauphine de France,* Leipzig, 1867. Barchou de Penhoen, *Histoire de la conquête et de la fondation de l'Empire anglais dans l'Inde,* Paris, 1841, 6 vol. Chabaud-Arnault, *Histoire des flottes militaires,* Paris, 1889. *L'Administration du Comte de Maurepas* (Revue maritime et coloniale, t. 110). Seeley (J.-R.), *L'expansion de l'Angleterre,* traduit de l'anglais par J.-B. Baille et Alfred Rambaud, Paris, 1901. Malleson, *Histoire des Français dans l'Inde, depuis la fondation de Pondichéry jusqu'à la prise de cette ville (1674-1761),* trad. p. Le Page, Paris, 1874, gr. in-8. Hamont (Tibulle), *Dupleix, d'après sa correspondance inédite,* Paris, 1881. Cultru, *Dupleix, ses plans politiques, sa disgrâce,* Paris, 1901. Herpin, *Mahé de la Bourdonnais et la Compagnie des Indes,* Saint-Brieuc, 1905. Nazelle (Mᵗⁱˢ de), *Dupleix et la défense de Pondichéry (1748),* Paris, 1908.

une descente en Angleterre du jeune Charles-Édouard, fils de
Jacques III. Mais, le 15 novembre 1743, Marie-Thérèse conclut à
Worms un traité d'alliance avec le roi d'Angleterre, le roi de Sardaigne et l'électeur de Saxe. Elle se proposait d'enlever la couronne
impériale à Charles VII, la Silésie à Frédéric II, l'Alsace, la Lorraine
et les Trois Évêchés à la France. La France conclut, de son côté, la
ligue de Francfort avec la Prusse, la Suède et l'Électeur palatin, le
5 avril 1744. Elle s'engageait à maintenir Charles VII, à lui rendre
ses états, et garantissait la Silésie à Frédéric. Tout son effort ne s'en
porta pas moins d'abord sur la Flandre, où entrèrent deux armées :
l'une, avec Noailles, fit la guerre de sièges, et prit successivement
Courtrai, Menin, Ypres et Furnes; l'autre, sous les ordres d'un nouveau général, le comte Maurice de Saxe, couvrit les sièges. Mais,
tout à coup, Charles de Lorraine franchit le Rhin, et tandis que les
troupes chargées de défendre l'Alsace luttaient désespérément sous
les ordres de Coigny, Noailles et le Roi, qui étaient en Flandre, allèrent
au secours de l'Alsace. C'est à ce moment là que Louis XV tomba
malade à Metz.

ARMÉES
FRANÇAISES
EN FLANDRE.

Cependant le roi de Prusse, avait repris les armes, envahi la
Bohême et menaçait Vienne. En conséquence, Charles de Lorraine
évacua l'Alsace et se porta au secours de la Bohême. Noailles aurait
pu le poursuivre, et seconder Frédéric; mais il se contenta d'occuper
Fribourg en Brisgau et de rétablir Charles VII dans ses États héréditaires. D'où colère de Frédéric, qui, seul aux prises avec les Autrichiens, dut sortir de Bohême et se retirer en Saxe où ses ennemis le
suivirent.

FRÉDÉRIC II
EN BOHÉME.

C'est sur ces entrefaites, en novembre 1744, que le secrétariat
d'État des Affaires étrangères fut donné au marquis d'Argenson, frère
du secrétaire d'État de la Guerre. Il avait été conseiller au Parlement de Paris, maître des requêtes, conseiller d'État, intendant de
Hainaut et de Flandre; il était depuis six mois conseiller au Conseil
royal des finances. Il s'était toujours poussé auprès des gens qui
détenaient le pouvoir. Travailleur acharné, fort instruit, homme à
projets, bon écrivain, grand faiseur de mémoires, il avait un moment
inspiré confiance à Fleury, qui l'avait nommé ambassadeur en Portugal. Mis à l'écart pour ses liaisons avec Chauvelin, il avait dû
ajourner ses visées jusqu'à la mort du Cardinal. Après qu'Amelot
eut donné sa démission le 23 avril 1744, — le roi de Prusse faisant de
sa retraite la condition d'une alliance avec la France [1], — et après

LE MARQUIS
D'ARGENSON
AUX AFFAIRES
ÉTRANGÈRES.

1. La duchesse de Châteauroux ne pouvait d'ailleurs souffrir Amelot, qui était l'ami de
Maurepas.

que Louis XV eut renoncé, comme on a vu, à diriger lui-même la diplomatie, le marquis d'Argenson fut choisi pour diriger les relations extérieures, à cause de la bonne opinion qu'on avait de son esprit et de ses connaissances, mais aussi parce que l'ancien ambassadeur à Constantinople, de Villeneuve, refusa cette fonction, alléguant son âge et ses infirmités. Le marquis faisait avec son frère, homme du monde et homme de cour, le plus complet contraste. Rude et trivial, on l'appelait d'Argenson *la Bête.* Il était au reste honnête homme, dévoué au Roi et à l'État, persuadé qu'il était appelé à faire le bonheur de la France. Mais il n'avait pas le sens pratique, et il mettait dans la politique du sentiment. On disait qu'il avait l'air de tomber de la République de Platon dans les bureaux du ministère.

SES PRÉJUGÉS ANTI-AUTRICHIENS.

D'Argenson était un des ennemis les plus véhéments de la puissance autrichienne; il désapprouvait l'offensive aux Pays-Bas, et il aurait voulu que la France affermît Frédéric II en Silésie, pour assurer l'affaiblissement définitif de l'Autriche.

LA BAVIÈRE SOUMISE A L'AUTRICHE.

Charles VII étant mort au début de 1745, d'Argenson entreprit de porter à l'Empire l'électeur de Saxe Auguste III. C'eût été pourtant faire un coup de maître que de se rallier à Marie-Thérèse, et d'aider son mari à se faire élire empereur. Il y avait même urgence à prendre ce parti, le roi de Prusse pouvant gagner de vitesse le cabinet de Versailles. Marie-Thérèse désirait par-dessus tout traiter avec la France; elle lui aurait cédé la moitié des Pays-Bas pour avoir les mains libres contre la Prusse. D'ailleurs, les choses tournaient bien pour elle. Auguste III refusa la candidature à l'Empire et promit même sa voix à François de Lorraine. Le fils de Charles VII, Maximilien-Joseph, dès qu'une armée autrichienne eut envahi ses États, fit de même par le traité de Füssen, le 22 avril 1745. La politique de d'Argenson était bien compromise.

LES IDÉES DE D'ARGENSON.

Ce fut une autre idée de d'Argenson que l'alliance espagnole était « un boulet » qu'on s'était « mis au pied ». Par un traité signé à Fontainebleau le 25 octobre 1743, la France avait en effet resserré ses liens avec l'Espagne. En façon de représailles contre le roi de Sardaigne, qui était devenu à Worms l'allié de l'Autriche et de l'Espagne, elle avait promis aux Espagnols d'assurer le Milanais à don Philippe et d'obliger l'Angleterre à restituer Gibraltar, engagements graves et déraisonnables. On pouvait craindre qu'Élisabeth Farnèse reprochât au gouvernement français toute opération hors d'Italie, comme s'il n'eût eu autre chose à faire que de conquérir un duché à son fils Philippe. D'Argenson avait raison de se préoccuper des obligations de Fontainebleau. Mais il fut séduit, comme l'avait été Chauvelin, par l'idée de faire des États d'Italie une confédération et de rejeter les Autrichiens au delà des Alpes, entreprise irréalisable sans le concours du duc de Savoie qui ne le donnerait certainement pas [1]. Enfin une des imaginations de d'Argenson fut de croire qu'il était de la grandeur du Roi de professer le désintéressement. Il fit savoir à l'Europe que Louis XV ne voulait faire aucune conquête, et l'Europe se moqua de lui.

PLANS SUR L'ITALIE.

La campagne de 1745 fut marquée par un grand fait d'armes, où *MAURICE DE SAXE.* s'illustra le comte Maurice de Saxe. Fils naturel d'Auguste II, électeur de Saxe et roi de Pologne, et d'une Suédoise, Aurore de Kœnigsmark, né en 1696, il avait tout enfant accompagné son père dans ses campagnes contre Louis XIV et contre Charles XII. Il avait assisté au siège de Lille en 1708, et, l'année d'après, à la bataille de Malplaquet, puis servi sous les ordres de Pierre le Grand au siège de Riga en 1710, et, l'année suivante, sous ceux de son père; il avait, à quinze ans, commandé un régiment en Poméranie. Il n'avait pu, à son grand regret, combattre sous le Prince Eugène, contre les Turcs A l'âge de vingt-quatre ans, il vint chercher fortune en France, où on le fit maréchal de camp (1720). Moitié suédois, moitié allemand, avec le tempérament d'un aventurier et l'éducation d'un reître, il s'affina à Paris dans les sociétés joyeuses, mais y conserva une allure de barbare; on l'y appelait *le sanglier*. Entre temps, il étudiait les mathématiques, la mécanique, l'art des fortifications. Un tacticien célèbre, le chevalier de Folard, ayant assisté aux exercices de son régiment, prédit que ce jeune homme serait un grand capitaine. Lieutenant général des armées du Roi en 1734, Maurice se distingua à l'assaut de Prague en 1741, et, deux ans plus tard, aida Noailles à couvrir l'Alsace.

Grand, vigoureux, l'œil bleu, vif, ombragé d'énormes sourcils, il avait « un air de courage et de belle humeur ». Passionné pour le théâtre et les femmes, il emmenait partout avec lui un monde d'artistes. Son amour pour Adrienne Lecouvreur et sa passion non satisfaite pour Mme Favart sont célèbres et peu honorables pour lui.

Comme homme de guerre, il rappelle Charles XII ou Vendôme. Entraîneur de soldats, il menait les Français « sans précaution ni détail », « à la tartare ».

En 1744, Maurice de Saxe était demeuré en Flandre sur la défensive. En avril 1745, il prit ses mesures pour s'emparer de Tournai. Il disposait de 70 000 hommes [2]; il se rendit à Valenciennes et distribua

BATAILLE DE FONTENOY (1745).

1. V. plus haut, p. 121-122.
2. Cet effectif avait été obtenu en convoquant les milices, et en les transformant en troupes de ligne.

son armée de la Sambre à la Lys, de Maubeuge à Warneton. Puis il ramena sa gauche vers Lille et Orchies, son centre et sa droite vers Quievrain, descendit l'Escaut sur les deux rives, et, dans la nuit du 30 avril au 1ᵉʳ mai, ouvrit la tranchée devant la place. Louis XV était venu le rejoindre. Cependant 50 000 Anglo-Hollandais, commandés par le duc de Cumberland, s'étaient concentrés à Soignies, sur la Senne supérieure. Maurice laissa 20 000 hommes devant Tournai, et, s'étendant dans la direction de Leuze, attendit. La veille de la bataille, le 10 mai, il vit qu'on l'attaquerait, non par la route de Leuze, la plus courte pourtant, mais au Sud-Est par celle de Mons, de façon à l'aborder dans le voisinage de l'Escaut. Il établit son armée dans une position triangulaire ayant à droite Antoing, sur l'Escaut, au centre Fontenoy, à gauche le bois de Barry. Il commanda d'élever dans la nuit des redoutes sur ces trois points. Il voulait faire de Fontenoy la clef de sa position. Mais si, à droite de ce village, on avait construit des ouvrages suffisants pour fermer l'accès d'Antoing, à gauche, on n'avait rien fait.

LA COLONNE ANGLAISE.

Les Hollandais attaquèrent Antoing, les Anglais Fontenoy; cette double attaque fut repoussée. Les Anglais organisèrent alors une colonne de vingt mille hommes, qui se porta du côté où il n'y avait pas de redoutes, entre Fontenoy et le bois de Barry. Les premières troupes françaises qui essayèrent de l'arrêter furent repoussées. Mais plus la colonne avançait, plus elle était exposée à une attaque sur ses derrières; elle dut bientôt s'arrêter et former le carré. En même temps, l'aile française fut renforcée par l'arrivée du corps de Lowendal, et Maurice de Saxe ordonna l'attaque générale. Un officier, — peut-être le capitaine du régiment de Touraine, nommé Isnard, fit pointer contre le carré huit pièces de canon qui mirent en désordre les rangs ennemis; alors la Maison du Roi se jeta sur les Anglais avec cette « furie française », dit Voltaire, « à qui rien ne résiste ». La colonne se replia, laissant derrière elle 9 000 morts. La victoire de Fontenoy ne fut donc pas, comme on l'a dit « mal gagnée »; elle fut le résultat d'un emploi judicieux de la fortification rapide et de l'artillerie.

LA JOIE EN FRANCE.

La nouvelle de la victoire de Fontenoy fut accueillie en France avec enthousiasme, surtout à cause de la part que le Roi avait prise à la bataille et de la figure qu'il y avait faite. On sut qu'à l'approche de l'ennemi, il s'était refusé à retourner en arrière; qu'il avait suivi les mouvements des troupes, sans se soucier des boulets qui tombaient autour de lui, sourd aux prières de ceux qui le priaient de se retirer; qu'après la victoire il avait serré dans ses bras le général vainqueur, félicité les soldats sur le champ de bataille. — Tournai se rendit le 1ᵉʳ juillet; puis, durant le mois d'août, Gand, Alost, Bruges, Audenarde, Ostende, et, le 5 septembre, Nieuport capitulèrent. Voltaire composa un poème sur Fontenoy, et toutes les grandes dames lui demandèrent d'y glorifier leurs amis ; il écrivit le *Temple de la Gloire*, apothéose de Louis XV transformé en Trajan.

En Italie, comme en Flandre, les armes françaises furent heureuses. Déjà, en 1744, les Autrichiens et leurs alliés piémontais avaient subi deux défaites à Velletri et à Coni. En 1745, Gênes ayant pris parti contre l'Autriche livra passage aux Français, qui descendirent dans le Montferrat sous le commandement de Maillebois. Unis aux troupes espagnoles venues de Bologne et de Modène, ils s'emparèrent d'Acqui, de Tortone, battirent les Piémontais à Bassignano le 27 septembre, prirent Asti, Valenza, Casal. Ils auraient fait capituler Alexandrie, si d'Argenson ne se fût engagé avec la Savoie dans des négociations qui retardèrent les opérations militaires.

SUCCÈS EN ITALIE (1745).

La même année 1745 le Prétendant fit en Écosse une diversion utile. Il occupa Edimbourg et vainquit une armée anglaise à Preston-Pans, le 2 octobre. En France, il fut question de le secourir. Richelieu devait commander une expédition pour laquelle des troupes auraient été détachées de l'armée de Flandre ; il avait en poche un manifeste au peuple anglais écrit par Voltaire. Mais il fallait tenir le projet secret ; les bavardages de Richelieu le firent abandonner. Charles-Édouard, d'ailleurs, une fois de plus vainqueur à Falkirk, le 28 janvier 1746, subit à Culloden, le 16 avril suivant, une défaite qui ruina toutes les espérances du parti jacobite.

LE PRÉTENDANT EN ANGLETERRE.

L'année 1746 commença aux Pays-Bas par un grand coup de surprise. Maurice de Saxe se trouvait à Gand. Il paraissait, vu la mauvaise saison, ne songer qu'à se divertir. Avec son directeur de théâtre, Favart, il avait organisé des représentations à son quartier général ; il avait fait venir d'Angleterre des coqs de combat, et, tous les jours, les faisait se battre devant lui. Le duc de Cumberland avait quitté la Flandre. Personne, à Versailles, sauf le secrétaire d'État de la Guerre. ne soupçonnait que Maurice préparât une campagne. Le 28 janvier, il quitte Gand et fait marcher ses troupes dans six directions différentes. La concentration eut lieu devant Bruxelles avant que du dehors on pût songer à secourir la place. Le gouverneur Kaunitz fut à ce point surpris qu'il ne prit aucune disposition pour se défendre. N'étant pas même sûr de la solidité de sa garnison, il se demandait s'il évacuerait la ville, quand une brigade française occupa le faubourg de Laenken. Il fit arborer le drapeau blanc et se rendit à discrétion, le 21 février.

PRISE DE BRUXELLES (1746).

Les Français trouvèrent à Bruxelles cinquante drapeaux et l'ori-

flamme prise à Pavie par les Espagnols. Maurice revint à Paris ; les
populations l'acclamèrent sur son passage ; les Parisiens le reçurent
comme un héros, et Louis XV l'embrassa sur les deux joues. Quand
il parut à l'Opéra, entouré de son état-major. le directeur le reçut
comme s'il eût été le Roi ou un prince du sang. Mlle de Metz qui,
dans l'*Armide* de Quinault, représentait la Gloire, lui tendit une couronne de lauriers.

Le succès aux Pays-Bas et en Italie demeura sans effets parce
que la Prusse, la Savoie et la Hollande tour à tour dupèrent la diplomatie de d'Argenson.

Vainqueur des Autrichiens à Freiberg en Silésie le 4 juin 1745,
Frédéric, qui était obligé de ménager ses finances et ne demandait qu'à vendre, au prix de la Silésie, sa voix à l'Autriche pour
l'élection à l'Empire de François duc de Lorraine, entra en négociations avec George II, et signa avec lui, à Hanovre, le 26 août,
une convention qui impliquait cet arrangement. D'Argenson n'en
soupçonna pas la portée. Le roi d'Angleterre pressa Marie-Thérèse de
répondre aux avances de Frédéric ; elle résista ; mais Frédéric, poursuivant la guerre, l'emporta encore sur les Autrichiens à Sohr, en
Bohême, le 30 septembre, sur les Saxons à Kesseldorf, près de Dresde,
le 12 décembre. Alors la reine de Hongrie, dont les États héréditaires
ne suffisaient plus aux charges de la guerre, consentit à se rapprocher de la Prusse. Par le traité de Dresde, le 25 décembre, elle signait
la cession définitive de la Silésie, et Frédéric reconnaissait François
de Lorraine comme Empereur. D'Argenson ne s'émut pas ; il crut
même que le Roi-philosophe allait préparer la paix. Mais Frédéric
suivit la guerre en dilettante, jugea les coups et s'amusa. Quant à
Marie-Thérèse, qui avait été réduite à céder la Silésie, elle espérait
trouver une compensation dans la guerre continuée contre la France.

En Italie, après Bassignano, les Espagnols ayant quitté les
Français pour aller occuper Parme et Plaisance et envahir le Milanais, les troupes françaises avaient bloqué Alexandrie. Mais le marquis d'Argenson, moins préoccupé de cette opération que de « former,
comme il disait, une république et association éternelle des puissances italiques, comme il y en a une germanique, une batavique, une
helvétique », fit offrir au roi de Sardaigne la plus grosse part du
Milanais avec Milan, précisément ce que l'Espagne réclamait pour Don
Philippe. A Don Philippe on attribuerait, outre Parme, le Crémonais
et la partie du Mantouan située entre le Pô et l'Oglio ; Venise recevrait le reste du Mantouan, Gênes, tout le littoral de la Méditerranée,
jusqu'à la Provence, et François de Lorraine, la Toscane. Mais

Charles-Emmanuel commença par demander que la France lui promît de lui payer les subsides que jusque-là il avait reçus de l'Angleterre. Puis, quand il eut obtenu cet engagement par le traité de Turin, le 25 décembre 1745, il exigea l'adhésion de l'Espagne aux arrangements projetés. Or l'Espagne s'indigna que la France eût négocié ces accords sans la consulter; les officiers de l'armée espagnole insultèrent les officiers français; la rupture de l'alliance franco-espagnole parut imminente. Cependant d'Argenson, maintenant ses résolutions, fit signer à Paris, le 17 décembre 1746, au grand mécontentement de son frère, le secrétaire d'État de la Guerre, un armistice avec le roi de Sardaigne. Un événement inespéré, l'adhésion de l'Espagne au traité de Turin, lui parut un moment pouvoir tout concilier; mais le roi de Sardaigne, qui croyait à l'hostilité irréductible de l'Espagne et qui appréhendait la chute d'Alexandrie, se préparait déjà, si des secours lui venaient d'Autriche, à rompre l'armistice.

Du côté de la Hollande, les fautes furent plus graves encore. Maître de la Belgique, Louis XV tenait la République à merci. Les États généraux, se croyant à la veille d'une invasion française, décidèrent d'envoyer à Versailles un plénipotentiaire chargé de parler de la paix. Ce plénipotentiaire, le baron de Wassenaer, avait longtemps résidé à Paris. Quand on le vit arriver à Versailles, tout le monde crut qu'il venait pour traiter de la soumission de la Hollande. Aux prises avec le Prétendant, l'Angleterre ne pouvait assister la République, qu'il semblait facile d'arracher à l'alliance anglaise. Mais d'Argenson ne reçut pas l'ambassadeur hollandais comme le messager d'une puissance inquiète; il vit en lui un négociateur qui pouvait témoigner devant l'Europe de la pureté des intentions de la France. Wassenaer admira qu'il n'y eût, à Paris, ni dame, ni évêque, ni chat qui se privât de parler politique. Il s'extasia sur les nobles principes de la diplomatie française et son loyal désintéressement. Bref, il tira du ministre la promesse d'une évacuation des Pays-Bas, d'une cession nouvelle de places de barrière, du désarmement de Dunkerque. En retour, il offrait toutes sortes de choses dont il ne lui appartenait pas de disposer : la Gueldre autrichienne et le Limbourg pour l'Électeur palatin, allié de la France, la Toscane pour Don Philippe, et, pour la France, diverses positions occupées en Amérique par les Anglais. Le Conseil du Roi se scandalisa enfin de ces pourparlers, qui furent rompus. Mais les Hollandais avaient immobilisé, pour un temps, les troupes françaises, sous le prétexte d'une paix générale qu'il n'était pas en leur pouvoir de nous procurer.

Cependant, en Italie, l'approche d'une forte armée autrichienne

*ERREUR
DE CONDUITE
A L'ÉGARD
DE LA HOLLANDE.*

rendue disponible par la paix de Dresde, fit que le roi de Sardaigne entra de nouveau en campagne. Il attaqua et fit capituler la garnison française d'Asti. Les Espagnols évacuèrent le Milanais et Parme, et, au lieu de se replier sur les Français pour défendre avec eux le Piémont et le Montferrat en s'appuyant sur Gênes, ils prétendirent disputer le Parmesan aux Autrichiens, et comme le gouvernement français, pour flatter l'amour-propre espagnol, avait subordonné Maillebois à Don Philippe, celui-ci appela Maillebois à Plaisance et y livra bataille le 10 juin. L'armée franco-espagnole fut vaincue et reprit le chemin de France par la Ligurie, sans essayer de défendre Gênes; cette ville attaquée par les Autrichiens et la flotte anglaise, ouvrit le 6 septembre ses portes aux Autrichiens qui la traitèrent cruellement. Le 17 septembre, les Franco-Espagnols évacuaient l'Italie, suivis par les Austro-Sardes, qui passaient la frontière. La situation était grave. Le roi d'Espagne Philippe V était mort le 9 juillet, ce qui débarrassait la France des ambitions et des intrigues d'Élisabeth Farnèse; mais le nouveau roi d'Espagne, Ferdinand VI, neveu du roi de Sardaigne, n'allait-il pas à son tour faire défection?

Belle-Isle fut envoyé en Provence. Il releva le moral de l'armée. Le 2 février 1747, il surprit les ennemis près d'Antibes et les rejeta au delà du Var. Il pensa rentrer en Italie. Gênes, qui s'était débarrassée des Autrichiens par un soulèvement, le 10 décembre 1746, était de nouveau investie; il y fit passer des secours. Pour achever de dégager les Génois, il songeait à une diversion du côté de Turin; mais l'Espagne s'y opposa. Pourtant le frère du Maréchal, le chevalier de Belle-Isle tenta l'invasion du Piémont. Il se heurta, au col de l'Assiette, entre Exiles et Fénestrelles, à des fortifications solides; les Français furent repoussés le 19 juillet 1747, après un combat qui leur coûta quatre à cinq mille hommes, avec leur général. Du moins l'ennemi avait levé le siège de Gênes.

Aux Pays-Bas, astreint à respecter le territoire hollandais, et, pour ainsi dire, à piétiner sur place, Maurice de Saxe était, par surcroît, aux prises avec les princes du sang qui s'étonnaient qu'il commandât en chef. Conti, Clermont, Chartres, Penthièvre et Dombes auraient voulu chacun un commandement indépendant, pour avoir occasion de se signaler. Conti demandait une armée sur le Rhin, sous prétexte que Marie-Thérèse pouvait soulever contre nous l'Allemagne occidentale. Clermont, abbé de Saint-Germain-des-Prés, seul prince de la maison de Condé qui alors eût des qualités militaires, avait obtenu du Pape la permission de servir; les soldats l'aimaient pour son entrain, sa belle humeur, sa bravoure, et ses amis lui attribuaient de grands talents, il supportait impatiemment l'autorité de Maurice; de là une longue querelle entre lui et son chef.

Toujours alarmés pour leurs frontières, les Hollandais avaient demandé des secours à l'Autriche. Celle-ci envoya aux Pays-Bas 50 000 hommes qui, franchissant la Meuse, allèrent camper entre Tongres et Liège. A leur tête était le prince Charles de Lorraine. Maurice de Saxe lui livra bataille à Raucoux, le 11 octobre 1746. La veille il avait fait annoncer la victoire par Mme Favart, sur son théâtre.

BATAILLE DE RAUCOUX (1746).

Le meilleur résultat de la bataille fut de donner au vainqueur la liberté de seconder le marquis d'Argenson dans une négociation avec la Saxe. D'Argenson attachait un grand prix à rompre l'alliance de la Saxe et de l'Autriche, parce que la Saxe aidait l'Autriche à maintenir son influence dans l'Allemagne du Nord. Le comte de Loss, ministre de Saxe à Paris, ayant proposé de marier au Dauphin, qui était devenu veuf, la fille de son maître, la nièce de Maurice, Marie-Josèphe, Maurice y poussa de toutes ses forces, et fit aboutir le projet. Une alliance avec la Saxe fut donc conclue. Ce fut l'acte le plus heureux du ministère d'Argenson.

ALLIANCE AVEC LA SAXE.

Maurice obtint alors que l'armée du Rhin, au lieu de stationner en face du Palatinat, vînt manœuvrer en Hainaut, pour lui prêter appui. Il obtint surtout d'avoir les mains libres du côté de la Hollande.

La République avait de nouveau essayé d'entrer en pourparlers avec la France après la campagne de 1746, et proposé d'ouvrir des conférences à Bréda. La France avait accepté. Deux plénipotentiaires hollandais s'étaient abouchés avec deux plénipotentaires français; mais les Hollandais demandèrent et obtinrent qu'on admît un Anglais, et l'Anglais qu'on admît un Autrichien, lequel réclama un agent du roi de Sardaigne. Par le nombre des plénipotentiaires, les conférences menaçaient de devenir un congrès et d'empêcher les Français de profiter de leurs avantages. Le temps favorable à une reprise des hostilités approchant, le 17 avril 1747, la France rompit les conférences, et Louis XV déclara aux États généraux de Hollande que, puisqu'ils s'obstinaient à rester les ennemis de la France, une armée française allait entrer sur leur territoire, et s'y nantir de places fortes qu'elle garderait jusqu'à parfait accommodement. Maurice fit capituler les citadelles qui bordaient l'Escaut, et, du 30 avril au 17 mai, se rendit maître du fleuve jusqu'à la mer. Ces événements déterminèrent aussitôt en Hollande le rétablissement du stathoudérat; Guillaume IV de Nassau fut proclamé stathouder le 1er mai. On crut alors, en France et en Europe, que Maurice allait attaquer Maëstricht; les alliés, commandés par Cumberland, s'avancèrent sur la Meuse pour défendre la place. Maurice estimait avoir intérêt

CONFÉRENCES POUR LA PAIX

à les y laisser se morfondre ; mais Louis XV étant allé à l'armée voulut qu'on marchât à l'ennemi. Le 2 juillet 1747, Maurice trouva Cumberland retranché à Laufeldt, sur la rive gauche de la Meuse, dans une position formidable. Il donna de sa personne, enleva Laufeldt mais éprouva de grandes pertes. Les Anglais s'étant reformés derrière la Meuse, il ne put investir Maëstricht. Toutefois un corps français occupa Berg-op-Zoom le 16 septembre. Cumberland se replia sur La Haye. Les prédicateurs y annonçaient l'invasion prochaine des « papistes ».

BATAILLE DE LAUFELDT.

PRISE DE BERG-OP-ZOOM.

II. — LA GUERRE MARITIME : LE COMTE DE MAUREPAS, LA BOURDONNAIS ET DUPLEIX

ÉTAT DE LA MARINE DE GUERRE EN FRANCE.

PENDANT que la guerre continentale mettait aux prises presque tous les États du continent, les puissances maritimes se combattaient sur mer. La France avait déclaré la guerre à l'Angleterre le 15 mars 1744, et elle avait repris contre cette puissance le duel suspendu par la paix d'Utrecht. Au moment où s'engagèrent les hostilités, la marine française s'était relevée de l'état de ruine où Louis XIV l'avait laissée. Villars, étant gouverneur de Provence, a fait de cet état en 1715 une triste peinture ; il raconte qu'il ne vit à Toulon que trente navires qui n'avaient point d'équipages, et quarante galères à Marseille, dont aucune ne pouvait tenir la mer. Les choses empirèrent en 1716, le Conseil de la Marine ayant abaissé le budget de 12 à 8 millions. Il se réservait de réclamer des fonds extraordinaires, si une guerre éclatait. Or, en 1719, quand la France fit la guerre à Philippe V, il lui fallut demander à l'Angleterre de transporter ses troupes sur les côtes d'Espagne.

La même année, Law créait, il est vrai, sa Compagnie des Indes, et donnait l'essor au commerce maritime français. Pour protéger ce commerce, il fallait avoir une marine de guerre ; et le comte de Toulouse fit adopter au Régent un projet de restauration maritime. En 1724, trente vaisseaux étaient en voie de construction. L'alliance anglaise, conclue par Dubois et maintenue par Fleury, n'était pas faite pour pousser la France à hâter la réfection de sa marine de guerre ; mais il est inexact que Fleury l'ait systématiquement empêchée. Le Cardinal n'a rien fait pour la marine, mais a laissé faire Maurepas, qui fut le meilleur ministre de la Marine qu'ait eu Louis XV.

MINISTÈRE MAUREPAS.

Maurepas était entré en fonctions en 1723, à l'âge de vingt-deux ans, sans expérience. Il n'avait pas l'étoffe d'un grand ministre ; mais il était actif et agile, prenait volontiers l'avis des gens du métier, comprenait vite, se remuait pour attirer des ressources à son département. Après s'être fait attribuer, sous le ministère du duc de Bourbon, 12 millions par an, il ne disposa plus, au temps de Fleury, que de 9 millions, mais ces 9 millions furent appliqués aux seules dépenses courantes. Pour l'armement des navires, Maurepas se faisait concéder des fonds supplémentaires qui augmentaient singulièrement ses ressources. C'est ainsi qu'il put dépenser, en 1739, en pleine paix, 19 millions, en 1740 15 millions, en 1744 19 millions encore. Il aurait voulu qu'on lui donnât 20 millions par an.

En 1727, il visita les ports, et ce voyage fut le prélude des travaux qu'il y fit exécuter. A Bayonne, il enferma l'Adour entre deux murs de 8 mètres pour lui donner un plus grand tirant d'eau et créer un port de refuge; à Brest, il chargea l'ingénieur Choquet de Lindu de réparer les quais, de construire des magasins et des cales; à Cherbourg, il fit construire un bassin, deux jetées, une écluse; à Toulon, il établit une machine à mâter et des forges pour la fabrication des ancres.

TRAVAUX DANS LES PORTS.

Il fut décidé en 1728 que le nombre des vaisseaux de guerre serait de 54, et que, ce chiffre une fois atteint, on continuerait de construire pour remplacer les navires qui disparaîtraient. Maurepas donna une grande activité aux constructions. En 1730, il y eut à flot 51 bâtiments de haut bord; en 1731, 54; quand s'ouvrit la guerre contre les Anglais, plus de 60. Bien qu'ayant perdu, au cours de la guerre de la Succession, 40 vaisseaux, la France se trouvera, en 1748, lors de la paix d'Aix-la-Chapelle, en avoir encore 45 ou 50 en état de naviguer. Maurepas avait en outre, à cette date, 19 frégates légères et 10 navires en construction. Précisément en 1748 il profitera de la mort du chevalier d'Orléans, fils naturel du Régent, général des galères, pour supprimer les galères dont les dernières opérations avaient démontré l'inutilité.

CONSTRUCTION DE VAISSEAUX.

Pour surveiller les constructions navales, Maurepas nomma inspecteur général de la marine Duhamel du Monceau, membre de l'Académie des Sciences, et auteur d'ouvrages techniques sur la marine. Duhamel rendit les plus grands services en perfectionnant la coupe et la confection des voiles et le travail de la corderie, en assurant la conservation des bois. Il fit établir à Paris, en 1741, une école de constructions navales.

L'INSPECTEUR DUHAMEL.

Maurepas aurait voulu, comme Colbert, que les officiers de marine ne fussent pas seulement des « manœuvriers », mais qu'ils eussent des connaissances scientifiques. Il fit armer des navires spécialement pour les exercer aux travaux de géographie et d'hydrographie sur les côtes de la France et sur divers points du globe. Il mit à leur disposition les cartes que publiait l'ingénieur hydrographe Jacques Bellin.

ÉDUCATION DES OFFICIERS.

Il fit donner aux gardes marines une instruction plus solide. Sur le conseil d'un praticien de valeur, le chirurgien Dupuy, il fonda dans les ports des écoles de médecine.

L'ADMINISTRATION DE LA MARINE.

Il transforma l'administration de la marine. A l'administration centrale, il établit huit bureaux ayant chacun à sa tête un premier commis. Dans les arsenaux, il enleva la surveillance aux « officiers militaires » qui s'en étaient emparés au temps du comte de Toulouse et du maréchal d'Estrées, pour la rendre à des officiers spéciaux; il s'efforça d'assurer l'indépendance à ces « officiers-écrivains », sur les navires où ils s'embarquaient. C'était revenir aux traditions de Colbert et de Seignelay [1], mais aussi raviver la guerre entre « l'épée » et « la plume ». Ce fut une guerre de tous les jours.

SUPÉRIORITÉ DE LA MARINE ANGLAISE.

Malgré ce relèvement, la marine française demeura très au-dessous de la marine anglaise. Tandis que, de 1740 à 1750, la France ne disposa que de 88 vaisseaux, l'Angleterre en mit successivement en ligne 226. En outre, en Angleterre, tout le monde comprit que la lutte entre la France et l'Angleterre se déciderait au Nouveau-Monde et dans l'Inde, et que l'avantage serait à qui aurait la marine la plus puissante; en France, la marine ne comptait guère au regard de l'armée de terre.

DÉFAITES NAVALES EN OCCIDENT.

La grande guerre maritime ne s'ouvrit qu'en 1744. Cette année-là, le lieutenant général de Court et l'amiral espagnol Navarro, ayant uni leurs escadres, livrèrent à l'amiral anglais Matthews, en vue de Toulon, une bataille qui demeura indécise. En 1745, les Anglais d'Amérique levèrent quatre à cinq mille hommes, armèrent des transports, et, avec le secours du commodore Warren, qui leur amena de Londres quatre vaisseaux, s'emparèrent de Louisbourg, le 26 juin. En 1746, ce furent les côtes mêmes de France que menacèrent les Anglais; ils enlevèrent les îles de Lérins et débarquèrent à Lorient; à Lorient, du moins, ils ne firent que paraître et disparaître. L'année suivante, le marquis de la Jonquière fut vaincu à la hauteur du cap Finistère par l'amiral Anson, le 14 mai; et l'Étanduère le fut à son tour par l'amiral Hawke, le 25 octobre, à 80 lieues plus au nord.

GUERRE EN ORIENT.

Le principal intérêt de la guerre maritime était dans les mers orientales et en Inde, où opérèrent du côté de la France Mahé de La Bourdonnais et Dupleix.

LES DÉBUTS DE MAHÉ DE LA BOURDONNAIS.

Mahé de La Bourdonnais naquit à Saint-Malo en 1699, dans une famille d'armateurs. Il fut embarqué dès l'enfance; à vingt ans il était lieutenant de vaisseau au service de la Compagnie des Indes. Comme

---

1. Voir *Hist. de France*, VII, 2, p. 248-264.

celle-ci avait créé un établissement à Mahé, sur la côte de Malabar, et en avait été dépossédée par un prince indigène, elle fit en 1725 une expédition pour reprendre ce poste, et La Bourdonnais s'y distingua. Dix ans plus tard, les directeurs de la Compagnie le nommaient gouverneur des îles de France et de Bourbon. Il fut un des meilleurs hommes de mer de son temps, mais avec de grands défauts; très personnel, il n'aimait une entreprise que si elle lui appartenait tout entière. Corsaire plutôt qu'amiral, d'humeur violente, il ressemble peu au personnage qu'a peint Bernardin de Saint-Pierre.

ILE DE FRANCE ET ILE BOURBON. Il comprit que l'île de France était une excellente « relâche » sur la route du Cap à Ceylan, et pouvait devenir comme « la clef » de l'Hindoustan. D'un port qui s'y trouvait au Nord-Ouest, il fit Port-Louis, une place de premier ordre. Il créa des chantiers, des arsenaux, des magasins, des hôpitaux, installa des batteries, construisit des navires; il recruta des ouvriers, organisa une police, traça des routes. A Bourbon, il aida au développement de la culture du caféier, de la canne à sucre, de l'indigotier. Il donna l'impulsion au commerce avec Surate, Moka et la Perse.

PROPOSITIONS DE LA BOURDONNAIS. En 1740, les directeurs de la Compagnie et le Ministère l'appelèrent à Paris. Ils furent d'accord pour lui reprocher des procédés despotiques qui lui faisaient une foule d'ennemis; il offrit sa démission, mais on la refusa. Maurepas le consulta sur ce qu'il conviendrait de faire en Orient, s'il y avait rupture avec l'Angleterre. Il proposa d'organiser une croisière dans le détroit de Malacca pour intercepter le commerce des Anglais avec l'Extrême-Orient. Maurepas approuva, mais ne voulut pas engager la marine du Roi dans l'opération; or, les directeurs, s'entêtant à croire que la guerre ne se ferait pas en Orient, se refusèrent à faire les frais de la croisière. On prit un moyen terme. La Bourdonnais reçut du gouvernement une commission de capitaine de frégate de la marine royale, et la Compagnie lui confia cinq vaisseaux armés en guerre, 1 200 marins et 500 soldats pour en user suivant les circonstances. Les équipages étaient d'une valeur médiocre. Quittant Lorient pour regagner la mer des Indes, le 5 avril 1741, il dut employer tout le temps de la traversée à les former. A peine de retour à Port-Louis, il apprit que Mahé était assiégée par les Mahrattes, qu'excitaient les Anglais, reprit la mer, et délivra la ville le 4 décembre.

Mais le Gouvernement français se persuadant alors que les Compagnies de commerce, française et anglaise, concluraient une convention de neutralité, regretta d'avoir laissé La Bourdonnais se préparer à la guerre. Il lui donna l'ordre de désarmer ses navires et de les renvoyer en France. La Bourdonnais obéit à regret. Pour le consoler, le Contrôleur général Orry lui écrivit qu'au cas où il arriverait « quelque chose à Dupleix », alors Gouverneur général de l'Inde, on lui réservait à lui-même la « commission » de Gouverneur général.

Or, en 1745, une flotte anglaise fut mise en route pour l'Inde; à cette nouvelle, Dupleix, pour se défendre, fit appel au concours de La Bourdonnais. De France, où l'on comprenait enfin que la guerre allait être portée dans les mers de l'Inde, le Gouvernement envoya une escadre de cinq navires, armés en guerre ils arrivèrent à Port-Louis où La Bourdonnais en prit le commandement. De son côté, il arma neuf navires qui avaient été abandonnés comme hors de service et les envoya à Madagascar pour y embarquer des vivres le 22 mai; les ayant ralliés, il fit voile vers l'Inde. Arrivé en vue de Mahé, il apprit que la flotte anglaise, sous le commandement du commodore Peyton, était à Négapatam, à peu près égale à la sienne, pour le nombre des troupes, supérieure pour l'artillerie; il la rechercha mais, quand il l'attaqua, le 6 juillet, dès le début de l'action, il eut un navire démâté et trois autres désemparés; il est vrai que Peyton, ayant une voie d'eau à l'un de ses bâtiments, se déroba vers le Sud. La Bourdonnais alla mouiller à Pondichéry, et se trouva là en présence de Dupleix.

Dupleix est né à Landrecies, le 1er janvier 1697, d'un père fermier de la ferme du tabac, qui le destina au commerce. A vingt-quatre ans, en 1721, il était à Pondichéry conseiller au Conseil qui siégeait dans cette ville et commissaire général des troupes. Il travailla sous la direction d'un vieux commerçant, le Gouverneur général Lenoir, qui lui faisait rédiger des dépêches aux souverains indigènes et au Conseil de la Compagnie.

En 1730, il devint gouverneur de Chandernagor. Ses fonctions consistaient à expédier pour le compte de la Compagnie deux cargaisons par an; il s'en acquitta avec conscience. Mais son activité se déploya surtout à faire en son nom personnel ce qu'on appelait « le commerce d'Inde en Inde », c'est-à-dire entre les ports de l'Inde et les contrées en deçà du cap de Bonne-Espérance, commerce qui ne portait que sur les marchandises indigènes, la Compagnie se réservant la vente des marchandises d'Europe. La Compagnie, qui payait misérablement ses employés, leur permettait de s'indemniser par ce « commerce d'Inde en Inde ». Avec son titre de gouverneur, Dupleix trouva tout l'argent dont il avait besoin pour armer des navires. Les membres du Conseil de Chandernagor, des employés de la Compagnie, des marchands et des banquiers de différentes villes de l'Inde, des Français, des Arméniens, des Hindous, des

Hollandais, même des Anglais, furent ses associés, ses bailleurs de fonds, ses agents. Il noua surtout des relations avec les Philippines, Bassora, Djedda, et, par son initiative, mit en mouvement tout un monde de négociants et de spéculateurs. Dupleix n'avait alors d'autre ambition que de s'enrichir, pour rentrer en France, fortune faite. Mais il avait fait de grandes pertes quand, en 1742, nommé Gouverneur général de l'Inde, il quitta Chandernagor pour Pondichéry.

Dans ce poste le plus élevé de la hiérarchie, il était une sorte de vice-roi. Il présidait le Conseil supérieur, qui disposait des fonds de la Compagnie, nommait et surveillait ses agents, décidait de la politique à suivre à l'égard des indigènes et des étrangers. « Commandant général des forts et établissements français de l'Inde », il pouvait user à son gré des forces militaires de la Compagnie. La Compagnie n'avait en Inde que huit compagnies de trois cents hommes; mais, à ce noyau d'Européens, Dupleix ajouta des milices indigènes.

GOUVERNEUR
GÉNÉRAL
DE L'INDE.

Au moment où il devint Gouverneur général, l'Empire des Mogols, qui, sous le commandement d'Aureng-Zeb, avaient subjugué au XVIIᵉ siècle presque tout l'Hindoustan, était en pleine dissolution. Les Mahrattes, tribus belliqueuses du Décan septentrional, après avoir secoué le joug d'Aureng-Zeb, avaient organisé des principautés indépendantes depuis le Gange jusqu'à l'extrème sud, et résisté à toutes les attaques des Mogols. Les Sicks, confédération guerrière du Pendjab, avaient, d'autre part, créé un grand état entre l'Afghanistan et la vallée du Gange. Puis une invasion de Persans, survenue en 1739, avait enlevé aux Mogols une partie du Sindh; une invasion d'Afghans devait bientôt ravager les provinces du Nord. Si les gouvernements du Bengale, de l'Orissa, du Behar, du Radjpoutana avaient encore une organisation régulière, ceux de l'Oudh et du Decan étaient devenus indépendants. Les gouverneurs de provinces ou soubabs avaient tendance à se soustraire à l'autorité de l'Empereur, et les nababs, à celle des soubabs. Ce morcellement du territoire et de l'autorité devait servir la politique des Européens.

DISSOLUTION
DE L'EMPIRE
DES MOGOLS.

Les Portugais, qui n'avaient conservé en Inde que Goa, n'y formaient aucun projet d'agrandissement. Les Hollandais possédaient des territoires considérables, Ceylan et l'archipel de la Sonde; mais ils avaient perdu leur prestige, depuis qu'ils n'avaient plus d'importance politique en Europe.

La Compagnie anglaise et la Compagnie française des Indes restaient seules en présence. La première occupait trois positions importantes : Bombay, Calcutta, Madras, dont elle avait fait des chefs-lieux de *présidences*, et un certain nombre de comptoirs échelonnés sur les côtes. Chaque *présidence* avait un Gouverneur assisté d'un Conseil,

LA COMPAGNIE
ANGLAISE
DES INDES.

comme les gouvernements de la Compagnie française. La Compagnie anglaise était très combattue en Angleterre à cause de son privilège, mais elle était dirigée par les plus habiles marchands et les financiers les plus expérimentés, et elle trouvait tous les capitaux dont elle avait besoin à un taux modéré. Elle n'avait aucune idée de conquérir l'Hindoustan, mais, en Hindoustan comme en Amérique, elle se trouvait engagée contre les Français. Madras, Bombay, Calcutta étaient les rivales de Mahé, Chandernagor, Pondichéry, comme la Nouvelle-Angleterre et la Virginie étaient celles du Canada. La Compagnie anglaise était absolument indépendante du Gouvernement; mais l'opinion anglaise, la flotte de guerre anglaise ne pouvaient manquer de la soutenir.

Soumise à des Directeurs à vie, qu'avait nommés le Roi, soumise au contrôle de commissaires royaux, obligée de recourir à des subventions royales, mal soutenue par l'opinion qui se préoccupait plus de la guerre en Europe que de colonies, ne pouvant guère compter sur les flottes du Roi, la Compagnie française était inférieure en force à sa concurrente.

Avant Dupleix, cependant, le Gouverneur général Dumas avait engagé la Compagnie dans les affaires intérieures de l'Inde, et cherché à lui donner une puissance territoriale. En 1739, il avait défendu le roi de Tanjore contre les Mahrattes, à la condition qu'il concédât Karikal à la Compagnie en pleine propriété. Il eut l'ingénieuse idée de se faire prince hindou; pour cela il fit intervenir auprès du Mogol le nabab du Carnatic, dont la Compagnie dépendait immédiatement puisqu'elle occupait des comptoirs sur son territoire; le Mogol avait nommé Dumas *Nabab* et *Mansebdar*, ou commandant de cavalerie. C'est à l'exemple de Dumas que Dupleix, qui n'était d'abord qu'un administrateur et un commerçant, devint un diplomate et un politique. Il porta dans des combinaisons nouvelles son esprit d'entreprise et d'audace.

Quand Dupleix vit que la guerre contre l'Angleterre était imminente, comme le nabab du Carnatic Anaverdi-Kan interdisait aux Européens d'en venir aux mains, il proposa aux gouverneurs anglais de demeurer neutres; après qu'ils s'y furent refusés, il protesta auprès du nabab de son désir de paix. Il n'en avait pas moins demandé secours à La Bourdonnais et il attendait la flotte de l'Ile de France.

Dès que La Bourdonnais eut abordé à Pondichéry, Dupleix lui exposa ses projets contre les Anglais. Il désirait l'attaque de Madras, voisine gênante de Pondichéry, mais pensait qu'il était nécessaire de se débarrasser d'abord de l'escadre de Peyton. La Bourdonnais reprit la mer, joignit Peyton devant Trincomalé et à Negapatam, mais ne put l'amener à combattre, de nouveau, il le laissa échapper et Dupleix s'en plaignit amèrement. La Bourdonnais fut sommé par le Conseil supérieur de choisir entre la « recherche » de Peyton et l'attaque immédiate de Madras. Mais il n'entendait pas être commandé par des marchands. C'était un orgueilleux personnage, qui jouait le potentat; il faisait sonner les trompettes et battre la grosse caisse au moment de ses repas. Il se décida pourtant à l'attaque de Madras, qu'il prit le 21 septembre 1746; mais ce fut alors que se produisit le conflit entre lui et Dupleix. Le jour même où la ville se rendit, il écrivit au Gouverneur général : « J'ai maintenant trois partis à prendre : faire de Madras une colonie française; raser la place; traiter de sa rançon ». Et il ajoutait que ce dernier parti lui semblait le meilleur. Dupleix en jugeait autrement. Le nabab Anaverdi-Kan prétendant faire respecter la paix aussi bien par la France que par l'Angleterre, et s'étant indigné de l'attaque de Madras, le Gouverneur général, pour l'empêcher de se joindre aux Anglais, avait pris l'engagement de lui remettre la ville. Il en avisa La Bourdonnais, l'informant d'ailleurs qu'il n'avait pas spécifié au nabab en quel état il lui donnerait la ville; en conséquence il conseillait à La Bourdonnais d'en raser les défenses. Pour bien marquer son intention de ne pas laisser Madras aux Anglais, il annonça qu'il allait substituer au *Conseil* anglais *de la Présidence* un Conseil provincial français, qu'il invita La Bourdonnais à présider. C'était affirmer le droit du Gouvernement Général sur une conquête faite en Inde; mais La Bourdonnais se plaignit qu'on empiétât sur ses pouvoirs de chef d'escadre, dans une ville prise par lui.

Cependant, investi par le contrôleur général Orry de pouvoirs purement militaires, il n'avait pas le droit de disposer de Madras. L'autorité qu'il avait sur la flotte ne lui permettait pas d'annuler les pouvoirs permanents donnés par le Roi et la Compagnie au Gouverneur général. Le Conseil Supérieur, qui avait en main sa lettre du 21 septembre, et une autre écrite deux jours après, où il disait que les Anglais étaient à sa discrétion, et qu'il pouvait faire de la ville ce qu'il voulait, envoya des commissaires prendre possession de Madras en son nom. Ils devaient aussi constituer le nouveau conseil provincial. C'étaient le major-général des troupes de la Compagnie, de Bury, le conseiller faisant fonction de procureur général dans le Conseil, Bruyère, l'ingénieur Paradis, les conseillers d'Eprémesnil, Barthélemy et Dulaurens. Il y eut altercation entre eux et La Bourdonnais. Nommé commandant de la ville et du fort, d'Eprémesnil proposa de mettre en arrestation l'amiral; ses collègues hésitèrent; La Bourdonnais fit alors arrêter plusieurs d'entre eux, et les autres s'enfuirent. Les pourparlers reprirent toutefois entre Dupleix et La

LA BOURDONNAIS TRAITE AVEC LES ANGLAIS DE LA RESTITUTION DE MADRAS.

Bourdonnais; mais, un ouragan ayant, dans la nuit du 13 au 14 octobre, dispersé la flotte de l'amiral, celui-ci, de sa propre autorité, le 19 octobre, signa avec le gouverneur anglais Morse un traité qui fixait la rançon de la place à onze millions de livres.

Il se rendit à l'Ile de France où il trouva un nouveau gouverneur qui lui transmit l'ordre de la Compagnie d'avoir à rentrer en France. Il passa aux Antilles où il s'embarqua sur un navire hollandais à destination de l'Europe. Le navire ayant abordé en Angleterre, La Bourdonnais fut reconnu à Falmouth et fait prisonnier. Comme la Compagnie des Indes l'accusait de trahison, il obtint de se rendre à Versailles, où, suivant le marquis d'Argenson, il se fit un parti à force d'argent. Il aurait apporté avec lui d'immenses richesses, et le bruit courait qu'il allait acheter les ministres; ceux-ci décidèrent de le faire arrêter, et il fut mis à la Bastille. Trois ans plus tard, les mémoires apologétiques du prisonnier écrits, disait-on, sur des mouchoirs avec de l'encre faite de suie et de marc de café, lui conquerront l'opinion publique, au point que, le 3 février 1751, la Chambre de l'Arsenal, chargée de le juger, sera contrainte par l'opinion à l'acquitter. La clientèle de la Compagnie des Indes n'en conservera pas moins la conviction qu'il s'était vendu à l'Angleterre[1].

Après le départ de La Bourdonnais, les Français se trouvent aux prises avec Anaverdi-Kan et les Anglais. Une armée du nabab, sous les ordres de son fils, vient assiéger, dans Madras, la poignée d'hommes que commande le nouveau gouverneur, d'Eprémesnil; Celui-ci fait une sortie et met la cavalerie ennemie en déroute à coups de canon. L'ingénieur Paradis, accouru de Pondichéry au secours de Madras, à la tête de six cents hommes, joint dix mille hommes d'infanterie du nabab à Saint-Thomé, les aborde à la baïonnette et les disperse.

Dupleix essaya de profiter de ces succès pour chasser les Anglais de Saint-David, position immédiatement au sud de Pondichéry; mais, n'étant soutenu ni par la Compagnie ni par le Gouvernement, il échoua trois fois dans son entreprise. L'Angleterre envoya en Inde l'amiral Boscawen avec trente navires et huit mille hommes de débarquement; aussitôt les Anglais prirent l'offensive contre Dupleix. Le 18 août 1748, la flotte anglaise et une armée anglo-hindoue allèrent

---

1. Il n'existe pas de preuve péremptoire que La Bourdonnais ait reçu de l'argent des Anglais pour mettre Madras à rançon; mais sans invoquer l'opinion de Dupleix, aux yeux de qui le fait n'est pas douteux, il y eut contre l'amiral bien des indices accusateurs. En 1752, les membres du Conseil de Madras témoignèrent d'ailleurs auprès des Directeurs de la Compagnie anglaise des Indes que La Bourdonnais avait reçu la promesse écrite d'un million de francs en plus des onze millions stipulés pour la rançon de la ville.

mettre le siège devant Pondichéry. Dupleix se défendit admirablement. Il s'improvisa général, ingénieur, artilleur. Il commença par disputer pied à pied aux assiégeants les approches de la ville, puis brûla les arbres pour leur ôter tout abri, fit rentrer dans la ville les canons des forts avancés, s'y enferma. Il opposa alors batterie à batterie ; ses canons forcèrent les navires anglais à prendre le large. Il savait donner du courage aux Cafres et tirer parti des Cipayes. Il eut pour auxiliaires Paradis, qui périt dans une sortie, et le futur conquérant du Decan, le marquis de Bussy-Castelnau. Les Anglais se lassèrent de sa résistance ; le 14 octobre, ils firent un dernier effort en bombardant la ville : en douze heures ils y jetèrent vingt mille projectiles ; puis ils se retirèrent.

Demeuré maître de Pondichéry et de Madras, Dupleix projetait de nouveau d'attaquer Saint-David. Ses succès et la réputation qu'il acquérait en Inde devaient l'amener à donner plus d'ampleur à sa politique ; il recevait les félicitations des nababs et du Grand Mogol. Mais la nouvelle lui vint de France que la paix était signée avec l'Angleterre, et qu'après tout ce qu'il avait fait pour chasser les Anglais du Carnatic, toutes les choses seraient remises en l'état où elles étaient avant la guerre.

LA NOUVELLE DE LA PAIX.

III. — LA PAIX D'AIX-LA-CHAPELLE ET L'OPINION PUBLIQUE EN FRANCE (1748)

A mesure que se prolongeait une guerre dont on ne prévoyait pas l'issue, l'opinion s'était de plus en plus prononcée contre le marquis d'Argenson qui ne savait pas y mettre un terme. De Bréda, pendant qu'il y était plénipotentiaire, Brûlard de Puysieulx l'avait accusé de mollesse et de timidité ; à la Cour, Maurice de Saxe et les Noailles s'acharnaient contre lui ; le premier commis des Affaires étrangères, l'abbé de La Ville, eut avec son ministre des altercations, où il lui reprochait ses ménagements à l'égard des Provinces-Unies. Se sentant en péril, il eut l'idée bizarre de demander appui au roi de Prusse. Mais Frédéric n'était pas pour se mettre en peine des embarras d'autrui ; il répondit qu'il n'avait pas de raison de se mêler des « affaires de France ». D'Argenson fut renvoyé le 10 janvier 1747. Sa disgrâce n'étonna que lui ; il ne s'en consola jamais. On lui donna pour successeur un des diplomates qui l'avaient le plus décrié, le marquis de Puysieulx, naguère militaire et maréchal de camp, petit homme assez au fait de la Cour, mais peu instruit et cachant son insuffisance sous un « air de finesse » qui en imposait ; c'était un client de la maîtresse nouvelle, Mme de Pompadour.

DISGRÂCE DU MARQUIS D'ARGENSON

Le parti de la paix allait grossissant. La guerre coûtait cher. Malgré le danger qu'il y avait à établir de nouveaux impôts, vu la misère générale et l'attitude des Parlements, il fallut créer en 1746 un impôt de deux sols pour livre additionnels au dixième; en 1747, un autre de deux sols pour livre sur la capitation; en 1748, des droits sur le suif, la chandelle, les papiers et cartons, etc. L'impôt du centième denier, que tout acquéreur d'immeubles devait payer au Roi, fut étendu aux actes translatifs de biens « réputés » immeubles, tels que les rentes, offices, etc. Ces nouveaux impôts servaient généralement de gages à des emprunts. Toute la foule des moyens extraordinaires, émissions de rentes, loteries, créations d'offices, défila rapidement, et le moment allait venir où cette ruineuse ressource s'épuiserait.

L'opinion publique réclamait la paix, sans se préoccuper des conditions, nulle paix ne pouvant être pire, disait-on, que le mal présent. La conquête des Pays-Bas, la prise de Berg-op-Zoom et l'invasion de la Hollande mettaient d'ailleurs la France en état de pouvoir proposer la paix aux puissances. Les Anglais la désiraient aussi. Maurice de Saxe et le duc de Cumberland étaient déjà entrés en pourparlers. Les ministres anglais désignèrent le comte de Sandwich comme plénipotentiaire; Sandwich et Puysieulx, qui s'étaient connus à Bréda, convinrent qu'il y avait lieu de convoquer un congrès qui se tiendrait à Aix-la-Chapelle.

Désignés en janvier 1748, les plénipotentiaires ne se réunirent qu'en avril. C'étaient, pour la France, un Italien, le comte de Saint-Séverin d'Aragon, fils d'un ancien ministre du duc de Parme, favori du prince de Conti, personnage avisé et rompu à l'intrigue, pour l'Angleterre, Sandwich; pour l'Impératrice Marie-Thérèse, le comte de Kaunitz; pour l'Espagne, Don Jacques Massonas de Lima y Sotto Major; pour la Sardaigne, le chevalier Ossorio; pour la Hollande, le comte de Bentinck et le Baron de Wassenaër.

Saint-Séverin arriva à Aix-la-Chapelle avec des instructions qui lui recommandaient d'en finir au plus vite. Il était à l'aise, puisqu'il pouvait disposer des conquêtes faites par la France, et ne demandait rien de plus que le rétablissement de l'état avant la guerre. Les puissances pouvaient d'autant moins croire à ce désintéressement que la campagne aux Pays-Bas paraissait bien s'annoncer pour la France. Maurice de Saxe investissait Maëstricht le 15 avril 1748.

Saint-Séverin reçut les avances de l'Autriche et de l'Angleterre. L'Autriche n'avait trouvé que déconvenues dans l'alliance anglaise. Les Anglais l'avaient amenée en 1742 à se réconcilier avec le roi de Sardaigne qui lui avait pris Tortone et Novare; ils trouvaient maintenant naturel qu'elle reconnût la possession de la Silésie au roi de

Prusse. L'Autriche se demandait si chaque traité réclamé par ses alliés devait lui coûter une province, et si une ennemie comme la France ne serait pas de meilleure composition qu'une amie comme l'Angleterre. Mais en France le préjugé contre l'Autriche durait. Louis XV, en disgraciant d'Argenson, n'avait pas désavoué la politique de ce ministre. Comme d'Argenson, Puysieulx faisait grand état de l'alliance avec le roi de Prusse. Saint-Séverin, au contraire, penchait vers l'Autriche, et il aurait volontiers conclu avec elle un accord particulier, s'il n'avait craint les lenteurs de la chancellerie de Vienne. D'ailleurs c'est l'Angleterre que la France avait le plus d'intérêt à désarmer, parce qu'elle pouvait espérer d'elle des restitutions en Amérique, et parce que la guerre sur mer ruinait le commerce français. Saint-Séverin conclut donc, le 30 avril, avec Sandwich une entente où se trouvaient inscrites les conditions de la paix générale, que chacun des contractants soumettrait à ses alliés. Si ceux-ci ne les acceptaient pas, la France et l'Angleterre traiteraient séparément

Les conditions consenties entre l'Angleterre et la France étaient la restitution réciproque des conquêtes dans les deux mondes et le maintien de l'état territorial créé en Italie et en Allemagne. La France perdait les conquêtes de Maurice de Saxe, et Madras, mais elle récupérait en Amérique le Cap Breton et Louisbourg. Elle reconnaissait la succession protestante en Angleterre, et s'engageait à éloigner le Prétendant, conformément au traité d'Utrecht. L'Autriche devait céder à l'infant Don Philippe, le fils d'Élisabeth Farnèse et le gendre de Louis XV, Parme et Plaisance, garantir au roi de Sardaigne la partie du Milanais située à l'ouest du Tessin, du lac Majeur au Pô, c'est-à-dire le Vigévanasque, une partie du Pavesan, le comté d'Anghiera; elle devait renoncer à la Silésie.

LES CONDITIONS DE LA PAIX.

Il ne fut pas facile de faire accepter ces conditions à l'Impératrice Marie-Thérèse. Elle avait, il est vrai, satisfaction sur un point : la Pragmatique serait confirmée, et les puissances contractantes reconnaîtraient comme empereur François de Lorraine, qui avait été élu à Francfort, en septembre 1745; mais, ce qu'elle redoutait le plus, c'était qu'un acte nouveau consacrât les traités antérieurs qui la dépouillaient. Aussi protesta-t-elle contre l'entente anglo-française; mais ayant, à grand'peine, supporté le poids de la guerre avec l'aide d'alliés, elle ne pouvait demeurer seule en armes, et se résigna. Le 25 mai, Kaunitz adhérait à l'entente franco-anglaise. L'Espagne ne se décida que le 28 juin.

ADHÉSION DE L'AUTRICHE.

Personne ne fut content de la paix, si ce n'est la Hollande. Réduits aux dernières extrémités, les Hollandais s'extasièrent sur la modéra-

MÉCONTENTE-MENTS.

tion de Louis XV. L'Espagne s'indigna que la France eût une fois de plus décidé de ses intérêts sans la prévenir. Le roi de Sardaigne se déclara sacrifié, sous prétexte qu'il n'obtenait que des avantages insignifiants. Marie-Thérèse conserva le regret très vif de la Silésie. Elle annonça qu'elle prendrait sa revanche, dût-elle y perdre son « cotillon ». En Angleterre, les plaintes des marchands et des coloniaux furent très vives.

En France, où l'on était las de cette guerre ruineuse et sans issue, il y eut d'abord un mouvement de joie. On courait chez ses amis, au spectacle et sur les promenades, pour apprendre des détails. A Bordeaux, quand arriva le courrier qui apportait la nouvelle de la paix, les cohues d'affamés qui assiégeaient les boulangeries se mirent à danser en criant : « La paix est faite ! » Mais la réflexion vint vite. On comprit que cette paix avait été achetée par d'énormes sacrifices. Tout le monde pensa ce que Maurice de Saxe écrivit, des Pays-Bas à Maurepas le 15 mai 1748 :

« Je ne suis qu'un bavard en fait de politique, et, si la partie militaire m'oblige quelquefois d'en parler, je ne vous donne pas mes opinions pour bien bonnes ; ce que je crois savoir et vous assurer est que les ennemis, en quelque nombre qu'ils viennent, ne peuvent plus pénétrer en ce pays-ci, et qu'il me fâche de le rendre, car c'est, en vérité, un bon morceau ; et nous nous en repentirons dès que nous aurons oublié notre mal présent. »

On plaignit le Maréchal d'être empêché par la paix de marcher tambour battant sur Nimègue et de venger Louis XIV par l'humiliation de la Hollande [1]. Le populaire disait : « Bête comme la paix ! » On débita le conte des quatre chats : Louis XV aurait vu en rêve quatre chats qui se battaient, l'un maigre, l'autre gras, le troisième borgne, et le dernier aveugle ; quelqu'un lui aurait expliqué ce rêve : « Le chat maigre est votre peuple ; le chat gras est le corps des financiers ; le chat borgne est votre Conseil ; le chat aveugle est Votre Majesté qui ne veut rien voir ». Les Parisiens se disputèrent la brochure : *Les cinq plaies de la France*, qui étaient la Constitution, les Convulsions, le

---

1. Bien des critiques cependant avaient été faites du **Maréchal de Saxe**. On l'avait accusé de prolonger la guerre afin de conserver son commandement, de piller les ennemis, de partager les bénéfices des entrepreneurs, de faire des **Pays-Bas** une sorte de Pérou, pour lui et ses créatures. Si tant est qu'il y eut du vrai dans tout cela, le Maréchal en fut puni par le sacrifice de toutes ses conquêtes, et n'eut d'autre consolation que d'être proclamé le premier capitaine du siècle, et de recevoir de Louis XV le domaine de Chambord, le titre de Maréchal-général porté naguère par Turenne, cent mille écus de revenus, une artillerie prise sur l'ennemi, un régiment d'uhlans pour sa garde. Il mena à Chambord l'existence d'un grand seigneur. Il s'y fit construire un théâtre pour 1 800 spectateurs ; il eut des équipages de chasse admirables, jusqu'à 400 chevaux dans ses écuries ; il acheta des tentures des Gobelins, des tableaux, des émaux de Petitot, des faïences de Palissy. Il vécut avec des filles d'Opéra, et s'usa dans des excès que son âge ne lui permettait plus. On apprit tout à coup sa mort ; il avait cinquante-quatre ans. Le duc de Luynes raconte qu'il mourut d'une « fièvre continue, avec un engorgement de la bile dans le foie » (1750).

Système de Law, le ministère Fleury et la paix d'Aix-la-Chapelle.
Ils admirèrent l'estampe des quatre Nations, où Louis XV, garrotté
par les puissances, était fouetté par la reine de Hongrie; l'Angleterre
applaudissait, et la Hollande disait : « Il rendra tout ».

L'exécution de l'engagement pris par Louis XV d'éloigner le
Prétendant révolta toute l'opinion. Le prince, à qui fut insinuée l'offre
d'une retraite en Suisse, ne voulut rien entendre. Il se plaisait à Paris,
où il était fort en vue et très populaire. Quand il entrait à l'Opéra,
ou à la Comédie-Française, toute la salle se levait. Des Anglais et des
Anglaises faisaient le voyage pour venir l'y admirer. Or, ce fut précisément à la porte de l'Opéra que, le 10 décembre 1748, des officiers
et des sergents aux gardes, en habits bourgeois, l'empoignèrent
comme il descendait de carrosse, lui enlevèrent son épée qu'il voulait
tirer, le garrottèrent avec des cordons de soie, et le portèrent comme
un corps mort au carrosse qui le conduisit à Vincennes. Charles-
Edouard criait qu'on ne lui aurait pas fait un pareil outrage au
Maroc. Cette vilaine action provoqua un sentiment de honte et de
dégoût. Sur les murs de Versailles on écrivit : « Il est roi dans les
fers; qu'êtes-vous sur le trône? »

*ARRESTATION
DU PRÉTENDANT.*

CHAPITRE IV

LA VIE INTELLECTUELLE, DEPUIS LA RÉGENCE JUSQU'AU MILIEU DU SIÈCLE

I. LES IDÉES PHILOSOPHIQUES ET POLITIQUES. — II. LES SCIENCES. — III. L'ÉRUDITION. — IV. LES LETTRES. — V. LES ARTS. — VI. LES SALONS.

I. — LES IDÉES PHILOSOPHIQUES ET POLITIQUES[1]

CARACTÈRES GÉNÉRAUX DE LA PÉRIODE.

AVEC la Régence a commencé, dans le domaine des idées philosophiques et politiques, des sciences, des lettres et des arts, un mouvement général des esprits, varié, libre, sans intentions précises, et comme une recherche joyeuse de nouveautés. Vers 1750, de grands livres comme l'*Esprit des Lois*, le premier volume de l'*Histoire naturelle* de Buffon, surtout le premier volume de l'*Encyclopédie* et la for-

1. Sources. D'Argenson et Barbier, déjà cités. Voltaire, *Lettres Philosophiques* (au t.XXXVII des *OEuvres*, et éd. Lanson, t. I, 1909). Montesquieu, *De l'Esprit des Lois* (*OEuvres complètes*, t. III, IV, V, VI); Baron de Montesquieu, *Mélanges inédits de Montesquieu*, Bordeaux et Paris, 1892; Id., *Deux opuscules de Montesquieu*, Bordeaux et Paris, 1891; Id., *Voyages de Montesquieu*, 2 vol., Bordeaux, 1894; Id., *Pensées et fragments de Montesquieu*, Bordeaux, 1899.
   Ouvrages a consulter. Aubertin, E. de Broglie (*Portefeuilles de Bouhier*), Jobez (t. I et IV), Michelet, Rocquain, de Witt (*La Société française et la Société anglaise au XVIII⁰ siècle*), déjà cités.
   Bersot, *Études sur le XVIII⁰ siècle*, Paris, 1855, 2 vol. in-12. Brunetière, *Études critiques sur l'histoire de la littérature française*, 3⁰ série, 5⁰ éd. Paris, 1904, in-12 (l'abbé Prévost). Desnoiresterres, *Voltaire et la Société au XVIII⁰ siècle*, Paris, 1867-1876, 8 vol. in-12. Faguet, *XVIII⁰ siècle; études littéraires*, Paris, 1890, in-12. Janet, *Une académie politique sous le cardinal Fleury* (Séances et travaux de l'Académie des sciences morales et politiques, 1865, 4⁰ trimestre, t. IV). Sorel, *Montesquieu*, Paris, 1887, in-12. Texte, *Jean-Jacques Rousseau et les origines du Cosmopolitisme littéraire*, Paris, 1895, in-12. Barkhausen, *Montesquieu, ses idées et ses œuvres, d'après les papiers de La Brède*, Paris, 1907. Id., *L'Esprit des Lois et les archives de La Brède*, Bordeaux, 1904. Vian, *Montesquieu, sa vie et ses œuvres*, Paris, 1878. Brunetière, *Montesquieu*, R. des D. M., 1ᵉʳ août 1887. Sainte-Beuve, *Causeries du Lundi*, t. VII (Montesquieu); t. XV (l'abbé de Saint-Pierre). G. Lanson, *Voltaire*, Paris, Hachette, 1906 (collection des Grands Ecrivains français). Id., *Voltaire et les Lettres philosophiques* (Revue de Paris, 1ᵉʳ août 1908). Ch. Collins, *Voltaire in England*, Londres, 1905. Sée, *Les idées politiques de Voltaire*, Revue Historique, t. XCVIII (1908). H. Harrisse, *L'abbé Prévost, histoire de sa vie et de ses œuvres*, Paris, 1896. Leslie Stephen, *English thought in the XVIIIᵗʰ century*, 2⁰ éd., Londres, 1881, 2 vol. Bastide, *J. Locke, ses théories politiques et leur influence en Angleterre*, Paris, 1907.

mation du parti des philosophes, marquent le commencement d'une période nouvelle où s'organise la lutte contre les institutions, idées et croyances de l'Ancien régime.

Pour les idées politiques et philosophiques, la France se mit à l'école de l'Angleterre. Les premiers signes de cette conversion aux idées anglaises apparurent dans une société de théoriciens politiques, fondée en 1724 par l'abbé Alary, précepteur des enfants de France. Installée dans un appartement de la place Vendôme, elle reçut le nom de Club de l'Entresol. Le club compta d'abord une vingtaine de membres, qui se réunissaient une fois par semaine, le samedi soir, de cinq à huit heures. Durant l'été, ils tenaient leurs séances sur les terrasses du jardin des Tuileries ou dans une allée écartée. Ils recevaient les gazettes de France et de Hollande et les « papiers anglais ». Au club, ils buvaient du thé, de la limonade et des liqueurs. C'était comme « un café d'honnêtes gens ».

LE CLUB DE L'ENTRESOL.

Chacune des conférences était divisée en trois exercices d'une heure : lecture et discussion d'extraits des gazettes; communication des correspondances entretenues à l'étranger; lecture de mémoires politiques. MM. de Balleroy et de Champeaux donnaient des mémoires sur l'histoire des traités; M. de Vertillac sur les gouvernements « mixtes » de la Suisse et de la Pologne. M. de Plélo dut à ses recherches sur les formes de gouvernement l'ambassade de Danemark. M. Pallu, maître des requêtes, lisait des études sur les finances; M. d'Oby, une histoire des États généraux et des Parlements M. de Saint Contest le fils, une histoire contemporaine partant du traité de Ryswyk; M. de la Fautrière, une histoire des finances et du commerce. Le marquis d'Argenson, outre qu'il rédigeait les extraits des gazettes lus au début des séances, composait sur le droit public des dissertations, où l'on sentait une vocation de philosophe et de ministre.

TRAVAUX DU CLUB.

Mais le grand lecteur du club était son doyen, l'abbé de Saint-Pierre, homme excellent, épris du bien public, inépuisablement fécond en systèmes. Il avait accompagné à Utrecht, en 1712, un des négociateurs français; témoin des difficultés de toutes sortes qui retardaient la conclusion des traités, il composa les trois volumes d'un *Projet de paix perpétuelle.* En punition d'un *Discours sur la polysynodie,* écrit en 1718, où il critiquait vivement le gouvernement de Louis XIV, il avait été exclu de l'Académie française. Cependant les pouvoirs publics furent indulgents pour ses écrits, qui paraissaient « les rêves d'un homme de bien ». C'est, dit-on, l'abbé de Saint-Pierre qui a créé le mot « bienfaisance ».

L'ABBÉ DE SAINT-PIERRE (1658-1743).

Par lui, la philosophie politique de l'Entresol se rattache à Fénelon, à la petite cour du duc de Bourgogne, à Vauban, à Bois-

PHILOSOPHIE POLITIQUE DE L'ENTRESOL.

guilbert, à Boulainvilliers. Elle procède en même temps des Anglais. Le club comptait parmi ses membres l'Écossais Ramsay, disciple d'ailleurs de Fénelon, qui l'avait converti au catholicisme[1]. Bolingbroke fréquentait aussi l'Entresol. Les Anglais s'y sentaient chez eux. L'ambassadeur Horace Walpole, après la disgrâce de M. le Duc, en 1726, y fit une conférence sur l'intérêt qu'avaient la France et l'Angleterre à garder leur alliance récemment conclue.

DISPERSION DE L'ENTRESOL.

L'Entresol ne vécut pas longtemps. Après l'avoir protégé, Fleury en vint à le trouver gênant. L'abbé Alary s'en faisait « une espèce de trophée »; ses confrères, très entourés dans le monde, dissertaient volontiers sur la politique et l'administration. Le Cardinal dit un jour à l'abbé : « On se mêle de trop de choses à l'Entresol, et des étrangers même s'en plaignent ». L'abbé de Saint-Pierre l'accablait de mémoires à tout propos. Enfin, Alary ayant imaginé de complimenter la Reine à propos de l'expédition de Plélo à Danzig, on parla de le remplacer auprès des enfants de France. Alary le prit de très haut, on lui retira le préceptorat et l'Entresol fut dispersé en 1731.

LES RÉFUGIÉS DE LONDRES ET DE HOLLANDE.

La propagande en faveur des idées anglaises ne souffrit pas de la disparition du club. Les protestants français à Londres, en Hollande ou en Brandebourg, essayaient de mettre la France en communication avec l'esprit des pays où ils étaient réfugiés. A Londres, la taverne de « l'Arc-en-ciel » réunissait des savants, des théologiens, l'historien Thoiras, et des journalistes qui rédigeaient des périodiques. Armand de la Chapelle collaborait à la *Bibliothèque raisonnée des savants de l'Europe*; Desmaizeaux publia des œuvres inédites de Clarke, de Newton et de Locke. Le Clerc dirigea trois « bibliothèques » successives, de 1686 à 1727; il fut le dernier continuateur des *Nouvelles de la République des Lettres*, dont Bayle avait été le premier éditeur. Partisans de Bacon, de Locke et de Newton, ces publicistes critiquaient la philosophie de Descartes. Ils faisaient connaître les théories anglaises sur le gouvernement. Rapin Thoiras publia en 1724 une *Histoire d'Angleterre* en français. Une *Bibliothèque anglaise* parut à Amsterdam, de 1717 à 1728. Enfin, les réfugiés traduisaient, à leur apparition, les principales œuvres littéraires, comme le *Gulliver* et le *Robinson Crusoë*.

VOLTAIRE EN ANGLETERRE (1726-1729).

D'autre part, les écrivains français les plus distingués visitèrent l'Angleterre. Voltaire y débarqua en mai 1726, après une fâcheuse aventure. Le chevalier de Rohan-Chabot l'avait plaisanté sur son nom : « Comment vous appelez-vous décidément? Est ce Mons Arouet, ou Mons de Voltaire? — M. le chevalier, répondit Voltaire, il vaut mieux se

---

1. On retrouve l'inspiration de Fénelon dans ses *Voyages de Cyrus* et son *Essai philosophique sur le Gouvernement civil.*

faire un nom que de traîner celui qu'on a reçu. » Or, un jour qu'il dînait chez le duc de Sully, on le demande à la porte de l'hôtel. Il descend et se trouve en présence de « trois messieurs garnis de cannes », « qui lui régalent les épaules et les bras gaillardement ». Le chevalier regardait « ce frottement » d'une boutique en face, et criait aux trois messieurs : « Ne lui donnez point sur la tête, il en peut encore sortir quelque chose de bon ». Voltaire se plaignit à ses protecteurs, le duc de Sully, Mme de Prie, le duc d'Orléans, Maurepas. Mais les grands dont il était l'ami n'oubliaient point son origine, et ne se souciaient pas de le défendre contre un homme de leur rang. Il prit des leçons d'escrime, provoqua Rohan et fut mis à la Bastille. C'est en sortant de prison qu'il partit pour l'Angleterre, bien préparé à aimer les institutions et l'esprit d'un pays libre.

Pendant près de trois ans que dura son séjour, il apprit la langue anglaise, qu'il finit par écrire parfaitement, et connut les plus illustres écrivains anglais. Il dut à Pope, le plus classique et le plus élégant des poètes d'Angleterre, l'idée de ses *Discours sur l'homme*. Il aima la fantaisie et l'ironie de Swift, l'érudition critique et révolutionnaire de Bolingbroke. Il étudia les tragédies classiques d'Addison, celles de Dryden, et surtout les drames de Shakespeare. Il admira que des écrivains fussent employés au service de l'État comme Prior, poète et philosophe, qui reçut une mission diplomatique en France. Quand Newton mourut, en 1727, Voltaire fut témoin des honneurs qu'on rendit à ce grand homme en récompense de son génie. Hôte du « marchand » Falkener, qui devint plus tard ambassadeur en Turquie, il comprit l'injustice du préjugé qui faisait mépriser en France le commerce.

VOLTAIRE ET LES ÉCRIVAINS ANGLAIS.

Son esprit, dont la curiosité était si vive, s'enrichit et s'élargit. Il fit une enquête sur le newtonisme ; il apprit la philosophie anglaise, qui convenait mieux à son esprit net et pratique que celle de Descartes et de Leibniz, philosophes « entraînés par cet esprit systématique qui aveugle les plus grands hommes ». Il lut Bacon « le père de la philosophie expérimentale ». Il se fit surtout le disciple de Locke. Ce philosophe avait publié des *Lettres sur la tolérance*, un *Essai sur l'Entendement humain* et un livre sur la *Rationalité du christianisme*. Dans l'*Essai sur l'Entendement*, paru en 1690, il ruinait la théorie des idées innées, et enseignait que toutes les idées naissent de la sensation et de la réflexion, et que l'étude de l'âme doit se passer de la métaphysique.

ÉDUCATION PHILOSOPHIQUE DE VOLTAIRE.

Les philosophes anglais étaient, en ce qui concerne la religion, divisés en deux camps : les croyants et les simples déistes ; mais ceux-ci gardaient un esprit religieux et chrétien. Locke croyait en

LE DÉISME RELIGIEUX DES ANGLAIS.

Dieu, cause nécessaire du monde, reconnaissait en Jésus-Christ le Messie, et regrettait que l'Écriture sainte, éclatante de vérité, eût été obscurcie de mystères par le pédantisme théologique. En 1730, Tindel publia *Le christianisme aussi vieux que la création, ou l'Évangile comme reproduction de la religion naturelle*. Parmi les orthodoxes, Berkeley s'illustra par son système d'idéalisme absolu, Clarke, disciple de Newton, défenseur du libre-arbitre et de l'immortalité de l'âme, fut « auteur d'un livre assez peu entendu, mais estimé, sur l'existence de Dieu, et d'un autre plus intelligible, mais assez méprisé, sur la vérité de la religion chrétienne ».

Ces derniers mots sont de Voltaire qu'amusait le spectacle de cette vie intellectuelle intense et pleine de contradictions. Il n'a certes pas appris en Angleterre le scepticisme, que professaient en France Bayle, Fontenelle et la société du Temple. D'autre part l'influence de l'Angleterre ne fut pas assez forte sur lui pour lui commander ce respect de l'esprit religieux que professaient les déistes anglais. Mais ses sentiments et ses idées furent éclairés et fortifiés par son séjour en Angleterre, et par ses études philosophiques sur Bacon, sur Locke et sur le newtonisme, qu'il appelle « la grande nouveauté anglaise ».

LES LETTRES PHILOSOPHIQUES (1733).

De retour à Paris en février 1729, Voltaire révéla l'Angleterre aux Français. Grimm a dit qu'en France, au commencement du XVIIIᵉ siècle, on croyait que tout ce qui n'était pas Français « mangeait du foin et marchait à quatre pattes ». Or, au milieu du siècle, nombre de Français savaient l'anglais et admiraient l'Angleterre, disciples en cela, pour une grande part, de Voltaire, qui, en 1733, publia ses *Lettres philosophiques*, ou plutôt ses *Lettres sur les Anglais*. Il y met en opposition les deux sociétés française et anglaise, à la grande confusion de la première. L'Angleterre est le pays de la tolérance et de la liberté de penser : « Un Anglais, comme homme libre, va au ciel par le chemin qu'il lui plaît ». Les abus dont souffre la France n'y sont pas connus : « Un homme, parce qu'il est noble ou prêtre, n'est point exempt de payer certaines taxes; tous les impôts sont réglés par la Chambre des Communes qui, n'étant que la seconde par son rang, est la première par son crédit. » Point de taxe arbitraire : « Le paysan n'a point les pieds meurtris par les sabots; il mange du pain blanc, il est bien vêtu, il ne craint point d'augmenter le nombre de ses bestiaux, ni de couvrir son toit de tuiles de peur que l'on ne hausse ses impôts l'année d'après. » Il mêlait à ces considérations et comparaisons des impertinences contre la religion, et des plaisanteries sur tous sujets, par exemple sur l'immortalité de l'âme. Il citait la phrase où Locke insinue que l'âme pourrait bien être matérielle : « Nous ne serons peut-être jamais capables de connaître si un être purement matériel pense ou non », et il ajoutait : « La raison humaine est si peu capable de démontrer par elle-même l'immortalité de l'âme, que la religion a été obligée de nous la révéler ». Les *Lettres philosophiques* furent condamnées à la « brûlure » en juin 1734. Voltaire dut alors se réfugier à Cirey, près de Chaumont, chez son amie la marquise du Châtelet. Là, il se trouvait à portée de la frontière lorraine. Il demeura en correspondance avec ses amis d'Angleterre, dédia son *Brutus* à Bolingbroke, *Zaïre* à Falkener. Il imita dans le *Brutus*, en 1730, dans la *Mort de César* en 1735, le ton des tirades shakespeariennes et déclama contre la tyrannie. Il se fit le grand propagateur en France du newtonisme.

Au même temps, un romancier et journaliste, l'abbé Prévost, *L'ABBÉ PRÉVOST* entretenait le public des mœurs de l'Angleterre, où il passa quatre *(1697-1763).* années, de 1727 à 1731. Il dut sa célébrité à un roman, *Manon Lescaut*, paru en 1731; mais la majeure partie de ses œuvres, *Mémoires et aventures d'un homme de qualité qui s'est retiré du monde; Cleveland*, décrivent et vantent l'Angleterre, Londres et ses cafés, qui « sont comme le siège de la liberté anglaise », les combats de boxe, la liberté, l'esprit de tolérance. « Les Anglais ont reconnu que la contrainte est un attentat contre l'esprit de l'Évangile; ils savent que le cœur des hommes est le domaine de Dieu. » Revenu en France, Prévost fonda un journal, *Le Pour et Contre*, sorte de revue encyclopédique, où il promettait d'insérer chaque fois « quelque particularité intéressante touchant le génie des Anglais et de traduire même quelquefois les plus belles scènes de leurs pièces de théâtre » Le journal dura de 1733 à 1740. Prévost traduisit des œuvres philosophiques ou romanesques anglaises, par exemple les romans de Richardson, *Paméla, Clarisse, Grandisson*, dont le pathétique et la vérité devaient émouvoir Diderot, Rousseau et leur génération.

Le plus grand écrivain et penseur politique de cette période fut *VOYAGES* l'auteur des *Lettres persanes*. Montesquieu avait l'ambition d'entrer *DE MONTESQUIEU.* dans la carrière diplomatique, « n'étant pas plus bête qu'un autre », disait-il. De 1728 à 1732, il voyagea pour s'instruire des mœurs et des coutumes des nations. Accompagnant un ambassadeur de George II, lord Waldegrave, qui était l'ami de sa famille, il alla en Autriche, où il fréquenta de grands personnages, comme le prince Eugène et Stahrenberg. A Venise, il rencontra des aventuriers célèbres, Law et le comte de Bonneval. En Lombardie, il fut reçu par les Borromées, à Turin, par Victor-Emmanuel; à Rome, il connut le Père Cerati, qui demeura son correspondant. Rien n'était indifférent à son esprit curieux; il prenait des notes sur le commerce, l'industrie, l'agriculture, les travaux publics, sur les mines, les constructions navales, sur le servage en Hongrie, les œuvres d'art en Italie. Lorsqu'il débarqua en Angleterre, il était bien préparé pour faire les comparaisons. Il se sentit là respirer plus librement que partout ailleurs.

MONTESQUIEU EN ANGLETERRE (OCT. 1729-AOÛT 1731).

« L'Angleterre, dit-il dans ses notes, est à présent le plus libre pays qui soit au monde ; je n'en excepte aucune république · je l'appelle libre, parce que le Prince n'a le pouvoir de faire aucun tort imaginable à qui que ce soit, par la raison que son pouvoir est contrôlé et borné par un acte.... Quand un homme, en Angleterre, aurait autant d'ennemis qu'il a de cheveux sur la tête, il ne lui en arriverait rien. »

Il y avait, dans l'admiration des Français pour l'Angleterre, une exagération dont les Anglais eux-mêmes s'amusaient : « Nous pouvons être dupes de la politique française, disait Walpole ; mais les Français sont dix fois plus sots que nous, d'être les dupes de nos vertus ». Montesquieu ne fut point tant dupe. Il vit très bien que le monde politique était très corrompu : « L'argent est ici souverainement estimé, a-t-il dit ; l'honneur et la vertu, peu ». Mais il se complut au spectacle d'une nation libre, où tout le monde avait une opinion politique, si bien que l'on voyait des couvreurs se faire apporter « la gazette sur les toits pour la lire ».

LES « CONSIDÉ-RATIONS SUR LA GRANDEUR DES ROMAINS ».

Au retour d'Angleterre, Montesquieu avait pris le parti d'être, comme il a dit, « un écrivain politique ». Il s'essaya par les *Considérations sur les causes de la grandeur des Romains et de leur décadence*, qui parurent en 1734. C'est une œuvre d'insuffisante critique ; Montesquieu accepte les récits légendaires des premiers temps de Rome ; il ne s'occupe pas de l'organisation financière de l'État et ne soupçonne pas l'importance de la religion dans la cité antique. Il refait, à l'exemple de Bossuet, l'analyse des vertus romaines, et il imite le ton sentencieux de Tacite et de Florus. Les *Considérations* ont un peu l'aspect d'un morceau d'apparat classique. On y trouve du moins des réflexions profondes et pénétrantes, et comme une émotion sincère et grave devant la grandeur romaine.

L « ESPRIT DES LOIS ».

Les *Considérations* sont une sorte de chapitre détaché du très grand livre qui parut en 1748, *L'Esprit des Lois*. Montesquieu appelle « esprit des lois » les rapports que les lois ont ou doivent avoir avec la constitution de chaque gouvernement, les mœurs, le climat, la religion, le commerce, etc. « Les lois », en effet, dit-il, « sont les rapports nécessaires qui dérivent de la nature des choses ». Il expose ces différentes relations en une série de livres pour ainsi dire parallèles, car ils ne se commandent ni ne s'enchaînent les uns avec les autres. L'ouvrage est un recueil d'observations et de réflexions faites pendant vingt ans sur les hommes et les choses, classées après coup en brefs alinéas, et reliées avec une difficulté que l'on sent. Mais, si l'intention et le dessein de l'auteur sont obscurs, les contemporains retinrent les théories de Montesquieu sur les trois gouvernements et sur leurs principes, l'honneur dans la monarchie, la crainte dans le despotisme, la vertu — c'est-à-dire l'amour de la patrie, la pratique de l'égalité, de la frugalité — dans la république. Ils retinrent aussi la description du caractère des Anglais et l'éloge de leur constitution, que Montesquieu présentait comme l'idéal d'une monarchie libérale et aristocratique : royauté soutenue et contenue par des corps intermédiaires, noblesse, clergé, magistrature; deux chambres représentant l'une les privilégiés, l'autre le reste de la nation; le roi servi par des ministres responsables, inviolable et armé du droit de *veto*. Ils applaudirent à ses protestations contre l'esclavage et contre la torture, à ses idées sur la tolérance, et sur la nécessité de l'éducation par l'État dans le gouvernement républicain. Et ce fut une grande nouveauté que d'avoir opposé à la conception chrétienne et ecclésiastique, que Bossuet avait exprimée magnifiquement dans le *Discours sur l'Histoire universelle*, une philosophie laïcisée de l'histoire, où l'activité humaine s'encadre dans la nature, et où sont indiquées les relations de l'histoire politique avec l'histoire naturelle.

L'Esprit des Lois fut attaqué par les Jansénistes et par les Jésuites, et dénoncé à l'Assemblée du clergé. Il eut vingt-deux éditions en dix-huit mois et fut traduit dans toutes les langues. Pendant toute la fin du siècle, on en publiera des critiques et des analyses raisonnées; Condorcet le commentera. Peu d'hommes de la Révolution auront le même idéal que Montesquieu; tous invoqueront avec respect son autorité, et lui emprunteront des citations et des exemples. Les « philosophes », tout en le critiquant quelquefois avec une grande vivacité, le reconnaîtront comme leur maître. Mais il se distinguait de la plupart d'entre eux par l'esprit de modération qui lui était naturel et qu'il estimait convenir au législateur. Il ne frondait pas outre mesure la religion; sévère pour « les dévots », il était « charmé de se croire immortel comme Dieu lui-même ». Bon citoyen, il aimait le gouvernement sous lequel il était né, mais sans le craindre, ni croire qu'il fût immuable. Il avait dans le caractère certains traits antiques, le soin de sa dignité, l'urbanité, le culte de l'amitié, la mesure dans ses ambitions, l'égalité d'âme, le goût des loisirs et de l'étude, dans la paix des champs. Son séjour préféré était son domaine de La Brède, où il surveillait la culture de ses champs et de ses vignes. Un portrait qu'il a laissé de lui donne à penser que ce Français du XVIIIᵉ siècle, spirituel et sérieux, se proposa Cicéron pour modèle.

AUTORITÉ DE MONTESQUIEU.

II. — LES SCIENCES [1].

LE
CARTÉSIANISME.

JUSQUE vers 1730, la physique de Descartes partagea la célébrité de sa philosophie. La société polie croyait aux trois éléments, terrestre, céleste et solaire, aux tourbillons éthérés qui emportaient les planètes sans qu'elles eussent un mouvement propre. Les dames étudiaient l'astronomie dans les *Entretiens sur la pluralité des mondes* du cartésien Fontenelle [2], qui atteignit au temps de Fleury le comble de sa renommée. Il vulgarisait la science dans les *Éloges* qu'il faisait de ses confrères en sa qualité de secrétaire perpétuel de l'Académie des sciences. Ses portraits d'académiciens sont très vivants. Les théories scientifiques les plus élevées, les déductions les plus subtiles sont exposées par lui exactement, clairement, sur un ton simple et grave. Il faisait aimer la science parce qu'il l'aimait en vérité. Qu'elle fût cultivée par les modernes, alors que les anciens l'avaient à peu près ignorée, cela lui semblait une grande preuve de la supériorité des modernes. La liberté de son esprit, qui ne respectait pas plus l'antiquité chrétienne que la païenne, lui valut le titre que Voltaire lui décerna de « ministre de la philosophie ». Fontenelle, au reste, donna l'exemple de la faillibilité de la philosophie par sa fidélité au système cartésien de la construction du monde.

LE NEWTONISME.

Cependant, le newtonisme entrait en ligne; Voltaire l'expose dans les *Lettres philosophiques* :

« Un Français qui arrive à Londres, dit-il, trouve les choses bien changées, en philosophie comme en tout le reste; il a laissé le monde *plein*, et il le trouve *vide*. A Paris, on voit l'univers composé de tourbillons en matière subtile; à Londres, on ne voit rien de tout cela. Chez nous, c'est la pression de la lune qui cause le flux de la mer; chez les Anglais, c'est la mer qui gravite vers la lune. Chez vos cartésiens, tout se fait par une impulsion qu'on ne comprend

---

1. Sources Fontenelle, *Œuvres complètes*, Paris, 1825, 5 vol. in-8. Voltaire, *Œuvres*, t. XXXVII (Essai sur la nature du feu); t. XXXVIII (Éléments de la philosophie de Newton; Doutes sur la mesure des forces motrices).

Ouvrages a consulter. Desnoiresterres *(Voltaire et la Société)*, Faguet *(XVIIIᵉ siècle)*, Jobez (t. IV), Michelet (t. XVI), déjà cités. Bertrand (Joseph), *L'Académie des sciences et les académiciens de 1666 à 1793*, Paris, 1869. M. Cantor, *Vorlesungen über die Geschichte der Mathematik*, 2ᵉ éd., Leipzig, 1901, au t. III. Marie, *Histoire des sciences mathématiques et physiques*, Paris, 1886, au t. VII. Mach, *Die Mechanik in ihrer Entwickelung historisch-kritisch dargestellt*, 4ᵉ éd., Leipzig, 1901. Lange, *Geschichte des Materialismus, und kritik seiner Bedeutung in der Gegenwart*, 6ᵉ éd., Leipzig, 1898. Cournot, *Considérations sur la marche des idées... dans les temps modernes*, 2 vol., Paris, 1872. Tannery, *Les sciences en Europe, 1715-1789*, au t. VII de l' « *Histoire Générale du IVᵉ siècle à nos jours* ». Loridan, *Voyages des astronomes français à la recherche de la figure de la Terre et de ses dimensions*. Lille, 1890. Maigron, *Fontenelle, l'homme, l'œuvre, l'influence*, Paris, 1906. Sainte-Beuve, *Causeries du Lundi*, t. III (Fontenelle) et XIV (Maupertuis). Dubois-Reymond, *Voltaire physicien* (Revue des cours scientifiques..., 1868). G. Pellissier, *Voltaire philosophe*, Paris, 1908. L. Bloch, *La philosophie de Newton*, Paris, 1908.

2. Voir au précédent volume, p. 396.

guère; chez M Newton, c'est une attraction dont on ne comprend pas mieux la cause. A Paris, vous vous figurez la terre faite comme une boule; à Londres, elle est aplatie des deux côtés. La lumière, pour un cartésien, existe dans l'air; pour un newtonien, elle vient du soleil en six minutes et demie. Voilà de sérieuses contrariétés. »

Newton étendait aux rapports des corps célestes entre eux la loi qui fait peser les corps vers le centre de la terre et il enseignait que tout se passe dans l'Univers comme si les corps célestes s'attiraient en raison directe de leur masse et en raison inverse du carré de leurs distances. Ainsi les tourbillons devenaient inutiles pour expliquer le cours des astres.

L'Académie des sciences tint ferme pour les tourbillons. Mais des newtoniens s'y déclarèrent. Ils étudiaient une des questions soulevées par la doctrine de la gravitation universelle, la question de la figure de la terre. Newton soutenait que la terre était renflée à l'équateur et aplatie aux pôles. Les cartésiens le niaient, en s'appuyant sur des observations géodésiques faites en France. Ils avaient pour eux l'autorité du directeur de l'Observatoire, Jacques Cassini, le fils de Dominique. L'Académie décida en 1735 d'envoyer une expédition scientifique au Pérou, pour mesurer quelques degrés voisins de l'Équateur et les comparer aux mesures déjà relevées entre les Pyrénées et Dunkerque. Les newtoniens objectèrent que les résultats ne seraient pas concluants, si l'on n'envoyait en même temps une autre mission mesurer le degré le plus voisin du cercle polaire qu'il serait possible d'atteindre. Parmi eux se distinguait Pierre-Louis Moreau de Maupertuis, né à Saint-Malo [1], qui avait servi aux mousquetaires, puis s'était adonné aux mathématiques. Il avait fait, lui aussi, en 1728, un voyage en Angleterre, où il avait été admis à la Société Royale de Londres. Il fut de la mission qui voyagea vers le pôle, en 1736. Le résultat des calculs des deux missions démontra l'aplatissement de la terre aux pôles

Maupertuis s'attribua la gloire de la découverte; il se fit peindre et graver, coiffé d'un bonnet de peau d'ours, tenant dans ses mains le globe et l'aplatissant aux pôles. Il devint du jour au lendemain l'homme à la mode que les salons se disputaient. Un de ses compagnons de mission, Clairaut [2], devint également célèbre. Né en 1713, enfant prodige, il avait été admis à l'Académie des sciences en 1731, à l'âge de dix-huit ans. Il fut le plus considérable newtonien de France. Il confirma le newtonisme par sa *Théorie de la figure de la Terre*. La cause de cette « philosophie » nouvelle fut gagnée lorsque Voltaire l'eut expli-

QUESTION
DE LA FORME
DE LA TERRE.

EXPÉDITIONS
DU PÉROU
ET DU PÔLE.

MAUPERTUIS
ET CLAIRAUT.

---

1. Maupertuis, né en 1698, est mort en 1759.
2. Clairaut, né en 1713, est mort en 1765.

quée au public dans les *Éléments de la philosophie de Newton*, un des plus beaux livres de vulgarisation que l'on ait écrits.

Les mathématiciens Maupertuis et Clairaut furent, avec d'Alembert que l'on retrouvera au chapitre de l'Encyclopédie, dans la première moitié du XVIIIᵉ siècle, les plus grands savants français. Les autres sciences, physique, chimie, histoire naturelle [1], ne firent que de médiocres progrès. D'ailleurs, dans toute l'Europe, cette période est bien inférieure à la grande période créatrice du XVIIᵉ siècle. Les savants ne sont guère occupés qu'à développer les conséquences des grands principes alors établis. C'est une suite d'efforts individuels; à la fin du siècle, les génies reparaîtront pour coordonner le travail. Mais, dans toute l'Europe, la curiosité de la science est répandue. C'est le temps glorieux de l'Université de Bâle, où s'illustrèrent, dans les mathématiques, les Bernouilli et surtout Euler, le grand mathématicien du siècle. Les Académies nouvelles de Pétersbourg et de Berlin, celle-ci surtout, après l'avènement du Grand Frédéric, commencèrent de rivaliser avec la Société royale de Londres et avec l'Académie des sciences de Paris. Celle-ci fut très active; par ses « missions », par ses concours et les prix qu'elle donnait, elle provoqua le travail et l'encouragea. C'est aux sciences qu'allaient l'estime et le respect.

Aussi les plus illustres écrivains voulurent être des savants. Montesquieu a débuté par des dissertations scientifiques. Avant de penser à l'*Esprit des lois*, il avait projeté une *Histoire physique de la Terre*. Voltaire délaissa un moment les lettres pour les sciences. Ce fut au temps de son séjour à Cirey chez la marquise du Châtelet. La marquise était la plus savante des femmes du temps, coquette d'ailleurs, et qui avait mené joyeuse vie pendant la Régence. Le roi de Prusse l'appelait Vénus-Newton et Mme de Boufflers a fait d'elle ce portrait .

> Tout lui plaît, tout convient à son vaste génie,
> Les livres, les bijoux, les compas, les pompons,
> Les vers, les diamants, le biribi, l'optique,
> L'algèbre, les soupers, le latin, les jupons,
> L'opéra, les procès, le bal et la physique.

Elle passait les nuits au travail, ne dormant que deux heures. Voltaire l'imitait. Il « se cassait la tête contre Newton ». La marquise lui abandonna une galerie dont il fit un laboratoire il y rassembla des livres et des instruments; il y eut des préparateurs; il n'en sortait que

---

1, Les deux premiers volumes seulement de l'*Histoire naturelle* de Buffon ont paru en 1749. La publication ne sera terminée qu'en 1789.

pour souper; encore arrivait-il que le souper fût servi devant les machines et les sphères. Voltaire étudiait aussi la chimie. Il concourut pour un prix de l'Académie des sciences sur la question de la nature du feu. Il se fit expédier des thermomètres, des baromètres, des terrines réfractaires, vécut au milieu des fourneaux et des forges, pesant le fer rouge et le fer refroidi. Sa dissertation, bien qu'elle n'ait pas obtenu le prix, qui fut donné à des antinewtoniens, n'était pas sans valeur. Il savait observer, il était plus et mieux que ce que disait un de ses contemporains, qui l'appelait le « premier homme du monde pour écrire ce que les autres ont pensé ».

De savants amis lui conseillaient de laisser la poésie pour la science. Il eut un moment l'ambition de succéder à Fontenelle. Il sentait le besoin d'une situation officielle qui le protégeât contre les ennemis qu'il avait offensés par ses moqueries, et contre ceux qu'inquiétait son esprit irrespectueux. Malgré le succès de *la Henriade* et de ses tragédies, il n'était pas de l'Académie Française, où l'empêchait d'entrer l'aversion du Roi. L'Académie des Sciences lui aurait donné du prestige, et il essaya de tous les moyens d'y parvenir. Habile homme d'affaires, il s'était enrichi par des spéculations heureuses, comme les fournitures de vivres adjugées aux frères Pâris, et les entreprises de cargaisons expédiées en Amérique. Il prêta de l'argent à de grands personnages et à des membres de l'Académie. Mais, après qu'il eut publié, en 1741, ses *Doutes sur la mesure des forces motrices et sur leur nature*, où se trouvent des vues justes sur une question qui avait divisé Newton et Leibniz, Voltaire quitta la partie, sentant qu'il ne la gagnerait pas. Sa déception le rendit tout entier aux lettres. Il disait à d'Argental : « La supériorité qu'une physique sèche et abstraite a usurpée sur les belles-lettres commence à m'indigner... J'ai aimé la physique tant qu'elle n'a point voulu dominer sur la poésie; à présent qu'elle écrase tous les arts, je ne veux plus la regarder que comme un tyran de mauvaise compagnie. »

*IL RETOURNE AUX
BELLES-LETTRES.*

III. — L'ÉRUDITION[1]

PENDANT que se manifestait ainsi la curiosité publique pour les recherches et découvertes des sciences mathématiques et physiques, l'érudition française persévérait dans son travail trois fois sécu-

*LES BÉNÉDICTINS
ET L'ACADÉMIE
DES INSCRIPTIONS.*

1. SOURCES Les divers écrits déjà cités dans ce chapitre et notamment les œuvres de Bernard de Montfaucon : *L'Antiquité expliquée*, Paris, 1719-1724, 15 vol in-f°; *Les monuments de la monarchie française*, Paris, 1729-1733, 5 vol. in-f°. *Lettres des Bénédictions de la Congrégation de Saint-Maur (1705-1741)*, p. p. E. Gigas, Paris, 1893, 2 vol
OUVRAGES A CONSULTER. Aubertin, *L'Esprit public au XVIII° siècle*, déjà cité· Babelon, *Le*

laire[1]. Religieux et laïques continuèrent à rivaliser de zèle; mais l'Académie des Inscriptions commençait à prévaloir sur la Congrégation de Saint-Maur; l'abbaye de Saint-Germain des Prés était en effet tombée en décadence, depuis qu'elle fut gouvernée par le prince abbé de Clermont, celui que ses malheurs à la guerre firent appeler « le général des Bénédictins ».

LA BIBLIOTHÈQUE DU ROI. L'ABBÉ BIGNON.

Le goût des collections d'antiquités de toutes sortes fut plus vif que jamais. Le Roi était le plus grand des collectionneurs. Les collections royales furent administrées à partir de 1718 par le savant abbé Bignon[2], « bibliothécaire du Roi », et membre de l'Académie des Inscriptions. A sa requête, le Régent fit transporter la Bibliothèque de la petite maison de la rue Vivienne à l'Hôtel de Nevers, où elle est encore. L'accroissement des locaux permit le développement des collections; le Roi acquit les manuscrits de Colbert, de Delamare, de Baluze, ceux du président de Mesmes, le cabinet d'estampes de Beringhem, les grandes collections de Lancelot et de Sallier, en somme des milliers de volumes et de pièces rares.

LES « MISSIONNAIRES ».

Des « missionnaires » furent envoyés au Levant pour rechercher des médailles et des inscriptions. Grâce aux subsides fournis par Maurepas, lui-même grand amateur d'antiquités, l'abbé de Fourmont recueillit en Grèce une moisson d'inscriptions; l'abbé Sevin réunit plus de six cents manuscrits de langues orientales. A Constantinople, l'école des « jeunes de langue » fut établie pour copier et traduire les ouvrages turcs, arabes et persans. Les directeurs de la Compagnie des Indes recherchaient les livres indous; les ambassadeurs de France, de la Bastie et de Froulay en Italie, de Bonnac en Suisse, Plélo dans le Nord, furent les utiles auxiliaires du Roi. Des achats étaient faits à Madrid, Londres, La Haye, aux foires de Leipzig et de Francfort, à Venise et à Pétersbourg. Quand Bignon quitta sa charge en 1741, les collections royales étaient doublées.

Des hommes publics et des particuliers réunirent aussi d'impor-

cabinet des antiques à la Bibliothèque nationale, Paris, 1887-1889, 4 portefeuilles in-f°. Boissier (Gaston), *Un savant du XVIIIᵉ siècle, Jean-François Séguier, antiquaire, d'après sa correspondance inédite* (Revue des Deux Mondes, 1ᵉʳ avril 1871). Broglie (Emmanuel de), *La société de l'abbaye de Saint-Germain-des-Prés au XVIIIᵉ siècle. Bernard de Montfaucon et les Bernardins (1715-1750)*, Paris, 1891, 2 vol. Omont (Henri), *Bernard de Montfaucon, sa famille et ses premières années* (Annales du Midi, 1892, 1). Geffroy, *Le Charles XII de Voltaire et le Charles XII de l'Histoire* (Revue des Deux Mondes, 15 novembre 1869). Maury (Alfred), *Les Académies d'autrefois. L'ancienne Académie des Inscriptions et Belles-Lettres*, Paris, 1864. Monod (G.), *Du progrès des études historiques en France depuis le XVIᵉ siècle* (Revue historique. Introduction du t. I, 1876); Rocheblave, *Essai sur le comte de Caylus*, Paris, 1889. Sainte-Beuve, *Causeries du lundi*, t. VI (L'Historien Rollin). Ferté (H.), *Rollin, sa vie, ses œuvres et l'Université de son temps*, Paris, 1902. Braunschwig (M.), *L'abbé Dubos rénovateur de la critique au XVIIIᵉ siècle*, Paris, 1904.

1. Voir *Histoire de France*, t. VII, 2, p. 161-171, et VIII, 1, p. 403.
2. L'abbé Bignon est né en 1663, mort en 1743.

tantes collections. Maurepas ornait d'antiques son cabinet de travail, et, à l'occasion, courait en chaise de poste pour recueillir une pièce curieuse ou pour dessiner, à Fréjus, des ruines romaines. Le secrétaire perpétuel de l'Académie Française, Gros de Boze, possesseur d'un cabinet d'antiquités, devint garde des antiquités du Roi, qu'il fit transférer, en 1741, de Versailles à Paris, pour les mettre à la portée des travailleurs. Son ami, le comte de Caylus, commençait vers le même temps une collection d'antiques. Le médecin Mahudel fut un numismate, un amateur d'estampes, de portraits, de statuettes de bronze; il acquit douze collections particulières qu'il réunit à la sienne, pour céder le tout au Roi en 1735. Il en fut de même des collections d'histoire naturelle, de livres et de manuscrits du duc d'Estrées.

LES COLLECTIONS PRIVÉES A PARIS.

Ce goût des collections se répandit alors dans les provinces. Toute ville de quelque importance eut ses « cabinets » de curiosités. A Lyon, M. de La Tourette, président de la Cour des Monnaies, acquit une réputation pour le choix de ses livres et la beauté de leurs reliures. A Bordeaux, le conseiller Jean-Jacques Bel légua à l'Académie de cette ville sa bibliothèque, avec la clause qu'elle fût accessible à tous. M. de Valbonnais, président de la Chambre des Comptes, à Grenoble, réunit des objets d'art, et le marquis de Caumont, à Avignon, des marbres antiques, débris des monuments romains de Provence. Le Nimois Séguier, numismate, antiquaire, botaniste, accompagna l'historien italien Maffei en Angleterre, en Allemagne, en Italie; il entretenait correspondance avec tous les savants du monde.

LES COLLECTIONNEURS EN PROVINCE.

La plus belle bibliothèque du Midi fut fondée dans la première moitié du XVIIIᵉ siècle par un personnage original, Dom Malachie d'Inquimbert, ancien dominicain, devenu trappiste; le Pape Clément XII le fit archevêque *in partibus* de Théodosie, et Louis XV le nomma évêque de Carpentras en 1735. Dom Malachie apporta de Rome plus de quatre mille volumes précieux. Passant à Aix, il acheta aux héritiers du président de Mazauges les 16 000 volumes que laissait ce collectionneur. Il négocia l'affaire en secret, de peur de soulever la jalousie des magistrats de la ville, chargea ses richesses sur douze voitures et se mit en route pour Carpentras. Bien lui en prit d'aller vite, car on courut après lui; par bonheur, on ne le rejoignit que quand il eut franchi la Durance, et se trouva sur les terres du Pape. Il rassembla dans un vaste hôtel 20 000 volumes, plus de 700 manuscrits, un médaillier de 4 000 pièces, des tableaux, des antiques, et rendit public ce beau dépôt.

DOM MALACHIE D'INQUIMBERT (1683-1757).

Dans toutes ces collections travaillèrent nombre d'érudits, qui en tirèrent des publications considérables.

Les Congrégations religieuses, et par-dessus tout les Bénédictins,
continuèrent leurs travaux commencés au siècle précédent et en entreprirent d'autres, très considérables. Le *Recueil des Historiens des
Gaules et de la France*, destiné à réunir les sources historiographiques
de la France depuis les origines, est commencé par le bibliothécaire
de Saint-Germain des Prés, Dom Bouquet [1] : il publie huit volumes, à
partir de 1737. D'autres Bénédictins continueront la publication,
et, après la Révolution, Dom Brial, devenu membre de l'Institut,
transmettra à l'Académie des Inscriptions la direction du Recueil.
L'*Histoire littéraire de la France*, entreprise parallèle à la précédente,
se compose d'une série d'études historiques et critiques sur les
principales œuvres de notre littérature : neuf volumes ont paru
sous la direction de Dom Rivet, de 1733 à 1750; les Bénédictins,
puis l'Académie des Inscriptions, poursuivront la publication jusqu'à
nos jours. Enfin, pour l'histoire ecclésiastique de la France, l'œuvre
plusieurs fois projetée et abandonnée au XVIIᵉ siècle est reprise par
Dom Denis de Sainte-Marthe : le premier volume de la *Gallia christiana* paraît en 1715. La révolution interrompra la besogne presque
achevée, au tome XIII. Les trois volumes ajoutés de 1856 à 1865 par
M. Hauréau ont complété ce précieux recueil [2].

La plus considérable entreprise des Bénédictins fut la publication
des histoires des principales provinces de France. Les membres de la
Congrégation se partagèrent la besogne, en se groupant d'ordinaire
à deux pour chaque province. Ainsi furent publiées les histoires de
Languedoc, de Bourgogne, de Bretagne [3]. D'autres provinces furent
étudiées, notamment la Picardie, par Dom Grenier, la Touraine, par
Dom Housseau, le Poitou, par Dom Fonteneau, la Normandie, par
Dom Toussaint-Duplessis; mais leurs histoires sont restées ina-
chevées.

Un bénédictin, homme d'esprit supérieur, domina tous les
érudits de son temps : c'est D. Bernard de Montfaucon [4]. Issu d'une
famille noble du Languedoc, il avait servi, comme volontaire, dans
l'armée de Turenne en 1673 et 1674; puis il était entré au monastère
Point du tout mystique, gai, impétueux, batailleur, spirituel et fin, il
fut un des plus grands travailleurs du siècle. Il connaissait l'antiquité

    1. Dom Bouquet, né en 1685, est mort en 1754.
    2. Sur ces trois ouvrages, voir aussi t. VII, 2, p. 167.
    3. *Histoire générale du Languedoc*, par D. Devic et D. Vaissète, 5 vol. in-fᵒ, 1730-1745. —
Histoire générale et particulière de Bourgogne, par D. Plancher et D. Merle, 4 vol. in-fᵒ,
1738-1781. — *Histoire de Bretagne*, par D. Taillandier et D. Morice, 2 vol. in-fᵒ, 1750-1756. —
On peut joindre à ces trois ouvrages l'*Histoire de la ville de Paris*, par D. Félibien, 5 vol.
in-fᵒ, 1725. — Un Bénédictin de la congrégation de Saint-Vanne, Dom Calmet, composa
également l'*Histoire ecclésiastique et civile de la Lorraine*, 4 vol. in-fᵒ, 1728.
    4. Montfaucon, né en 1655, est mort en 1741.

profane et les plus anciens écrivains ecclésiastiques, savait l'hébreu, le syriaque et le copte. Il traduisit le livre de Philon sur *la Vie contemplative*, et publia une *Paléographie grecque*, pendant du *Traité de Diplomatique* de Mabillon. Son grand ouvrage fut l'*Antiquité expliquée*, paru en 1719 : sorte de répertoire de tous les monuments figurés de l'antiquité connus en son temps. L'ouvrage avait des lacunes regrettables. Par exemple, D. Bernard ne crut pas devoir reproduire les monuments égyptiens, pour ce motif singulier que « les figures de l'Egypte étaient trop bizarres pour prendre place à la tête des antiquités ». Il n'en donna pas moins un nouvel élan à l'étude de l'antiquité classique. En 1725, alors qu'il atteignait sa soixante-dixième année, Montfaucon adressa une circulaire à tous les savants de l'Europe pour la publication des *Monuments de la Monarchie française*. Il pensait que l'histoire de la France, comme celles des Grecs et des Romains, pouvait être éclairée par les monuments ; que la « Tapisserie de Bayeux » était un document, tout comme les chroniques, sur la conquête de l'Angleterre. Il aurait voulu faire connaître au public les costumes, les cérémonies, les drapeaux, les machines de guerre, les édifices de tous les siècles antérieurs. Il fut aidé par la plupart des érudits et collectionneurs, surtout par ceux qui comptaient voir publier des pièces de leurs cabinets. Mais la mort l'empêcha d'achever la publication. Tel quel, son travail avait une valeur considérable, car rien de semblable n'existait auparavant. Mais quand on le publia, en 1733, il eut peu de succès. Le public dédaignait le moyen âge, qu'il ne comprenait plus. On s'étonna que Montfaucon fît l'éloge des cathédrales gothiques, réputées laides et barbares.

Les Jésuites poursuivirent de leur côté la publication des *Acta sanctorum*, jusqu'à la suppression de leur congrégation : cinquante-trois volumes avaient alors paru. Les Dominicains publièrent les écrits des membres de leur ordre[1] ; un Oratorien, le P. Lelong, donna, en 1719, le plus grand recueil bibliographique qui existe sur l'histoire nationale[2]. *AUTRES ORDRES RELIGIEUX.*

Mais la compagnie qui réunit de beaucoup le plus grand nombre d'érudits fut l'Académie des Inscriptions[3]. Destinée à l'origine uniquement à composer les devises des médailles royales, elle avait eu son organisation modifiée par le règlement du 16 juillet 1701. Elle n'entreprit rien de notable avant 1715 ; après, sous la direction de l'abbé Bignon, elle commença de grandes publications collectives, *L'ACADÉMIE DES INSCRIPTIONS.*

1. *Scriptores ordinis Prædicatorum recensiti*, 2 vol. in f°, 1719-1721.
2. *Bibliothèque historique de la France*, rééditée et complétée par Fevret de Fontette, 5 vol. in-f°, 1768-1778.
3. Voir au vol. précédent, p. 406.

analogues à celles des Bénédictins. Elle publia dans ses *Mémoires*, qui commencèrent à paraître en 1717, une série d'études originales sur les sujets les plus divers.

LE RECUEIL DES
ORDONNANCES.

Le chancelier Pontchartrain avait conçu le projet de recueillir dans une grande collection toutes les ordonnances des rois de France, et il en avait confié la publication à trois avocats, parmi lesquels Eusèbe de Laurière. Après l'apparition du premier volume en 1723, un membre de l'Académie, Secousse, se chargea de la continuation, quatorze volumes ont paru dans le cours du XVIIIe siècle sous le patronage de la compagnie.

LA TABLE
DES DIPLÔMES.

La publication des principaux documents d'archives concernant l'histoire de France était une des ambitions de l'Académie. Elle ne put la satisfaire, à cause de l'ampleur de cette entreprise, du moins la *Table chronologique des diplômes*, fut publiée par trois de ses membres : Secousse, Bréquigny et Lacurne de Sainte-Palaye [1].

TRAVAUX
PARTICULIERS DES
ACADÉMICIENS.

Aux publications collectives, il faut ajouter les travaux personnels de membres de l'Académie. Ces travaux furent considérables. Lacurne de Sainte-Palaye continua les études de Ducange sur le moyen âge, dans ses *Mémoires sur l'ancienne chevalerie* et dans son *Dictionnaire de l'ancien langage français*, publié seulement de nos jours [2]. Le président Bouhier a donné des *Remarques critiques sur les écrits de Cicéron*. L'abbé Lebeuf écrivit une *Histoire de la ville et du diocèse de Paris* qui a paru digne d'une réédition en notre temps [3].

FRÉRET.

Nicolas Fréret [4], secrétaire perpétuel de l'Académie, critiqua d'une intelligence vive et très libre les idées reçues sur l'antiquité. En mythologie grecque, il ruina définitivement l'opinion qui ne voyait, dans les légendes grecques ou romaines, qu'une altération des traditions de l'Ecriture. Sur la question de l'origine des Pélages, il fit une rude guerre à un avocat nommé Gibert, qui prétendait faire descendre ce peuple des Syriens, en partant de l'hypothèse que Japet aïeul de Deucalion, était le même que Japhet, fils de Noé. Dans son étude sur les Cimmériens, parue en 1745, il montra l'ordre suivant lequel s'étaient opérées les migrations asiatiques, marchant du Pont-Euxin vers le Danube. Il entrevit la parenté des langues indo-européennes.

Ainsi, pendant tout le cours du XVIIIe siècle, l'Académie des Ins-

---

1. *Table chronologique des diplômes, chartes, titres et actes imprimés concernant l'histoire de France*, 3 vol. in-f°, 1769-1783.
2. *Mémoires sur l'ancienne chevalerie française*, 3 vol. in-f°, 1759-1787 — *Dictionnaire de l'ancien langage français*, publié par Favre, 10 vol. in-4°, 1875-1882.
3. *Histoire de la ville et de tout le diocèse de Paris*, 10 vol. in-f°, 1754-55; nouv. éd. par Augier et Bournon, 1885.
4. Nic. Fréret, né en 1688, est mort en 1749.

criptions contribua au développement des études d'érudition. Elle appelait à elle l'élite des érudits, français et étrangers. Elle pourra, après la Révolution, poursuivre la grande œuvre des Bénédictins.

Les institutions et les coutumes de la France continuèrent d'être étudiées par des érudits. Delamare fit le *Traité de la police*[1]. Bourdot de Richebourg publia le *Nouveau Coutumier général*[2]. De savants commentaires sur les textes législatifs de toute sorte qui composaient le droit français illustrèrent d'Aguesseau Boncerf Hanrion de Pansey. Leurs études préparaient le travail des juristes qui bientôt devaient rédiger nos codes modernes.

Dans ce grand et admirable travail de l'érudition française, patiente, ingénieuse et claire, apparaissent deux nouveautés : l'histoire ecclésiastique est délaissée ; l'Église ne semble plus s'être intéressée à ses origines et à son développement historique, depuis que la révocation de l'Édit de Nantes lui a procuré la victoire. D'ailleurs, elle sait que les études critiques poussées à fond mettent la foi en péril. L'autre nouveauté c'est que l'érudition se mêle pour ainsi dire à la vie générale, et qu'elle a ses répercussions dans la politique.

Très vive fut la curiosité des choses anciennes. Le public s'intéressa à des dissertations sur les lois de l'ancienne Rome, comme la *Loi des Douze Tables* et la *Loi Sempronia*, et sur les institutions militaires romaines. *L'Antiquité expliquée* de Montfaucon, où les textes latins étaient traduits, expliqua en effet l'antiquité aux lecteurs qui furent nombreux ; les dix-huit cents exemplaires de la première édition furent vendus en deux mois, et les deux mille de la seconde en moins d'un an. Quelquefois les savants faisaient des rapprochements entre le passé lointain et le présent. Un bénédictin, D. Vincent Thuillier, et un ingénieur militaire savant et célèbre, le chevalier de Folard, s'associèrent pour traduire et commenter Polybe. Dans le commentaire, le chevalier critiqua l'état social de la France et fit des portraits satiriques de généraux français, morts ou vivants ; aussi l'impression du livre fut-elle suspendue, — elle s'acheva en Hollande, — et le chevalier menacé de la Bastille. Mais ce fut indirectement, d'une manière diffuse pour ainsi dire, que l'antiquité agit sur les esprits. On admira Rome dans l'*Histoire des révolutions de la république romaine* de Vertot, surtout dans l'*Histoire romaine* de Rollin[3], qui fut, au XVIIIᵉ siècle, un livre classique, et dans les *Considérations* de Montesquieu. Ces livres préparèrent le retour au goût de l'antique et

---

1. *Traité de la police*, par Delamare et Leclerc du Brillet, 4 vol. in-fº, 1705-1758.
2. 4 vol. en 8 tomes in-fº, 1724.
3. Vertot, *Histoire des révolutions de la république romaine*, 1719, 10 vol. in-12. — Rollin, *Histoire romaine*, continuée par Crevier, 1738-42, 8 vol. in-12.

mirent dans les esprits cette chimère d'une république à la romaine qui égara des révolutionnaires.

D'autre part, la critique se porta sur nos origines nationales. Fréret, pour avoir démontré que les Gaulois et les Francs n'étaient pas de même race [1], fut un moment mis à la Bastille. Le comte Henri de Boulainvilliers se servit de cette démonstration pour établir une théorie aristocratique dans l'*Histoire du Gouvernement de la France*, qui parut en 1727. D'après lui, la noblesse descendait de la race conquérante des Francs, ce qui expliquait ses privilèges et ses droits. Il décrivait les anciennes institutions et regrettait les États généraux. L'abbé Dubos présenta, en 1739, une théorie toute contraire dans son *Histoire critique de l'établissement de la monarchie française dans les Gaules*. Il soutint que les Francs n'avaient pas conquis la Gaule, où ils étaient entrés en vertu d'une alliance conclue avec les cités gauloises confédérées; les nobles n'étaient donc pas les descendants d'une race conquérante. Montesquieu prit parti dans le débat à la fin de son *Esprit des Lois*.

L'histoire de l'érudition au xviiie siècle témoigne donc d'une grande activité intellectuelle, en partie désintéressée, en partie tournée vers la pratique. Il y a corrélation entre les recherches sur les origines humaines et les recherches des physiciens sur les origines des choses. Historiens et physiciens avaient également l'inquiétude de savoir et de comprendre, la largeur des idées, la passion de la vérité.

IV. — LES LETTRES. POÉSIE. PROSE. THÉATRE [2].

LE xviiie siècle n'a pas produit une esthétique nouvelle. Il est demeuré docile aux doctrines classiques et obéissant aux lois des genres. Voltaire recommandait de « ne pas dire de mal de Nicolas », c'est-à-dire de Boileau, parce que « cela porte malheur ».

1. Dans son *Mémoire sur l'origine des Français*, publié en 1718.
2. SOURCES. Barbier (t. II), Dufort de Cheverny, Favart (*Mémoires et Correspondance*), Hénault, déjà cités. Clairon (Mlle), *Mémoires*, édition Barrière, Paris, 1846. Du Deffand (Marquise), *Correspondance complète... avec ses amis, le président Hénault, Montesquieu, d'Alembert, Voltaire, Horace Walpole*, Paris, 1866, 2 vol. Grimm, Diderot, Raynal et Meister, *Correspondance littéraire, philosophique et critique (1747-1793)*, Paris, 1877-1882, 16 vol. (aux tomes I et II).
OUVRAGES A CONSULTER. Font (*Favart*), Jullien (*Les grandes nuits de Sceaux*), déjà cités. Bapst, *Essai sur l'histoire du théâtre*, Paris, 1893. Du Bled, *La Comédie de société au XVIIIe siècle*, Paris, 1893. Cousin (Jules), *Le Comte de Clermont, sa cour et ses maitresses*, Paris, 1867, 2 vol. Jullien, *Les spectateurs sur le théâtre*, Paris, 1875. E. Ganderax, *La condition des comédiens au XVIIIe siècle* (Rev. des Deux Mondes, oct. 1887). Sainte-Beuve, *Causeries du Lundi*, t. I (Adrienne Lecouvreur); *Nouveaux Lundis*, t. III (La duchesse du Maine), t. VII (Mlle Collé), t. XI (Mlle de Clermont). Jusserand, *Shakespeare en France*, Paris, 1898.
Lanson, *Histoire de la littérature française*, 9e éd., Paris, Hachette, 1906. Id., *Voltaire* (déjà

Mais le temps et les mœurs déforment peu à peu l'idéal toujours res- pecté des classiques. Déjà la querelle des anciens et des modernes avait désabusé beaucoup d'esprits du « préjugé grossier de l'anti- quité », comme avait dit Perrault [1]. Marivaux a publié en 1714 une *Iliade travestie*. Voltaire, dans *Candide*, déclare qu'il s'est mortelle- ment ennuyé à la lecture de ce poème vénérable et le compare à « ces médailles rouillées qui ne peuvent être de commerce ». La « raison » se tourne toute vers l'avenir. Le mot « progrès » n'est pas encore en usage ; mais l'idée qu'il exprime hante l'esprit des écrivains. Les lettres sont invitées à contribuer à ce progrès en travaillant pour la société, ou, comme on disait avec un ton de respect, pour « l'institution so- ciale ». Il faut que même la poésie tragique, même la poésie lyrique apprennent à se rendre utiles, à servir. D'ailleurs, est-ce qu'on a besoin d'une poésie? La poésie, avait dit Newton, est une « niaiserie ingénieuse » ; et les géomètres demandaient : Une tragédie, qu'est-ce que cela prouve? Tout le monde, en effet, réclamait des raisons et des preuves. La guerre était déclarée à l'irrationnel, à « l'absurde ». Par là, on entendait à peu près tout ce qui fut longtemps aimé, admiré ou craint, toute la religion, toute la politique.

A ce combat seraient impropres les armures amples et solennelles d'autrefois ; il y faut un équipement léger. La « période » est abandon- née, cette longue période, où des conjonctions, des relatifs marquaient la marche grave de l'idée. La nouvelle phrase, courte et vive, ana- lyse clairement les idées ; elle aiguise les arguments en traits. La propriété des termes et l'ordre paraissent être les qualités essentielles du style. Mais on garde la tradition de l'élégance, et l'on est puriste, au point que le vocabulaire s'appauvrit [2]. Les grands éducateurs du temps, les Jésuites, enseignaient le choix heureux des tours et des mots, et leurs élèves étaient délicats sur le détail.

TRANSFORMATION DU STYLE.

Le penchant des esprits va vers l'ironie spirituelle. Ironie pru- dente, car les Parlements n'aiment pas les plaisanteries, et « mon château de la Bastille », comme disait le Roi, est toujours debout. On aura donc de l'esprit pour combattre, et de l'esprit pour éviter les coups. On en mettra un peu partout, pour plaire aux autres et pour

L'IRONIE ET L'ESPRIT. LA SENSIBILITÉ.

cité). Id., *Nivelle de la Chaussée...*, Paris, 1887. Brunetière, *Manuel historique de la littéra- ture française*, Paris, 1902. Id., *Etudes critiques*, 2e et 3e séries (Marivaux, l'abbé Prévost), Larroumet, *Marivaux, sa vie et ses œuvres*, Paris, 1882. Lebreton, *Le roman au XVIIIe siècle*, Paris, 1898. Schrœder, *Un romancier français au XVIIIe siècle, l'abbé Prévost*. Paris, 1898. Maurice Paléologue, *Vauvenargues*, Paris, 1890. Lintilhac, *Le Sage*, Paris, 1893. Lion, *Les ragédies et les théories dramatiques de Voltaire*. Paris, 1895. Bernard (Abbé), *Le sermon au XVIIIe siècle*, Paris, 1901. Martino, *L'Orient dans la littérature française au XVIIe et au XVIIIe siècles*, Paris, 1906.
1. Voir au précédent volume, p. 412-420.
2. Voir *ibid.*, p. 412 et 413.

s'amuser soi-même. On a tant besoin de s'amuser, après la contrainte du siècle d'avant. Montesquieu a démontré dans les *Lettres persanes* qu'il n'y a pas « deux espèces d'hommes, ceux qui s'amusent et ceux qui pensent », et qu'on peut penser en amusant. Mais déjà s'annonce, en contraste, une disposition toute nouvelle. En même temps que de la raison et de l'esprit, on veut avoir du cœur. Le mot « sensible » est apparu dans les derniers temps du grand règne; Louis XIV lui-même l'employa; au XVIIIe siècle, il est sur toutes les lèvres. Ces êtres raisonnables et « philosophiques » voudront, à des moments, « perdre la raison », devenir « fous », et ces rieurs, pleurer, et même « s'évanouir » à la vue des personnes « touchantes » que leur offriront le théâtre et les romans.

CURIOSITÉ UNIVERSELLE. IMMORALITÉ.　　Enfin les esprits du XVIIIe siècle sont dispersés par leur curiosité à travers les sujets les plus divers, philosophie, sciences, géographie, et à travers des pays dont le nom était à peine connu des classiques du XVIIe siècle. Déjà s'annoncent « les citoyens de l'univers ». Si, à ces traits divers, on ajoute que les mœurs sont, depuis la Régence, ouvertement libidineuses, et qu'il y a pour les polissonneries l'applaudissement assuré d'un grand public, on a rassemblé la physionomie du XVIIIe siècle, jusqu'au jour où commencera, avec Jean-Jacques Rousseau et d'autres, la réaction de la vertu et du sérieux.

LA POÉSIE.　　La poésie fut très médiocre. Pour les écrivains en vers, le rythme, qu'ils ne sentent pas, semble n'être plus qu'une convention, un usage consacré. Ils se contentent d'orner leurs alexandrins monotones par « ces beautés de détail, ces expressions heureuses, qui sont l'âme de la poésie », comme disait Voltaire. Il faut cependant remarquer que plusieurs versificateurs surent joliment manier le vers libre dans leurs petites pièces galantes.

LA HENRIADE.　　Le fameux poème épique de Voltaire, *la Henriade*, est un recueil de « beautés » littéraires, où manquent l'invention dramatique et la vie. Publié en 1723, revu et enrichi pendant le séjour de l'auteur en Angleterre, ce poème plut par la nouveauté des détails, par la description de la baïonnette, de la bombe, par celle des découvertes de Newton, et aussi par la fermeté toute latine de certains vers. On y sent que Voltaire a été fort en vers latins chez les Jésuites.

LES LYRIQUES.　　Des poètes lyriques multiplièrent les odes. Ils se bornaient à traiter des lieux communs de morale en des vers abstraits et chargés d'allégories, ou à paraphraser pompeusement les psaumes et les prophètes. Le plus illustre fut Jean-Baptiste Rousseau [1], qui choisit, sans

---

1. Jean-Baptiste Rousseau, né en 1671, est mort en 1741.

vocation naturelle, le lyrisme; il organisait de beaux désordres dans ses odes, suivant le précepte de Boileau. On ne peut, d'ailleurs, lui refuser de l'ampleur et de l'harmonie. Le goût était demeuré tellement classique que Jean-Baptiste fut tenu pour le prince des lyriques et réédité jusque vers 1820.

On élabora quantité de poèmes didactiques. Louis Racine, « petit *LES DIDACTIQUES.* fils d'un grand père », comme a dit Voltaire, fit sur la *Religion* de tristes vers jansénistes. A Voltaire seul le genre didactique n'a pas été fatal; il a trouvé le moyen d'avoir de l'esprit dans ses *Discours sur l'Homme.*

Des esprits ingénieux s'avisèrent que la science pouvait fournir *POÉSIE* des thèmes nouveaux à la poésie. La cosmogonie de Newton a heu- *SCIENTIFIQUE.* reusement inspiré Voltaire dans une *Épître* à Madame du Châtelet en 1736. Après lui, Malfilâtre célébrera dans une ode le système de Copernic, le soleil fixe au milieu des planètes. Mais ce sont là des tentatives de poètes en quête de poésie, et qui rappellent les vers astronomiques des alexandrins. Malfilâtre et les autres n'ont fait que pressentir la poésie de la science.

Mais les poètes de ce temps ont excellé dans les petits genres où *POÉSIE FAMILIÈRE* il faut seulement de l'esprit et du tour : l'épître, la satire, souvent *ET LÉGÈRE.* mise en dialogue ou en conte, le conte, le madrigal, l'idylle galante, les imitations des élégiaques latins, l'épigramme, où triomphe le très spirituel Piron[1]. Ici encore, ici comme partout, se retrouve Voltaire. Il varie à l'infini le cadre de ces courtes pièces ; tantôt c'est un monologue, tantôt un songe, tantôt une scène orientale. Il décrit avec complaisance tout ce qui embellit la vie : les fêtes, les jolis meubles, les porcelaines, « le superflu, chose si nécessaire », et aussi les sentiments mesurés et délicats, l'amitié, la résignation à vieillir et le plaisir que donnent les lettres. L'*Épître à Horace* serait le chef-d'œuvre de cette poésie épicurienne, si quelques stances à Mme du Châtelet, écrites en 1741, sur l'amour et l'amitié, l'épître des *Tu* et des *Vous* à Mlle de Livry, et le madrigal à la princesse Ulrique de Prusse n'étaient encore plus exquis.

Dans la prose, il faut ranger à part un écrivain de génie, qui fut *LA PROSE.* connu seulement de quelques contemporains, et par des fragments[2], *SAINT-SIMON.* c'est le duc de Saint-Simon. Retiré de la Cour depuis la mort du Régent, Saint-Simon revécut, avec ses souvenirs et des notes prises par lui et le journal de Dangeau, sa vie entre les années 1699 et 1722. Il est le grand témoin de la fin du règne de Louis XIV, témoin mal-

1. Piron, né en 1689, est mort en 1773
2. La première édition complète des Mémoires est de 1820.

veillant, entêté d'idées peu nombreuses parmi lesquelles il y en a
de ridicules, très capable d'inexactitudes, et, bien qu'il fût honnête
homme, d'erreurs qui ressemblent à des mensonges passionnels;
témoin dont il faut donc se méfier. Mais il a, de ses « regards
clandestins », observé les gestes, les mines, les scènes petites et
grandes, les tragiques surtout. Il a, de ses « regards assénés » percé
à travers les masques jusqu'à des âmes. Aucun écrivain français ne
donne un sentiment plus réaliste de la vie. De même que, lorsqu'il
observait, un tumulte de sentiments et d'images se produisait dans
son esprit, son style est un tumulte de périodes embarrassées, où
éclatent des images et des expressions par lui inventées. Il a « écrit
à la diable pour l'immortalité ». Il disait de lui-même : « Je ne suis
pas un sujet académique ». C'est pourquoi il n'est pas de son temps.
Publiée au XVIIIᵉ siècle, sa prose aurait paru d'un autre âge.

LA PROSE
DE VOLTAIRE ET
DE MONTESQUIEU.
Entre les écrivains de cette période, qui furent très nombreux et
qui écrivent tous du même style, les deux plus grands se distinguent :
Voltaire, par l'abondance, la légèreté, l'aisance, la finesse, la grâce,
les images rapides et amusantes, et le mouvement endiablé; Montesquieu par la finesse aussi, et les vives images courtes, par une
certaine préciosité, mais surtout par la concision, par la gravité et
par des traits de poésie où s'entrevoit l'homme qui fit un jour une
belle invocation aux Muses : « Vierges du mont Pière... je cours une
longue carrière, je suis accablé de tristesse et d'ennui. Divines muses,
je sens que vous m'inspirez non pas ce qu'on chante à Tempé sur les
chalumeaux ou ce qu'on répète à Délos sur la lyre; vous voulez que
je parle à la raison; elle est le plus parfait, le plus noble et le plus
exquis de nos sens ».

L'HISTOIRE.
La politique et l'histoire sont les sujets des principales œuvres
en prose de la période. La plupart de ces œuvres ont été déjà citées;
il y faut ajouter l'*Histoire de Charles XII* de Voltaire, qui fut tenté
par ce personnage épique et tragique, et fit œuvre d'historien par le
soin qu'il mit à recueillir les témoignages écrits et oraux; en même
temps il donna un modèle de narration historique. L'*Histoire de
Charles XII* parut en 1731. Duclos[2] écrivit une *Histoire de Louis XI*,
qui n'a plus d'intérêt aujourd'hui, et des *Considérations sur les
mœurs de ce siècle*, dont le succès fut grand, et qui sont un document
curieux.

LES GENRES
NOBLES.
Les vieux genres nobles survivaient. Mais ni l'éloquence reli-
gieuse ni l'éloquence judiciaire ne produisirent de grandes œuvres.

1. Le duc de Saint-Simon, né en 1675, est mort en 1755.
2. Duclos, né en 1704, est mort en 1772.

Le seul prédicateur glorieux fut Massillon [1], évêque de Clermont, dont les sermons furent publiés en 1745, trois ans après sa mort. Massillon, harmonieux, élégant, abondant, donnait plus de place à la morale qu'à la doctrine. Par là et par une certaine « sensibilité », il plut aux philosophes, comme leur plaisait Fénelon. — Le chancelier d'Aguesseau [2] a laissé des Mercuriales, des Instructions et des Plaidoyers écrits avec soin; mais il parle une langue oratoire, convenue et ennuyeuse. Il a dû sa renommée à la dignité de son caractère plutôt qu'à son talent, à sa fidélité aux opinions gallicanes plutôt qu'à la force de sa pensée.

D'AGUESSEAU.

Luc de Clapiers, marquis de Vauvenargues, était un officier sans fortune, qui revint malade de la retraite de Bohême, en 1743, sollicita un emploi dans les ambassades, ne l'obtint pas, essaya de se faire un nom dans les lettres, reçut les encouragements de Voltaire, et mourut à l'âge de trente-deux ans. C'était une belle âme, éprise de « passions nobles », aimant la nature, amoureuse de la gloire, mélancolique et solitaire. Il disait « qu'il y a des moments de force, des moments d'élévation, de passion et d'enthousiasme où l'âme peut se suffire et dédaigner tout secours, ivre de sa propre grandeur ». Quelques lettres, une *Introduction à l'histoire de l'esprit humain*, des *Réflexions et Maximes* ont assuré lentement, mais sûrement, sa réputation. Bien qu'il eût l'esprit très libre, il n'avait pas en la raison la confiance satisfaite et bornée de ses contemporains. Il savait que « les grandes pensées viennent du cœur », qu'«on ne fait pas beaucoup de grandes choses par conseil », et se demandait si l'éloquence ne vaut pas mieux que le savoir.

VAUVENARGUES.

Les romans continuèrent d'être à la mode. Marivaux [3] doit sa célébrité au théâtre; mais il fut apprécié comme romancier. Il a écrit la *Vie de Marianne*, dont les onze premières parties parurent de 1731 à 1741, et le *Paysan Parvenu*, qui parut de 1735 à 1736. Le style et l'analyse des sentiments sont de l'école « précieuse », et pourtant ce délicat écrivain a décrit la vie familière avec un réalisme tout moderne. Par là, il a quelque ressemblance avec Le Sage, qui continue à compliquer de péripéties romanesques la dernière partie de son *Gil Blas* parue en 1735, et le *Bachelier de Salamanque*, publié l'année d'après.

LE ROMAN. MARIVAUX ET LE SAGE.

L'abbé Prévost [4] était prédestiné à écrire des aventures, étant lui-même aventurier · élève des Jésuites, déserteur de l'état ecclé-

L'ABBÉ PRÉVOST

1 Massillon est né en 1663, mort en 1742.
2. D'Aguesseau est né en 1668, mort en 1751.
3. Marivaux est né en 1688, mort en 1769.
4 L'abbé Prévost est né en 1697, mort en 1769.

siastique auquel il était destiné, soldat, revenu chez les Jésuites, de nouveau soldat, réfugié chez les Bénédictins de Saint-Maur, collaborateur à la *Gallia Christiana*, ordonné prêtre, prédicateur, curieux des pays étrangers — on a vu son séjour en Angleterre —, homme de lettres pour gagner sa vie, à la fin aumônier du prince de Conti, frappé d'apoplexie, tenu pour mort, et, à ce qu'on raconte, tué par le couteau d'un opérateur qui procéda trop tôt à l'autopsie du pauvre homme. L'abbé porta dans le roman la sensibilité d'un homme qui avait connu les passions. Il raconta les agitations de sa propre vie dans les huit volumes, publiés de 1728 à 1756, des *Mémoires et aventures d'un homme de qualité*. Il intéressa nombre de lecteurs, parmi lesquels il faut citer Jean-Jacques Rousseau, à de sombres et longues histoires comme celle de *Cleveland*, racontée en quatre volumes, qui parurent en 1732. Son chef-d'œuvre fut la brève *Histoire de Manon Lescaut et du chevalier Desgrieux*, publiée en 1733, histoire d'amour, joliment écrite, d'un style simple et d'un ton si triste et si pathétique, qu'elle fit couler les larmes des personnes « sensibles ».

LES CONTES.
LA LITTÉRATURE
GALANTE.

Cependant, le goût public se portait vers les œuvres courtes et vives. On aimait l'allégorie des apologues, les dialogues brefs à discussions vives, les facéties où des personnages, avec un grand sérieux, se ridiculisent eux-mêmes, et les contes surtout. Après les contes délicieux de Hamilton, publiés en 1730, on lut les contes grivois de Crébillon fils et de Voisenon, qui exposaient les mauvaises mœurs de la bonne compagnie. Duclos jugeait ainsi ces mœurs : « On se plaît, on se prend ; comme on s'est pris sans s'aimer, on se sépare sans se haïr ». Il dénonçait cette « espèce d'athéisme en amour », l'égoïsme et la vanité des petites maîtresses, et la sécheresse de cœur des amants quittant une femme « comme un effet qui devait rentrer dans le commerce ».

Voltaire inaugura par *Le monde comme il va*, par *Zadig* et par *Micromegas* la longue série de ses contes, où peut-être pas une des idées du temps n'a été omise. D'amusants personnages s'y meuvent dans des aventures invraisemblables. Voltaire y donne toute sa philosophie claire, simple, courte, ironique, irrespectueuse, humanitaire, sans illusions d'ailleurs sur la valeur de l'homme.

LE THÉATRE.
ESSAI DE RAJEUNIR
LA TRAGÉDIE.

Peut-être la plus grande passion littéraire de ce temps fut-elle pour le théâtre, en vers ou en prose. La tragédie continua d'être le genre noble par excellence ; mais on sentait le besoin de renouveler le genre. Lamotte-Houdart réussit à surprendre les spectateurs par l'apparat de quelques scènes et surtout à les attendrir par son *Inès de Castro*, en 1723. Dans les Discours qu'il joignit à l'édition de ses œuvres, en 1730, il indique des moyens de rajeunir la tragédie : multiplier les personnages, mettre les événements en spectacle plutôt qu'en récit, varier la peinture de l'amour par la couleur locale; il critique les unités et recommande l'emploi de la prose.

Voltaire imitait la tragédie de Racine; comme lui, il incarnait des passions dans des personnes célèbres : en *Mérope*, l'amour maternel, et, en *Orosmane*, la jalousie. Il imitait aussi le style de Racine, mais il écrivait trop vite ses tragédies; il acheva en dix jours *Zaïre*, où il prétendait exprimer « ce que l'amour a de plus touchant et de plus furieux ». Puis il fit du théâtre un moyen de propagande pour ses idées, plaida contre la tyrannie et pour la tolérance dans *Brutus* et dans *Mahomet*; l'art passait ainsi au second plan. Voltaire fut un dramaturge habile, clair, avec du pathétique et de l'éloquence, mais sans originalité ni puissance créatrice.

Comme on a vu, il a fait connaître Shakespeare en France [1]. Il en a traduit des fragments; il a donné à l'Orosmane de *Zaïre* quelque parenté avec Othello et introduit l'ombre de Ninus dans *Sémiramis*. Mais bientôt il s'offusqua de l'admiration que quelques-uns témoignaient au génie du grand poète. Il dit d'*Hamlet* qu' « on croirait que cet ouvrage est le fruit de l'imagination d'un sauvage ivre ». A la fin de sa vie, il plaidera, dans une lettre à l'Académie, pour Corneille, Racine et Molière, contre ce « saltimbanque qui a des saillies heureuses et qui fait des contorsions ».

VOLTAIRE ET SHAKESPEARE.

Un des rajeunissements employés par Voltaire dans la tragédie fut le choix de milieux exotiques. *Zaïre* se passe en pays musulman, ce qui permet de faire voir sur la scène un « mélange de plumets et de turbans »; *Alzire*, au Pérou; l'*Orphelin de la Chine*, dans la Chine de Gengis-Khan. L'Orient était alors le décor préféré des imaginations, un Orient d'opéra-comique, terre de métamorphoses, de prodiges et d'amours brûlantes. On en avait pris le goût dans les *Mille et une Nuits* traduites par Galland en 1704, et dans les *Mille et un Jours*, traduits par Pétis de la Croix en 1710. Ce fut, dans la littérature française, une invasion de Turcs, de Perses, de Chinois et d'Indiens. Le théâtre donnait *Arlequin dans l'île de Ceylan*, *Arlequin Grand-Mogol*, *Soliman II ou les trois Sultanes*. Montesquieu, après avoir emprunté à l'Orient la fiction des *Lettres Persanes*, l'étudia un peu plus sérieusement dans l'*Esprit des Lois*. Les philosophes y cherchèrent des exemples de despotisme, et aussi des exemples de tolérance religieuse. Le défilé amusant de tous ces peuples différant

LA MODE DE L'EXOTISME.

---

1. La première traduction partielle de Shakespeare, celle de La Place, parut en 1745, et la première traduction complète, celle de Le Tourneur, de 1776 à 1782.

par le costume, les usages et les croyances, donnait l'idée d'un monde plus vaste et plus varié, et faisait considérer avec une curiosité bien-veillante « toutes ces petites nuances qui distinguent les atomes appelés hommes », selon l'expression de Voltaire.

LA COMÉDIE.
MARIVAUX.

La comédie fut renouvelée par l'esprit de Marivaux, dont le théâtre est l'œuvre la plus originale qu'ait produite l'art dramatique au XVIIIe siècle. Ses meilleures comédies, *Arlequin poli par l'amour*, la *Surprise de l'amour*, la *Double inconstance*, le *Jeu de l'amour et du Hasard*, les *Fausses Confidences*, l'*Épreuve*, furent jouées de 1720 à 1740. Marivaux cherche moins à peindre des caractères et les mœurs de la société réelle qu'à faire paraître en des intrigues simples, un peu romanesques, en des milieux jolis et vagues, par la bouche de personnages aux noms élégants et rares — Araminte, Herminie, Sylvia, — les nuances les plus délicates de l'amour; par là, il a mérité d'être rapproché de Racine. Lui-même expliquait son dessein en se défendant du reproche de monotonie :

> « J'ai guetté dans le cœur humain toutes les niches différentes où peut se cacher l'amour, lorsqu'il craint de se montrer, et chacune de mes comédies a pour objet de le faire sortir d'une de ces niches... Dans mes pièces, c'est tantôt un amour ignoré des deux amants, tantôt un amour qu'ils sentent et qu'ils veulent se cacher l'un à l'autre, tantôt un amour timide qui n'ose se déclarer; tantôt enfin un amour incertain et comme indécis, un amour à demi né pour ainsi dire, dont ils se doutent sans être bien sûrs, et qu'ils épient au dedans d'eux-mêmes, avant de lui laisser prendre l'essor. »

Ainsi l'amour n'est plus un « moyen » de la comédie, propre à révéler les caractères des personnages; il en est le sujet même. Marivaux l'analyse avec une telle finesse que Voltaire l'accuse de « peser des œufs de mouche dans des toiles d'araignée », mais sa délicatesse est exquise. La grâce un peu maniérée du siècle est en lui comme en Watteau.

LA SENSIBILITÉ.
LA CHAUSSÉE.

D'autres écrivains continuaient la tradition de la comédie de caractères; mais déjà, en 1732, Destouches[1], l'auteur du *Glorieux*, se vante « d'avoir pris un ton qui a paru nouveau » même après Molière; il a, en des scènes pathétiques, mis « la vertu dans un si beau jour qu'elle s'attire l'estime et la vénération publiques ». La Chaussée s'inspira de la « sensibilité » à la mode : il créa la comédie larmoyante, où il prenait des sujets tragiques non plus dans l'histoire des princes antiques, mais dans la vie bourgeoise. Il n'avait ni talent ni style; néanmoins, ses pièces, le *Préjugé à la mode*, en 1735, *Méla-*

1. Destouches, né en 1680, est mort en 1754.

nide, en 1741, obtinrent un succès immense. Voltaire, suivant le courant, écrivit dans le même ton l'*Enfant prodigue* et *Nanine*. Ainsi s'annonçaient le théâtre de Diderot et ses idées qui ne devaient, d'ailleurs, être appliquées qu'au XIXe siècle[1].

La passion du théâtre se manifeste, au XVIIIe siècle, par le grand nombre de scènes particulières. Il n'y avait guère de réception mondaine où la moitié de la compagnie ne montât sur les planches devant l'autre moitié. Les collèges des Jésuites et les riches couvents faisaient jouer leurs élèves. En 1753, les magistrats exilés à Bourges avaient deux troupes, qui, pendant quinze mois, donnèrent la plupart des pièces du répertoire. A Sceaux, la duchesse du Maine transforma en salle de spectacle une galerie de son château. Voltaire joua en 1750, sur ce théâtre, *Rome sauvée*, dont la duchesse lui avait donné l'idée ; il y tint le rôle de Cicéron. Un mois avant la mort de la duchesse, en décembre 1752, il écrivait : « Mettez-moi toujours aux pieds de Mme la duchesse du Maine. C'est une âme prédestinée ; elle aime la comédie, et quand elle sera malade, je vous conseille de lui administrer quelque pièce au lieu de l'extrême-onction. On meurt comme on a vécu. » Le duc de Chartres jouait la comédie avec la duchesse à Saint-Cloud. Maurice de Saxe a conduit en campagne la troupe de Favart. Chez les Brancas jouèrent les Forcalquier, les Pont-de-Veyle et le président Hénault. Tous les amis de Mme du Deffand, les Du Châtel, les d'Ussé, les Mirepoix, les Luxembourg, sont montés sur le théâtre. Naturellement, les financiers imitaient et quelquefois surpassaient les grands seigneurs. La Popelinière fit représenter dans son château de Passy des comédies dont il était

---

1. Pour donner plus de variété et de vérité aux scènes tragiques et aux scènes comiques, on apporta beaucoup de soin aux costumes et aux décors. Le créateur de l'Opéra-Comique, Favart, dans une scène de la comédie d'*Acajou*, représentée en 1744, se moque des acteurs de tragédies, qui s'affublaient de cuirasses en toile d'argent et se coiffaient de chapeaux à panaches ; des actrices, qui prenaient la robe de cour pour jouer avec plus de dignité les héroïnes antiques ; de la poudre sur la tête d'Abner, d'Auguste ou d'Electre. Il voulut que sa femme, la grande actrice, rompit avec les traditions. « Ma femme, dit-il, a été la première en France qui ait eu le courage de se mettre comme on doit être... dans *Bastien et Bastienne* ». Elle y parut habillée d'une robe de laine, une croix d'or au cou, les cheveux plats et sans poudre, chaussée de sabots. Le succès fut grand. Une autre fois, pour jouer *Soliman II*, elle fit venir un costume de Constantinople. Mlle Clairon parut les bras nus dans *Electre* et soutint contre Voltaire que les vers tragiques ne doivent pas être récités avec emphase ; son camarade Le Kain, dans l'*Orphelin de la Chine*, portait une tunique rayée cramoisi et or, qu'il pensait être orientale.
Une autre révolution se fit sur la scène. On la débarrassa des bancs où s'asseyaient des spectateurs, gentilshommes et financiers, qui gênaient le jeu, rendaient à peu près impossible la mise en scène et le décor, se tenaient souvent très mal, échangeaient des injures avec le parterre, et provoquaient des incidents comiques. Un jour l'ombre de *Ninus* ne put passer. Une autre fois, un messager ne put arriver jusqu'à *Childéric*, bien que la salle criât : « Place au facteur » !

l'auteur; sa femme, fille d'actrice, jouait à merveille. Son théâtre était machiné comme un opéra.

LA TROUPE
DE CLERMONT.

De toutes les troupes d'amateurs, la plus curieuse fut celle du prince-abbé de Clermont. Il avait renoncé aux armées depuis qu'on lui avait refusé le commandement du siège de Berg-op-Zoom; il conduisit ses aides de camp dans sa maison de Berny, pour leur faire jouer la comédie. Entouré de libertins comme lui et de filles de théâtre, spirituel, point du tout lettré, ignorant l'orthographe, mais épris de littérature, il se donna des airs d'auteur. Quand son fournisseur théâtral, le sieur Collé, écrivit *Barbarin ou le Fourbe puni*, il laissa dire que c'était « la pièce du prince ». Ses frères et ses cousins lui reprochaient de se commettre avec des gens de plume. Pour se venger de cette impertinence, Duclos et d'Alembert le firent entrer à l'Académie Française.

LES PARADES.

Le triomphe du théâtre de Clermont fut un genre nouveau, la « parade ». Des grands seigneurs, Maurepas, Caylus, le comte d'Argenson et le chevalier d'Orléans avaient pris goût aux parades des foires Saint-Germain et Saint-Laurent. Collé imagina d'en composer pour la scène. C'étaient des bouffonneries semblables à celles de nos cafés-concerts. Des grandes dames s'amusaient à s'habiller en maîtresses de cafés, et des grands seigneurs, vêtus d'une veste et coiffés d'un bonnet blanc, à s'entendre appeler « Garçon ». Ce fut, d'ailleurs, le moment où des dames s'avisèrent de transformer leurs salons en « cafés ».

V. — LES ARTS[1]

LES PÉRIODES
DE L'ART
DU XVIIIᵉ SIÈCLE.

ON a vu, pendant les dernières années de Louis XIV et surtout au temps de la Régence, l'art se tranformer, Watteau rompre avec les traditions, un nouveau style naître en architecture, en peinture et dans les modes. Ce style règne depuis la fin de la Régence

1. Sources. *Procès-verbaux de l'Académie royale de peinture et de sculpture*, publiés par De Montaiglon, aux t. V et VI, Paris, 1883-1885. *Correspondance des directeurs de l'Académie de France à Rome avec les surintendants des Bâtiments*, publiée par De Montaiglon et Guiffrey, t. VI à X, Paris, 1896-1900. *Mémoires inédits sur la vie et les ouvrages des membres de l'Académie royale de peinture et de sculpture*, publiés par Dussieux, Soulié, etc., 2 vol., Paris 1854. Mariette, *Abecedario et autres notes inédites de cet amateur sur les arts et les artistes*, publié par De Chennevières et De Montaiglon, Paris, 1851-1860, 6 vol. Abbé Du Bos, *Réflexions critiques sur la poésie et la peinture*, 1ʳᵉ éd., 2 vol., Paris, 1719. Le P. André, *Essai sur le Beau*, 1ʳᵉ éd., Paris, 1749.

Boffrand, *Livre d'architecture...*, Paris, 1745. J.-F. Blondel, *Architecture française, ou recueil de plans... des églises, maisons royales, palais, hôtels,... bâtis par les plus célèbres architectes*, 4 vol., Paris, 1752-1766. Id., *Distribution des maisons de plaisance*, 2 vol., Paris, 1738. Id., *Discours sur la nécessité de l'étude de l'architecture*, Paris, 1747. Patte, *Monuments érigés en France en l'honneur de Louis XV*, Paris, 1765. *Livre-journal de Lazare Duvaux*, publié par

jusque vers le milieu du siècle, où les artistes français retourneront au goût de l'antique et seront encouragés par Diderot et par Rousseau à l'amour de la nature et de la vertu. C'est entre ces deux dates qu'il faut étudier ce qu'on appelle l'art xviii° siècle, ou mieux l'art Louis XV.

Depuis le temps de Louis XIV et de Colbert, la direction des Arts n'a pas changé ; ils sont administrés par un Directeur des bâtiments ; ce titre a remplacé celui de surintendant général[1]. Le Directeur ne relève que du Roi ; il a sous ses ordres un premier commis, des trésoriers, des intendants, des contrôleurs, un premier peintre et un premier architecte du Roi. Il fait les commandes, accorde les pensions et les logements d'artistes au Louvre ; de lui dépendent les Académies de peinture et d'architecture et l'Académie de France à Rome, où les élèves « travaillent pour le Roi ».

LA DIRECTION DES ARTS.

L'Académie de peinture et de sculpture continue à enseigner, à distribuer des récompenses et à choisir les élèves pour l'École de Rome. Ses membres, académiciens ou agréés, sont seuls admis aux expositions officielles. L'Académie d'architecture, définitivement organisée en 1717, est un corps enseignant comme l'Académie de peinture et de sculpture. Ces Académies conservent la doctrine classique, fondée sur la double imitation de l'antiquité grecque et romaine et de l'art italien des xvi° et xvii° siècles. Raphaël, Carrache

LES ACADÉMIES, LA DOCTRINE.

Courajod (avec une ample introduction), Paris, 2 vol. M. Fenaille. *État général des tapisseries de la manufacture des Gobelins depuis son origine jusqu'à nos jours. — XVIII° siècle,* 2 vol., Paris, 1904-1907.

Ouvrages a consulter. Ch. Blanc, *Histoire des peintres de toutes les écoles, École française,* 3 vol., Paris, 1862 (A consulter avec précaution). E. et J. de Goncourt, *L'art du XVIII° siècle,* 3° éd., 2 vol., Paris, 1880-83. André Fontaine, *Les doctrines d'art en France... de Poussin à Diderot,* Paris, 1909. Lady Dilke, *French painters of the XVIII*[th] *Century,* Londres, 1900, Id., *French architects and sculptors...,* Londres, 1900. Id., *French furniture and decoration...,* Londres, 1902. Id., *French engravers and draughtsmen...,* Londres, 1903. Gonse, *La sculpture française depuis le XIV° siècle,* Paris, 1894, Id., *Les chefs-d'œuvre des musées de France, la Peinture,* Paris, 1900 ; *la Sculpture,* Paris, 1904. Courajod, *Leçons professées à l'École du Louvre,* publiées par H. Lemonnier et A. Michel, t. III, Paris, 1903. Havard, *Dictionnaire de l'ameublement et de la décoration,* 4 vol., Paris, s. d. Bouilhet, *L'orfèvrerie française,* Paris, 1908. Molinier, *Histoire des arts industriels. Le mobilier aux XVII° et XVIII° siècles,* Paris, 1899 ; Dussieux, *Le château de Versailles,* t. II, Paris, 1886. De Nolhac, *Le château de Versailles sous Louis XV,* Paris, 1898. De Champeaux, *L'art décoratif dans le vieux Paris,* Paris, 1898. Guiffrey, *Histoire de la tapisserie,* Tours, 1886. Vogt, *La porcelaine,* Paris, 1893. Lefébure, *Broderie et dentelles,* Paris, 1887. A. Michel, *Les arts en Europe* (au xviii° siècle), dans l'*Histoire générale,* publ. sous la direct. de Lavisse et Rambaud, t. VII. Le Chevallier-Chevignard, *Hist. de la porcelaine de Sevres,* Paris, 1909.

Mantz, *François Boucher, Lemoyne et Natoire,* Paris, 1880. De Nolhac, *Nattier.* Paris, 1904. A. Michel, *François Boucher,* Paris, 1886. G. Kahn, *F. Boucher,* Paris, 1904. Ed. Pilon, *Chardin,* Paris, 1908. G. Schefer, *Chardin,* Paris, 1903. A. Dayot, *Chardin, sa vie, son œuvre, son époque,* Paris, 1907. E. de Goncourt, *La Tour (Gaz. des Beaux-Arts,* 1867). Champfleury, *La Tour,* Paris, 1887. Tourneux, *La Tour,* Paris, 1904. Rocheblave, *Les Cochin,* Paris, 1893. Id., *Pigalle et son art* (Revue de l'Art ancien et moderne, nov. 1902). Roserot, *Bouchardon,* Paris, 1894, et dans la *Gaz. des B.-A.,* 1897-1906.

1. Le duc d'Antin, directeur à la mort de Louis XIV, l'est demeuré jusqu'en 1736. Ses successeurs furent Philibert Orry, de 1736 à 1745; Lenormant de Tournehem, oncle de Mme de Pompadour, de 1745 à 1754; Poisson de Vandières, frère de Mme de Pompadour, de 1754 à 1775.

et Poussin demeurent les grands maîtres et modèles. Les sujets donnés pour les « morceaux de réception » ou pour le concours des prix de Rome sont toujours pris dans la Bible ou dans l'antiquité païenne ; la grande peinture est encore la peinture d'histoire, profane ou sacrée [1].

En 1748 est fondée « l'École royale des élèves protégés », où des boursiers du Roi se préparent à l'Académie de Rome. Ils devaient lire ou entendre lire l'*Histoire universelle de Bossuet*, l'*Histoire ancienne* de Rollin, l'*Histoire des Juifs* du P. Calmet, des extraits d'Hérodote, de Thucydide, de Xénophon, de Tacite, de Tite Live, Homère, Virgile, Ovide et les auteurs qui ont écrit sur la Fable. Quand ils avaient trouvé un trait d'histoire offrant « un beau sujet pour la peinture ou la sculpture », ils devaient en faire des esquisses. Il semble donc que rien n'ait changé depuis le temps de Louis XIV et de Le Brun ; mais c'est une apparence.

LES NOUVELLES INFLUENCES.

L'autorité s'est affaiblie dans l'art, comme dans tout le reste ; celle du Directeur et des Académies n'est guère plus que nominale. Les mœurs ont prodigieusement changé ; avec la discipline, se sont évanouies la majesté et la gravité. On veut de la fantaisie, de la joie, de la volupté. Un nouveau public d'amateurs s'est formé, fermiers généraux, parlementaires, grands seigneurs, d'humeur libre, d'esprit éclectique, qui préfèrent l'art vibrant et lumineux de Titien et de Véronèse, ou celui de Rubens, ou l'art familier et réaliste des Pays-Bas, même de Rembrandt, à la gravité sereine de Raphaël et à la correction froide des Carrache. Or, les artistes vivent en relations étroites avec les amateurs, desquels ils dépendent plus encore que du Directeur des bâtiments, fonctionnaire d'un État appauvri et qui s'intéresse fort peu aux arts. Ils sont, d'ailleurs, mêlés au monde beaucoup plus que ne le furent leurs prédécesseurs du xviie siècle. Ils trouvent des inspirations dans les fêtes aimées par la Cour et par la Ville. Leur imagination est séduite par l'art brillant et « lubrique » de l'Opéra, par le décor, le costume et l'appareil éclatant de la mise en scène de ce théâtre de sensations. Les plus grands peintres ont travaillé pour l'Opéra. L'architecte décorateur, l'Italien Servandoni imagina un spectacle nouveau, une sorte de diorama mêlé de musique, arrangé pour faire valoir la beauté des costumes et des décors, les adresses de la machinerie et les lumières.

DOCTRINES ET GOÛTS OPPOSÉS.

Ainsi s'est formé, sous la direction classique officielle, un art en opposition avec le classicisme, et, bien que persiste une doctrine arrêtée, un art libre et de fantaisie. Cependant les théoriciens ne

---

1. Sur les Académies et la doctrine, voir *Hist. de Fr.*, t. VII, 2, p. 89-93.

cessent de prêcher le retour aux traditions saines. Les deux tendances opposées se rencontrent dans les « salons » du temps, c'est-à-dire dans les expositions, inaugurées au temps de Louis XIV, en 1673 probablement, et qui, interrompues en 1704, reprises trente ans après, devinrent bientôt bisannuelles. Les livrets de ces salons montrent que la plus grande place est restée à la peinture et à la sculpture académiques; mais le nombre s'accroît régulièrement des sujets familiers, réalistes, galants, auxquels va la sympathie du public. Le succès de l'art nouveau est plus sensible naturellement dans les expositions des jeunes, qui se font à la place Dauphine et attirent la foule, que dans les « salons » officiels réservés aux membres de l'Académie. D'ailleurs, il ne faudrait pas se laisser prendre aux titres des œuvres; les motifs antiques ne sont plus traités avec la gravité d'autrefois. Ils donnent prétexte à de brillants décors d'architecture et à des costumes éclatants; les personnages ont l'élégance et la désinvolture des marquis et marquises du temps. L'histoire ancienne — la Bible aussi bien que la mythologie — est traitée en « scènes galantes ».

Les architectes en réputation furent Robert de Cotte, Boffrand, Gabriel et Blondel[1]. L'architecture exprime nettement les deux directions de l'art. Dans les traités d'architecture, très nombreux, parmi lesquels il s'en trouve de Boffrand et de Blondel, prévaut la pure doctrine classique. On y invoque l'autorité de Vitruve et de ses disciples italiens, Vignole et Palladio; on y prescrit l'emploi des ordres et des proportions comme l'avaient pratiqué les purs classiques; on y parle de « la saine architecture ». La doctrine classique, on s'applique à la suivre dans la construction des monuments publics; les portails des églises, celui de Saint-Roch, celui des Petits-Pères, celui de l'Oratoire, celui de Saint-Thomas d'Aquin, achevés en 1736, en 1740, en 1745, auraient aussi bien pu être élevés par Le Mercier ou par Mansart; on y trouve en effet les colonnades, les frontons, les entablements, d'aspect sage et froid. Et déjà le portail de Saint-Sulpice, bâti de 1733 à 1745 sur les dessins de Servandoni, annonce le retour au classicisme; du moins, les partisans de l'ancienne doctrine s'empressent de le proclamer. Lorsqu'il fut question, en 1750, de créer la place Louis XV, aujourd'hui place de la Concorde, les projets présentés pour les constructions qui devaient l'encadrer s'éloignèrent à peine du style Louis XIV. Le projet de Gabriel,

L'ARCHITECTURE; LA TRADITION CLASSIQUE.

---

1. Robert de Cotte a vécu de 1656 à 1735; Boffrand, de 1667 à 1754; Gabriel, de 1698 à 1782; Blondel, de 1705 à 1774.

qui fut adopté, est inspiré de la colonnade du Louvre. La conception classique se retrouve dans l'École militaire, qui est aussi de Gabriel. Le grand ouvrage de Blondel, l'*Architecture française*, n'est guère autre chose qu'une apologie de l'art de Louis XIV étudié à la lumière des principes classiques.

DISPARITION
DU STYLE
LOUIS XIV.
Au contraire, dans l'architecture privée, toute trace du style Louis XIV a disparu. Les châteaux et les hôtels prennent un aspect moins solennel : plus de corps de logis en saillie ; plus d'ailes avancées ; une décoration extérieure aplatie et comme collée à la muraille, quelquefois un avant-corps sur la façade, en saillie légère, avec pilastres et fronton ; un air de simplicité élégante. Mais ce sont les intérieurs surtout qui sont changés. La transformation, commencée dans les premières années du siècle [1], s'achève. Auparavant, « on donnait tout à l'extérieur, à la magnificence... et l'on ignorait l'art de se loger commodément et pour soi ». Maintenant, on ne veut plus de pièces qui se commandent les unes les autres ; on ménage de petites galeries, de petits escaliers, cachés quelquefois dans la profondeur des murailles. Les jolis boudoirs, les « cabinets » se multiplient. Même le château de Versailles est profondément remanié.

En même temps qu'ils recherchaient le confortable, les architectes enlevaient à la décoration intérieure ses formes rigides. Boffrand décore l'hôtel Soubise, — aujourd'hui Palais des Archives nationales, — l'hôtel de Samuel Bernard, le château de Cramayel-en-Brie. A l'hôtel Soubise, les motifs de feuilles et d'attributs, les sujets tirés des fables de La Fontaine sont de vraies merveilles. Les mêmes fantaisies se retrouvent dans les chaires, les tribunes d'orgue, les « gloires », les baldaquins, les grilles des églises ; ici l'architecte Oppenord arrive quelquefois au ridicule [2] ; il imagine des chérubins qui jouent avec des mitres, des figures éplorées qui clignent de l'œil comme pour montrer que leur douleur n'est pas vraie. Ce furent les excès d'un style, que ceux qui ne l'aimaient pas appelaient le « style rocaille ». Des classiques reprochèrent aux artistes de « torturer » les choses, d'assouplir la matière « sous leur main triomphante », de forcer les corniches des marbres les plus durs à se prêter à des « bizarreries ingénieuses », de refuser aux balcons et aux rampes « le droit de passer droit leur chemin ». Mais le style rocaille ne commit pas en France les mêmes excès qu'en d'autres pays ; même, il fut souvent délicieux. La décoration des appartements du Dauphin au château de Versailles, refaits en 1747, comme celle du cabinet

---

1. Voir plus haut, p. 73.
2. Oppenord est né en 1672, mort en 1742.

du Roi, exécutée en 1755 et 1756, sont d'une élégance exquise [1].

Meissonier [2], « le grand Meissonier », donne dans ses traités ou recueils d'architecture, de mobilier ou d'orfèvrerie, des modèles sans nombre aux fabricants et aux ouvriers. Les ouvriers d'alors sont de vrais artistes : Cayeux est habile aux ornements de corniches et aux « chutes » de fleurs ; La Joue dégage d'un panneau des chevaux échappés, des dragons ou des motifs de chasse. Dans le mobilier travaillent avec Cressent, Vassé, Crémer et OEben. C'est le temps de la grande vogue des meubles de Cressent, commodes, chiffonniers, secrétaires, meubles en bois de rose avec dispositions en arêtes, en damier ou en losanges, meubles en citronnier encadrés de filets blancs, meubles en bois teints formant mosaïque, toujours avec des formes souples et des angles arrondis.

Deux nouveautés eurent alors grand succès, l'acajou et le vernis Martin. En 1720, un médecin de Londres, M. Gibsons, se fait faire un bureau en acajou, pour utiliser des billes de bois qui ont servi de lest sur un navire ; la couleur rouge et la variété des veines font la fortune de l'acajou. Comme la mode était aux laques de Chine et du Japon, les ébénistes envoyaient des meubles en Orient pour les faire laquer ; mais les frères Martin demandèrent à fabriquer eux-mêmes des laques, et un arrêt du Conseil, en 1744, leur en donna le privilège pour vingt ans. Alors les lambris, les meubles, les plafonds, les carrosses, les chaises à porteur furent vernissés. La passion du vernis est telle qu'à Versailles on en recouvre d'admirables lambris en marqueterie exécutés naguère par Boule. Les frères Martin furent appelés à l'étranger ; c'est à Potsdam, dans les collections du grand Frédéric, qu'il faut aujourd'hui chercher les plus beaux modèles de leurs décors.

Le mobilier du temps charme par son aspect de richesse, d'élégance, de légèreté, de grâce un peu « précieuse ». Les mémoires de Luynes décrivent la chambre de la Dauphine, à la date de 1745. Le lit était d'une étoffe cramoisie, tissée de fleurs d'or et de dauphins d'argent ; les fauteuils, les tabourets, les écrans et les chaises, d'étoffe semblable. A l'hôtel d'Évreux, Mme de Pompadour tendit son grand salon de tapisseries des Gobelins, encadrées dans une menuiserie d'art ; chacun des rideaux de ses fenêtres avait coûté de cinq à six

1. Les éditions qui se sont succédé de 1691 à 1750 du *Dictionnaire d'architecture* de d'Aviler permettent de constater l'introduction successive de nouveautés. Tout ce qui concerne la construction demeure sans changement ; mais des chapitres sont ajoutés pour la décoration. Les éditeurs disent : « On a tellement modifié les cheminées et les lambris, et les plans des maisons ... que ... »

2. Voir plus haut, p. 73.

3. Cressent, né en 1693 (?), mort en 1765. Voir plus haut, p. 73.

mille livres. Sur l'*État des meubles* de la comédienne Desmares, dressé en 1746, figurent des tapisseries de cuir argenté, des tentures de velours d'Utrecht garnies de galons d'or, des portières des Gobelins, des lits « à la romaine » et des tapis de Turquie. La Desmares avait des sophas en bois doré, des « chaises à la Reine », des tables en palissandre, en marbre de brèche, en albâtre, en faïence de Delft et en porcelaine du Japon ou de Chine ; des toilettes en porcelaine de Chine et en vermeil ; une commode dorée d'or moulu avec dessus de marbre de Sicile ; un clavecin et une pendule en marqueterie ; des tableaux de Desportes ; son propre portrait peint par Coypel ; des médaillons ; des estampes, des écrans de tapisserie, des faïences, des bronzes, des figurines en porcelaine de Saxe, mille brimborions de luxe et d'art, souvenirs d'amis illustres.

Le président Hénault avait deux salons communiquant par une baie à colonnes, dont l'un pouvait être accommodé en scène pour jouer la comédie. Le moins grand était décoré de boiseries où les tableaux alternaient avec les glaces ; le plus grand avait huit glaces garnissant des trumeaux, huit tableaux au-dessus des glaces, et deux autres encore, au-dessus des portes. Les portières étaient en damas cramoisi ; un lustre en cristal de Bohême pendait au plafond. Avec cela, des consoles en bois sculpté et doré, des fauteuils, des chaises, des tabourets, des bergères en bois doré, une pendule de Mathieu dans sa boîte, des figures de Saxe et des porcelaines de vieux Chine.

L'art des ciseleurs et des orfèvres donna de jolis bibelots — boîtiers de montres, tabatières, pommes de canne, manches de couteau — et des œuvres de grand luxe [1]. Thomas Germain exécuta des « toilettes » pour les reines et les grandes dames, des vaisselles pour les rois, des orfèvreries pour les chapelles. Roettiers fit un service de vaisselle pour la Dauphine en 1745, et, quatre ans plus tard, un grand surtout pour l'Électeur de Cologne, — une triple chasse au cerf, au loup et au sanglier. — Philippe Caffieri a ciselé les bordures dorées des grands miroirs que Louis XV envoya au Sultan en 1742.

Presque autant que le bijou, la broderie et la dentelle étaient œuvres d'art. Dans les habits, la broderie employait l'or et l'argent en fils, en grains et en paillettes, et la soie torse ou plate. Même de petits rubans comme ceux qui servent de signets dans les livres étaient brodés. La broderie passa des habits aux meubles et aux carrosses. La dentelle orna les déshabillés galants, les dessus de lit, les garnitures de draps ou d'oreillers : dentelles d'Alençon dont les fonds à mailles étaient en bride tortillée ; dentelles de Valenciennes,

---

1. Les hommes portaient alors des bagues, des boucles à leurs souliers, des boites et des étuis d'or ou d'argent dans toutes leurs poches. Cette mode enrichissait les ouvriers d'art.

sans relief, recherchées pour les déshabillés; dentelles de Chantilly, un des plus jolis produits de l'Ile-de-France.

La fabrication de la faïence et de la porcelaine fut une industrie très prospère. Les faïenciers de Rouen exécutaient sur leurs plats des scènes de l'Ancien Testament, des motifs mythologiques ou simplement des bordures décoratives; ils faisaient des vases de cheminée, des fontaines et des brocs à cidre. Ceux de Strasbourg donnèrent le ton dans tout l'Est; ceux de Marseille travaillèrent dans le goût de Strasbourg, mais avec un coloris plus pâle et un dessin plus recherché.

FAÏENCES ET PORCELAINES.

Vers 1740, on s'inquiéta en France des progrès que la fabrication accomplissait en Saxe et en Angleterre; en Saxe, Bœttcher avait trouvé le secret de la porcelaine dure et commencé la fortune de la célèbre manufacture de Meissen. Une société privilégiée se forma donc à Vincennes, sous le nom du Sr Adam, avec protection et subsides du Roi; elle eut le peintre Bachelier pour directeur artistique; le chimiste Hellot y chercha les couleurs du grand feu et le céramiste Gravant la perfection des blancs dans les vases ornés de reliefs et dans les groupes en biscuit. Vincennes produisit surtout des fleurs en porcelaine sur feuillage de bronze. Mme de Pompadour encouragea la fabrique de Vincennes, mais surtout celle de Sèvres, fondée en 1760, et qui bientôt luttera avec succès contre ses rivales de l'étranger.

On peut distinguer dans la peinture de ce temps quatre genres : la peinture galante, la peinture académique, la peinture de portraits, la peinture réaliste et bourgeoise. Beaucoup d'artistes, d'ailleurs, travaillèrent en plusieurs genres.

LES GENRES DE PEINTURE.

Watteau eut pour continuateurs Lancret et Pater[1]. Ces deux peintres « galants » avaient dans l'imagination plus de fantaisie que de poésie; leur art se rapproche, plus que celui de Watteau, de la vie réelle. Leurs bals élégants et leurs bergeries furent très admirées.

PEINTURE GALANTE.

Les peintres académiques étaient nombreux et féconds. De Troy peignit, de 1722 à 1752, cent soixante toiles. Van Loo[2] a peint, dans le chœur de Notre-Dame des Victoires, sept tableaux de six mètres sur cinq. La superficie du *plafond d'Hercule*, de Lemoyne[3], à Versailles, qui est d'ailleurs une chose admirable, est de plus de cent mètres carrés. Les sujets ordinaires de ces toiles sont pris dans l'his-

PEINTURE ACADÉMIQUE.

1. Lancret est né en 1690 et mort en 1743; Pater est né en 1695 et mort en 1736.
2. De Troy est né en 1679 et mort en 1752; Van Loo est né en 1705 et mort en 1765.
3. Lemoyne est né en 1688 et mort en 1787.

toire, la mythologie ou la poésie, grecques ou romaines, comme l'*Énée et Anchise*, de Van Loo, les *Aventures de Psyché*, de Natoire, et le *Vulcain et Vénus*, de Boucher, à l'hôtel de Soubise; ou bien dans l'histoire chrétienne, comme le *Jésus sortant du tombeau* et les scènes de la *Vie de saint Augustin*, de Van Loo encore, qui sont à Notre-Dame des Victoires. Le plus souvent, les tableaux destinés aux églises ne sont que des variations profanes sur des thèmes religieux; la Sainte Vierge y est mièvre autant que pudique; les saints ressemblent à des Hector ou à des Ulysse, et les anges, joufflus et potelés, à des amours ou à de petits génies antiques. Les peintres académiques peignirent aussi des scènes de la vie élégante : de Troy un *Déjeuner d'huîtres*;. Van Loo, un *Déjeuner de chasse*, et puis des bergeries et des portraits, et puis et surtout des dessus de portes, des lambris, comme on en voit à l'hôtel de Soubise et à la Bibliothèque nationale. Leur art est facile, charmant et superficiel.

LES PORTRAITS. Les portraits eurent une grande vogue. Rigaud et Largillière [1], survivants du temps de Louis XIV, en continuèrent la tradition grave, mais assouplie par les changements des modes et des physionomies, Nattier [2], plus jeune qu'eux, aime la peinture allégorique; il peint Mme de Maison-Rouge en Vénus attelant des pigeons à un char; Mme Geoffrin en nymphe dévêtue; Mme de Châteauroux en déesse de la Force, une torche dans une main, une épée dans l'autre, les épaules et la gorge sortant nues d'une cuirasse autour laquelle est nouée une peau de tigre. D'ailleurs Nattier savait très bien trouver et exprimer la vérité physique et morale de ses personnages.

QUENTIN LA TOUR. Tout différent fut Quentin La Tour [3]. Il n'avait pas reçu d'éducation régulière; son père, musicien de l'église collégiale de Saint-Quentin, l'avait envoyé à Paris sans argent. Lors des fêtes du sacre, en 1722, il se faufila auprès de l'ambassadeur d'Angleterre, dont il fit le portrait, et qu'il suivit à Londres, où il étudia les portraits de Van Dyck et ceux du Hollandais Peter Lely, qui avait peint des centaines de ladies. La Tour est un réaliste. Une seule fois, peut être, il a déployé une mise en scène autour d'un portrait; sa Pompadour est assise dans un fauteuil, tenant un cahier de musique et s'appuyant à une table, où sont rangés des volumes, au dos desquels sont écrits les titres : *Esprit des Lois*, *Henriade*, *Pastor fido*, *Encyclopédie*, *Pierres gravées*. Presque tous les personnages de La Tour sont présentés tels qu'ils étaient dans la vie de tous les jours : Marie Leczinska en costume ordinaire, la main sur l'éventail; Rousseau assis sur une

---

1. Rigaud est né en 1659 et mort en 1743; Largillière est né en 1656 et mort en 1746.
2. Nattier est né en 1685 et mort en 1766.
3. Quentin La Tour est né en 1704, et mort en 1788.

chaise vulgaire. La Tour s'est peint lui-même en chemise de nuit avec sa casaque de travail et sans perruque. Ses personnages, c'est tout ce qui comptait en son temps : Roi, Reine, Dauphin, favorite, maréchal de Saxe, philosophes, danseurs, danseuses. Il les a peints en pleine lumière, avec netteté, avec précision. Cette peinture admirablement vraie a pourtant comme un charme vaporeux qu'elle doit à la délicatesse de la main si fine de l'artiste et à l'emploi du pastel, qui se prête à l'exécution légère et comme fluide.

Le peintre qui représente le mieux l'art du XVIIIᵉ siècle est François Boucher [1]. Il a fait de la peinture académique, et, par exemple, un *Evilmérodach, fils de Nabuchodonosor, délivrant Joachim des chaînes dans lesquelles son père le retenait*; mais c'était un sacrifice à l'usage traditionnel et aux prix de l'Académie. Il préférait la mythologie : le *Soleil chassant la Nuit*, peint au plafond de la Salle du Conseil à Fontainebleau, *Vénus commandant à Vulcain des armes pour Énée*, *Vénus appuyée sur Cupidon pour entrer au bain*, la *Naissance de Vénus*, *Diane sortant du bain*. Comme on aimait les amours, il en a mis partout, un *Amour visiteur*, un *Amour moissonneur*; ses *Éléments*, ses *Saisons*, ses *Génies* sont encore des amours. Il est aussi le peintre des bergers et des bergères, vêtus de satin bleu ou blanc et poudrés, et qui vivent dans des paysages d'un bleu verdâtre où des pigeons se becquètent. Mais Boucher nous a laissé aussi des scènes de la vie mondaine, de belles dames vêtues de fourrures, des femmes à leur toilette, et de vrais paysans, et de vrais paysages, ceux des environs de Beauvais. Il a dessiné les *Cris de Paris*. Il s'est essayé à des chinoiseries et il a brossé des décors de théâtre. Tout ce qu'aimait son temps se retrouve dans son œuvre, y compris le libertinage sensuel, qui plaisait au Montesquieu des *Lettres persanes*, à Voltaire, et surtout à Diderot, bien que celui-ci fût l'homme de la vertu. Si l'on place les œuvres de Boucher dans les milieux auxquels elles furent destinées, ces pièces à demi hautes lambrissées et peintes de couleurs très pâles, où les panneaux se profilent en moulures capricieuses, où la menuiserie d'art prodigue ses coquilles et les fleurs de ses guirlandes, où lignes et sculptures se détachent en or mat sur fonds blancs, bleutés, verts d'eau, lilas, rosés, on voit quel exact témoin de son temps est cet artiste spirituel, élégant, voluptueux, et qui aimait la grande vie.

Il est encore de son temps par son abondance, sa facilité, sa rapidité qui ne lui permirent pas de chercher le fond des choses. Il peint trop et trop vite, comme beaucoup d'écrivains ses contemporains

FRANÇOIS BOUCHER.

1. Boucher est né en 1703 et mort en 1770.

ont écrit trop vite et trop. Boucher a laissé dix mille dessins, mille tableaux ou esquisses. Comment aurait-il pu étudier la nature, méditer et rêver sur elle? Il n'est donc pas un peintre « vrai » : « Cet homme a tout, excepté la vérité », disait Diderot, qui pourtant avait rendu justice à ses mérites : « Quelles couleurs! quelle variété! quelle richesse d'objets et d'idées ».

CHARDIN.

Chardin[1] est le grand artiste de ce moment du siècle. Fils d'ouvrier, il a travaillé dans quelques ateliers de peintres en vue, mais il n'est en réalité l'élève de personne. Il est un exact et perspicace amateur de la nature; il a peint les natures mortes, des poissons encore gluants de l'eau de mer, une raie pendue au croc, des gibiers, des fruits; peut-être n'est-il surpassé en ce genre que par Rembrandt. Mais il est surtout le peintre des scènes de la vie modeste et réelle : une *Mère laborieuse*, qui montre à broder à sa fille; une mère qui, devant la soupe fumante, récite le *Benedicite*, que répètent deux charmants vrais enfants; une *Pourvoyeuse* qui rentre du marché et va poser son paquet sur la table. Ses intérieurs sont ceux de la petite bourgeoisie; les murs sont à peine décorés et les meubles tout simples; mais cette simplicité est relevée par le goût délicat et la distinction qui se retrouvent dans toutes les choses du temps. Chardin est « peut-être, disait Diderot, un des premiers coloristes de la peinture ». A soixante-dix ans, il se mit au pastel. Il s'est peint, coiffé d'un bonnet blanc à visière verte; par-dessus de grosses besicles, il regarde. La lumière joue sur le front, les pommettes et le bout du nez pincé par les besicles. La figure est large, puissante, fermement modelée, réfléchie, fine. Le grand mérite de Chardin, comme celui de La Tour, c'est la vérité. Il a travaillé comme s'il n'y avait eu d'académie ni à Paris, ni à Rome. Ce fut un grand mérite encore que le sentiment si profond qu'il eut de la poésie intime et de la pureté morale que recèle la vie humble. Chardin s'inspirait de la « muse silencieuse et secrète », dont parle Diderot; elle lui suggéra ce retour à la nature, au sérieux, à la vertu.

LA SCULPTURE.

La sculpture était très appréciée au XVIIIᵉ siècle; les commandes du Roi, des riches particuliers et des églises abondaient. Le public, épris de pittoresque, aimait la variété des matières employées par les artistes — le marbre, le bronze et la terre cuite, — et la liberté et l'éclat de leur style.

LES COUSTOU.

Neveux et disciples de Coysevox, les deux Coustou[2], Nicolas et Guillaume ont gardé les traditions de l'art de Louis XIV, en y intro-

1. Chardin est né en 1699 et mort en 1779.
2. Nicolas Coustou est né en 1658 et mort en 1733; Guillaume Coustou est né en 1677 et mort en 1746.

duisant de la souplesse, du mouvement et de la « sensibilité ». La sculpture du XVIIIe siècle tendait à une sorte d'allure passionnée, comme on le voit par les *Chevaux du Soleil* de Robert de Lorrain, à l'hôtel de Rohan, et par les *Chevaux de Marly*, de Guillaume Coustou, aujourd'hui à l'entrée des Champs-Élysées.

Bouchardon [1] a sculpté et gravé, fait des monuments en même temps que des bustes, publié une suite d'estampes, les *Cris de Paris*, donné des modèles de monnaies royales, illustré des livres. Il avait l'instinct de la vérité et l'amour de la forme humaine vivante. Il a fait un très curieux effort pour concilier la nature et la tradition classique. On le voit, dans ses dessins préparatoires, observateur scrupuleux de la nature; mais, dès qu'il les fait passer dans le marbre, il interprète ses figures et les idéalise. Pour la statue équestre du Roi, destinée à la place Louis XV et que détruisit la Révolution — il n'en reste qu'une réduction — il avait étudié le cheval en ses moindres détails et dessiné au vrai, d'après le modèle, des femmes, qui se transformèrent aux quatre angles du piédestal en Vertus, figures élégantes et fines, mais conventionnelles. Son œuvre principale est la Fontaine de la rue de Grenelle, grande composition architecturale et sculpturale, bien ordonnée, avec de gracieux morceaux, un peu froide. Il était, parmi les artistes de son temps, sérieux et grave; c'est pourquoi peut-être ce sculpteur de mérite fut jugé homme de génie par ses contemporains. Ceux-ci, bien qu'ils aimassent la fantaisie, le joli et le maniéré, respectaient l'idéal classique auquel ils allaient retourner. On pourrait dire qu'ils avaient des idées opposées à leurs goûts.

BOUCHARDON.

Pigalle appartient surtout à la seconde partie du siècle. En lui se retrouvent les deux tendances. Il est semi-classique dans le *Mercure attachant ses talonnières*, qui fut son morceau de réception à l'Académie, et dans le groupe de l'*Amour et l'Amitié* sculpté pour Mme de Pompadour; mais il se plaît au sensuel des formes alanguies et coulantes. Il est, du reste, un artiste capable, comme on verra plus tard, de monuments de solennelle allure.

PIGALLE.

Comme en peinture, la grande vogue en sculpture fut aux portraits. S'ils étaient réunis, les bustes composeraient une galerie de la société du temps. Les sculpteurs portraitistes sont des réalistes. Ils représentent les hommes avec un air d'aisance dégagée, les femmes avec un sourire de grâce spirituelle, et traitent avec une souplesse exquise les costumes, les perruques, les chevelures bouclées, tous les accessoires. Le grand sculpteur en bustes fut J.-B. Lemoyne [2]; ses

LES BUSTES.

1. Bouchardon est né en 1698 et mort en 1762.
2. J.-B. Lemoyne est né en 1704 et mort en 1778.

portraits de Louis XV, de Mlle Clairon, de Crébillon, etc., sont d'une souplesse de travail, d'une intensité de vie, d'une vivacité d'expression, qui rappellent les portraits de La Tour.

LA SCULPTURE DÉCORATIVE.

J.-B. Le Moyne est aussi l'auteur d'un tombeau de Mignard, dont les débris sont à l'église Saint-Roch à Paris ; la fille de Mignard, Madame de Fouquières, y est vêtue d'une robe chiffonnée, qui ne convient guère à sa douleur, et ses bras superbes se tordent sans qu'elle perde rien de sa grâce. C'est de la sculpture décorative et ornemaniste. Ce genre fut pratiqué par les Adam et surtout par les Slodtz, une famille flamande ; le plus célèbre des Slodtz, René-Michel Slodtz [1] — dit Michel-Ange — fut le maître de Houdon. Les Slodtz ont sculpté des chaires où sautillent les Vertus théologales, des monuments funéraires mélodramatiques et pittoresques. De Michel-Ange Slodtz est le tombeau du curé Languet de Gergy, à Saint Sulpice ; le curé est étendu sur un sarcophage : un squelette, le Temps avec la faux et le sablier symboliques, l'ange de la religion, des marbres jaunes, rouges, noirs et blancs chatoient en un style d'opéra.

LA GRAVURE.

La gravure fut aussi un art très aimé. Tantôt elle continue, comme avec les Drevet de Lyon, la tradition classique des beaux portraits historiques ; Pierre-Imbert Drevet [2] a gravé un admirable Bossuet. Mais, le plus souvent, le graveur interprète les œuvres des peintres — l'estampe a popularisé Watteau et Boucher —, ou bien il dessine et représente les scènes de la vie contemporaine. Charles Nicolas Cochin [3], fils du graveur de l'œuvre de Watteau, a débuté en 1736 par *Le feu d'artifice tiré à Rome pour la naissance du Grand Dauphin*. En 1739, il est entré aux *Menus Plaisirs du Roi* ; témoin de la vie de la Cour, il a gravé les cérémonies et fêtes officielles. Des graveurs comme Eisen et Gravelot ont illustré quantité de livres, buriné des frontispices, des fleurons, des culs-de-lampe, et des invitations, des programmes, des billets de théâtre, des annonces, des catalogues.

Ces artistes ressemblent aux écrivains leurs contemporains par leur imagination riante, aimable et gracieuse. Ils dessinaient comme on écrivait, d'un crayon facile, aiguisé, un peu sec. Leur œuvre, si abondante, révèle aux historiens les aspects divers de la vie au XVIIIe siècle. C'est peut-être la gravure et l'illustration des livres qui donnent le mieux l'idée de cette société élégante, sensuelle, libertine et qui, si légèrement, jouissait de la vie.

1. R.-M. Slodtz est né en 1705 et mort en 1764.
2. P.-I. Drevet est né en 1697 et mort en 1739.
3. Ch.-N. Cochin est né en 1698 et mort en 1759 (?).

La musique [1] tient une place importante dans la vie intellectuelle de la nation. Le goût musical s'est notablement développé depuis que les cantates et les sonates ont été importées d'Italie; malgré la boutade de Fontenelle — « Sonate, que me veux-tu ? » — la musique pure, sans atteindre à la popularité de l'opéra [2], commence à compter des amateurs passionnés. Les expériences d'acoustique et les divers systèmes d'harmonie provoquent, parmi les savants et les théoriciens, de vives controverses. A l'apparition de toute œuvre marquante, les esthétiques différentes se formulent dans de   randes « querelles » musicales, où des écrivains et des philosophes bataillent aux côtés des musiciens. *LA MUSIQUE.*

Jean-Philippe Rameau [3] domine toute cette époque. Son père, l'organiste Jean Rameau, dirigea sa vocation musicale par une éducation attentive et sévère. Rameau quitta le collège des Jésuites au sortir de la quatrième, fit en 1701 un très court voyage en Italie, puis mena pendant vingt ans une existence errante à travers la France, exerçant son métier d'organiste à Avignon, à Clermont-Ferrand, à Paris, à Dijon, à Lyon. Au début de 1723, il se fixe définitivement à Paris. *RAMEAU.*

C'est surtout comme théoricien qu'il se fit d'abord connaître, et il préféra toujours sa réputation de savant à sa gloire d'artiste. Il publia en 1722 un *Traité de l'Harmonie réduite à ses principes naturels*, qui fit grande impression parmi les savants et les philosophes. Jusqu'à la fin de sa vie, il ne cessa d'écrire pour défendre ses idées et pour compléter ou perfectionner son « système ». Ce système, résumé par d'Alembert en 1752 dans ses *Éléments de musique théorique et pratique suivant les principes de M. Rameau*, porte bien la marque de l'esprit du siècle; il substitue la raison et l'expérience aux traditions incohérentes de l'ancienne théorie musicale. Par le principe de la « basse fondamentale » et du « renversement » des accords, l'harmonie se trouve à la fois enrichie et simplifiée. Aussi Rameau reçut-il d'un de ses contemporains ce compliment qu'il était « aussi grand philosophe que grand musicien ». *SON ŒUVRE THÉORIQUE.*

Avant d'arriver à Paris, Rameau n'avait encore composé que son *Premier livre de Pièces de Clavecin*, paru en 1706, quelques cantates *SON ŒUVRE D'ARTISTE.*

1. OUVRAGES A CONSULTER. Chouquet, *Histoire de la musique dramatique en France*, Paris, 1873. D'Indy, *Lulli, Destouches, Rameau* (Minerva, 1902). Laloy, *Ph. Rameau*, Paris, 1908. L. de la Laurencie, *Rameau*, Paris, 1908. Font, *Essai sur Favart*, Toulouse, 1894. Pougin, *Rousseau musicien*, Paris, 1901. Id., *Monsigny et son temps*, Paris, 1909. E. Dacier, *Une danseuse sous Louis XV, Mlle Sallé*, Paris, 1909.

2. Parmi les prédécesseurs immédiats de Rameau dans le genre de ''opéra, il faut citer Destouches, qui, en 1725, donne en collaboration avec Lalande le ballet des *Éléments*, Mouret, « le musicien des Grâces », et Montéclair, dont l'opéra biblique de *Jephté* précède d'un an la première représentation d'*Hippolyte et Aricie*.

3. Il est né à Dijon en 1683, et mort en 1764.

et peut-être quelques pièces d'orgue. A Paris, il aurait voulu débuter à l'Opéra ; mais il dut se contenter d'abord de travailler pour les théâtres qui jouaient aux foires célèbres de Saint-Germain et de Saint-Laurent. La protection du financier La Popelinière lui permit enfin de trouver un librettiste ; en 1733, à l'âge de cinquante ans, il débutait à l'Opéra par *Hippolyte et Aricie*. L'harmonie savante de sa musique, l'originalité de ses mélodies, la nouveauté de l'instrumentation déchaînèrent contre lui le parti des vieux Lullistes. Un instant découragé, il continua la lutte par *les Indes galantes, Castor et Pollux, Dardanus* ; il conquit la faveur royale avec *La Princesse de Navarre* jouée en 1745, et donna la même année *Platée*, qui est un véritable opéra-comique avant la lettre. En vingt-trois ans, il composa près d'une trentaine d'opéras ou de ballets. Rameau, sans guère modifier le cadre ni les formes de l'opéra de Lulli, l'a renouvelé par la richesse de son invention tour à tour gracieuse et vigoureuse. Il est un des plus grands musiciens de la France.

Lullistes et Ramistes se réconcilièrent pour défendre la musique française contre l'invasion étrangère. En 1752, des acteurs italiens jouèrent à Paris *la Serva padrona* de Pergolèse et quelques autres « opéras-bouffons ». Cette musique légère produisit un tel effet que Paris en oublia pour un temps le Parlement et le Jansénisme.

Rousseau et les Encyclopédistes intervinrent dans la querelle qui s'éleva. Rousseau écrivit en 1753 sa *Lettre sur la musique française* ; il y déclare que la langue française n'ayant ni mesure, ni mélodie, les Français « n'ont point de musique, et n'en peuvent avoir », et que le chant français n'est qu'un aboiement continuel. Dans son *Essai sur l'Origine des Langues*, il attribue la même incapacité aux Allemands et aux Anglais, pour la même cause, et cela trois ans après la mort de Sébastien Bach, et au moment ou Hændel payait par des chefs-d'œuvre l'hospitalité que lui donnait l'Angleterre. Rousseau ne croyait pas même les Français capables d'imitation. Cela n'empêcha pas qu'ayant composé avant cette polémique *le Devin de Village*, et, ne voulant pas avoir perdu sa peine, il le fit représenter. Les chants simples et expressifs du *Devin* eurent un grand succès ; Rousseau s'était donc donné à lui-même un démenti. Au reste, ce n'était pas sans raison qu'il reprochait à l'Opéra français sa mythologie surannée, ses ballets conventionnels, son orchestre trop bruyant et qu'il réclamait des œuvres musicales plus humaines et plus touchantes. Les Encyclopédistes ont émis dans cette discussion beaucoup d'idées très pénétrantes qui annoncent le drame lyrique moderne ; mais ils ont méconnu la valeur et le pouvoir de la musique symphonique.

La Vie intellectuelle.

Les défenseurs de la musique française se rangeaient au théâtre sous la loge du Roi; c'était le « coin du Roi ». Les partisans des Italiens formaient en face d'eux le « coin de la Reine »; les deux « coins » ne cessaient d'échanger pamphlets et invectives. Il fallut l'intervention royale pour mettre fin à la lutte; au commencement de l'année 1754, Manuelli et sa troupe furent expulsés de France.

Rameau n'eût pas de rivaux véritables dans le genre de l'opéra. Il faut pourtant mentionner parmi ses contemporains Mondonville, dont l'opéra de *Titon et l'Aurore*, joué en 1753, fut défendu avec acharnement par le « Coin du Roi », et Philidor, l'auteur d'*Érnelinde*, joué en 1761; mais ce dernier s'exerça surtout dans l'opéra-comique. Ce genre mixte, caractérisé par l'alternance du parlé et de la musique, a son origine dans les comédies en chansons que l'on jouait au théâtre de la Foire. D'abord forcé de défendre son existence contre l'opéra, la comédie française et la comédie italienne, il se développa rapidement grâce au directeur du théâtre, Jean Monnet. Avec les *Troqueurs* de Vadé, musique de Dauvergne, joués en 1753, l'opéra-comique français se trouve définitivement établi. En 1762 le nouveau théâtre s'installe à l'Hôtel de Bourgogne, où Philidor, Gossec, Monsigny et Grétry, s'inspirant à la fois de l'opéra français et des intermèdes italiens, vont donner des œuvres charmantes, d'un caractère tout nouveau et, selon le goût du temps, touchantes autant que spirituelles. *Le Déserteur* de Monsigny, en 1769, est le type du genre. Après la mort de Rameau, l'opéra-comique semblera l'unique expresssion de la musique française, jusqu'au moment ou Gluck viendra s'établir en France [1].

---

1. Au même temps, l'art de la danse mit, lui aussi, aux prises le goût italien et le goût français. En 1726 parut à l'Opéra la danseuse Camargo. D'une vieille famille de Rome qui, à l'en croire, comptait un archevêque, un évêque et un cardinal, elle avait fait ses débuts sur les théâtres de Bruxelles et de Rouen. Agée de seize ans, point belle de visage, elle avait les pieds, les jambes, la taille, les bras et les mains d'une forme parfaite, et, de plus, une vigueur, une fougue et un imprévu qui firent qu'aussitôt le public l'idolâtra. Elle substitua à la danse noble et convenue dont Mlle Sallé était la muse, une danse fantaisiste que ses adversaires appelèrent « gigotage ». Elle osa raccourcir ses jupes, afin de mettre les amateurs en état de mieux juger de ses pas; ce qui mit aux prises les Jansénistes et les Molinistes du parterre, ceux-là tenant pour la jupe longue, et ceux-ci pour la jupe courte. Elle déplut aux traditionnalistes par son entrain, et la nouveauté audacieuse de son jeu; elle provoqua la jalousie des autres danseuses par le piquant qu'elle sut mettre, même dans les menuets. Durant vingt-cinq ans, sa réputation demeura considérable. Son cordonnier fit fortune, par la vogue qu'elle lui donna. Il n'était point de femme à la mode qui ne voulût être chaussée à la Camargo.

IV. — LES SALONS[1]

LE PÊLE-MÊLE
DES SALONS.

TOUT ce monde intellectuel, si vivant et divers, philosophes, écrivains, politiques, savants, gens de lettres, artistes se rencontrait dans les salons avec des grands seigneurs, des magistrats, des financiers et d'illustres étrangers de passage à Paris.

MADAME
DU DEFFAND.

Les premiers salons à la mode furent ceux de Mme du Deffand et de Mme de Tencin. La marquise du Deffand[2], d'une famille noble de Bourgogne, avait été mariée jeune à un mari qu'elle n'aimait pas, et de qui elle se sépara. Elle mena une vie galante dans la compagnie du Régent et de la duchesse du Maine, et se fit une grande réputation d'esprit. Elle tint salon rue de Beaune de 1730 à 1747, puis s'installa au couvent de Saint-Joseph, dans un bâtiment voisin de l'hôtel de Brienne, où se trouve aujourd'hui l'hôtel du ministre de la Guerre. C'était un usage du temps que les femmes de qualité, veuves ou séparées de leur mari, habitassent les parties « profanes » des couvents pour y jouir des agréments d'une demi-retraite.

Elle était curieuse de toutes les choses de l'esprit, d'un goût sûr, délicat, subtil, qui percevait le moindre ridicule. « enfant gâtée », caustique et médisante. Les plus célèbres de ses habitués furent les deux d'Argenson, le prince et la princesse de Beauvau, les maréchaux de Mirepoix et de Luxembourg, le président Hénault, qui fut un temps son chevalier servant, le président de Montesquieu, les Brienne, les Choiseul, Maupertuis, d'Alembert, la tragédienne Clairon. Les encyclopédistes ne fréquentèrent pas ce salon aristocratique. Rousseau y fut admis, mais ne s'y laissa point retenir : il haïssait en Mme du Deffand sa passion pour le bel-esprit, pour « l'importance

---

1. Sources. Du Deffand (*Correspondance*); Dufort de Cheverny, Hénault, Grimm (*Correspondance litt.*), *The letters of Horace Walpole*, déjà cités. Epinay (Mme d'), *Mémoires*, Paris, 1864, 2 vol. Lespinasse (Mlle de), *Lettres inédites*, p. p. Bonnefon (Revue d'histoire littéraire de la France, t. IV, 15 juillet 1897). Marmontel, *Mémoires*, Paris, Coll. Barrière, 1857. Rousseau (J.-J.), *Œuvres complètes*, Paris, 1826, 25 vol. *Confessions*, t. XV, XVI, XVII. Voltaire, *Correspondance* (Ed. Garnier), Paris, 1880-1882, 18 vol. in-8.

Ouvrages a consulter. Bersot (*Études sur le XVIIIe siècle*), Desnoiresterres (*Voltaire et la Société*), Feuillet de Conches (*Les Salons*), de Goncourt (*La femme, La duchesse de Châteauroux*), Perey (*Le président Hénault et Mme du Deffand*), Thirion (*Vie privée des financiers*), déjà cités. Campardon, *La cheminée de Mme de La Poupelinière*, Paris, 1879. Ducros, *Diderot; l'homme et l'écrivain*, Paris, 1894. Lion (Henri), *Un magistrat homme de lettres au XVIIIe siècle; le président Hénault (1685-1770)*, Paris, 1903. Maugras, *Querelles de philosophes : Voltaire et J.-J. Rousseau*, Paris, 1886. Perey et Maugras, *Une femme du monde au XVIIIe siècle ; dernières années de Mme d'Epinay, son salon et ses amis*, Paris, 1883. Sainte-Beuve, *Lettres de la Marquise du Deffand* (Causeries du lundi, t. I, 1851); De Ségur, *Le royaume de la rue Saint-Honoré; Mme Geoffrin et sa fille*, Paris, 1897. Schérer (E.), *Melchior Grimm*, Paris, 1887. Streckeisen-Moultou, *Jean-Jacques Rousseau, ses amis et ses ennemis*, Paris, 1865. Tornezy, *Un bureau d'esprit au XVIIIe siècle; le salon de Mme Geoffrin*, Paris, 1895. Masson, *Mme de Tencin*, Paris, 1909.

2. Mme du Deffand, est née en 1697, morte en 1789.

qu'elle donnait, soit en bien, soit en mal, aux moindres torche... qui paraissaient, son engouement outré pour ou contre toutes choses, qui ne lui permettait de parler de rien qu'avec des convulsions;... son invincible obstination ». Mme du Deffand parut s'amuser long-temps au va-et-vient de ses réceptions et aux intrigues des élections académiques; mais elle finit dans un incurable ennui. Elle a dit le mal dont elle souffrait : c'était « la privation du sentiment avec la douleur de ne pouvoir s'en passer ». Elle devint misanthrope : « Hommes et femmes lui paraissaient des machines à ressort, qui allaient, venaient, parlaient, riaient sans penser, sans réfléchir, sans sentir; chacun jouait son rôle par habitude ».

Mme de Tencin [1], fille d'un conseiller au parlement de Grenoble, fut mise par sa famille dans un couvent de cette ville, que le cardinal Le Camus n'avait pu que très imparfaitement réformer. Les portes mal closes laissaient sortir les religieuses et entrer les visiteurs. Cependant Mme de Tencin ne se plut pas dans la maison, et, d'ailleurs, à ce que l'on raconte, de fâcheuses aventures ne permirent pas qu'elle y restât. Elle vint à Paris; relevée de ses vœux à Rome, elle usa de sa liberté pour s'amuser et faire ses affaires, car elle fut autant ambitieuse qu'amoureuse. On lui attribue quantité d'utiles amants au temps de la Régence, à commencer par le Régent et le cardinal Dubois. En 1717, elle mit au monde un fils, qu'elle fit porter sur les marches de l'église de Saint-Jean-le-Rond, où on l'aban-donna; c'était le futur d'Alembert. Pendant la Régence, elle s'enri-chit à la faveur du système de Law, et elle prépara la fortune de son frère, l'abbé de Tencin. Ce médiocre et vilain personnage devint archevêque d'Embrun en 1724. La sœur eut un mauvais moment à passer, quand un de ses amants se tua chez elle, laissant un testa-ment où il l'accusait de divers crimes; elle fut mise à la Bastille, et reconnue innocente, il est vrai. Elle avait alors plus que la quaran-taine. Elle se fit, comme dit Saint-Simon, « le pilier et le ralliement de la saine doctrine, le centre de la petite Église cachée, si excelle-ment orthodoxe », c'est-à-dire qu'elle prit parti contre les jansé-nistes pour la « Constitution ». L'archevêque d'Embrun se signala dans la lutte [2]. Mme de Tencin, devenue presque la pénitente du vieux Fleury, correspondait avec Rome. Bref, Tencin devint en 1739, cardinal, et, l'an d'après, archevêque de Lyon. Il entra au Conseil comme ministre d'État; Mme de Tencin espéra certainement qu'il succéderait à Fleury. On dit que, d'autre part, elle prépara Mme d'Étioles à devenir Mme de Pompadour.

MADAME DE TENCIN.

1. Mme de Tencin est née en 1681, morte en 1749.
2. Voir plus haut, p. 14.

Cependant, elle gardait ses amis écrivains et philosophes. Sa maison de Passy et son appartement de la rue Saint-Honoré furent fréquentés par Fontenelle, Bolingbrocke, Montesquieu, Marmontel, Helvétius et Marivaux. Dans les derniers temps, elle se donnait l'air d'une « vieille indolente », pleine de bonhomie et de simplicité ; mais elle demeurait une virtuose en l'art de la conversation, consacrant les réputations d'esprit ; elle savait « la fin du jeu en toutes choses ».

Elle prit pour associée Mme Geoffrin[1], sa voisine de la rue Saint-Honoré. Mme Geoffrin était la femme d'un administrateur de la Compagnie des glaces de Saint-Gobain, qu'elle avait épousé en 1713, âgée de quatorze ans, alors qu'il en avait quarante-huit. Le mari était dévôt ; elle, très spirituelle et très libre. Mme de Tencin l'instruisit à son rôle de maîtresse de salon ; elle lui donna ce conseil essentiel : « Ne jamais rebuter un seul homme, parce que, si neuf sur dix se soucient de vous comme d'un sol, le dixième pourra devenir un ami utile ». Quand Mme de Tencin mourut, en 1749, ses habitués restèrent à Mme Geoffrin, qui donna deux dîners par semaine : le lundi pour les artistes, le mercredi pour les gens de lettres. Son mari était présent, silencieux, effacé ; on rapporte qu'un jour, comme on ne le voyait pas à table, un des convives demanda : « Qu'est donc devenu ce vieux monsieur, qui était toujours au bout de la table et qui ne disait rien ? » Elle répondit : « C'était mon mari. Il est mort. »

Elle savait à merveille conduire une discussion, faire parler chacun des sujets qui lui convenaient le mieux, tirer de l'intérêt des personnages ennuyeux, comme le brave abbé de Saint-Pierre, qui lui disait : « Je ne suis, madame, qu'un instrument dont vous avez bien joué ». D'un mot — « Allons, voilà qui est bien » —, elle arrêtait les propos dangereux, et elle envoyait les amis trop turbulents « faire leur sabbat ailleurs ». Elle contait bien, plaçait des maximes, mais elle savait écouter et témoignait aux hôtes de marque « une coquetterie imperceptiblement flatteuse ».

Montesquieu fut un des premiers à vanter le salon Geoffrin ; il est vrai que, plus tard, après un froissement d'amour-propre, il le traita de « boutique », et appela Mme Geoffrin « harangère du beau monde » et « dame de charité de la littérature », allusion aux cadeaux que Mme Geoffrin aimait à faire à ses amis. Voltaire ne parut chez elle qu'à de rares intervalles, mais Fontenelle demeura jusqu'à la mort son hôte assidu. On voyait aussi chez elle Marivaux, d'Alembert, Helvétius, Grimm, Piron, Maupertuis, Burigny, de l'Académie des Inscriptions, le comte de Caylus, l'amateur d'art et

1. Mme Geoffrin est née en 1699, morte en 1777.

antiquaire, qui conduisait chez elle la troupe des peintres et des sculpteurs ; puis des savants de tout pays, Hume, l'historien Gibbon, et des ambassadeurs. Elle se fit peindre par Nattier en 1738, acheta des marines de Joseph Vernet, se lia avec Carle Van Loo, qu'elle allait voir toutes les semaines dans son atelier, et avec Latour et Boucher. Quand le comte Poniatowski vint à Paris en 1741, il fréquenta son salon et lui promit de lui envoyer un jour ses enfants. Le seul qui vint fut Stanislas-Auguste, en 1753 ; elle le traita comme un fils ; plus tard, quand il fut devenu roi de Pologne, elle l'alla voir à Varsovie et se crut appelée à jouer un rôle politique. Sa vanité bourgeoise fut flattée par les avances de Catherine II, par la réception que lui firent à Vienne Joseph II et Marie-Thérèse. Puis elle s'arrangea une « vieillesse saine et gaie ».

Dans la seconde moitié du siècle, quelques salons attireront spécialement les philosophes : celui du baron d'Holbach, celui de Mlle Quinault, et surtout celui de Mlle de Lespinasse.

D'Holbach [1] était un Allemand naturalisé, très riche et très généreux. Il donnait à dîner deux fois par semaine, le dimanche et le jeudi ; il présidait aux discussions les plus hardies sur l'histoire, la politique, la métaphysique ou la religion, et disait des choses « à faire tomber le tonnerre sur sa maison ». On l'appelait « l'ennemi personnel de Dieu ».

LE BARON D'HOLBACH.

Chez Mlle Quinault [2] — une actrice qui avait quitté le théâtre en 1741 — la conversation des dîners roulait jusqu'au dessert sur des banalités, les impôts nouveaux ou les spectacles ; mais ensuite, on congédiait les valets, et on discutait sur la nature, sur les origines de la pudeur, surtout sur la religion. C'est là qu'un soir, à ce qu'on raconte, Rousseau entendant bafouer Dieu par des athées, s'écriera : « Si c'est une lâcheté que de souffrir qu'on dise du mal de son ami absent, c'est un crime que de souffrir qu'on dise du mal de son Dieu, qui est présent. Et moi, messieurs, je crois en Dieu. »

MADEMOISELLE QUINAULT.

Mlle de Lespinasse [3], une fille adultérine, fut d'abord demoiselle de compagnie de Mme du Deffand, lorsque celle-ci, devenue aveugle, eut besoin d'être aidée dans ses réceptions. Elle était beaucoup plus jeune que la dame, et des habitués de la maison la préférèrent. Elles se brouillèrent et se séparèrent ; Mlle de Lespinasse s'installa rue Saint-Dominique. Nourrie de La Fontaine, de Racine et de Voltaire, elle lisait Plutarque et Tacite, mais aussi Sterne et Richardson. C'était une âme ardente ; telle musique « la rendait folle » ; elle disait « qu'il n'y a que la passion qui soit raisonnable », et encore : « Il n'y

MADEMOISELLE DE LESPINASSE.

1. D'Holbach, né en 1723, mort en 1789.
2. Née en 1700, morte en 1763.
3. Mlle de Lespinasse, née en 1732, morte en 1776.

a que l'amour-passion et la bienfaisance qui me paraissent valoir la peine de vivre ». « La continuelle activité de son être se communiquait à son esprit. » Elle était habile à conduire et animer la conversation, et capable de discuter elle-même les problèmes les plus difficiles. Elle recevait surtout les philosophes; son salon, où l'on voyait les bustes de Voltaire et d'Alembert, sera le laboratoire de l'Encyclopédie.

SALONS DES FINANCIERS.

D'autres salons durent leur célébrité à l'éclat des réceptions qu'on y donnait. Les financiers étalaient leur richesse dans des fêtes à ruiner un roi, comme fit le vieux Samuel Bernard, quand il maria sa fille avec Molé, président à mortier; La Mosson, à Montpellier, fit défiler en un repas cent quarante plats, et cent soixante espèces de desserts. La Porte fut illustre par son cuisinier; chez certains financiers, les dames trouvaient sous leurs serviettes des bijoux, ou même des bourses pleines d'or et des billets à vue sur la caisse des fermes.

MADAME DUPIN,

Mais il y avait des financières, chez qui on causait. Mme Dupin, fille naturelle de Samuel Bernard, femme d'un fermier général, recevait des ducs, des ambassadeurs, des cordons bleus, des écrivains, et des femmes célèbres par leur beauté, la princesse de Rohan, la comtesse de Forcalquier, Mme de Mirepoix, Milady Hervey. Rousseau s'éprit d'elle pour l'avoir vue à sa toilette, les bras nus et les cheveux épars; il était le précepteur de son fils, et corrigeait les écrits de son mari.

MADAME DE LA POPELINIÈRE.

La financière la plus entourée fut Mme de la Popelinière. Fille de la comédienne Dancourt, elle avait été d'abord la maîtresse de son mari, et ne s'en fit pas épouser sans peine. Elle avait eu recours à Mme de Tencin, qui intéressa Fleury à ce mariage; quand on renouvela le bail des fermes, en 1737, le cardinal exigea que le financier régularisât sa liaison, et La Popelinière s'exécuta. Mais plus tard, le hasard lui fit découvrir le mécanisme d'une plaque de cheminée qui, en tournant, donnait accès à son voisin, le duc de Richelieu. Il renvoya sa femme.

LA MUSIQUE CHEZ LES LA POPELINIÈRE.

Les La Popelinière, qui donnaient beaucoup de musique, mirent les concerts à la mode. Ils hébergeaient des musiciens de France et d'Italie, montaient des opéras; on voyait chez eux Rameau et Vaucauson le machiniste. Ils recevaient des « gens de tous états », autant de mauvaise compagnie que de bonne. On appelait la maison « la Ménagerie ».

LE « CAFÉ ».

La mode des réceptions durera pendant tout le siècle. On les varia, on réduisit la dépense. Quelquefois, le salon devint un « café »; on installait de petites tables, les unes avec des jeux, les autres avec des vins et des sirops; la maîtresse de maison était vêtue à l'anglaise, d'une robe simple, courte, d'un tablier de mousseline et d'un fichu pointu ; on soupait sans apparat, et l'on s'amusait à toutes sortes de divertissements, danse, pantomimes et proverbes.

Rousseau a très bien défini les salons dans la *Nouvelle Héloïse* :

« On y parle de tout, pour que chacun ait quelque chose à dire ; on n'approfondit point les questions, de peur d'ennuyer ; on les propose comme en passant ; on les traite avec rapidité ; la précision mène à l'élégance... Le sage même peut rapporter de ces entretiens des sujets dignes d'être médités en silence. »

Mais combien y avait-il de sages, qui, rentrés chez eux après les entretiens, méditaient « en silence » ? La plupart de ces causeurs s'en tenaient à la superficie des sujets. C'était une mauvaise habitude que de ne pas approfondir, de peur d'ennuyer ; par là, on se façonnait à cette élégante légèreté d'esprit qui se trouvera prise au dépourvu, quand viendra la bise, à la fin du siècle.

On a quelquefois dit des salons qu'ils ont eu leur grande part dans la préparation de la Révolution française. C'est beaucoup trop dire ; mais ils y ont contribué pourtant, et d'abord par cette habitude qu'ils ont donnée aux esprits de ne pas s'arrêter au difficile et à l'obscur, et de croire que la raison prévaut nécessairement contre l'absurde. Puis une sorte d'opinion publique s'y forma, qui se répandit dans les classes éclairées de la nation. Enfin on y sacrait des royautés nouvelles, celles de l'esprit, et toute cette activité intellectuelle faisait entre Paris vivant et pensant, et Versailles où s'ennuyait le monarque dans la monotonie des plaisirs traditionnels, un contraste dangereux pour Versailles.

LIVRE III

L'ÉPOQUE DE MADAME DE POMPADOUR, DE MACHAULT ET DU DUC DE CHOISEUL

CHAPITRE PREMIER

L'HISTOIRE INTÉRIEURE DE 1745 A 1758[1]

I. MADAME DE POMPADOUR. — II. LE COMTE D'ARGENSON — III. L'ADMINISTRATION FINANCIÈRE DE MACHAULT (1745-1754). — IV. LES BILLETS DE CONFESSION ET LE REFUS DES SACREMENTS (1751-1758). — V. L'ATTENTAT DE DAMIENS ET LA DISGRACE DE MACHAULT ET DU COMTE D'ARGENSON (1757).

I. — MADAME DE POMPADOUR

LOUIS XV n'ayant jamais gouverné, les périodes de son règne sont marquées par les noms des personnes qui successivement conduisirent la politique du royaume. Après celles du Régent, du duc de Bourbon et du cardinal Fleury, ce fut la période de Mme de Pompadour.

La favorite dont le règne devait durer vingt ans, naquit en 1721. *MADAME D'ÉTIOLES*

1. SOURCES. D'Argenson, Barbier, de Luynes, Moufle d'Angerville, Hénault, Dufort de Cheverny, du Hausset, Choiseul, Sénac de Meilhan, déjà cités. Bernis (de), *Mémoires et lettres* (1715-1758), p. p. Fr. Masson, Paris, 1878, 2 vol. in-8. Pompadour (Marquise de), *Correspondance... avec son père, M. Poisson, et son frère, M. de Vandières*, Paris, 1878, in-8. *Mémoires du maréchal duc de Richelieu*, Londres et Paris, 1760-1793, 2e éd., 9 vol. in-8. Prince de Ligne, *Mémoires*, Bruxelles, 1860, in-12. Soulavie, *Mémoires historiques et anecdotes de la Cour de France pendant la faveur de la Marquise de Pompadour*, Paris, 1802, in-8. *Chansonnier historique*, t. VII, Paris, 1882, in-12.

OUVRAGES A CONSULTER. Jobez (t. III et IV); de Carné (*La monarchie française au XVIIIe siècle*), Taine (*L'ancien régime*), Desnoiresterres (*Voltaire et la Société*), Alb. de Broglie (*Maurice de Saxe et le marquis d'Argenson; La paix d'Aix-la-Chapelle; L'Alliance autrichienne*), Clément (*Portraits*; Les frères Pâris), Thirion, Rousset (*Le Comte de Gisors : Sur les Pâris*), Bapst (*Histoire du théâtre*), Jullien (*La Comédie à la Cour*), Dussieux (*Le Château de Versailles*), déjà cités. Campardon, *Mme de Pompadour et la Cour de Louis XV au milieu du XVIIIe siècle*, Paris, 1867, in-8. Goncourt (E. et J. de), *Mme de Pompadour*, Paris, 1878, in-12. Nolhac (de), *Louis XV et Mme de Pompadour*, Paris, 1904, in-12. *La jeunesse de la Pompadour* (Revue de Paris, 15 octobre 1902); *Voltaire et la Pompadour* (Revue Latine,

Son père, le sieur Poisson, était commissaire aux vivres; sa mère, « belle à miracle », avait eu, entre autres amants, dit-on, le fermier général Le Normant de Tournehem. Le Normant maria Jeanne-Antoinette Poisson à un sous-traitant, son neveu, du même nom que lui, auquel il donna le château d'Étioles. La jeune dame d'Étioles était, dit le lieutenant des chasses Leroy, « d'une taille au-dessus de l'ordinaire, svelte, aisée, souple, élégante; son visage était d'un ovale parfait, ses cheveux plutôt châtain clair que blonds »; « ses yeux avaient un charme particulier, qu'ils devaient peut-être à l'incertitude de leur couleur »; c'étaient des yeux gris. Elle avait « le nez parfaitement bien formé, la bouche charmante, les dents très belles », un « sourire délicieux », « la plus belle peau du monde ». Le plus célèbre portrait qui reste d'elle est un pastel de La Tour; le plus ressemblant serait *la Belle Jardinière* de Vanloo. Elle était très bonne actrice sur les scènes des salons, et jouait du clavecin à émouvoir ceux qui l'entendaient. Elle avait de l'esprit; à Étioles, ou dans son hôtel de la rue Croix-des-Petits-Champs, elle recevait les Philosophes: Voltaire se plaisait chez elle.

ELLE DEVIENT LA MAÎTRESSE DU ROI.　　Mme d'Étioles entreprit de devenir la maîtresse du Roi; elle lui fit dire qu'elle l'aimait, voltigea autour de lui, vêtue de rose, en phaéton « bleu », et inquiéta beaucoup Mme de Châteauroux. A la mort de celle-ci, les coteries se disputèrent l'honneur et le profit de fournir une maîtresse à Louis XV. Ce fut au moment du mariage du Dauphin, en mars 1745, que Mme d'Étioles assura sa victoire. Le mois d'après, elle prenait à Versailles l'appartement autrefois occupé par Mme de Mailly. Retirée à Étioles, pendant la campagne de Fontenoy, elle reçut du Roi, en quelques semaines, jusqu'à quatre-vingts lettres. Déclarée marquise de Pompadour, elle fut officiellement « présentée » à la Cour en septembre. La Reine, sous le regard des curieux accourus, garda sa bonne grâce et sa politesse habituelles; mais l'hostilité de la famille royale fut très vive, et aussi celle de beaucoup de courtisans, fâchés que la fonction de favorite fût enlevée à la noblesse et tombât dans la roture financière. A Versailles et à Paris, on chanta des chansons qu'on appela des « poissonnades ».

MADAME DE POMPADOUR ET　C'était justement une des puissances de Mme de Pompadour que d'être une « financière ». La « finance », enrichie dans la misère

15 mars 1904), Sainte-Beuve, *Causeries du lundi*, t. II, 1886 (*Mme de Pompadour*). Perey, *Un petit neveu de Mazarin, le duc de Nivernais*, Paris, 1890, in-8. Glasson, *Les conflits du Parlement et de la Cour en 1573* (Académie des Sciences morales et politiques, 14 septembre 1901), de Champeaux, *Le Meuble*, Paris, 2 vol., t. II; Leturcq, *Notice sur Jacques Guay, graveur sur pierres fines du roi Louis XV*, Paris, 1873. Funck-Brentano, *Légendes et archives de la Bastille* (Latude), Paris, 1898, in-12. Welwert (A.), *Étude critique sur la vie secrète de Louis XV* (Revue historique. Nov. et déc. 1887.)

publique, toute brillante de luxe, courtisant les gens d'esprit et cour-
tisée par eux, prévalait sur la noblesse ruinée; elle avait soutenu
Mme d'Étioles, dans sa campagne d'amour. Pâris du Verney, qui
avait employé Poisson dans ses bureaux, s'était toujours intéressé à
sa fille. Or, il était sorti de disgrâce; la guerre de la succession
d'Autriche avait fait de lui l'homme nécessaire. Il était munitionnaire,
« vivrier »; mais il prétendait être, et il était en effet tout autre
chose; en ordonnant la marche des convois, il déterminait celle des
armées; il voulait des généraux qui fussent à sa discrétion. Ce
« général des farines », comme on l'appelait, était secondé par son
frère, Pâris de Montmartel, l'un des grands banquiers de l'Europe,
qui fournissait des fonds aux armées. Quand Du Verney rencontrait quelque résistance à ses vues, il se retirait à son château de
Plaisance, auprès de Charenton; la caisse de Montmartel se fermait
aussitôt, et le contrôleur général ne savait plus comment subvenir
aux dépenses des troupes. Vers la fin de la guerre de la Succession
d'Autriche, Du Verney redevint ce qu'il avait été sous M. le Duc, le
conseiller et l'inspirateur du pouvoir. Il fait, dit le marquis d'Argenson,
« tout l'ouvrage politique, comme le militaire »; il « gouverne absolument trois départements du royaume : la finance, la guerre et les
affaires étrangères ». Le Contrôleur Général et le secrétaire d'État
de la Guerre étaient en effet dans sa dépendance. Quant au secrétaire d'État des Affaires étrangères, Puysieulx, appelé au ministère en
janvier 1747, c'était sa créature et celle de la marquise.

La marquise se fit la surintendante des plaisirs du Roi. Pour   *LE THÉÂTRE*
amuser ce perpétuel ennuyé, elle installa dans une galerie de Ver-   *DE LA MARQUISE.*
sailles un théâtre où elle appela des acteurs et des chanteurs de la
Comédie-Française et de l'Opéra. Le directeur était le duc de La
Vallière, le sous-directeur, l'académicien Moncrif, et le secrétaire, qui
faisait fonction de souffleur, l'abbé de La Garde, bibliothécaire de
la marquise. Parmi les acteurs figurèrent MM. de Nivernais, de
Duras, de Croissy; parmi les musiciens, MM. de Dampierre et de
Sourches; parmi les danseurs, le duc de Beuvron et le prince de Hesse.

La première pièce jouée sur le théâtre des cabinets fut *Le*   *LE RÉPERTOIRE.*
Mariage fait et rompu, de Dufresny; le duc de Nivernais, dans un
rôle de Gascon, eut l'honneur très rare de faire rire le Roi. On
représenta ensuite *le Méchant* de Gresset, *le Préjugé à la mode* de La
Chaussée, *les Trois Cousines* de Dancourt, le *Tartuffe*, et des opéras
où la marquise, jouant tantôt Herminie dans le *Tancrède* de Dau-
chet et Campra, tantôt une nymphe dans *Acis et Galatée* de Cam-
pistron et Lulli, émerveilla le Roi et le passionna par ces change-

ments mêmes de personnes et par ses talents d'actrice et de canta-
trice. Les représentations se donnaient devant un petit nombre
d'élus; c'était une faveur d'y être admis, et une plus grande encore
de monter sur la scène; les rôles étaient très disputés.

Une des façons qu'avait Louis XV de se distraire était de se promener de château en château. La marquise l'accompagnait dans les
résidences royales et dans les siennes. Elle s'était fait donner le château
de Crécy, près de Dreux, où elle avait aménagé un « cabinet d'assemblée » de cinquante pieds de long sur vingt-six de large, tout décoré
de panneaux sculptés et de glaces. Les invités portaient l'uniforme de
Crécy, l'habit vert à boutonnières d'or, costume dessiné par le Roi
lui-même. Elle avait acheté La Celle, appelée aussi le Petit Château, entre Saint-Cloud et Versailles. Elle y donna, dans un cadre
charmant, des fêtes exquises; un soir de septembre 1748, pendant le
dîner du Roi, entrent tout à coup des musiciens tenant en mains violons et violoncelles, musettes et hautbois. La marquise se lève et se
met à chanter : « Venez! Suivez-moi tous! » Le Roi et les convives
la suivent et, dans les bosquets du parc, trouvent le duc d'Ayen sous
la figure du dieu Pan, M. de La Salle, costumé en berger, et de petits
pierrots dansant un ballet.

La plus belle demeure de la marquise fut celle que le Roi lui fit
bâtir, le château de Bellevue. Construit sur un terrain sablonneux
qu'il fallut défoncer jusqu'à cent vingt pieds pour poser les fondations, il coûta au moins deux millions et demi, et le public parla
même de six millions. L'appartement du Roi était décoré par Van Loo,
celui de la marquise par Boucher, celui du Dauphin et de la Dauphine par Vernet. Oudry avait peint la salle à manger, Van Loo le
salon; Pigalle avait sculpté les statues de la marquise et du Roi. Il
y avait un brimborion de théâtre décoré à la chinoise par Boucher,
Oudry, Verbrecht et Caffieri.

Les continuelles allées et venues de Louis XV déconcertaient les
ministres, et le public s'irritait des dépenses qu'elles occasionnaient.
« Le bien ne serait-il pas, disait le marquis d'Argenson, que nos rois
résidassent à Paris, et ne découchassent que pour aller seuls, et sans
suite, dans quelques maisons de chasse? » Le Roi ne se souciait pas
d'aller habiter dans le tumulte de Paris, et la royauté était trop roya-
lement installée à Versailles pour qu'il en pût déménager; mais, à
Versailles, il s'ennuyait plus qu'ailleurs. Obligé d'y séjourner durant
le carême et de s'y trouver pour certaines cérémonies, comme pour les
réceptions d'ambassadeurs, il s'en absenta le plus qu'il put. En fuyant
Versailles, il fuyait l'étiquette, le travail, les ministres et la société de
la Reine. Le marquis d'Argenson, en 1754, signale comme un fait

extraordinaire qu'il y doive passer huit jours de suite. Les grands appartements qui avaient convenu à la majesté de Louis XIV ne plaisaient plus à son successeur; même pas celui qu'on lui avait récemment aménagé. C'est à Trianon que Louis XV trouvait l'installation qui lui convenait; là, se conformant au goût du jour, il eut des vaches de Hollande, une laiterie, des volières, des poulaillers, des serres et un jardin botanique.

Par tous ces moyens, la Pompadour établit son empire. Comme elle l'étendit à la politique, sans que le paresseux Louis XV s'en offensât, — au contraire, — des cabales se formèrent contre elle. De 1747 à 1749, le bruit que le Roi se dégoûtait d'elle courut souvent; mais on apprenait bientôt que le parti adverse avait été gagné par des grâces et par « l'argent des Pâris ». Les courtisans s'empressaient à sa toilette : « La toilette de cette dame, écrivait d'Argenson, est aujourd'hui une espèce de grande cérémonie; on la compare au fameux déculotté du cardinal Fleury ». Bien qu'elle ne fût pas le moins du monde hautaine, — dans l'intimité, elle était quelquefois un peu bourgeoise — la Pompadour marquait son rang de maîtresse par l'étiquette qu'elle faisait observer. Dans la chambre où elle recevait ne se trouvait qu'un seul fauteuil, et on restait debout devant elle. A la chapelle du château, elle était seule dans une tribune. Les étrangers sont frappés de ses façons imposantes. « Après la ronde des révérences qu'on me fit faire, dit le prince de Ligne, chez tous les individus de la famille royale, on me conduisit chez une espèce de seconde reine qui en avait bien plus l'air que la première. » Il ajoute : « J'ai vu Mme de Pompadour avec l'air de grandeur de Mme de Montespan ».

LES FAÇONS DE LA MARQUISE.

La marquise devint comme un premier ministre et se débarrassa de ceux qui la gênaient. Orry, pour avoir refusé sa signature à des marchés de fournitures conclus par les Pâris, fut renvoyé en 1745. En 1749 ce fut le tour de Maurepas, pour avoir touché quelques mots au Roi du rôle politique de la marquise. Louis XV répéta la chose à sa maîtresse, qui feignit la crainte d'être empoisonnée par ses ennemis, comme on disait que l'avait été Mme de Châteauroux. Maurepas, d'ailleurs, était soupçonné de composer quelques-unes de ces chansons qui, répandues à Versailles et à Paris, atteignaient Mme de Pompadour « au plus intime de sa vanité ou de ses faiblesses, jusque dans les secrets de son corps, de sa santé, de son tempérament ». Au ministère restait un ami de Maurepas, le comte d'Argenson, qui avait la confiance du Roi, et aussi l'appui des dévots; la marquise lia partie avec le successeur d'Orry au contrôle général, Machault. Dans toutes les affaires du règne, on la retrouvera. Elle eut grande part

SON INFLUENCE POLITIQUE.

aux affaires étrangères; elle tint pour la magistrature contre le clergé, pour les Philosophes contre les Jésuites, et contre les Jésuites encore pour les Jansénistes. Elle était l'ennemie de l'Église, qui lui tenait rigueur.

MADAME DE POMPADOUR ET LES PHILOSOPHES.

Ce fut sans doute pour participer à leur popularité, autant que par penchant naturel, qu'elle se fit l'amie des gens de lettres et des artistes. Voltaire qui, en 1745, célébra ses amours avec Louis XV, fut, par sa protection, choisi pour écrire et faire jouer à la Cour la comédie-ballet de *la Princesse de Navarre* et le ballet du *Temple de la Gloire*; il devint par elle historiographe de France, académicien, gentilhomme de la Chambre. Elle fit de son mieux pour dissiper les préventions qu'avait Louis XV contre lui, mais n'y parvint jamais. Quelque temps, Voltaire en voulut à la marquise, de s'être intéressée à son rival, le vieux Crébillon; mais, plus tard, il lui dédia son *Tancrède*, la vanta dans ses lettres, dans la *Vision de Babouc*, dans le *Précis du siècle de Louis XV*. Quand elle mourut, il écrivit : « Je lui avais obligation, je la pleure par reconnaissance »; il dit aussi : « Après tout, elle était des nôtres ».

Montesquieu invoqua la protection de la marquise contre une réfutation de l'*Esprit des Lois* que publiait le fermier général Dupin; elle fit en sorte que l'ouvrage de Dupin fût supprimé. Elle prit en amitié Jean-Jacques Rousseau pour son *Devin de village*, qu'elle fit représenter sur le théâtre de la Cour à Fontainebleau, et à Bellevue où elle y joua un rôle. Jean-Jacques lui demeura, semble-t-il, reconnaissant de sa bienveillance. S'il n'avait tenu qu'à elle, l'*Encylopédie* aurait été publiée sans difficulté; mais elle ne put obtenir de d'Alembert et de Diderot l'engagement de ne pas toucher aux matières de religion et d'autorité. Elle demanda au Roi une pension pour d'Alembert, mais ne l'obtint pas [1].

RELATIONS AVEC LES ARTISTES.

Mme de Pompadour n'a pas eu sur les arts l'influence qu'on lui a quelquefois attribuée; le « style Pompadour » était en plein épanouissement avant qu'elle devînt la maîtresse du Roi. Mais elle accueillait avec une grâce particulière les artistes, et, bâtisseuse comme elle était, éprise du joli luxe des intérieurs, elle enrichissait les peintres et les décorateurs par des commandes. Ainsi fit elle à l'égard de Boucher, de Cochin le fils. Elle admit dans son intimité le graveur Guay qui exécutait sur pierres fines des gravures dont elle donnait le sujet, et La Tour, à qui elle permettait, quand il faisait son portrait, de quitter sa perruque, sa cravate et ses jarretières.

Outre Crécy, La Celle et Bellevue, elle acquit et aménagea à

---

1. Voir, plus loin, le chapitre III du livre III.

Paris l'hôtel de Pontchartrain, rue Neuve-des-Petits-Champs, et l'hôtel d'Évreux, aujourd'hui le palais de l'Élysée, qu'elle paya 700 000 livres, et où elle dépensa, en plus, près d'un million; une maison aux Moulineaux, au bas de Meudon; le château de Champs, aux environs de Meaux; ceux de Saint-Ouen, de la Garancière, de Sèvres. Partout elle rassemblait des objets d'art, tableaux, statues, laques, pièces d'orfèverie, et un mobilier considérable que son marchand, Duvaux, achetait à l'ébéniste Oeben. « Elle croit, écrit en 1748 d'Argenson, s'amuser à l'infini par les détails de bâtiments qu'aime notre monarque. » Elle donna la direction des bâtiments à son frère Abel-François Poisson, qui alla faire son éducation artistique dans un voyage en Italie. Abel Poisson, qui devint marquis de Vandières, puis marquis de Marigny, s'acquitta bien de sa fonction. *LE MARQUIS DE MARIGNY.*

Mme de Pompadour fut très vite impopulaire. On lui reprocha ses dépenses qui furent énormes en effet : sept ou huit millions pour ses bâtiments, quatre millions pour le théâtre et les fêtes, un million pour un seul de ses voyages, celui du Havre où elle alla mettre la première cheville du vaisseau *Le Gracieux*. Elle avait une maison de quarante personnes, un service de bouche, vaisselle d'argent et d'or, écuries pleines. Elle faisait des pensions à des parents et à des courtisans, dotait des filles pauvres et jouait gros jeu. On l'accusait de trafiquer des places et des grâces, par exemple d'avoir reçu de Dupleix cinquante mille livres pour le cordon qui lui fut donné. Dans une visite à Paris, en 1750, menacée par la foule, elle fut obligée de s'enfuir. Quand le Dauphin et la Dauphine allèrent à Notre-Dame pour les actions de grâces, après la naissance de leur fils, ils entendirent autour de leur voiture des propos comme celui-ci : « Qu'on renvoie cette p..... qui gouverne le royaume et qui le fait périr! Si nous la tenions, il n'en resterait bientôt rien pour en faire des reliques ». *IMPOPULARITÉ DE LA MARQUISE.*

Son règne ne fut jamais tranquille; elle avait à se défendre contre les dames de haut vol qui voulaient lui prendre le Roi, Mmes de La Mark, de Robecq, de Périgord, de Forcalquier, de Coislin, de Choiseul-Romanet, etc. Elle se défendit très bien contre ces nobles personnes. Mais quand le Roi ne l'aima plus d'amour, elle se garda bien de s'imposer; elle se rangea, se donna quelque air de dévotion, et devint en 1756 dame du palais de la Reine. Pourvu qu'elle ne fût pas menacée dans sa qualité de maîtresse en titre, elle toléra les « petites maîtresses ». En 1753, dans le quartier de l'ancien Parc aux Cerfs, une maison fut achetée, où le Roi se rendait en cachette; il s'y faisait passer pour un seigneur polonais. Des filles s'y succé- *LE PARC AUX CERFS.*

LES DOLÉANCES
DE MADAME
DE POMPADOUR.

dèrent, Mesdemoiselles Trusson, Fouquet, Robert, Romans et autres.
Il y avait aussi une maison d'accouchement pourvue du nécessaire.
Mme de Pompadour s'intéressait à ce service des amours secrètes
du Roi.

Dans son extraordinaire fortune, cette femme ne fut pas heureuse. Cette vie de fêtes, de voyages, d'intrigues de toutes sortes,
dont le champ s'étendait à l'Europe entière, et la nécessité d'amuser
toujours le Roi, qui ne lui permettait pas même d'être malade,
l'épuisaient. Déjà en 1749 elle écrivait :

> « La vie que je mène est terrible. A peine ai-je une minute à moi : répétitions
> et représentations ; et deux fois la semaine voyages continuels, tant au Petit-
> Château qu'à La Muette, etc. Devoirs considérables et indispensables : Reine,
> Dauphin, Dauphine gardant heureusement la chaise longue ; trois filles, deux
> infantes [1] ; jugez s'il est possible de respirer. Plaignez-moi et ne m'accusez pas. »

Avec quelques variantes, c'est ce qu'avait dit Mme de Maintenon.

II. — LE COMTE D'ARGENSON [2]

CHANGEMENTS
MINISTÉRIELS.

PENDANT le gouvernement de Mme de Pompadour un secrétaire d'État, le comte d'Argenson, garda son indépendance. La
disgrâce de Maurepas, loin de l'affaiblir dans le Conseil, l'y fortifia ;
grâce à la faveur royale dont il jouit pleinement, personne ne semblait pouvoir lui disputer la prééminence. Le secrétariat d'État de la

---

1. Il s'agit ici des trois filles aînées, non mariées, de Louis XV, et de la duchesse de Parme
et de sa fille. Mmes Henriette, Adélaïde et Victoire avaient alors, la première vingt-deux
ans, la seconde dix-sept ans, la troisième seize ans. La duchesse de Parme était Mme Louise-
Elisabeth, sœur jumelle de Mme Henriette ; les mémoires de Luynes la désignent toujours
sous le nom de Mme Infante, et désignent sa fille Isabelle sous celui de : la petite Infante.
La mère et la fille étaient à la Cour depuis le 31 décembre 1748 ; elles devaient quitter
Versailles en octobre 1749, et s'embarquer à Antibes le 1er novembre 1749.

2. SOURCES. *Recueil général des anciennes lois françaises* (Isambert), t. XXII ; *Remontrances
du Parlement de Paris au XVIIIe siècle* (Flammermont), t. II. D'Argenson, de Luynes,
Moufle d'Angerville (t. II et III), Hénault, Dufort de Cheverny, du Hausset, Sénac de
Meilhan, Soulavie (*Mém. hist. et anecdotes*), déjà cités. Voltaire, *Lettre à l'occasion de l'impôt
du vingtième* ; *Extrait du décret de la Sacrée Congrégation de l'Inquisition de Rome à l'encontre
d'un libelle intitulé : Lettres sur le Vingtième* ; *La voix du Sage et du peuple* (Œuvres complètes,
t. XXXIX).

OUVRAGES A CONSULTER. Jobez (t. IV), de Carné (*La monarchie française*) ; Rocquain,
Clamageran (t. III), de Luçay, Picot (*Mémoires pour servir à l'histoire ecclésiastique*, t. III).
Houques-Fourcade, Clément (*Portraits hist.*), Campardon (*Mme de Pompadour*), de Goncourt
(*Mme de Pompadour*), Delahante (t. I), Gébelin, déjà cités. Tuetey (Louis), *Les officiers sous
l'ancien régime* ; *Nobles et roturiers*, Paris, 1908. Crousaz-Cretet (de), *L'Eglise et l'Etat, ou les
deux puissances au XVIIIe siècle (1715-1789)*, Paris, 1893. Marion, *Machault d'Arnouville,
Etude sur l'histoire du Contrôle général des Finances de 1749 à 1754*, Paris, 1891. Id., *L'impôt sur
le revenu au XVIIIe siècle, principalement en Guyenne*, Paris, 1901. Fournier de Flaix, *La
réforme de l'impôt en France*, Paris, 1885, t. I. Caron, *L'Administration des Etats de Bretagne,
de 1493 à 1790*, Paris, 1872. Maury (Alfred), *Les Assemblées du Clergé de France* (Rev. des
Deux Mondes, 15 fév., 1er avril et 15 sept. 1879 et 1er août 1880) ; Roschach, *Histoire de Languedoc (Continuation de l'Histoire de Dom Vaissète)*, t. XIII et XIV.

Marine a passé de Maurepas au conseiller d'État Rouillé. Du secrétariat d'État de la Maison du Roi, qui appartenait aussi à Maurepas, le
comte d'Argenson a fait détacher, pour se l'attribuer, le département de Paris, qu'on appelait le « poste d'honneur », parce qu'il comprenait la grande police. Les autres services de ce secrétariat sont
passés à Saint-Florentin.

Le comte d'Argenson était digne de la confiance du Roi. Entré
au secrétariat d'État de la Guerre dans un moment difficile, en 1743,
obligé de pourvoir aux opérations contre l'Autriche et l'Angleterre,
il avait, comme dit Bernis, « créé des armées au Roi », en mettant sur
pied les milices provinciales, d'où il avait tiré les grenadiers royaux,
qui devinrent en 1749 les grenadiers de France, et furent assimilés à
l'armée active. Très vite les grenadiers ont égalé les meilleures
troupes; ils ont accoutumé le public à ne pas dédaigner les milices,
et gagné des partisans au système du service obligatoire et des
armées nationales. Dans l'Assemblée constituante, on invoquera leur
exemple en faveur de la conscription; à l'Assemblée législative Aubert
Dubayet dira de ces grenadiers qu'ils étaient « l'honneur de nos
armées ».

Après la paix d'Aix-la-Chapelle, par un édit de janvier 1751, le
comte d'Argenson a créé l'École militaire, où 500 jeunes gentilshommes furent élevés gratuitement. En 1755, à la mort du prince de
Dombes, fils du duc du Maine, et colonel-général des Suisses et Gri-
sons, le comte d'Eu, son frère, lui succéda dans cette charge, mais en
renonçant à la grande maîtrise de l'artillerie dont il était titulaire. Le
secrétaire d'État de la Guerre, qui avait imposé cette condition, supprima la grande maîtrise, mit sous ses ordres directs toutes les troupes
d'artillerie, conduisit les travaux des sièges, commanda la fabrication
des poudres et la fonte des canons et disposa des arsenaux.

En raison des circonstances où il devint secrétaire d'État de la
Guerre, et sans qu'il y eût de sa part intention arrêtée, le comte
d'Argenson recruta les officiers parmi les roturiers comme parmi les
nobles. Après la paix d'Utrecht, la réduction des effectifs, et par
conséquent du corps des officiers, avait été si considérable qu'on
n'avait plus attribué de grades qu'aux gentilshommes; le 25 décembre 1718, le Conseil de la guerre voulut que ce fût la règle; mais,
au cours de la guerre de la Succession de Pologne, et plus encore
pendant la guerre de la Succession d'Autriche, il fallut revenir aux
roturiers. En 1734, dans les régiments de l'armée d'Allemagne, et
surtout dans ceux de l'armée d'Italie, nombre d'officiers nobles avaient
donné leur démission, faute de fortune pour soutenir leur emploi.
D'autre part, les gentilshommes riches ne tenaient pas toujours à

*D'ARGENSON
SECRÉTAIRE
D'ÉTAT
DE LA GUERRE.*

*OFFICIERS
ROTURIERS.*

faire la guerre; beaucoup, dès qu'ils avaient obtenu la croix de Saint-Louis, se retiraient dans leurs terres. Le comte de Torcy dira en 1758 que « les provinces sont tapissées de croix de Saint-Louis, de gens qui n'ont pas plus de quarante ans, qui sont dans la force de l'âge », qui pourraient encore « servir bien longtemps ». Il les appellera « gens inutiles à l'État, qui le ruinent et le déshonorent ».

En 1755, au régiment de Flandre-Infanterie, il y avait six capitaines d'origine roturière et autant au régiment d'infanterie Royal-Roussillon. Dans la cavalerie, l'invasion roturière était moindre, mais encore appréciable; on y voyait, à côté de fils de magistrats de parlements, de conseillers des chambres des comptes, de conseillers de présidiaux, des fils de négociants. Le comte de Saint-Germain, futur ministre de la Guerre, se plaignait en 1758 que le corps d'officiers fût « rempli de roturiers ». Il exagérait, mais, sur la fin du ministère d'Argenson, on peut, pour l'infanterie tout au moins, évaluer la proportion des officiers roturiers au tiers de l'effectif.

Comme « Ministre de Paris », d'Argenson entreprit de moraliser la ville. Il fit enlever des filles dans de mauvais lieux, des servantes sans place, des ouvrières, des gens sans aveu qui vivaient dans de petites auberges, des pauvres errants et aussi de « petits gueux », fils d'artisans; il voulait envoyer tout ce monde aux colonies. Ce fut un soulèvement général. De grands rassemblements se firent rue de Cléry, à la Croix-Rouge, aux Quatre-Nations, à Saint-Roch. On barra les rues de chaînes pour empêcher les charges de cavalerie; on tua des archers, on brisa les vitres du guet; les émeutiers menaçaient de piller les maisons, de s'emparer des caisses des financiers, et de marcher sur Versailles. Les troubles durèrent de décembre 1749 à mai 1750. Le Parlement informa d'abord contre les archers, et en « décréta » plusieurs; ceux-ci montrèrent les « ordres » du lieutenant de police; deux d'entre eux furent quand même « admonestés », et un troisième « blâmé ». Se retournant contre les émeutiers, qui d'ailleurs s'apaisaient, les magistrats en condamnèrent cinq au gibet. Le jour où l'on dut pendre ces pauvres diables, le peuple cria grâce, mais les troupes croisèrent la baïonnette, et les condamnés furent exécutés. « La première fois que nous reverrons des séditions aurait-on dit dans le populaire, consommons davantage nos entreprises; brûlons, massacrons, défaisons-nous de nos mauvais magistrats... »

Mme de Pompadour avait pour d'Argenson une « haine publique »; elle lui reprochait d'essayer de la confiner dans la direction des plaisirs du Roi. D'Argenson, pour se défendre, s'appuya sur les amis de la Reine et les dévots. D'ailleurs le Roi croyait ne pouvoir se passer de lui. Louis XV, en 1754, fit dire à la marquise par Mme de Soubise, qu'habitué au « travail » et aux « formes » du comte d'Argenson, il désirait qu'on ne le tourmentât plus à son sujet. Mme de Pompadour dissimula et attendit.

III. — L'ADMINISTRATION FINANCIÈRE DE MACHAULT (1745-1754)

D E grandes réformes fiscales et sociales furent entreprises par Machault d'Arnouville. Machault naquit en 1701 d'une famille de robe. Il devint maître des requêtes en 1728, et, en 1743, intendant de Hainaut, fonction que la guerre et le voisinage de la frontière rendait difficile, et dont il s'acquitta bien. En 1745, il fut appelé au Contrôle général. Bien qu'il ne fût pas courtisan le moins du monde, mais très froid, sans agrément et sans grâce, et droit et probe, il sacrifia aux nécessités du moment et rechercha la faveur de Mme de Pompadour. Il avait des vues arrêtées et précises et une énergie tranquille à l'égard des préjugés. Machault, dit le marquis d'Argenson, s'avance au travers de tout, comme « les élagueurs d'allées »; il ne va qu' « à grands coups de faux »; il est entêté comme une « tête de fer ». Nullement théoricien, très pratique, il pense « qu'il faut diminuer les exempts (de tailles), soulager les taillables de quelques millions; que les pays d'États rendent moins au Roi que ceux d'élections; qu'il faut connaître les produits d'affaires par régie avant de les affermer à forfait; qu'il faut mépriser les financiers; que le Clergé est trop riche ».

En 1749, comme le bail général des fermes devait être renouvelé l'année d'après, il se préoccupa d'en tirer pour le Roi le meilleur revenu possible. Les fermiers généraux, au nombre de quarante, mettaient en commun un capital de 60 millions, afin d'être en état d'assurer toujours au Roi son revenu et de lui faire des avances. L'apport de chacun était de 1 500 000 livres, et se décomposait en *croupes* représentant les sommes fournies par des bailleurs de fonds. Le fermier touchait, par an, une rémunération de 24 000 livres pour droit de présence, 4 200 livres par mois pour frais de bureau, et 1 500 livres par mois quand il était en tournée; l'intérêt de ses avances lui était payé à raison de 10 p. 100 pour le premier million, et 6 p. 100 pour le solde. Ce n'étaient pas des profits excessifs, si l'on songe qu'un fermier était responsable de la levée des impôts, ce qui n'allait pas sans quelque risque; mais les fermiers trompaient le Roi sur le chiffre total des rendements. On calcula que, pendant la durée du bail Thibaut de la Rue, — celui qui touchait à sa fin, qui avait duré

MACHAULT D'ARNOUVILLE (1701-1794).

LES FERMIERS GÉNÉRAUX.

six ans, selon la coutume, — les fermiers avaient gagné 9 millions par an, soit 54 millions. Machault fit une enquête. Le principal fermier, celui qui tenait le portefeuille commun, Lallemant de Betz, lui ayant donné sur les bénéfices de la Compagnie des chiffres faux et refusé de présenter un état vrai, il le suspendit, et, par le nouveau bail, porta la ferme de 92 à 101 millions.

Chaque renouvellement de bail mettait en mouvement une foule de solliciteurs. Les places de fermiers généraux étaient très convoitées; elles étaient peu nombreuses, et, d'ordinaire, les titulaires les conservaient; mais les sous-fermiers se multipliaient indéfiniment, et les parts d'intérêt plus encore. Les solliciteurs allaient à la Cour par milliers; en 1749, à Compiègne, il fallut établir des tentes pour les coucher. Machault se défendit tant qu'il put contre les quémandeurs. Tout ce désordre était si vieux, et tant de gens y avaient profit qu'il n'en vint pas à bout; il ameuta contre lui quantité de mécontents, fut accusé de ne donner d'emploi qu'à ses amis et de se faire donner des pots de vin par ceux qu'il favorisait. Mais le Contrôleur général devait s'attirer, par des mesures plus graves, des inimitiés plus redoutables.

En 1745, les revenus ordinaires étaient inférieurs aux dépenses d'environ 100 millions. Machault fit face aux nécessités de la guerre par les expédients d'usage, emprunts, anticipations, affaires extraordinaires. La paix de 1748 ne le tira pas d'embarras, car elle l'obligea de supprimer le dixième, qui seul aurait permis d'acquitter les dettes de l'État, mais que le Roi avait promis d'abolir sitôt la guerre finie. Le Contrôleur usa d'un stratagème; il abolit le dixième et prépara l'établissement du « vingtième », qu'il entendait faire peser équitablement sur tous. Le régime des impôts lui semblait injuste, parce qu'il n'était supporté que par le troisième ordre, et, dans cet ordre même, par les pays d'élections plus que par les pays d'États. De la capitation, on avait fait une taxe additionnelle de la taille; le Clergé s'en était racheté à bon compte. Le dixième avait été léger aux riches et aux gentilshommes. En 1734, « le roi des vins » du Bordelais, le président de Ségur, dont le revenu s'élevait à 160 000 livres, déclara pour le paiement de cette contribution un revenu de 6 000. Les déclarations des nobles étaient dérisoires, et l'administration n'osait pas procéder contre eux.

Dans les premiers jours de mai 1749, deux édits furent signés à Marly : le premier ordonnait un emprunt pour l'acquittement des dettes de guerre — émission de 1 800 000 livres de rente 5 p. 100 —; le second établissait une imposition d'un vingtième sur tous les revenus des particuliers sans distinction de naissance ni de qualité; il atteignait le revenu foncier — vingtième des biens-fonds, — le revenu mobilier — vingtième des créances, — le revenu des charges — vingtième des offices, — les revenus commerciaux et industriels — vingtième d'industrie. Cette taxe devait gager l'emprunt nouveau et alimenter une caisse spéciale d'amortissement destinée à rembourser les dettes de l'État. Aux motifs invoqués pour le dixième en 1710, 1733, 1741, et qui furent répétés, d'autres étaient ajoutés. Le Roi disait :

« Nous avons reconnu qu'indépendamment de l'obligation dans laquelle nous nous trouvons de payer encore aujourd'hui les arrérages des dettes que la nécessité des circonstances a accumulées pendant les guerres dont le règne du feu roi, notre très honoré seigneur et bisaïeul, a été presque continuellement agité, ces dettes se sont très considérablement accrues pendant les deux dernières guerres que nous avons eues à soutenir depuis l'année 1733, et qu'elles sont d'autant plus augmentées que, pour satisfaire aux différents besoins qui se sont succédé, nous avons préféré la voie des emprunts, à d'autres qui auraient pu être plus onéreuses à nos peuples ; nous avons également reconnu qu'il était indispensable de pourvoir au paiement de ce qui reste dû des dépenses de la guerre et de celles dont elle a occasionné le retardement. Indépendamment de toutes ces charges, tant anciennes que nouvelles, la nécessité où nous sommes de mettre notre marine en état de favoriser le commerce de nos sujets et de conserver un nombre de troupes suffisant pour assurer la tranquillité de nos frontières, et maintenir la paix, nous oblige encore à des dépenses extraordinaires, qu'exige de nous la protection que nous devons à nos sujets. »

APPLICATION DE L'ÉDIT.

Comme au temps d'Orry, l'administration vérifia les déclarations des contribuables par des contrôleurs qui interrogèrent les personnes en état de leur fournir des indications sur les biens-fonds — notaires, décimateurs, syndics, collecteurs, principaux habitants des paroisses ; — mais plus encore qu'autrefois les contrôleurs eurent affaire aux dissimulations. Au reste, la contribution fut surtout supportée par les propriétaires, le développement de la richesse foncière étant de beaucoup supérieur à celui de la richesse mobilière. Et l'État admit toutes sortes de tempéraments à l'égard des profits du commerce et de l'industrie.

OPPOSITION DU PARLEMENT.

La grande nouveauté du vingtième c'est qu'il était, non pas un expédient limité à la durée d'une guerre, mais un impôt définitif. On lui reprocha moins « sa lourdeur » que « son universalité » ; on l'eût trouvé sans doute « plus supportable », s'il eût été « moins juste ». Le Parlement avait refusé d'enregistrer l'édit sur le vingtième ; il avait rappelé la promesse de supprimer le dixième, déploré la misère du peuple, et laissé voir la crainte que le vingtième ne devînt une imposition irrévocable et progressive.

« L'imposition du dixième, avait-il déclaré, si elle ne subsistait pas dans toute son étendue, subsisterait du moins dans son essence, et il serait toujours vrai de dire que tous les biens se trouveraient encore chargés d'une imposition fixe et déterminée, dont l'augmentation serait toujours à craindre, et qui pourrait devenir insensiblement un tribut irrévocable. »

Toutefois, sur l'ordre du Roi de procéder à l'enregistrement toute affaire cessante, le Parlement avait cédé.

Les premières grandes protestations vinrent des assemblées des pays d'États.

DES ÉTATS DE LANGUEDOC.

Quand Machault réclama des États de Languedoc les rôles du dixième pour permettre à l'intendant d'établir ceux du vingtième, les États invoquèrent le testament du dernier comte de Toulouse, Raymond VII, instituant pour son héritière universelle sa fille Jeanne, mariée à Alphonse de Poitiers, frère de Saint Louis ; puis les décisions des États généraux de 1355 et divers édits royaux, le tout afin d'établir le privilège qu'avait la province de consentir l'impôt. Mais Machault n'admettait pas qu'un texte quelconque permît à des sujets de discuter d'égal à égal avec le Roi leur maître. Il déclina même la requête de l'archevêque de Toulouse, de La Roche-Aymon, qui réclamait pour les États le droit de nommer une commission à l'effet d'administrer l'impôt du vingtième concurremment avec l'intendant, dussent les commissaires être à l'avance désignés par cet agent du Roi. Les États mécontents, ayant refusé de voter le don gratuit, furent dissous en février 1750 ; deux ans durant, le Languedoc fut administré sans États, et le vingtième perçu par l'intendant.

DES ÉTATS DE BRETAGNE.

Les Bretons établissaient leur droit de consentir l'impôt sur le pacte conclu en 1532 avec François Ier au moment où leur province fut réunie à la Couronne [1]. Leurs États étaient dominés par la noblesse. Le vote se faisait par ordre, chacun des trois ordres ayant sa voix ; mais comme tous les nobles avaient droit de séance aux États, ils imposaient, par leur nombre et leur violence, leurs volontés au Clergé et au Tiers État. En octobre 1749 fut convoquée une assemblée « extraordinaire ». Ces sortes d'assemblées étant moins nombreuses que les autres, les commissaires du Roi, l'intendant et le Premier Président du Parlement de Bretagne, firent voter la remise à l'intendant des rôles du dixième nécessaires pour asseoir la nouvelle taxe ; mais, quand l'administration voulut procéder à l'assiette, on lui opposa de telles résistances qu'en novembre 1750, sur 400 000 articles que contenaient les rôles du dixième, à peine avait-elle pu recueillir 8 000 déclarations. En 1750, l'assemblée ordinaire des États réclama la suppression du vingtième, ou le droit pour la province de s'abonner à raison d'une certaine somme qu'elle répartirait et lèverait elle-

---

1. Voir *Hist. de France*, t. V, 1, pp. 137 et 138, et t. VIII, 2, pp. 55 et 56.

même. Le duc de Chaulnes, gouverneur de la province et commissaire du Roi, eut de la peine à faire voter les subsides ordinaires. Deux ans plus tard, l'intendant n'ayant encore pu se faire remettre que des déclarations informes et dont il était impossible de faire usage, les commissaires du Roi durent présenter aux États des rôles du vingtième en grande partie copiés sur ceux du dixième. Les États se montrèrent intraitables; ils étaient d'ailleurs soutenus à Versailles par les ennemis de Machault et se croyaient sûrs de ne pas fâcher le Roi.

CONCESSIONS DU ROI.

Plus puissant qu'on ne l'avait cru, Machault fit exiler les meneurs de la résistance bretonne. Il songea même à réduire la représentation des nobles à quarante-six membres, ce qui était le chiffre de celle du Tiers; mais il renonça à une mesure qui aurait peut-être provoqué de grands troubles, et il préféra faire accepter, grâce à quelques ménagements, l'établissement du vingtième. Le duc d'Aiguillon, auquel le duc de Chaulnes, découragé depuis la turbulente session de 1752, vendit sa charge de lieutenant général en 1753, s'y employa; mais quand Machault quittera le contrôle général, en 1754, son successeur, de Séchelles, reprendra en Bretagne et en Languedoc le système des concessions, c'est-à-dire des abonnements; Louis XV cédera devant la coalition des privilégiés.

LA CONTRIBUTION DU CLERGÉ.

Avec le Clergé, Machault eut affaire à plus forte partie encore. Il était résolu à obliger ce corps, dont il estimait les revenus à 250 millions, à contribuer très largement aux charges publiques. Des 250 millions, il convenait de soustraire 30 millions appartenant au Clergé « étranger », c'est-à-dire au clergé des provinces réunies à la Couronne depuis le XVIe siècle, Trois-Évêchés, Alsace, Franche-Comté, Artois, Roussillon, qui ne faisait pas corps avec celui de France, n'était pas représenté aux assemblées quinquennales, et supportait des impositions royales particulières [1]. Il fallait aussi décompter plus de 60 millions dépensés par les collèges, les hôpitaux et les établissements de charité, plus le revenu des curés, soit 45 millions; mais il restait encore 114 millions imposables. Pour le seul impôt du vingtième, l'État pouvait donc réclamer 5 500 000 livres. Or, on calculait que, depuis le début du siècle, le Clergé n'avait contribué aux charges publiques que pour 182 millions, ce qui équivalait à

---

1. Sous le nom de « dons gratuits » le Clergé des Trois-Evêchés, de l'Alsace, de la Franche-Comté, payait tantôt annuellement, tantôt une fois pour toutes, des sommes qui représentaient la capitation et le dixième, mais il répartissait et percevait lui-même ces taxes. En Roussillon, la contribution du Clergé était qualifiée d' « abonnement »; en 1746, l'intendant du Roussillon l'avait augmentée de sa propre autorité. En Artois le Clergé payait sa part des impositions votées par les États; de même en Cambrésis, en Hainaut, en Flandre.

3 655 000 livres par an, moins du trentième de ses revenus. Certainement il pouvait payer davantage. Calculant, comme Machault, que le Roi pouvait l'imposer sur un revenu d'au moins 100 millions, l'intendant Sénac de Meilhan dira qu'il aurait fallu lui demander 20 millions par an. « Un prélat riche de 100 000 livres de rentes en aurait conservé à peu près 80 000, et l'État était sauvé. »

BIENS
DE MAINMORTE.

D'autre part, Machault, par un édit d'août 1749, renouvela l'effort tant de fois fait pour arrêter l'accroissement des biens de mainmorte. Dans le préambule de l'Édit, il fit valoir l'intérêt des familles frustrées par des donations au Clergé des héritages « naturellement destinés à leur subsistance et à leur conservation »; puis l'intérêt de l'État, que le droit payé au moment des amortissements n'indemnisait qu'insuffisamment de la perte des droits sur la translation des propriétés. Par l'Édit même, il interdit aux gens de mainmorte d'acquérir quoi que ce fût par achat, legs, échange, ou donation sans s'être pourvus de lettres patentes, et il subordonna la délivrance de ces lettres à des enquêtes conduites non seulement par les évêques, mais par les juges royaux et les officiers municipaux du pays où devait se faire la fondation. Il fit ordonner aux procureurs généraux de dresser des états de tous les établissements de mainmorte de leurs ressorts avec des observations sur l'utilité desdits établissements. Il voulut enfin que les héritiers des donateurs pussent revendiquer les biens irrégulièrement transmis au Clergé.

RÉSISTANCE
DU CLERGÉ
ÉTRANGER.

Pour diviser la résistance au vingtième qu'il savait certaine, Machault s'adressa d'abord au Clergé étranger dont il espérait venir à bout assez aisément. S'il obtenait de lui des déclarations de biens et le payement du vingtième, un précédent était créé; mais les agents du Clergé de France excitèrent leurs confrères à protester. L'évêque de Verdun invoqua l'exemple de saint Thomas de Cantorbéry, martyr pour avoir défendu contre un roi d'Angleterre les libertés et immunités de l'Église :

« Ne mettez point, disait-il, en opposition l'obéissance que nous devons au Roi et celle que nous devons à notre conscience; car, dans l'incompatibilité de ces deux devoirs, le Roi lui-même a trop de religion pour ne pas sentir lequel des deux doit avoir la préférence. »

ASSEMBLÉE
DU CLERGÉ.

Au mois de mai 1750 se réunit l'assemblée quinquennale du Clergé. Avant que rien lui eût été communiqué sur le nouvel impôt, elle décida d'adresser au Roi des représentations où elle rappellerait que les secours donnés par l'Église à l'État avaient toujours été volontaires. Par prudence, le Gouvernement ne parla pas de vingtième; mais, le 17 août, les commissaires du Roi annoncèrent que,

pour le paiement des dettes de l'État, il serait levé sur le Clergé, en
sus du don gratuit, une contribution de 7 millions 500 mille livres,
payable en cinq ans, par portions égales de 1 500 000 livres; le Clergé
procéderait lui-même au recouvrement; mais la répartition serait faite
d'après des déclarations de revenus et sous la surveillance du Roi.
La somme n'était pas excessive; mais que le Roi ordonnât l'imposition d'une certaine somme en vue d'un objet déterminé, et qu'il en
surveillât la répartition, c'était une grande nouveauté et l'achemine-
ment vers l'établissement du vingtième.

L'Assemblée refusa de faire la répartition de la contribution, et,
le 10 septembre, elle vota des remontrances. Elle parla du péril que
les progrès de la philosophie faisaient courir à la religion, et demanda
au Roi de ne point attenter aux vieux droits de l'Église.

*SES
REMONTRANCES.*

« Les ministres de la religion, dit-elle au Roi, ne vous demandent que la
conservation des immunités dans lesquelles plus de soixante de vos prédécesseurs les ont constamment maintenus. Ils ne vous demandent que d'être traités
par le Fils aîné de l'Eglise comme ils l'ont toujours été par tous les princes
de l'univers catholique. Ils ne vous demandent que l'exécution des engagements que Votre Majesté a pris au jour de sa consécration. Ils ne vous demandent que la grâce de revoir leurs églises sans la douleur de les avoir trahies. »

Le Roi répondit à l'Assemblée par la mise en demeure de prendre
une délibération positive sur la demande de ses commissaires.
Comme elle tergiversait, le secrétaire d'État Saint-Florentin fit
remettre au cardinal-président une lettre de cachet fixant la dissolution de l'Assemblée au 20 septembre, et ordonnant à ses membres de
retourner dans leurs diocèses pour y assurer l'exécution de la Déclaration du 17 août. L'Assemblée protesta et se sépara. Quelques ecclésiastiques, en petit nombre, se préparèrent cependant à fournir des
déclarations de leurs revenus; d'autres lièrent partie avec les courtisans hostiles au Contrôleur général.

*LES ORDRES
DU ROI.*

Une vive polémique était engagée. L'avocat Bargeton, au moment
où se réunissait l'Assemblée du Clergé, avait publié des *Lettres*, avec
l'épigraphe *Ne repugnate bono vestro*, — « Ne refusez pas votre bien ».
— Il disait que les prêtres étaient la partie la moins utile de la Nation,
leur reprochait la dépopulation du royaume, soutenait que les dons
à l'Église provenaient d'une piété séduite ou mal entendue, et niait
qu'aucun droit humain pût exempter le Clergé de la contribution
personnelle ou réelle aux charges de l'État. Le libelle fit grand bruit.
D'autre part, Voltaire supposa un décret de l'Inquisition où il était dit :

*POLÉMIQUE;
INTERVENTION
DE VOLTAIRE.*

« L'Antéchrist est venu; il a envoyé plusieurs lettres circulaires à des
évêques de France, dans lesquelles il a eu l'audace de les traiter de Français
et de sujets du Roi. Satan.... a débité un livre digne de lui.... Il s'efforce d'y

prouver que les ecclésiastiques font partie du corps de l'État, au lieu d'avouer qu'ils en sont essentiellement les maîtres ; il avance que ceux qui ont le tiers du revenu de l'État doivent au moins le tiers en contribution, ne se souvenant plus que nos frères sont faits pour tout avoir et ne rien donner. Le susdit livre en outre est notoirement rempli de maximes impies,.... de préjugés pernicieux tendant méchamment à affermir l'autorité royale, à faire circuler plus d'espèces dans le royaume de France, à soulager les pauvres ecclésiastiques, jusqu'à présent saintement opprimés par les riches..... A ces causes, il a semblé bon au Saint-Esprit et à nous de faire brûler le dit livre, en attendant que nous puissions en faire autant de l'éditeur. »

LIBELLES.

Libelles impertinents, traités sérieux et documentés se succédaient : la *Lettre d'un Turc à son correspondant de Constantinople sur les difficultés de la langue française*; l'*Avis sincère aux prélats ci-devant assemblés*; la *Lettre d'un saint évêque à un archevêque bien intentionné*; l'*Avis au clergé*; *La voix du prêtre*, de l'abbé Constantin ; l'*Avis d'un docteur en Sorbonne sur la Déclaration du 17 août 1750*, de l'abbé Guéret ; l'*Examen impartial des immunités ecclésiastiques*, de l'abbé Chauvelin ; le *Traité des droits de l'État et du prince sur les biens possédés par le clergé*, de l'abbé Mignot. Dans la polémique contre le Clergé, le bas Clergé était épargné ; même on réclamait pour lui un traitement supérieur aux « portions congrues » auxquelles le réduisaient les riches bénéficiaires, et la diminution des taxes qu'il avait à payer pour le don gratuit.

DEUX PARTIS
A LA COUR.
LA RECULADE
DU ROI.

Cependant la Cour était partagée entre deux partis. Mme de Pompadour soutenait Machault ; elle avait avec elle presque tout le ministère, les maréchaux de Noailles et de Richelieu, l'abbé de Broglie, tous les financiers, et contre elle le comte d'Argenson, toute la famille royale, tous les prélats, et, au premier rang, l'archevêque de Paris, le cardinal de Tencin, l'ancien évêque de Mirepoix, Boyer, qui tenait la feuille des bénéfices. Entre les deux partis, le Roi maintenait l'équilibre. Le chancelier d'Aguesseau ayant donné sa démission le 27 novembre 1750, en raison de son grand âge et de ses infirmités, Louis XV fit chancelier, le 10 décembre, Lamoignon de Blancmesnil, grand ami des Jésuites ; en même temps, il donna les sceaux à Machault, qui garda d'ailleurs le Contrôle général. Peu à peu, cependant, il se laissa circonvenir par Tencin et Boyer ; il écouta les avis du nouveau Chancelier. Puis, au moment du jubilé qui se célébra à Rome en 1751, il eut une crise de dévotion ; il se mit à suivre les sermons du P. Griffet, qui dirigeait à la Cour les exercices préparatoires du jubilé. Le bruit courut que Mme de Pompadour allait être disgraciée. Il n'en fut rien ; mais le Roi renonça à soumettre le Clergé à l'impôt. Le 23 décembre 1751, un arrêt du Conseil suspendit la levée de l'annuité de 1 500 000 livres. L'occasion de cette reculade fut l'affaire de l'Hôpital général. Cette maison était devenue un foyer de jansénisme militant; elle avait été réformée par une Déclaration du 24 mars 1751, qui la soumettait à l'autorité de l'archevêque de Paris; le Parlement avait refusé l'enregistrement, suspendu la justice, et forcé le Gouvernement à renoncer à la Déclaration. Le comte d'Argenson profita de ces événements pour animer Louis XV contre les Parlementaires. Un rapprochement du pouvoir et de l'Église en fut la conséquence. Machault quitta le contrôle général en 1754 pour devenir secrétaire d'État de la marine, à la place de Rouillé, qui passa aux Affaires Étrangères et, quand se réunit de nouveau l'Assemblée du Clergé, en 1755, le Roi lui demanda simplement le vote d'un don gratuit.

IV. — LES BILLETS DE CONFESSION ET LE REFUS DES SACREMENTS (1751-1758) [1]

PENDANT que se déroulait cette crise, la querelle entre Moli- *RENOUVELLEMENT* nistes et Jansénistes se ranima et devint furieuse. *DE LA QUERELLE.*

Des évêques constitutionnaires prescrivaient à leur clergé de refuser les sacrements aux suspects de jansénisme, qui ne présentaient pas un billet attestant qu'ils s'étaient confessés à un prêtre soumis à la Bulle. Les Jansénistes, considérant que le refus des sacrements était une « diffamation » justiciable des tribunaux, dénonçaient au Parlement les prêtres qui refusaient de les leur administrer. Le Parlement, pour qui l'usage des billets de confession était une « innovation illégitime, » poursuivait ces prêtres.

Divers incidents firent alors grand bruit. Bouettin, curé de Saint- *INCIDENTS EN 1752.* Étienne-du-Mont, avait eu affaire déjà deux fois au Parlement pour refus de sacrement, quand, en 1752, il refusa la communion à un vieux prêtre janséniste, Lemère. Le Parlement condamna le curé à l'amende, et le somma d'administrer les sacrements à Lemère sous

---

1. SOURCES. *Remontrances du Parlement de Paris* (p. p. Flammermont), D'Argenson (t. VIII), Barbier (t. III et IV), de Luynes (t. II), Moufle d'Angerville (t. II), du Hausset, Voltaire (*Précis du siècle de Louis XV*), déjà cités.
OUVRAGES A CONSULTER. Jobez (t. IV), de Carné, Rocquain, déjà cités. Aubertin, Crousaz-Cretet, Maury (*Les Assemblées du clergé*), Marion, de Goncourt, déjà cités. Maury, *De la civilisation en France, depuis le XVIIᵉ siècle jusqu'à nos jours; Mouvement des idées au XVIIIᵉ siècle; Des parlements* (Revue des cours littéraires, t. IV, 1867). Laboulaye, *De l'Administration française sous Louis XVI* (Revue des cours littéraires, t. II, III et IV, 1864-1867); Picot, *Mémoires pour servir à l'histoire ecclésiastique pendant le XVIIIᵉ siècle*, Paris, 1853-1857 7 vol. (t. III et IV). Glasson, *Les Conflits du Parlement et de la Cour en 1753* (Acad. des sc, morales, 14 sept. 1901). Méric (abbé Elie), *Le clergé sous l'ancien régime*, Paris, 1890. Sicard (abbé), *L'ancien clergé de France*; t. 1 : *les évêques avant la Révolution*, Paris, 1893. Flammermont, *Le chancelier Maupeou et les parlements*, Paris, 1883. Grellet-Dumazeau, *La Société parlementaire au XVIIIᵉ siècle : Les exilés de Bourges (1753-1754)*, Paris, 1893.

peine de saisie de son temporel. Le Conseil du Roi cassa l'arrêt; le Parlement supplia le Roi de faire donner la communion au mourant; mais le vieillard mourut sans sacrements. Dix mille personnes suivirent son cercueil, et le Parlement rendit un décret de prise de corps contre Bouettin, qui s'enfuit.

Le curé de Saint-Médard refusa les sacrements à deux religieuses de la communauté janséniste de Sainte-Agathe; il en mourut une. Le clergé de la paroisse, inquiet des suites qu'il prévoyait, se sauva. Le Parlement mit en cause l'archevêque lui-même, le menaça de saisir son temporel et le somma de faire administrer la religieuse survivante; mais la religieuse guérit. Pour éviter de nouveaux troubles, Louis XV ordonna que la communauté de Sainte-Agathe se séparât.

SCÈNES
GROTESQUES;
PASSIONS
VIOLENTES.

La querelle du Clergé et de la magistrature tournait au grotesque. Des « porte-Dieu », prêtres chargés de porter le viatique aux malades, étaient sommés par huissier d'avoir à délivrer la communion; quand ils s'y refusaient, le Parlement les mandait au Palais et les admonestait. Un huissier, signifiant à un prêtre un arrêt de la Cour qui ordonnait de porter le viatique, insérait, dit-on, dans son exploit : « Et faute de ce faire, le présent tiendra lieu de viatique ». Mais, sous ce ridicule, de violentes passions se démenaient.

IMPOPULARITÉ
DE L'ÉGLISE.

La haine de l'Église et de la religion se répandait dans la foule. D'Argenson disait :

« La perte de la religion ne doit pas être attribuée à la philosophie anglaise, qui n'a gagné à Paris qu'une centaine de philosophes, mais à la haine contre les prêtres, qui va au dernier excès. A peine osent-ils se montrer dans les rues sans être hués. Les esprits se tournent au mécontentement et à la désobéissance, et tout chemine à une grande révolution dans la religion et dans le gouvernement. »

« La réforme de la religion, disait-il encore, sera bien autre chose que cette réforme grossière, mêlée de superstition et de liberté, qui nous arriva d'Allemagne au seizième siècle.... Comme notre nation et notre siècle sont bien autrement éclairés, on ira jusqu'où l'on doit aller, l'on bannira tout prêtre, tout sacerdoce, toute révélation, tout mystère.... »

Il notait en 1753 :

« On n'ose plus parler pour le Clergé, dans les bonnes compagnies; on est honni et regardé comme des familiers de l'Inquisition. Les prêtres ont remarqué cette année une diminution de plus d'un tiers dans le nombre des communiants. Le collège des Jésuites devient désert; cent vingt pensionnaires ont été retirés à ces moines si tarés. On a observé aussi pendant le Carnaval, à Paris, que jamais on n'avait vu tant de masques, au bal, contrefaisant les ecclésiastiques, en évêques, abbés, moines, religieuses; enfin la haine contre le sacerdoce et l'épiscopat est portée au dernier excès. »

INQUIÉTUDES
DU ROI.

Le Roi, si indifférent qu'il fût, se préoccupait de ce grand désordre. L'audace des Parlementaires croissait toujours; le plus grand nombre des magistrats, et, parmi eux, l'abbé de Chauvelin, Pasquier, le président de Meinières, Rolland d'Erceville, Robert de Saint-Vincent, étaient des hommes d'opposition à tout propos. Le Roi disait un jour à un courtisan, le duc de Gontaut :

« Ces Grandes Robes et le Clergé sont toujours aux couteaux tirés ; ils me désolent par leurs querelles, mais je déteste bien plus les Grandes Robes. Mon Clergé, au fond, m'est attaché et fidèle, les autres voudraient me mettre en tutelle... Robert de Saint-Vincent est un boute-feu que je voudrais pouvoir exiler ; mais ce sera un train terrible... Le Régent a eu bien tort de leur rendre le droit de remontrances, ils finiront par perdre l'État ! »

Comme de Gontaut avait interrompu pour dire que de « petits robins » n'étaient pas de force à ébranler l'État, le Roi reprit :

« Vous ne savez pas ce qu'ils font et ce qu'ils pensent, c'est une assemblée de républicains. En voilà, au reste, assez : les choses, comme elles sont, dureront autant que moi. »

Le 22 février 1753, Louis XV adressa au Parlement de Paris des lettres patentes par lesquelles il évoquait au Conseil toutes les affaires concernant les sacrements. Le Parlement ne les enregistra pas, et, le 9 avril, il fit des remontrances où il essaya de justifier sa résistance : *REMONTRANCES DU PARLEMENT (AVRIL 1753).*

« Pouvions-nous, dit-il, sans cesser d'être fidèles, consentir à une surséance dont l'effet ne serait qu'un déni de justice préjudiciable à l'ordre et au repos public ? »

Condamnant une fois de plus les doctrines ultramontaines, il faisait au Roi cette déclaration :

« Si ceux qui abusent de votre nom prétendent nous réduire à la cruelle alternative d'encourir la disgrâce de Votre Majesté, ou de trahir les devoirs que nous impose un zèle inviolable pour votre service, qu'elles sachent que ce zèle ne connaît point de bornes, et que nous sommes résolus à vous demeurer fidèles, jusqu'à devenir les victimes de notre fidélité. »

Ordre fut donné aux Chambres assemblées d'enregistrer les lettres d'évocation ; les Chambres refusèrent. Dans la nuit du 8 au 9 mai, des mousquetaires portèrent aux présidents et conseillers aux Requêtes et aux Enquêtes des lettres de cachet leur ordonnant de se rendre soit dans leurs terres, soit dans des villes éloignées les unes des autres, qui leur étaient assignées pour lieux d'exil. Quatre furent conduits au Mont-Saint-Michel, au château de Ham, à Pierre-Encise, aux îles Sainte-Marguerite. La Grand'Chambre fut épargnée ; elle en eut honte, et protesta contre une exception qu'elle estimait injurieuse ; le 11 mai, elle fut reléguée à Pontoise. *DISPERSION DU PARLEMENT DE PARIS (MAI 1753).*

Le Châtelet, les Cours des Aides, les Cours des Comptes félicitèrent la Grand'Chambre de sa conduite. Des diverses villes où ils *LES PARLEMENTS PROVINCIAUX.*

étaient relégués, les conseillers aux Enquêtes et aux Requêtes lui adressèrent mémoires sur mémoires pour l'affermir dans sa résistance. Ceux que l'on avait exilés à Bourges, au nombre de trente, en rédigèrent un que d'Argenson qualifie de « tocsin séditieux »; ils déclaraient que, si le Roi disposait de 100 000 hommes pour soutenir ses ordres, ils avaient « le cœur et la volonté des peuples ». Les parlements provinciaux se mirent de la partie; ceux de Bordeaux et de Toulouse « décrétèrent » des curés qui refusaient les sacrements; celui de Rouen condamna l'évêque d'Évreux à 6 000 livres d'amende pour avoir interdit à ses curés de les administrer; celui de Provence cassa un arrêt du Conseil qui avait cassé un jugement rendu par lui contre l'évêque de Sisteron.

RAPPEL
DU PARLEMENT
DE PARIS.

Le Gouvernement ne résista pas longtemps; après avoir transféré la Grand'Chambre de Pontoise à Soissons et constitué une Chambre royale qui fut comme une faible ébauche du futur Parlement Maupeou, il rappela les exilés. Dans une déclaration datée du 8 octobre, il prétendit imposer à tous un silence absolu sur la Bulle :

> « Nous avons reconnu dans tous les temps, disait-il, que le silence est le moyen le plus efficace pour rétablir l'ordre et la tranquillité publique... A ces causes... ordonnons que le silence imposé sur les matières qui ont fait l'objet des dernières divisions soit inviolablement observé... Enjoignons à notre Cour de Parlement de procéder contre les contrevenants conformément aux Ordonnances... »

SÉVÉRITÉS
CONTRE LES
ULTRAMONTAINS
(1754-1755).

Mais le silence ne se fit pas. Une vieille fille de la paroisse de Saint-Étienne-du-Mont n'ayant pu fournir à un « porte-Dieu » ni billet de confession, ni renseignements sur son confesseur, les sacrements lui furent refusés; le Parlement dénonça le fait au Roi. Louis XV, tout en invitant les Parlementaires à « la plus grande circonspection relativement aux choses spirituelles », exila l'archevêque de Paris à Conflans. Ce fut le signal de toutes sortes de procédures contre l'épiscopat. En 1754, l'archevêque et les évêques de la province d'Auch écrivent au Roi pour se plaindre de la façon dont les parlements appliquent la Déclaration; le Parlement de Paris condamne leur lettre et la fait brûler par le bourreau. En 1755, l'évêque de Troyes, Poncet de La Rivière, refuse les sacrements à deux personnes; le présidial de Troyes le condamne à 3 000 livres d'amende et fait saisir ses meubles. Le Roi signifie au Parlement qu'il désapprouve « la chaleur » des juges; mais le Parlement soutient les juges, et Louis XV exile l'évêque. Le Roi exile l'archevêque d'Aix, pour refus de sacrements, et l'évêque de Saint-Pons, de Guénet, auteur des *Réflexions d'un évêque de Languedoc sur quelques arrêts du Parlement de Toulouse*. Le Parlement de Rennes saisit le temporel de

l'évêque de Vannes, et fait vendre les meubles de l'évêque de
Nantes.

Le Parlement triomphait. Il se croyait maître de la discipline *LE TRIOMPHE*
ecclésiastique, et même de la foi ; il citait à sa barre des membres du *DES PARLEMENTS.*
Clergé, pour tous les actes de leur ministère, pour des mandements,
des sermons, des catéchismes ; il examinait des thèses de Sorbonne.
Enfin, à propos de poursuites engagées contre le chapitre d'Orléans,
pour refus de sacrements, il déclara, par un arrêt du 18 mars 1755,
que la Bulle n'avait ni le « caractère » ni les « effets » d'une « règle
de foi » ; qu'il y avait « abus » à les lui attribuer ; en conséquence,
il enjoignit « à tous les ecclésiastiques, de quelque qualité ou dignité »
qu'ils fussent, de « se renfermer » à ce sujet dans le silence général
et absolu prescrit par la Déclaration.

Louis XV ne pouvait laisser passer ce désaveu quasi officiel de la *NOUVEAU*
Constitution ; et, d'ailleurs, au moment où une guerre s'annonçait avec *CONFLIT.*
l'Angleterre, il jugeait prudent de se ménager les subsides du Clergé.
Un arrêt du Conseil du 4 avril cassa donc l'arrêt du Parlement, « en
ce que l'on y disait qu'il y avait abus de l'exécution de la Bulle, et en
ce que, sous le prétexte de faire observer la Déclaration, le Parlement
en avait étendu et interprété les dispositions contre les vues et intentions du Roi ».

Sur ces entrefaites, l'Assemblée du Clergé se réunit, et le Roi *ASSEMBLÉE*
obtint d'elle, par un « vote unanime », un don gratuit de 16 millions. *DU CLERGÉ (1755).*
Il invita alors les évêques à rechercher les moyens de ramener la paix
dans les esprits. L'Assemblée se divisait en deux partis à peu près
égaux : les *feuillants*, ainsi appelés de ce qu'ils se groupaient autour
du cardinal-président de La Rochefoucauld, récemment mis en possession de la feuille des bénéfices ; les *théatins*, tirant leur nom de
l'ordre religieux auquel avait appartenu l'évêque de Mirepoix, Boyer,
décédé depuis peu. Les premiers étaient d'avis de ne refuser les
sacrements qu'aux réfractaires notoires et publics ; les autres, de
maintenir les choses en l'état. Tous protestèrent contre le recours
des fidèles aux Parlements, contre la prétention qu'avaient les juges
laïques de prendre connaissance des refus de sacrements, contre
les peines dont ils frappaient les prêtres : amendes exorbitantes,
prison, bannissement perpétuel. Ils convinrent enfin d'écrire au Pape
pour lui demander conseil.

Une querelle survenue entre le Parlement de Paris et le Grand *RIVALITÉ ENTRE*
Conseil devait donner d'ailleurs quelque répit au Clergé. Commission *LE GRAND CONSEIL*
administrative, instituée plutôt pour exécuter les volontés du Roi *ET LE PARLEMENT*
que pour maintenir la stricte exécution des lois, prononçant sur les *(1755-1756).*
arrêts contradictoires rendus par les Parlements, le Grand Conseil,

dont les arrêts étaient exécutoires dans toute la France, était jalousé et haï des Parlements [1]. Le Roi évoquait devant lui les affaires qu'il avait intérêt à ne pas laisser juger par les juges ordinaires. Or, en 1755, un ancien conseiller au Grand Conseil avait interjeté devant cette juridiction appel d'une sentence du Châtelet; son adversaire voulait au contraire plaider devant le Parlement. Le Grand Conseil ordonna au greffier du Châtelet de lui apporter les minutes du procès, et le Parlement le lui interdit par un arrêt. Cet arrêt fut cassé par une Déclaration du Roi, du 10 octobre. Le Parlement envoya à Versailles une députation, mais Louis XV ne tint aucun compte de ses doléances. Durant des mois, Parlement et Grand Conseil se firent la guerre à coups d'arrêts. Le public s'intéressait à cette querelle et s'en amusait. Le 26 avril 1756, le Grand Conseil étant allé à Versailles pour se plaindre du Parlement, le Roi le reçut avec le cérémonial usité pour cette cour; on se demanda s'il ne projetait pas de substituer aux parlements indociles son Grand Conseil.

ENCYCLIQUE DE BENOIT XIV (OCT. 1756). L'ambassadeur de France à Rome obtint du Pape, en octobre 1756, une encyclique destinée à rétablir la paix religieuse. Le Pape confirmait l'obligation d'obéir à la Constitution *Unigenitus*, mais supprimait l'exigence du billet de confession; le Clergé devait s'éclairer sur les sentiments des fidèles et ne refuser les sacrements qu'aux gens connus comme réfractaires à la Constitution.

« Sont réfractaires, disait le Pape, tous ceux qui, par sentence rendue par un juge compétent, ont été reconnus coupables d'avoir refusé à la Constitution le respect, l'obéissance et la soumission qui lui sont dus; tous ceux qui, en jugement, se sont déclarés coupables d'une pareille obstination, et, en outre, ceux qui, bien qu'ils n'aient pas déclaré leur culpabilité en jugement, cependant, dans le temps même où ils s'apprêtent à recevoir le saint viatique, professent spontanément leur désobéissance personnelle et persévérante à l'endroit de la Constitution.»

UNION DES PARLEMENTS. Le 7 décembre 1756, le Parlement de Paris « supprima » cette sage encyclique, pour la raison qu'elle avait été publiée sans permis d'imprimer et sans nom d'imprimeur, et il défendit aux évêques de la citer et de la publier. Tous les Parlements du royaume firent cause commune avec lui. C'était d'ailleurs une théorie de la magistrature que les divers Parlements n'étaient que des parties d'un même tout, des *classes* d'un seul et unique Parlement réparties entre les provinces pour la commodité des justiciables. Le Parlement de Bordeaux entrait en guerre avec l'intendant De Tourny; le Parlement de Rouen faisait des remontrances contre le Grand Conseil, et le commandant de la province, duc de Luxembourg, étant allé les biffer sur les

1. Voir *Hist. de Fr.*, V, 1, pp. 214 et 215.

registres, il menaçait de suspendre la justice et de donner sa démission en masse.

Cependant la guerre, déjà engagée sur mer avec les Anglais, allait commencer sur le continent. Le Gouvernement avait besoin de faire enregistrer des édits bursaux; il résolut de prendre des précautions contre la magistrature. Le 13 décembre 1756, le Roi tint un lit de justice, où il fit lire trois déclarations. Par la première, il ordonnait de « respecter » la Bulle comme décision de l'Église et attribuait aux tribunaux ecclésiastiques la connaissance du refus des sacrements, en gardant au Parlement l'appel comme d'abus; par la seconde, il reconnaissait à la seule Grand'Chambre le droit de convoquer les autres Chambres, répétait une fois de plus que l'enregistrement aurait lieu nécessairement après qu'il aurait été répondu aux remontrances, et enfin interdisait d'interrompre le cours de la justice, sous peine d'être jugé rebelle. Par la troisième, il supprimait deux chambres des Enquêtes sur trois, c'est-à-dire soixante offices de conseillers laïques. Il fit enregistrer les déclarations sous ses yeux et ordonna aux Chambres de se séparer.

LES TROIS DÉCLARATIONS DU 13 DÉCEMBRE 1756.

Les Enquêtes et les Requêtes n'en demeurèrent pas moins réunies et donnèrent leurs démissions en bloc. « Dégradés et privés » de nos « fonctions essentielles », disaient les démissionnaires, nous sommes devenus incapables d'être « à l'avenir d'aucune utilité pour le service du Roi et le bien du Royaume ». Seize membres de la Grand'Chambre s'étant aussi démis, le cours de la justice fut suspendu; les avocats et les procureurs cessèrent leur service. Le peuple se prononça pour le Parlement; l'agitation fut énorme à Paris et en province; mais l'attentat de Damiens vint faire diversion.

Les démissionnaires avisèrent alors le Premier Président que, « consternés » par l'attentat, ils étaient prêts à donner au Roi des « marques de leur fidélité ». Mme de Pompadour se mit à négocier avec les principaux meneurs; le 26 janvier, elle reçut le président de Meinières, qui avait rédigé un projet d'accommodement où il prétendait ménager l'autorité du Roi et les intérêts de sa Compagnie; elle ne décida rien avec lui, mais le pria de remettre son projet à l'abbé de Bernis, qui venait d'être fait ministre. Bernis conseilla la clémence envers les magistrats, et, une fois de plus, Louis XV se départit de sa rigueur; il fit rendre aux démissionnaires leurs démissions, et rappela les exilés.

RÉCONCILIATION.

La lutte entre « la Couronne et le Greffe » était, pour un temps, suspendue, mais devait recommencer fatalement. L'antique confusion de l'Église et de l'État, et la question très vieille aussi des relations

LA COURONNE ET LE GREFFE.

de la Couronne avec Rome étaient des causes permanentes de conflits [1]. Le Parlement contestait à l'Église toute participation à la puissance publique, et défendait contre la papauté l'indépendance de la Couronne. Lorsque le Parlement se trouvait aux prises avec l'Église de France et avec Rome, le Roi se trouvait embarrassé. Il aimait son clergé, parce qu'il le savait fidèle, et parce qu'il recevait de lui des subsides. Il redoutait les différends avec le Pape et même ne se faisait pas faute de recourir à l'autorité pontificale; mais il n'était, ni ne pouvait être ultramontain. De cet embarras, même un roi comme Louis XIV avait souffert. Louis XV révéla sa faiblesse par une perpétuelle alternative de rigueurs et de pardons. Aussi le Parlement s'enhardissait de plus en plus. Or, le Parlement, tout en défendant contre la Couronne même les droits de la Couronne dans sa lutte avec les Ultramontains, produisait les siens, vieux, obscurs, toujours contestés. Il se donnait l'air d'un protecteur de la Nation contre l'arbitraire royauté; la Nation l'applaudissait, et elle espérait en lui. Mais, comme il n'était pas au pouvoir d'officiers du Roi, acheteurs de leurs offices, de représenter la Nation devant le Roi et de soutenir jusqu'où il aurait fallu leur opposition, toute cette agitation, qu'ils renouvelaient à tout propos, demeurait stérile. Le Parlement n'était capable que d'ébranler la monarchie.

V. — L'ATTENTAT DE DAMIENS ET LA DISGRACE DE MACHAULT ET DU COMTE D'ARGENSON (1757) [2]

ATTENTAT DE DAMIENS (JANVIER 1757).

CE fut le 5 janvier 1757, à six heures du soir, que le Roi, montant en carrosse au château de Versailles pour aller souper à Trianon, fut frappé au flanc d'un coup de couteau. La blessure était légère, mais on craignit que l'arme ne fût empoisonnée; Louis XV se mit au lit et se confessa. L'archevêque de Paris ordonna des prières de quarante heures; les théâtres furent fermés; mais le public se montra surtout curieux des détails de l'attentat. Le temps était loin où la crainte de perdre le Roi consternait la France.

L'assassin, Damiens, ayant été garçon de salle chez les Jésuites, ceux-ci furent mis en cause dans des libelles. Le bruit courut ensuite qu'il avait servi des Jansénistes, des magistrats notamment, et ce fut

1. Voir *Hist. de Fr.*, VII, 1, p. 29-32, sur le Conflit entre la Couronne et le Parlement; sur le Parlement et l'Eglise, *ibid.*, p. 387 et suiv.

2. SOURCES. D'Argenson (t. V), du Hausset, Hénault, Moufle d'Angerville (t. III), déjà cités. *Lettres inédites du poète Robbé de Beauveset*, p. p. G. d'Heilly, 1876. *Pièces originales du procès Damiens*, Paris, 1737. Ravaisson, *Archives de la Bastille*, t. XXI.

OUVRAGES A CONSULTER. Campardon, de Goncourt (*Mme de Pompadour*), déjà cités. D'Heilly, *le Parlement, la Cour et la Ville pendant le procès Damiens*, Paris, 1875.

le tour des Jansénistes et du Parlement d'être accusés de complicité. Damiens n'était qu'un déséquilibré; il n'avait pas voulu tuer le Roi, mais seulement le rappeler à ses devoirs. Le Gouvernement crut cependant à une conspiration, fit arrêter des ecclésiastiques, poursuivit des détenteurs d'écrits séditieux et des imprimeurs, envoya aux galères des libraires et des colporteurs et bannit quelques écrivains. L'assassin subit le supplice de Ravaillac, le 28 mars 1757. On lui brûla la main droite, on le tenailla; on versa du plomb fondu dans ses plaies; on l'écartela. Pendant cinq quarts d'heure, il demeura vivant, très courageux, sous les regards d'une foule immense qui emplissait la place de Grève et garnissait les fenêtres, les lucarnes et les toits.

Le Roi, se croyant frappé à mort, avait ordonné au Dauphin de présider le Conseil; il avait demandé à la Reine pardon de ses torts envers elle. Les courtisans pensèrent que Mme de Pompadour était perdue. Machault se présenta chez elle, en effet, pour lui donner à entendre que le Roi désirait qu'elle s'éloignât; mais des amis de la marquise lui conseillèrent de demeurer. « M. de Machault vous trahit », lui aurait dit alors la maréchale de Mirepoix, « il veut être le maître; et, pour perdre la partie, il vous suffit de la quitter ». La marquise attendit les événements; le Roi, sitôt qu'il fut rassuré, ne pensa plus à la congédier. Mais Machault paya cher ce que le parti Pompadour appelait sa trahison; le Roi lui écrivit le 1er février 1757 :

DISGRÂCE DE MACHAULT.

> « Les circonstances présentes m'obligent de vous redemander mes sceaux et la démission de votre charge de secrétaire d'État de la Marine. Soyez toujours sûr de ma protection et de mon amitié. Si vous avez des grâces à me demander pour vos enfants, vous pouvez le faire en tout temps. Il convient que vous restiez quelque temps à Arnouville. Je vous conserve votre pension de vingt mille livres et les honneurs de Garde des sceaux. »

Louis XV ne se séparait qu'à regret de Machault, qu'il aimait pour son intelligence et sa capacité. « Ils ont tant fait, écrivait-il le même jour, qu'ils m'ont forcé à renvoyer Machault, l'homme selon mon cœur; je ne m'en consolerai jamais. »

En même temps que Machault, tomba le comte d'Argenson. La disgrâce de Machault faisait de lui le ministre prépondérant. Il voulut, pour être tout puissant, substituer auprès du Roi à la marquise, dont il était l'ennemi, la comtesse d'Esparbès. « L'indécis est enfin décidé, aurait-il écrit à cette dame, le Garde des sceaux est renvoyé; vous allez revenir, ma chère amie, et nous serons les maîtres du tripot. » Il a nié l'authenticité de cette lettre; et peut-être fut-elle fabriquée; mais, après que Mme de Pompadour l'eut montrée au Roi, d'Argenson fut relégué à sa terre des Ormes.

DISGRÂCE DU COMTE D'ARGENSON.

Peut-être bien, d'ailleurs, la principale raison du renvoi de deux ministres fut-elle que le Roi Louis XV, épouvanté de l'attentat de Damiens, crut bon d'éloigner du ministère les hommes qui avaient attiré sur eux le plus de haines : Machault, comme auteur du projet du vingtième, le comte d'Argenson comme chef du parti dévot.

CHANGEMENTS DANS LE MINISTÈRE.

L'année 1757 vit encore, en juillet, le renvoi du secrétaire de l'État des Affaires étrangères, Rouillé. Louis XV ne donna pas de successeur à Machault comme Garde des sceaux, et tint lui-même les sceaux jusqu'en octobre 1761 ; mais, à la Marine, Machault fut remplacé par Peirenc de Moras ; le comte d'Argenson le fut, à la Guerre, par le marquis de Paulmy, son neveu, qui céda lui-même la place au maréchal de Belle-Isle le 2 mars 1758. Le successeur de Rouillé devait être l'abbé de Bernis. Les ministres, disait le public, changent comme les décors de l'Opéra. La duchesse d'Orléans, chargeant quelqu'un d'aller à Versailles faire compliment à l'un d'eux, ajoutait : « Au moins sachez s'il y est encore ! »

CHAPITRE II

LA GUERRE DE SEPT ANS[1]

I. LE RENVERSEMENT DES ALLIANCES. — II. LES OPÉRATIONS CONTINEN-
TALES DE LA GUERRE DE SEPT ANS; DÉBUTS DE CHOISEUL (1756-1763). — III. LA GUERRE
MARITIME ET COLONIALE; MONTCALM ET LALLY-TOLLENDAL (1756-1763). — IV. LE TRAITÉ
DE PARIS.

I. — LE RENVERSEMENT DES ALLIANCES

L A paix signée en 1748 entre l'Angleterre et la France ne pouvait
durer; les Anglais la déploraient. En échange de l'évacuation des
Pays-Bas, consentie par Louis XV, ils avaient dû débloquer Bordeaux
et Nantes, restituer le Cap Breton et Louisbourg, et ils regrettaient
le marché. Dans les villes et les ports, l'esprit de guerre se réveilla,

*GRIEFS
DE L'ANGLETERRE
CONTRE LA PAIX.*

1. Sources. D'Argenson (t. V et VII), Barbier (t. III et IV), Bernis (*Mémoires et lettres*);
Choiseul, Duclos (*Mémoires*), Sénac de Meilhan, Soulavie (*Mém. hist.*), déjà cités; Besenval
(de), *Mémoires*, Paris, 1805-1806, 4 vol.; *Correspondance secrète inédite de Louis XV*, p. p. Boutaric, 1866, 2 vol. Frédéric II, *OEuvres, Histoire de la guerre de Sept Ans, 1763; Histoire de
mon temps; Politische Correspondenz*, déjà citées; *Geschichte des Siebenjæhrigen Krieges*, Berlin,
1827-1847, 6 vol. Frédéric II, *Friedrichs des Grossen Anschauungen vom Kriege, in ihrer Entwickelung von 1745-1756*, dans *Kriegsgeschichtliche Einzelschriften* (publication de l'Etat-Major
allemand, nº 27), Berlin, 1899. Lévis (de), *Lettres* [*concernant la guerre du Canada*], Montréal
et Québec, 1889-1895, 12 vol. *Journal et campagne du Canada (1756-1760)*, Montréal, 1859. Mar-
tange (Général de), aide de camp du prince Xavier de Saxe, *Correspondance (1756-1782)*,
Paris, 1898. *Preussische und OEsterreichische Akten zur Vorgeschichte des Siebenjæhrigen
Krieges*, p. p. von Volz et Kuntzel, Leipzig, 1899. Maréchal de Broglie, *Correspondance
avec le prince de Saxe*, p. p. le duc de Broglie et J.-J. Vernier, 4 vol., Paris, 1904-1905. *Briefe
Preussischer Soldaten, Urkundliche Beiträge und Forschungen*, Heft 2, Berlin, 1901. *Recueil
des instructions données aux ambassadeurs et ministres de France* : Farges (*Pologne*), Geffroy
(*Suède et Danemark*), Rambaud (*Russie*), Sorel (*Autriche*). *Les derniers jours de l'Acadie
(1748-1758). Correspondance extraite du portefeuille de M. Le Courtois de Surlaville* [lieutenant
général des armées du Roi, ancien major des troupes de l'Ile royale], p. p. du Boscq de
Beaumont, Paris, 1899. Saint-Germain (Comte de), *Mémoires*, Londres, 1779. Schlitter,
*Correspondance secrète entre le comte A. W. Kaunitz-Rietberg, ambassadeur impérial à Paris,
et le baron Ignaz de Koch, secrétaire de l'impératrice Marie-Thérèse (1750-1752)*, Paris, 1899.
Talleyrand (de), *Mémoires*, p. p. de Broglie, Paris 1890-1892, 5 vol.; t. V (Choiseul). *Corres-
pondence of W. Pitt with colonial Governors*, p. p. Kimball, New-York, 1906, 2 vol.
Ouvrages a consulter. Arneth (d'), Aubertin, Boutaric (*Études sur la politique person-
nelle de Louis XV*), de Broglie (*Le secret du Roi, L'Alliance autrichienne*); Campardon
(*Mme de Pompadour*), de Carné (*La monarchie française*), Chabaud-Arnault, Cousin, Gébelin,

à la reprise de la concurrence française; les marchands réclamèrent une politique même agressive, qui leur assurât partout les mains libres. En Amérique, les colons anglais étaient résolus à la lutte à fond contre les colons français.

ANGLAIS
ET FRANÇAIS
DANS L'AMÉRIQUE
DU NORD.

Au moment où va commencer entre France et Angleterre la guerre pour la possession de l'Amérique du Nord, les treize colonies, fondées par des Anglais au XVIIᵉ et au XVIIIᵉ siècles, se succèdent sur la côte de l'océan Atlantique entre le Canada français et la Floride espagnole. Elles sont enveloppées à l'Ouest par les possessions françaises. Du Canada, en effet, les Français ont commencé, dès le XVIIᵉ siècle, la pénétration à l'intérieur, dans la région des grands lacs. Ils ont fondé des établissements sur le lac Supérieur, le lac Ontario et le lac Michigan. Du lac Michigan est parti en 1679 Cavelier de la Salle à la recherche du Mississipi, dont on ne connaissait que le cours inférieur découvert par les Espagnols; en 1682, il a descendu le fleuve jusqu'à l'embouchure, et pris possession de la vaste vallée qu'en l'honneur de Louis XIV il a nommée la Louisiane. Lorsqu'il mourut en 1687, quelques centaines de colons français vivaient sur le bas Mississipi; en 1718 a été fondée la ville qu'en l'honneur de Philippe d'Orléans, régent de France, on a nommée la Nouvelle-Orléans.

de Goncourt (*Mme de Pompadour*), Green, Jobez (t. V, VI, VII), Koser, Lacour-Gayet, Lacretelle, Mallesson, Pajol (t. IV à VII), Perey (*Duc de Nivernais*), Rousset (*Comte de Gisors*), déjà cités. Bourguet, *Études sur la politique étrangère du duc de Choiseul*, Paris, 1909. Boutry, *Choiseul à Rome; Lettres et mémoires inédits (1754-1757)*, Paris, 1895. Calmettes (Pierre), *Choiseul et Voltaire, d'après les lettres inédites de Choiseul à Voltaire*, Paris 1902. De Cisternes, *Le duc de Richelieu, son action aux conférences d'Aix-la-Chapelle, sa retraite du pouvoir*, Paris, 1898. Id., *La campagne de Minorque, d'après le journal du commandeur Glandevez*. Paris, 1899. Daubigny, *Choiseul et la France d'outre-mer après le traité de Paris*, Paris, 1892. Filon, *L'ambassade de Choiseul à Vienne en 1757 et 1758*, Paris, 1872. Napoléon Iᵉʳ, *Précis des Guerres de Frédéric II*, Paris, 1872, 3 vol. Naudé, *Beiträge zur Entstehungsgeschichte des Siebenjæhrigen Krieges*, Leipzig, 1895-1896, 2 vol. *Der Siebenjæhrige Krieg* (publication de l'État-Major allemand), 4 vol., Berlin, 1901-1902. Rambaud (A.), *Russes et Prussiens [pendant la] guerre de Sept Ans*, Paris, 1895. Schæfer, *Geschichte des Siebenjæhrigen Kriegs*, Berlin, 1867-1874, 3 vol. Soulange-Bodin, *La diplomatie de Louis XV et le pacte de famille*, Paris, 1894. Vandal, *Louis XV et Elisabeth de Parme*, Paris, 1882. Waddington (Richard), *Louis XV et le renversement des alliances; Préliminaires de la guerre de Sept Ans (1754-1756)*, Paris, 1896. *La guerre de Sept Ans, histoire diplomatique et militaire*, Paris, 1898-1908, 4 vol. Vast, *La guerre de Sept Ans*, et Rambaud, *L'Hindoustan*, au t. VII de l'*Histoire Générale du IVᵉ siècle à nos jours*. Heigel (Th.), *Friedrich der Grosse und der Ursprung des Siebenjæhrigen Krieges (Neue geschichtliche Essays)*, Munich, 1902. Bourdeau, *Le grand Frédéric*, 2 vol., Paris 1902. Général Bonnal, *De Rosbach à Ulm*, Paris, 1903. Ruville (A. von), *William Pitt, Graf von Chatham*, 3 vol., Stuttgart et Berlin, 1905. Fleury de Saint-Charles. *Un attaché militaire français à la cour de Russie* (Revue d'histoire diplomatique, t. XVII). Kuntzel, dans Forschungen zur Brandenb. und Preuss. Gesch., t. XIV et XV, et Cahen, dans Rev. d'hist. mod. et contemp., avril 1909 (sur les mémoires de Bernis). Gerber, *Die Schlacht von Leuthen* (Hist. Studien, Heft XXVIII), Berlin, 1901. Laubert, *Die Schlacht bei Känersdorf*, Berlin, 1900. Favé, *Études sur le passé et l'avenir de l'artillerie*, 6 vol., Paris, 1846-1871, au t. IV. Mention, *L'armée de l'Ancien Régime*, Paris, 1900. Ed. Desbrière et Sautai, *La cavalerie de 1740 à 1789*, Paris, 1906. Commandant E. Picard et lieutenant Jouan, *L'artillerie française au XVIIIᵉ siècle*, Paris, 1905. Lieutenant Dublanchy, *Une intendance d'armée au XVIIIᵉ siècle*, Paris, 1906. Sautai, *Montcalm au combat de Carillon*, Paris, 1909. Casgrain, *Wolfe and Montcalm*, Londres, 1905. Guénin, *Montcalm*, Paris, 1898. Bradley, *The Fight with France for North America*, Westminster, 1900.

La Guerre de Sept Ans.

Ainsi, du Nord au Sud, du Saint-Laurent au Mississipi, qui, un moment, a été nommé le fleuve Saint-Louis, s'étendait la domination française.

Très vaste, cette domination n'était pas solide, les Français étant bien moins nombreux en Amérique que les Anglais. On estime à 60 000 hommes la population du Canada et à deux millions celle des treize colonies anglaises, vers le milieu du xviiie siècle. La population anglaise n'était pas homogène ; elle différait, selon la provenance des colons et la nature des pays. Des puritains, qui avaient fui au xviie siècle la persécution anglicane, s'étaient établis dans les quatre colonies du Nord, dont l'ensemble composait ce qu'on nommait la Nouvelle-Angleterre[1]. Ils cultivaient sous un climat froid des terres peu fertiles, et la pêche était leur autre moyen de subsistance. Au Sud de la Nouvelle-Angleterre, quatre colonies[2] étaient composées d'éléments divers : il s'y trouvait des Allemands luthériens qui avaient fui la persécution, des protestants irlandais, des quakers. Là étaient situées les deux plus grandes villes de l'Amérique anglaise, New-York et Philadelphie. Ces pays pratiquaient surtout la culture du blé. Enfin, dans les cinq colonies du Sud[3], à climat chaud et terres fertiles, des gentilshommes anglais vivaient noblement sur des domaines que des nègres cultivaient. Mais, si divers qu'ils fussent, ces colons anglais avaient entre eux cette ressemblance qu'ils étaient, dans le cadre de leurs colonies, indépendants et libres, faisant leurs affaires eux-mêmes. Tous, ils avaient le même intérêt à disputer aux Français cette région de l'Ouest, leur *Hinterland*. Les colons du Nord, ceux qui se trouvaient en contact immédiat avec le Canada, étaient les plus énergiques des colons anglais. Chez eux, point d'aristocratie ; ils vivaient pauvrement et rudement dans leurs villages, instruits par des maîtres d'école et des pasteurs, qui étaient, avec les juges, les principaux personnages des colonies. La supériorité numérique des Anglais avait naturellement pour conséquence la supériorité de leur force militaire. Cette force consistait, des deux côtés, en troupes envoyées de la métropole, mais aussi et surtout en milices locales, colons anglais et français étant astreints au service de la milice. A eux seuls, les miliciens de la Nouvelle-Angleterre étaient plus nombreux que les miliciens de l'immense colonie française.

Cette supériorité des Anglais fut renforcée, et cette infériorité des Français aggravée par la conduite des deux gouvernements. Tous les

COMPARAISON DES FORCES.

LA CONDUITE DES DEUX GOUVERNEMENTS.

1. New-Hampshire, Massachusetts, Rhode-Island, Connecticut.
2. New-York, New-Jersey, Pennsylvanie, Delaware.
3. Maryland, Virginie, Caroline du Nord, Caroline du Sud, Géorgie.

deux, il est vrai, pratiquaient à l'égard de leurs colonies la même politique économique. Ils prétendaient leur vendre leurs produits manufacturés et se réserver l'achat des produits naturels coloniaux. Même, le gouvernement d'Angleterre était plus rigoureux que celui de France. Dans la première moitié du xviiie siècle, il interdit des industries qui tentent de s'établir dans les colonies d'Amérique; il interdit aussi les relations commerciales avec des étrangers; tout doit aller en Angleterre et venir d'Angleterre; mais, comme la métropole n'avait établi qu'un très insuffisant régime de douanes, la contrebande se faisait sur grande échelle. Ce gouvernement commença par ne guère s'intéresser à des colonies qui ne lui rapportaient rien, et les colons anglais purent se plaindre, tout autant que les colons français, du dédain de la métropole. Mais l'Angleterre commençait à devenir manufacturière, et son commerce se développait de plus en plus. Ses producteurs et ses marchands avaient, pour faire valoir leurs intérêts, la presse et le parlement. L'opinion publique anglaise était instruite des affaires coloniales. Puis, des appels venaient des colonies américaines; bientôt l'opinion demandera la destruction de la puissance militaire et coloniale de la France.

LA QUESTION DE L'ACADIE.

Le conflit s'annonça, au lendemain de la paix d'Aix-la-Chapelle, à propos des limites de l'Acadie, qui n'avaient été précisées, ni à Utrecht ni à Aix-la Chapelle. Les hostilités commencèrent sur le territoire contesté, où, des deux parts, on éleva des forts. Elles furent suspendues par des instructions venues de France et d'Angleterre; mais la lutte s'engagea sérieusement dans la région de l'Ohio. Là était le principal point stratégique, le cours de l'Ohio étant le plus bref chemin entre le Canada et la Louisiane.

LUTTE DANS LA RÉGION DE L'OHIO.

En 1753, le Virginien Trent fut chargé par le gouverneur de la Virginie « de déloger les Français, et, en cas de refus ou de résistance, de tuer, détruire ou faire prisonnière toute personne non sujette du roi d'Angleterre qui chercherait à s'établir sur la rivière de l'Ohio ». Le gouverneur du Canada, Duquesne, envoya une troupe, commandée par Contrecœur, expulser les traitants anglais des territoires contestés. Trent, trop faible, dut abandonner le fort qu'il construisait au confluent de l'Alleghany et de la Monongahela, et qui, achevé par Contrecœur, devint le fort Duquesne. Mais, quelque temps après, le 28 mai 1754, un officier français, Jumonville, envoyé en parlementaire, était surpris dans les bois et tué — sa qualité de parlementaire n'avait pas été reconnue — par un détachement de Virginiens, renforcé de Peaux-Rouges, que Washington commandait. Contrecœur envoya aussitôt, sous le commandement du frère de

Jumonville, Villiers, une colonne, qui atteignit, cerna et fit capituler les Anglais au fort de Nécessité, en aval du fort Duquesne.

Alors les gouverneurs de Virginie et de Massachusets organisent des corps de troupes et projettent sous leur propre responsabilité des attaques contre les forts ennemis. A Londres, la nouvelle de ces événements produisit « une assez grande fermentation parmi les négociants ». Le ministère, qui, jusque-là, s'était montré en somme conciliant, cédait au courant de l'opinion publique. Robinson, ministre des Affaires étrangères, disait à l'ambassadeur de France : « Vous en prenez à votre aise… vous procédez en sûreté sous l'autorité de votre roi ; mais, il n'en est pas de même pour nous, et c'est la tête du duc de Newcastle et la mienne qui répondront de tout ce que nous faisons avec vous ». Déjà, en juillet 1754 le gouvernement anglais avait autorisé les gouverneurs de Massachusets et de Nouvelle-Écosse à attaquer les forts français. En apprenant la capitulation du fort de Nécessité, il haussa le ton :

« Toute l'Amérique du Nord sera perdue, écrit Newcastle, si nous tolérons des procédés pareils ; il n'y a pas de guerre qui serait pire pour notre pays que de supporter des faits semblables. La vérité est que les Français réclament la possession de toute l'Amérique du Nord, excepté la lisière du littoral, dans laquelle ils voudraient resserrer toutes nos colonies ; mais c'est ce que nous ne pouvons ni ne voulons souffrir. »

Au début d'octobre 1754, la Cour de Londres envoyait en Amérique, avec des renforts, le général Braddock.

Ce n'était pas encore la guerre : le cabinet anglais, et surtout le duc de Newcastle souhaitaient la paix ; mais ils entendaient obtenir un règlement de frontières, selon leurs « convenances ». Le cabinet français ne comprit pas le péril. Il ne sut ni maintenir la paix par des concessions, ni préparer la guerre ; il demeura « dans la sécurité » et « l'assoupissement ». D'ailleurs le Roi « penchait pour les desseins pacifiques », et la marquise de Pompadour faisait comme lui.

En Amérique, les colons anglais accusaient leurs voisins d'actes atroces ; des sociétés religieuses comme la Société pour la propagation de l'Évangile publiaient ces accusations. Par intérêt, par fanatisme, les négociants anglais s'agitaient. Le roi George demanda, le 25 mars 1755, au Parlement, qui l'accorda, un subside d'un million de livres sterling « pour sauvegarder les justes droits et les possessions de sa couronne en Amérique ». La France s'obstinant à ne pas prendre l'initiative de la rupture, la cour de Londres voulut l'y contraindre. Au moment où Braddock tenait dans Alexandria, à l'embouchure du Potomac, un grand conseil de guerre et arrêtait un plan général d'attaque contre les possessions françaises, l'amiral Boscawen reçut l'ordre de se rendre sur la côte d'Acadie, d'y rallier les forces navales en station à Halifax, puis de s'établir en croisière devant le port de Louisbourg, afin d'intercepter les navires français destinés pour ce port, pour le golfe ou fleuve Saint-Laurent, ou pour l'un quelconque des établissements français dans ces parages. « Si vous rencontrez des vaisseaux de guerre français ou autres navires ayant à bord des troupes ou munitions de guerre, disaient ses instructions, vous ferez de votre mieux pour vous en rendre maître. Dans le cas où il vous sera fait de la résistance, vous emploierez les moyens dont vous disposez pour les capturer et les détruire. »

L'ATTENTAT DE BOSCAWEN.

L'occasion allait se présenter d'appliquer ces instructions. Le gros d'une escadre française partie de Brest avait pu gagner heureusement Louisbourg et Québec; mais trois vaisseaux égarés, l'*Alcide*, le *Lys* et le *Royal Dauphin*, donnèrent dans l'escadre anglaise, le 10 juin 1755, près des bancs de Terre-Neuve. Les Anglais engagèrent le combat. Le commandant de l'*Alcide* « prit lui-même le porte-voix et répéta deux fois la même question : Sommes-nous en paix ou en guerre? » Du vaisseau anglais voisin, le *Dunkerque*, le commandant « répondit bien distinctement : « La paix! la paix! » Sur cela on entendit très distinctement sortir de sa bouche *Fire* (feu)! Il fut sur le champ obéi. » Le *Royal Dauphin* échappa; mais l'*Alcide* et le *Lys* durent capituler. Peu de temps après, Hawke capturait 300 bateaux, d'une valeur de 30 millions.

LA FRANCE RÉSIGNÉE A LA GUERRE.

En Europe, on crut à une rupture immédiate, mais le Gouvernement français ne s'y résignait pas encore. Sans doute en apprenant l'entreprise de Boscawen, l'émotion fut profonde : « Le Roi, écrit l'envoyé prussien, avait l'air fort triste à son grand couvert ». Mais, même après que Rouillé eut rappelé de Londres l'ambassadeur Maurepoix, le cabinet français négocia par l'intermédiaire d'officieux. Pour prouver sa volonté de rester dans les termes du droit, Louis XV ordonna de relâcher Thomas Lyttleton, gouverneur de la Caroline du Sud, saisi par une frégate française en allant rejoindre son poste. Il fallut cependant se rendre à l'évidence; fin décembre 1754, le cabinet français se résolut à l'inévitable.

PROJET D'UNE DIVERSION EN ALLEMAGNE.

La Cour de Versailles demanda aide à celle de Madrid, l'Espagne étant le seul pays qui pût, par sa marine, lui être d'un secours efficace contre l'Angleterre : elle n'obtint que le conseil de s'accommoder avec les Anglais. A la Cour, d'Argenson, Belle-Isle et d'autres pensaient que ce serait jouer une partie inégale que de limiter la guerre à une lutte sur mer et aux colonies, et qu'il fallait attaquer en Hanovre le

roi d'Angleterre, et, aux Pays-Bas, son alliée Marie-Thérèse : ni l'un
ni l'autre n'étaient en état de défendre ces possessions, disaient-ils,
contre les forces françaises auxquelles on croyait que se joindraient
celles du roi de Prusse. « Si j'étais roi de France, avait dit Frédéric
au chevalier de Latouche, je ferais marcher un corps de troupes
considérable en Westphalie pour le porter tout de suite dans l'électorat de Hanovre, c'est le moyen le plus sûr de faire chanter ce... ».
— Venait ensuite une injure à l'adresse du roi d'Angleterre. — Mais
Louis XV trouvait indigne de lui d'envahir les Pays-Bas, Marie-
Thérèse étant en train de se dégager de l'alliance anglaise. D'autre
part, la marquise de Pompadour craignait qu'une guerre sur terre
n'éloignât d'elle le Roi. Enfin Machault, jaloux de d'Argenson, voulait réserver à la marine toutes les ressources disponibles. Ce gouvernement divisé était incapable de choisir une politique.

L'Angleterre, se sachant impuissante à défendre les Pays-Bas et le
Hanovre, leur chercha des protecteurs. A Vienne, où elle s'adressa tout
d'abord, l'accueil fut mauvais. Désintéressée dans la querelle des
puissances maritimes, Marie-Thérèse souhaitait d'y rester étrangère ;
par honneur, cependant, elle acceptait de remplir les engagements
qu'elle avait pris en 1743 au traité de Worms envers le roi George,
pourvu que celui-ci remplît les siens envers elle ; mais, pour cela, il
aurait fallu qu'il envoyât des troupes anglaises sur le continent, et le
Parlement britannique ne l'aurait pas permis ; la négociation fut
rompue. En Hollande, le succès ne fut pas meilleur. En mai 1755, les
Hollandais représentèrent à un envoyé d'Angleterre le mauvais état
de leurs frontières et le manque d'argent. L'envoyé, qui n'avait pas
d'argent à offrir, dut rembarquer.

Le cabinet britannique voulut tout au moins garantir le Hanovre ;
le roi George, plus Allemand qu'Anglais, n'eût point pardonné à ses
ministres la perte de son électorat. Mais l'Angleterre ne pouvait rien
espérer des princes allemands, tant que la Prusse resterait hostile à
l'Angleterre, et il n'y avait rien à faire non plus avec le Danemark ni
avec la Suède. Restait la Russie, c'était un grand réservoir d'hommes ;
les consciences y étaient vénales et d'un prix médiocre. Depuis deux
ans, sir Hanbury Williams y négociait ; il réussit à conclure le traité
désiré, le 19-30 septembre 1755. L'Impératrice Élisabeth s'engageait à
maintenir en Livonie, à la disposition du roi d'Angleterre, un corps
de 55 000 hommes pour défendre le Hanovre, et une flotte de 40 à
50 galères. George verserait à son allié une annuité de 100 000 livres
en temps de paix, de 500 000 en cas de guerre.

Ce fut ce succès diplomatique de l'Angleterre qui, contre l'attente
du cabinet anglais, déchaîna la guerre européenne, en provoquant un

revirement du roi de Prusse. Frédéric II, depuis la paix d'Aix-la-Chapelle, jugeait sa situation fort précaire. Il se savait entouré d'ennemis. Il avait pu se convaincre de l'inimitié persistante de l'Autriche, qui faisait une guerre de chicanes et de pamphlets à propos de l'exécution de la paix de Dresde. D'autre part, il était en très mauvais termes avec le roi George ; il professait à l'égard de son oncle des sentiments fort peu familiaux, que sa plume et sa langue trahissaient avec une égale indiscrétion. Depuis 1750, il n'entretenait plus d'agent à Londres ; il avait sollicité le rappel de l'ambassadeur anglais à Berlin. Lorsque la Cour de Londres eut refusé d'indemniser des sujets prussiens pour la capture de leurs vaisseaux pendant la guerre précédente, Frédéric concentra près du Hanovre une petite armée.

Mais il était très inquiet du côté de la Russie. Le chancelier Bestoujef conseillait à la tsarine de détruire la puissance prussienne, qui faisait obstacle aux progrès des Russes dans la région baltique. Le roi de Prusse savait la faiblesse de l'organisme moscovite et comparait l'armée russe à un corps robuste sans tête ; mais l'hostilité de la Russie paralysait ses mouvements. Elle était son « croquemitaine ».

A tant d'ennemis ou de malveillants, Frédéric ne pouvait opposer que la France, et il trouvait le contrepoids insuffisant. Admirablement renseigné par ses ambassadeurs à Paris, surtout par le perspicace Knyphausen, il connaissait les misères du cabinet français.

« Ce qui me frappe plus que tout cela, écrivait-il, c'est la grande indifférence avec laquelle les ministres de France regardent ces affaires, et la vivacité trop remarquable avec laquelle les ennemis de la France poursuivent leur plan pour lasser sa puissance et la mettre hors d'influence dans toutes les affaires de l'Europe, sans que les susdits ministres emploient aucun des moyens qu'il faudrait pour prévenir toutes les suites fâcheuses qui résulteront. »

Le roi de Prusse était donc décidé à ne pas se compromettre avec la France. Aussi le conflit qui s'annonçait aux colonies l'avait inquiété : il chercha le moyen de l'empêcher de dégénérer en une guerre où il pourrait être englobé, donna des conseils, proposa des plans et se déroba quand on lui parla d'y coopérer. Il voulait gagner du temps jusqu'au moment très prochain où l'alliance avec la France expirerait. Il défendait à Knyphausen de parler de renouvellement : le mieux était de garder les mains libres.

A la nouvelle qu'un rapprochement anglo-russe était en négociation, il pensa qu'il pourrait tourner l'événement à son profit, en se rapprochant de l'Angleterre. Depuis quelque temps, la Cour de Londres changeait de sentiments à son égard. Redoutant la répugnance du Parlement à voter des subsides, elle craignait de recourir à la coopération armée de la Russie ; mieux valait la rendre inutile en mettant le Hanovre à l'abri de toute attaque par une entente avec la Prusse; l'Angleterre garderait ainsi le bénéfice de l'amitié russe sans la payer trop cher. Des avances furent donc faites à Frédéric, qui les accueillit avec empressement. Un traité d'alliance défensive fut conclu le 16 janvier 1756 à Westminster : les deux puissances s'engageaient à maintenir la paix en Allemagne en s'opposant à l'entrée ou au passage d'armées étrangères.

Pour la première fois depuis 1748, Frédéric se jugeait en complète sécurité. Par cette adjonction à l'alliance de Pétersbourg, il « muselait l'ours russe », sans s'exposer à rien, et déjouait les mauvaises intentions de Marie-Thérèse. Quant à la France, il ne se dissimulait pas que sa volte-face y déchaînerait la colère; mais il croyait que la mauvaise humeur passerait vite; les Français comprendraient que, sous peine de ruine, il avait dû se rapprocher de George II, et quel profit auraient-ils retiré de sa ruine? Au contraire, ami des belligérants, il pouvait contribuer à la paix par ses bons offices. Sans doute, la Cour de Versailles devait renoncer à l'invasion du Hanovre; mais, depuis le traité anglo-russe, l'entreprise était impraticable. D'ailleurs, le roi de Prusse avait ménagé à la France des compensations éventuelles : pour lui permettre d'entreprendre la conquête des Pays-Bas autrichiens, il les avait exclus, par un article secret du traité de Westminster, de la neutralité que l'Angleterre et lui garantissaient à l'Allemagne. Aussi avait-il tranquillement, dès le début des pourparlers avec le roi George, annoncé en France qu'on lui faisait des ouvertures importantes et demandé l'envoi d'une personne avec qui causer.

SÉCURITÉ DE FRÉDÉRIC.

Il se trompa sur les dispositions de la France. A Versailles, on découvrit peu à peu les intentions du roi de Prusse. On affecta d'abord de ne pas s'en inquiéter. Comme le Roi ne pensait pas alors à faire la guerre sur le continent, il ne voulait point paraître attacher un trop grand prix au renouvellement du traité d'alliance avec la Prusse. On ne se pressa pas d'envoyer à Berlin la personne que demandait Frédéric; mais lorsque cette personne, le duc de Nivernais, apprit de lui la conclusion du traité de Westminster, le parti prussien à la cour de France eut beau conseiller au Roi d'accepter les choses comme elles se présentaient, et de renouveler le traité en acceptant la neutralité allemande; Louis XV se résolut à prêter l'oreille aux propositions que la Cour de Vienne lui faisait parvenir en secret.

LOUIS XV S'APPRÊTE A ROMPRE AVEC LUI.

Depuis la paix d'Aix-la-Chapelle, le principal conseiller de Marie-Thérèse, Kaunitz, s'obstinait à la réconciliation de la France et de l'Autriche. Il jugeait que la seule ennemie de l'Autriche était la Prusse, et que, pour reprendre la Silésie, le concours de la France

AVANCES DE LA COUR DE VIENNE A LA FRANCE.

était indispensable. Envoyé comme ambassadeur à Paris au mois
d'octobre 1750, Kaunitz fut le plus séduisant des ambassadeurs.
Grand et beau, de manières nobles, et portant sa perruque en « lacets
d'amour », il fit sensation à Versailles et à Paris, mena grand train,
reçut les philosophes et les financiers et fit le libéral. Il disait que les
querelles des grandes puissances avaient pour origine des intrigues
de roitelets, et qu'il suffirait de l'union de la France et de l'Autriche
pour imposer la paix à l'Europe. Il crut d'abord qu'il ne convaincrait
pas la Cour de France, et, au moment où il quitta Paris, au début de
l'année 1753, pour aller reprendre à Vienne la direction de la chancellerie, il conseillait à Marie-Thérèse de se résigner à la perte de la
Silésie et de se rapprocher de Frédéric. Il sembla alors aux agents
étrangers un champion dévoué de l'alliance anglaise.

*LA POLITIQUE
DE KAUNITZ.*

Mais ce n'était qu'une attitude ; en réalité Kaunitz ne renonçait
pas à ses desseins. Il alla jusqu'à l'idée de gagner la France, au besoin,
par des sacrifices territoriaux. Si la guerre éclatait, l'Impératrice
était exposée à perdre dans la querelle ses domaines des Pays-Bas ;
ne valait-il pas mieux les céder pour acheter à ce prix l'appui de
Louis XV et la reprise de la Silésie ? Kaunitz exposa son plan dans une
conférence secrète, tenue à Vienne en août 1755, et les conclusions
en furent approuvées. Un vaste plan politique s'y trouvait exposé :
garder la neutralité dans la querelle entre les puissances maritimes et
employer toutes ses forces contre Frédéric II ; offrir à la France
l'abandon des Pays-Bas au gendre de Louis XV, l'infant don Philippe,
en échange des duchés italiens de ce prince, qui reviendraient à l'Autriche ; remettre immédiatement aux autorités françaises Newport et
Ostende ; promettre de soutenir la candidature du prince de Conti
au trône de Pologne. C'était de quoi séduire la France ; l'Autriche,
de son côté, y trouverait, outre le recouvrement de la Silésie, de
sérieux avantages ; elle diminuerait l'influence des Bourbons en
Italie, au profit de la sienne. Renoncer aux lointains Pays-Bas pour
assurer la domination autrichienne en Italie, c'était un avant-goût
de la politique de Metternich.

*NÉGOCIATIONS
SECRÈTES
ENTRE AUTRICHE
ET FRANCE.*

La France accepterait-elle cette toute nouvelle politique ? Il
fallait compter avec le parti prussien de la Cour et avec la popularité
de Frédéric parmi les philosophes. Starhemberg, qui avait succédé à
Kaunitz comme ambassadeur en France, eut ordre de révéler au Roi
tout ce qu'on savait à Vienne du « mystère de l'intelligence secrète »,
qui se tramait en 1755 entre Londres et Berlin, et de prêcher
l'alliance des maisons d'Autriche et de Bourbon, « n'y ayant eu qu'une
aveugle animosité et des anciens préjugés qui se soient opposés
jusqu'à présent à un ouvrage aussi salutaire et aussi désirable pour le

maintien de la religion catholique et du repos de l'Europe ». Pour que
la négociation eût les meilleures chances de succès, on voulut à
Vienne qu'elle fût très secrète. Starhemberg devait faire connaître
le plan arrêté à Vienne, soit au prince de Conti intéressé au succès de
l'affaire, soit à la marquise de Pompadour. Ce fut à cette dernière que
l'ambassadeur prit le parti de s'adresser, le 31 août 1755 ; la favorite
accueillit avec plaisir l'ouverture et fit désigner comme négociateur
un homme à elle, l'abbé de Bernis.

Bernis avait alors quarante et un ans. Cadet de famille, abbé *BERNIS.*
très profane, petit poète, il s'était poussé dans le monde et il y avait
réussi. Cherche-fortune, il se crut un jour en droit d'obtenir un
bénéfice, qu'il demanda au cardinal Fleury. « L'abbé, vous n'aurez
jamais rien de mon vivant, » répondit l'octogénaire ; Bernis riposta :
« Eh bien ! Monseigneur, j'attendrai ». Les femmes, pour le venger,
se mirent en tête de le faire entrer à l'Académie et y parvinrent ; il
fut le premier de son temps à qui la littérature servit de marche-
pied pour monter aux grandes places. Mme de Pompadour l'y aida.
Ambassadeur à Venise, en 1752, il représenta le Roi avec une gravité douce, presque sacerdotale, de la souplesse, de l'habileté, une
connaissance suffisante des affaires. Il fut rappelé de Venise pour
causer avec Starhemberg.

Il a raconté dans ses *Mémoires* qu'il vit le Roi sans avoir été pré- *LE POINT DE VUE*
venu de ce qu'on attendait de lui, et qu'il fit ressortir les inconvénients *DE LOUIS XV.*
d'un rapprochement avec l'Autriche. « Je vois bien, aurait dit alors
le Roi, que vous êtes comme les autres l'ennemi de la reine de Hongrie. » Ces mots auraient éclairé Bernis sur la volonté de Louis XV ;
en outre Mme de Pompadour lui aurait dit les griefs du Roi contre
Frédéric ; c'est après avoir été ainsi instruit de tout, que l'abbé se
serait rencontré à Babiole, chez Mme de Pompadour, avec Starhemberg en septembre 1755. Mais Bernis a écrit très tard, et pour se
justifier, ses *Mémoires* ; il a voulu s'abriter derrière la volonté du
maître. En réalité, Louis XV, à ce moment-là, voulait la paix avec
l'Autriche, mais non pas s'allier avec elle contre Frédéric II. Il
remercia l'Impératrice des intentions qu'elle manifestait ; il protesta
que, pour sa part, il n'avait « rien plus à cœur que d'établir dès à
présent sur des fondements solides une union constante et inaltérable
entre les deux Cours ». Il se déclarait ému des révélations autrichiennes sur l'attitude de la Prusse ; mais, « fidèle à sa parole, à ses
engagements et aux lois de l'honneur, il ne pouvait, sans les preuves
les plus claires et sans les motifs les plus graves, non seulement
rompre avec ses alliés, mais même soupçonner leur bonne foi ni les
croire capables d'infidélité ni de trahison ». S'il ne voulait pas se

déclarer contre la Prusse, il serait très heureux que l'Impératrice, dans son zèle pour la justice, voulût bien se déclarer contre l'Angleterre et signer avec lui un traité de garantie réciproque sur les bases d'Aix-la-Chapelle.

Kaunitz vit bien que la réponse française était une défaite ; mais il ne se refusa pas à discuter le plan qu'on lui soumettait, comptant que l'occasion viendrait de reparler du sien. C'est alors que survint, en janvier 1756, le traité de Westminster.

REVIREMENT DE LA FRANCE.

On comprit en France que, si l'Autriche, rebutée par la France, se joignait à l'Angleterre, la guerre continentale était fatale et serait dangereuse. A part Belle-Isle, dont la fidélité à l'ancienne politique demeurait intransigeante, les ministres furent d'avis de reprendre les propositions autrichiennes de septembre 1755. Le duc de Nivernais fut rappelé de Berlin, et l'abbé de Bernis, qui représentait la nouvelle orientation, passa au premier plan.

CONTINUATION DES POURPARLERS.

Malgré les dispositions favorables des deux gouvernements, les pourparlers durèrent trois mois. Louis XV acceptait de rompre avec la Prusse, pourvu que l'Impératrice fît de même à l'égard de l'Angleterre ; Marie-Thérèse ne voulait pas consentir à l'engagement qu'on lui demandait parce qu'elle entendait concentrer toutes ses forces contre la Prusse. Après résistance, la France consentit à ce que l'Autriche gardât la neutralité à l'égard de l'Angleterre ; mais la Cour de Vienne prétendait obtenir, en échange des sacrifices territoriaux qu'elle offrait, une coopération armée contre Frédéric II et le démembrement de la Prusse. Kaunitz écrivait :

> « Ce qui nous engage ou pourra jamais nous engager à accorder les avantages, inestimables pour la monarchie française, que nous lui offrons aux Pays-Bas... c'est uniquement la reprise de la Silésie et du comté de Glatz, et surtout un beaucoup plus grand affaiblissement du roi de Prusse, indispensable à notre tranquillité, qui en est la réciproque et la condition *sine quâ non.* »

L'Autriche souhaitait aussi que la France s'abstînt d'attaquer le Hanovre : le Danemark et les autres cours protestantes ne le toléreraient pas, et la Russie, en vertu du traité anglo-russe de 1755, interviendrait pour protéger l'électorat. La Cour de Versailles consentait à abandonner Frédéric et à concourir au besoin par une aide pécuniaire à la reprise de la Silésie ; mais elle ne voulait ni fournir des troupes, ni admettre la ruine totale de Frédéric. Quant au démembrement de la Prusse, écrivait Starhemberg, le 27 février 1756, « le Roi ne se prêterait jamais à cette proposition ».

LE PREMIER TRAITÉ DE VERSAILLES.

Pour concilier ces points de vue presque opposés, il fallait beaucoup de temps. Kaunitz résolut de consacrer les résultats acquis par un premier traité qu'on ferait suivre le plus tôt possible d'un second. Le gouvernement de Louis XV, pressé de se signaler en Europe par une grande manifestation diplomatique, admit cette idée ; le 1ᵉʳ mai 1756, fut signé à Jouy, dans la maison de plaisance de Rouillé, le traité d'alliance entre l'Autriche et la France, connu sous le nom de premier traité de Versailles. L'Autriche prenait l'engagement d'observer la neutralité absolue dans le conflit soulevé entre la France et l'Angleterre ; de son côté, la France promettait de respecter tous les territoires appartenant à Marie-Thérèse, notamment les Pays-Bas. Les deux puissances se garantissaient réciproquement leurs possessions en Europe, et convenaient que si l'une d'elles était l'objet d'une agression quelconque, l'autre lui porterait secours avec un corps de 24 000 hommes.

Puis on continua de causer.

LA FRANCE S'ENGAGE DE PLUS EN PLUS CONTRE LA PRUSSE.

« Mme de Pompadour est enchantée, assure Starhemberg, de la conclusion de ce qu'elle regarde comme son ouvrage, et m'a fait assurer qu'elle ferait de son mieux pour que nous ne restions pas en si beau chemin. » — « Elle m'a fait savoir que toutes les fois que je voudrais faire parvenir quelque chose directement au Roi, je pouvais lui demander un rendez-vous et qu'elle avait déjà la permission de me voir en particulier toutes les fois que je le voudrais. »

Le 13 mai, l'ambassadeur demande à sa cour de marquer à la favorite sa reconnaissance des services qu'elle a rendus :

« Il est certain, écrit-il à Kaunitz, que c'est à elle que nous devons tout, et c'est d'elle que nous devons tout attendre dans l'avenir. Elle veut qu'on l'estime, et elle le mérite en effet. Je la verrai plus souvent et plus particulièrement, lorsque notre alliance ne sera plus un mystère, et je voudrais avoir pour ce temps-là des choses à lui dire qui la flattassent personnellement. »

Quant à Bernis, il est plus enthousiaste encore que sa protectrice ; il pousse à l'aventure dont il prétend dans ses *Mémoires* qu'il a mesuré tous les risques. Les ministres, même les plus hostiles au début, donnent leur adhésion. Des généralités, on arrive aux précisions. La France accepte l'installation de l'infant don Philippe aux Pays-Bas, mais elle préférerait être mise directement en possession de ces territoires ; elle demande des places de sûreté qu'on lui remettra en échange de ses avances pécuniaires ; à ces conditions elle se ralliera « au plus grand affaiblissement du roi de Prusse ». L'Autriche se fait un peu prier pour admettre l'abandon des Pays-Bas : mais c'est pour obtenir de la France un concours plus efficace. L'on parle déjà à Versailles comme à Vienne du partage de la monarchie prussienne.

Pendant qu'on s'acheminait ainsi vers l'entente, Kaunitz agissait *POLITIQUE RUSSE.* à Saint-Pétersbourg. En apprenant la signature du traité anglo-prussien de Westminster, le gouvernement russe avait été fort irrité.

Quand l'ambassadeur d'Angleterre auprès de la tsarine avait déclaré que l'adhésion de la Prusse à l'alliance anglo-russe laissait à celle-ci sa valeur primitive, elle avait protesté, le traité de Pétersbourg ayant été conclu par elle en vue d'une guerre contre la Prusse. Sans rompre avec l'Angleterre, la Russie continua de préparer la guerre contre Frédéric, et, lorsque l'ambassadeur d'Autriche, Esterhazy, informa, au mois d'avril, la Cour de Saint-Pétersbourg des pourparlers avec la France, et demanda si, le cas échéant, l'Autriche pouvait compter sur l'aide de la Russie, la tsarine répondit qu'elle était disposée à une triple alliance offensive, et même prête à entrer en campagne. Ce n'était point l'affaire de Kaunitz, qui voulait avoir le temps de masser un plus grand nombre de troupes en Bohême et en Moravie et de pousser plus avant les négociations avec la France; mais c'était une chose importante que l'assurance où il était du concours de la Russie. De plus, la Cour de Vienne envisageait la coopération de l'électeur de Saxe, roi de Pologne, et celle de la Suède.

FRÉDÉRIC ENTRE EN CAMPAGNE.

L'initiative hardie de Frédéric survint au milieu de ces négociations. Il avait connu, dès la fin de 1755, le rapprochement de la France et de l'Autriche; mais il ne crut pas possible une alliance effective entre les deux Cours. L'attitude de la Russie le préoccupait davantage. De toutes parts lui arrivèrent des nouvelles inquiétantes. Il eut communication d'une dépêche qui prouvait l'entente des deux impératrices. De Hollande, il apprit que Marie-Thérèse avait prié la tsarine d'arrêter les préparatifs militaires qu'elle jugeait prématurés : la paix n'était donc prolongée que pour mieux préparer la guerre. Alors Frédéric jugea que, si la coalition réussissait à concerter ses plans, il était perdu. Après avoir inutilement demandé à Vienne des explications sur les armements autrichiens et la promesse qu'il ne serait pas attaqué, il se résolut à prendre l'offensive. Le 28 août 1756, entre 4 et 5 heures du soir, la garnison de Potsdam étant rassemblée sur la place de parade du château, il monta à cheval et se mit à la tête des troupes. Son objectif était la Saxe, qu'il avait déjà occupée dans la guerre précédente. Les prétextes et même les raisons ne manquaient pas; il savait les négociations saxonnes avec ses ennemis; l'armée de l'électeur-roi n'étant pas prête, le succès était certain. Quand la Cour de Vienne verrait son adversaire à la frontière de Bohême, peut-être se montrerait-elle plus prudente. Le 15 octobre, Frédéric faisait capituler l'armée saxonne à Pirna; il laissa la liberté aux officiers, mais incorpora les soldats dans son armée.

SECOND TRAITÉ DE VERSAILLES.

L'occupation de la Saxe indigna d'autant plus la France que la Dauphine était fille d'Auguste III. A Versailles, se reforma sur-le-champ

un parti de la guerre continentale, qui eut pour lui deux ministres
de la Guerre, d'abord le comte d'Argenson, et, après sa disgrâce, le
maréchal de Belle-Isle. L'ambassade de Vienne passa aux mains d'un
Lorrain à sympathies autrichiennes, le comte de Stainville; Bernis
allait devenir secrétaire d'État des Affaires étrangères[1]; Marie-Thérèse
réclama l'aide promise par la France au traité de Versailles. Bernis
commençait à s'inquiéter; il aurait voulu qu'au moins la France ne
tombât pas dans la dépendance de ses alliés; mais il était débordé. Au
lieu des 24 000 hommes promis, le ministre de la Guerre en arma
45 000 « à cause de la Dauphine ». Un second traité fut signé à Versailles avec l'Autriche, le 1er mai 1757. Les contractants y déclaraient
la nécessité « de réduire la puissance du roi de Prusse dans de telles
bornes qu'il ne soit plus en son pouvoir de troubler à l'avenir la
tranquillité publique ». La France s'engageait à payer, outre les
24 000 auxiliaires promis par le premier traité, 6 000 soldats allemands; à employer en Allemagne 105 000 hommes de troupes françaises, à payer à l'impératrice un subside de 12 millions de florins; à
continuer la guerre jusqu'à ce que l'Autriche fût mise en possession
de la Silésie. En échange, l'Autriche promettait à la France la souveraineté de Chimay et de Beaumont, les villes de Mons, Ypres,
Furnes, Ostende, Newport et le fort de Knoche; Ostende et Newport lui seraient remis aussitôt après la ratification du traité, et les
autres territoires après que l'Autriche aurait récupéré la Silésie. Le
reste des Pays-Bas et le Luxembourg seraient donnés à l'Infant don
Philippe, en échange des duchés italiens, Parme, Plaisance et Guastalla, qui feraient retour à l'impératrice.

S'il n'y avait eu d'autre guerre que la guerre continentale, on eût
compris une alliance franco-autrichienne, où les deux parties auraient
trouvé leur avantage. Encore la part de l'Autriche aurait-elle été la
plus belle, puisqu'elle aurait, après victoire, repris la Silésie et acquis
les duchés italiens, pendant que la France n'aurait reçu qu'une partie
des Pays-Bas, le reste revenant à don Philippe. Mais, au moment où
Louis XV s'engageait plus avant dans l'alliance autrichienne, la
guerre avait commencé sur mer et aux colonies depuis trois ans
entre Anglais et Français. Tandis que la France s'engageait à ne pas
traiter avant que l'Autriche eût satisfaction du côté de la Prusse,
l'Autriche promettait seulement de s'employer à faire conserver
Minorque par la France et à lui faire rendre la pleine disposition de
Dunkerque. Il s'en fallait donc de beaucoup qu'il y eût entre les
obligations des deux alliés une exacte réciprocité.

*INÉGALITÉ
DANS L'ALLIANCE
FRANCO-
AUTRICHIENNE.*

1. Bernis n'eut la charge de secrétaire d'État qu'en juin 1757, mais il dirigeait effecti-
vement les Affaires étrangères depuis près de deux ans.

II. — LES OPÉRATIONS CONTINENTALES DE LA GUERRE DE SEPT ANS; DÉBUTS DE CHOISEUL (1756-1763).

LES
BELLIGÉRANTS.

L A guerre allait mettre aux prises presque toutes les puissances de l'Europe. L'objet principal en était la destruction de la puissance prussienne. Diverses conventions avaient été signées; à l'électeur de Saxe, roi de Pologne, avait été promis le territoire de Magdebourg; au roi de Suède, la Poméranie; la Russie se réservait le pays de Prusse; Frédéric aurait été réduit au Brandebourg. Mis au ban de l'Empire, il eut contre lui toute l'Allemagne, excepté le Brunswick, la Hesse-Cassel et le Hanovre. Sa perte semblait certaine. De l'Angleterre, le roi de Prusse ne pouvait pas attendre grand secours; on y avait mal accueilli le traité de Westminster; on y était peu disposé à donner des subsides, encore moins à envoyer des soldats; on voulait réserver l'argent et les hommes pour la guerre maritime et pour la défense du territoire, que l'on croyait menacé d'une descente française.

LES EFFECTIFS.

Frédéric, qui, depuis l'année 1752, avait grandement accru ses effectifs, armé ses forteresses, préparé ses magasins, exercé des troupes, se trouva en 1757 à la tête d'une armée de 147 000 hommes. Mais les troupes autrichiennes atteignirent en 1758 l'effectif de 133 000 hommes; la France avait promis d'entretenir 24 000 hommes de troupes auxiliaires et une armée de 105 000 hommes. L'armée russe comptait environ 110 000 hommes. Si l'on ajoute à ces armées les troupes d'Empire, on voit que le roi de Prusse allait combattre à 1 contre 3.

FRÉDÉRIC-
LE-GRAND.

Frédéric avait des angoisses qu'il confiait à ses familiers. Il se comparait à un cerf poursuivi par une meute, ou bien à Orphée déchiré par les Ménades, ou bien à un chêne qui résiste à la tempête et à la foudre. Il donnait ses ordres pour le cas où il serait fait prisonnier ou tué; mais, au fond, il a confiance en lui. Il se sent en possession de son génie et de sa méthode. Sa méthode, c'est étudier à fond la campagne à faire, dresser ses plans après examen de toutes les éventualités possibles, les discuter avec ses généraux, écouter les objections, accepter même les contre-projets auxquels il ajoute sa marque. Par ses concentrations rapides, il est toujours prêt à devancer l'ennemi; il est l'homme des offensives audacieuses. Pour lui, la guerre de forteresses n'est que secondaire; l'essentiel c'est la bataille. Sans s'inquiéter de l'infériorité numérique, il cherche à couper l'ennemi de ses magasins et de sa base d'opérations. Sur le champ de bataille, où il pratique « l'ordre oblique », il improvise des mouvements hardis, sachant ce qu'il peut oser avec tel ou tel adversaire, dont il connaît le tempérament. Il a une belle artillerie pour engager la bataille, une belle cavalerie, qui, sous les ordres de Ziethen et de Seydlitz, deux des plus fameux cavaliers d'Europe, charge « en muraille »; son infanterie est dressée aux feux de salve à succession rapide. Il a des généraux excellents, Winterfeldt, Maurice de Dessau, le duc de Bevern, Ferdinand de Brunswick. Enfin, il tient son armée bien en main. Au début de la guerre, elle est composée moitié d'étrangers, moitié de Prussiens; peu à peu la proportion des indigènes s'accroîtra. La discipline est extrêmement rigoureuse, mais Frédéric sait se faire aimer du soldat; il s'intéresse à lui, veille à ses besoins et sait les mots qu'il faut lui dire. L'armée aime fanatiquement « le vieux Fritz ». Un autre fanatisme s'ajoute à celui-là : les soldats de Frédéric, presque tous protestants, croient combattre pour leur foi contre la coalition catholique de l'Autriche et de la France. Aucune autre armée ne pouvait être comparée à celle-là, non plus qu'aucun autre prince ou général à cet homme extraordinaire, qui portait dans sa tête la fortune de son État.

La France n'avait pas de grand homme de guerre, ni de grand ministre de la Guerre. La fortune de ses généraux dépendait souvent des faveurs et caprices de la Cour; Mme de Pompadour et Pâris-Duverney procuraient des commandements en chef. Louis XV avait son « secret » pour la guerre comme pour les affaires étrangères. Le principal agent de la diplomatie secrète, le comte de Broglie, adjoint comme maréchal général des logis au duc son frère, correspondait directement avec le Roi. Les généraux en sous-ordre écrivaient en Cour, et récriminaient contre leurs chefs. Un jour, on entendit le comte de Saint-Germain dire, en montrant le quartier général du duc de Broglie : « Voilà l'ennemi ! » Les généraux en chef se détestaient et se jalousaient, jusqu'à être capables de se trahir devant l'ennemi. Des officiers prétendaient vivre en temps de guerre avec le luxe auquel ils étaient habitués en temps de paix; un des généraux en chef, Richelieu, pillera scandaleusement le Hanovre ; l'exemple du pillage était donné de haut aux soldats. Enfin les troupes étaient insuffisamment instruites, l'armée mal outillée, la cavalerie, encline à se ruiner par de belles charges infructueuses. Les défauts de l'institution militaire et le désordre de l'État se firent sentir pendant la malheureuse guerre.

FAIBLESSE MILITAIRE DE LA FRANCE.

Les Russes sont commandés par des généraux, qui, pour la plupart étrangers, ne sont pas aimés du soldat, et craignent d'être desservis à la Cour, pleine d'intrigues, où personne n'est assuré de

LES RUSSES.

son crédit. Aucun d'eux n'est de grande valeur. Un des meilleurs, Apraxine, avoue ne pas avoir les qualités d'un général en chef.

LES AUTRICHIENS. Les Autrichiens s'étaient depuis longtemps préparés à combattre le roi de Prusse. Lorsque la guerre fut sur le point de commencer, un comité de préparatifs militaires fut adjoint au conseil de la Guerre. Les troupes étaient bien armées; l'artillerie, très forte, avait été perfectionnée. Mais le commandement général était défectueux, et les jalousies entre généraux et les plaintes en Cour aussi fréquentes qu'en France. Les généraux étaient en désaccord sur la méthode de la guerre; les uns voulaient l'offensive et la bataille; les autres préféraient la marche prudente, la fortification en campagne, la perpétuelle défensive. Daun, le principal des généraux, à qui une victoire sur Frédéric, au commencement de la campagne, donnera de l'autorité, tenait pour la seconde méthode. L'essentiel pour lui était de ne pas être vaincu, de garder son armée. Ainsi sera perdue mainte occasion de combattre avec la supériorité du nombre.

PAS DE CONCERT ENTRE LES COALISÉS. Les coalisés ne se concertèrent jamais sérieusement entre eux. Les Français agiront dans l'ouest, les Russes au nord-est, les Autrichiens au sud, en Saxe et en Silésie. Frédéric combattait à 1 contre 3; mais ces trois-là, il ne les trouva jamais réunis contre lui.

LA CAMPAGNE DE 1757. LA PREMIÈRE DÉFAITE DE FRÉDÉRIC. Cependant la guerre commença mal pour Frédéric. Au printemps de 1757, il envahit la Bohême, bat Charles de Lorraine devant Prague, le 6 mai, et bloque dans la ville une partie de l'armée vaincue; mais, les Autrichiens commandés par le maréchal Daun arrivant par la Moravie et le haut Elbe, il marche contre eux, et se fait battre à Kollin, le 18 juin. Les Prussiens lèvent le siège de Prague et reculent derrière les monts des Géants. C'était la première fois que Frédéric était vaincu. Les Cours de Vienne et de Versailles se congratulèrent; Starhemberg écrivit à Kaunitz que le Roi, les ministres, le public étaient transportés de joie, et ne le seraient pas davantage « si les armées françaises eussent remporté la victoire ».

SUCCÈS DE LA FRANCE; CAPITULATION DE CLOSTER-SEVEN. Cependant deux armées françaises sont entrées en Allemagne : l'une, sous le commandement de Soubise, a remonté le Mein et rallié à Wurtzbourg, l'armée de l'Empire commandée par Hildburghausen; l'autre, sous le commandement du maréchal d'Estrées, s'est avancée en Westphalie. Le 26 juillet, celle-ci bat à Hastenbeck le duc de Cumberland, fils de George II, qui commandait les forces réunies de Hesse, de Brunswick et de Hanovre. D'Estrées, qui avait mécontenté Du Verney par des plaintes sur les subsistances, fut alors remplacé par le duc Richelieu; Du Verney conseilla d'occuper le Hanovre et toute la rive gauche de l'Elbe. Minden, Hanovre, le Brunswick, la Hesse-Cassel, les duchés de Verden et de Brême furent occupés en effet par Richelieu. Cumberland se retira vers l'Elbe et se laissa acculer sous le canon de Stade. Il entra en négociation à Closter-Seven; par la capitulation du 8 septembre 1757, il posa les armes, en s'engageant à ne plus servir contre la France et ses alliés.

C'est le roi George qui avait ordonné à son fils de capituler. Désespérant de l'aide prussienne après Kollin, il voulait sauver son électorat. Il imagina que le traité de Westminster, signé entre l'Angleterre et la Prusse, n'engageait pas le Hanovre; il songeait à faire la paix en tant qu'électeur de Hanovre et priait le roi de Danemark d'intervenir comme médiateur, tout cela à l'insu de son ministère. Mais Frédéric se plaignit au ministère anglais, et les représentations des ministres au roi George furent si vives qu'il désavoua le duc de Cumberland. Le cabinet britannique attendit l'occasion d'annoncer la rupture des engagements de Closter-Seven.

De son côté, Frédéric avait essayé d'entrer en pourparlers avec la France. Après la capitulation de Closter-Seven, il envoya même deux aides de camp causer avec Richelieu; mais il n'y avait rien à faire du côté de la France, de plus en plus engagée avec l'Autriche. En septembre, les mauvaises nouvelles se succédèrent au camp de Frédéric. Le 6, il apprenait que, dans le pays de Prusse, les Russes avaient battu son lieutenant Lehwaldt à Jägersdorf, et, quelques heures après, que Winterfeldt, chargé de la défense de la Silésie, avait été blessé à mort. Winterfeldt mourut le lendemain; son successeur, Bevern, évacuera la Silésie en octobre. Le 13 septembre, les Suédois sont entrés en Poméranie. Richelieu est libre de se porter sur le Brandebourg ou sur Magdebourg; Soubise et l'armée d'Empire menacent la Thuringe ou la Saxe. De quel côté faire front? Frédéric se décide à signer l'ordre de faire évacuer le pays de Prusse par ses troupes; il se défendra en Saxe et en Brandebourg; mais, ne sachant où il sera attaqué, il va d'un point à un autre. En octobre, il doit courir à Berlin, les Russes ayant fait une pointe jusqu'à cette ville. « Mes ennemis sont trop », disait-il. Il avouait alors l'erreur qu'il avait commise en croyant, au moment d'entrer en campagne, que la France ne donnerait à l'Autriche qu'un appui moral; il n'avait jamais pensé avoir sur les bras 150 000 Français. Il parlait de mourir « l'épée à la main », mais les fautes de ses ennemis le sauvèrent. Les Russes, l'hiver venu, évacuèrent presque toute la Prusse; les Suédois n'avancèrent pas; les Autrichiens étaient très prudents; Richelieu pillait le Hanovre; l'armée d'Hildburghausen et de Soubise commença une marche d'hiver qui devait aboutir à un désastre.

SITUATION CRITIQUE DU ROI DE PRUSSE.

Les troupes des « Cercles », fournies par l'Empire, en conséquence de la mise au ban de Frédéric, étaient des milices médiocres, sans cadres solides, sans discipline, inexpérimentées, sans convois organisés. A leur contact, l'armée de Soubise tomba dans la confusion; elle perdit ses équipages; sans vivres, dépenaillée, elle vivait de maraude. Les deux généraux auraient voulu ne pas combattre. Conformément aux ordres reçus de Versailles, Soubise se préparait à prendre ses quartiers d'hiver : il songeait au siège de Magdebourg pour le printemps. Frédéric, qui désirait avoir bataille, n'espérait pas être attaqué; mais la cour de Vienne ordonna de combattre. Hildburghausen et Soubise rencontrèrent Frédéric à Rosbach, sur la rive gauche de la Saale. L'armée des premiers comptait 60 000 hommes; les Prussiens étaient 20 000. Le 5 novembre, Frédéric dirigea contre les positions ennemies une attaque qui ne réussit pas; Impériaux et Français essayèrent alors de l'envelopper. Pendant cette manœuvre, mal conduite par le général impérial malgré les avis de Soubise et de Broglie, la cavalerie prussienne enfonçait les Impériaux. Ce fut une immense déroute, au milieu de laquelle tinrent seules les deux brigades commandées par le comte de Saint-Germain, et le régiment de Piémont, qui aima mieux « crever » que de lâcher pied. L'armée vaincue se dispersa pillant et saccageant.

Par la défaite de cette armée, la Saxe se trouva dégagée. Frédéric courut en Silésie, où les Autrichiens commandés par Charles de Lorraine venaient de prendre Breslau. Il attaqua l'ennemi à Leuthen, le 5 décembre. Ce fut la plus étonnante de ses victoires; il fit 22 000 prisonniers et prit 131 canons, 51 drapeaux et étendards. Quinze jours après, il rentrait dans Breslau; il reconquit toute la Silésie. L'effet de cette victoire succédant à celle de Rosbach fut énorme. Les passions religieuses et nationales s'enflammèrent en Allemagne. Frédéric, défenseur de l'Allemagne et de l'évangélisme — tout libre-penseur qu'il fût, il persécuta les catholiques de Silésie demeurés fidèles à l'Autriche, — fut l'objet d'un culte enthousiaste. A Versailles, Bernis parlait de se résigner à la paix. A Vienne, Marie-Thérèse, pendant les réceptions du 1er janvier 1758, se lamenta. A Londres, les victoires de Frédéric resserrèrent l'alliance compromise par la capitulation de Closter-Seven. George II, violant cette capitulation, refit l'armée de l'Électorat et lui donna pour général Ferdinand de Brunswick, prêté par Frédéric. Le roi de Prusse projetait, pour l'année qui s'ouvrait, une campagne décisive en Moravie et en Bohême.

Pourtant la situation demeurait critique pour lui. Les Russes, qui occupaient encore une partie du pays de Prusse, pouvaient se porter sur l'Oder ou la Sprée et le prendre à revers. Marie-Thérèse ayant réclamé de la France le corps auxiliaire de 24 000 hommes qu'elle avait promis, Louis XV s'engageait le 4 février à les envoyer en Bohême. Mais, en Angleterre, William Pitt était arrivé au pouvoir en juin 1757. Il allait pousser à fond la guerre contre la France. Frédéric, par la Convention de Londres d'août 1758, obtint que l'Angleterre lui paierait un subside de 670 000 livres sterling, et que l'Angleterre et le Hanovre entretiendraient une armée de 55 000 hommes en Allemagne. Plus encore que par l'aide des Anglais, il fut secouru par l'incapacité de ses ennemis.

RESSERREMENT DE L'ALLIANCE ANGLO-PRUSSIENNE.

    Russes, Autrichiens, Français agirent chacun de leur côté. En janvier, les Russes prirent Kœnigsberg, puis envahirent le Brandebourg, où ils assiégèrent Küstrin. Frédéric, qui faisait campagne en Moravie, où il assiégeait Olmütz, laissa le siège pour courir en Brandebourg. Les Autrichiens le laissèrent aller. Le 25 août, il livra bataille aux Russes à Zorndorf. Ce fut une longue journée très sanglante et indécise; mais les Russes se retirèrent en Prusse. Il retourna vers les Autrichiens, qui avaient envahi la Saxe et menaçaient la Silésie; il se fit battre un jour, en octobre; mais il rejeta l'ennemi en Bohême.

CAMPAGNE DE 1758. FRÉDÉRIC TIENT TÊTE AUX AUTRICHIENS ET AUX RUSSES.

    Pendant ce temps, les Français faisaient la guerre dans l'Allemagne occidentale. Le comte de Clermont avait succédé à Richelieu dans le commandement de l'armée de Hanovre. Il trouva tous les services en pleine désorganisation, frappa des munitionnaires infidèles, cassa des officiers, mais demeura sans argent, sans charrois, avec des troupes éparpillées en petits groupes, du Mein à Brême, et de Brême au Rhin. Ferdinand de Brunswick ayant franchi l'Aller et le Weser, Clermont se replia vers l'Ouest, évacua Brunswick, Hanovre, Brême, ne put défendre Minden, rétrograda sur Dusseldorf, et repassa le Rhin.

CAMPAGNE FRANÇAISE.

    Ferdinand passa aussi le fleuve et occupa le pays de Clèves. Le 23 juin, avec 40 000 hommes, il battit les 70 000 hommes de Clermont, à Crefeld. La retraite des Français fut désastreuse; Clermont ne garda « qu'une ombre d'armée ». Il fut remplacé par le comte de Contades, le plus ancien, mais non le meilleur des généraux de l'armée. Contades, et Soubise, qui était demeuré à la tête de l'armée du Mein, eurent quelques succès, mais ils ne parvinrent pas à se joindre; à la fin de la campagne, ils se retirèrent, Contades sur Wesel, et Soubise sur Hanau. Brunswick, campé à Munster, les surveillait.

BATAILLE DE CREFELD.

    Cette année, Bernis quitta le ministère des Affaires étrangères. La mauvaise fortune de la guerre et la pénurie du trésor l'avaient

DÉPART DE BERNIS.

convaincu de la nécessité de faire la paix, pour échapper aux conséquences désastreuses de l'alliance autrichienne. Il fit connaître dans
un mémoire son opinion au Roi, qui ne l'approuva pas; il parla alors
de se retirer, en proposant, pour le remplacer, le duc de Choiseul.
Louis XV, qui avait de l'estime pour Bernis, le fit d'abord nommer
cardinal, puis, le 9 octobre 1758, il accepta la démission offerte : « Je
consens à regret, lui disait-il, que vous remettiez les affaires entre
les mains du duc de Choiseul, que je pense en effet être le seul en ce
moment qui y soit propre, ne voulant absolument pas changer le
système que j'ai adopté, ni même qu'on m'en parle ». Bernis, après
l'arrivée de Choiseul, se retira dans son abbaye de Saint-Médard de
Soissons, sur l'ordre du Roi, donné par lettre du 13 décembre, conformément à l'usage qu'un ministre quittant sa fonction, s'éloignât
de la Cour pour un temps.

CHOISEUL.   Fils d'un grand chambellan du dernier duc de Lorraine, Stainville avait un frère major dans un régiment de Croates; il gardait
un « vernis d'étranger », et on lui trouvait des airs de seigneur
allemand. Il débuta dans l'armée, s'y conduisit bravement et devint
colonel du régiment de Navarre. Stainville était petit et laid; il avait
le front large et dégarni, les cheveux roux, les yeux spirituels, le
nez retroussé, les lèvres épaisses, un maintien hardi. Il se faisait des
ennemis par un ton de persiflage et d'impertinence polie, mais il
avait grand succès auprès des femmes. Plein de confiance en lui, il
mettait « une différence infinie entre lui et les autres hommes ». Il
s'assura la faveur de Mme de Pompadour en lui sacrifiant sa
parente, Mme de Choiseul-Romanet, pour qui le Roi avait un goût
très vif. Nommé ambassadeur à Rome, où il demeura de 1754 à 1757,
il choqua Benoît XIV par son luxe, mais le gagna aux vues du
Roi, et obtint le règlement de l'interminable question des sacrements.
Ambassadeur à Vienne en 1757, il conduisit les premières négociations en vue d'un mariage entre l'archiduchesse Marie-Antoinette et
l'héritier de la Couronne de France ; c'est à cette occasion qu'on le
créa duc de Choiseul. Il entretenait par sa correspondance des amitiés
utiles. Il se fit à Rome le commissionnaire de Mme de Pompadour
pour l'achat des objets d'art et la combla de cadeaux rares. Une fois
ministre, il eut un train de maison prodigieux. A Versailles, et à
Paris, il tenait table ouverte à 80 couverts. Il faisait des dettes bien
qu'il eût 800 000 livres de revenu. Louis XV l'aimait pour la rapidité
de son travail et la clarté de son esprit, qui rendaient les affaires
faciles. En ménageant Mme de Pompadour, il eut tout le pouvoir;
il devint secrétaire d'État de la Guerre en 1761, à la mort de Belle-
Isle, et, la même année, secrétaire d'État de la Marine.

Choiseul, bien que partisan de l'alliance autrichienne, comprit que la France était trop engagée en Allemagne, et il voulut restreindre les obligations du Roi envers Marie-Thérèse, pour concentrer tous les efforts de la France contre l'Angleterre. Il conclut avec l'Autriche le troisième traité de Versailles, signé en mars 1759, et daté des 30 et 31 décembre de l'année d'avant. La France y obtint que l'arriéré de subsides dû à l'Autriche ne fût payé qu'après la guerre. Elle n'eut plus à fournir les 24 000 hommes qu'elle s'était engagée à envoyer en Bohême; mais elle devait continuer à entretenir 100 000 hommes sur le Rhin, payer à l'Impératrice 288 000 florins par mois, payer des subsides à la Suède et au Danemark. Les clauses du traité précédent, relatives à la Silésie, d'une part, et à Ostende et Newport, d'autre part, étaient renouvelées. Mais il n'était plus question d'une cession des Pays-Bas à don Philippe; l'Impératrice lui abandonnait seulement ses droits à la réversion des duchés italiens. Ainsi disparaissait la seule raison qui justifiât l'intervention de la France dans la guerre continentale.

LE TROISIÈME TRAITÉ DE VERSAILLES.

Les Français continuèrent, pendant les années suivantes, leur guerre à part dans l'ouest de l'Allemagne. En 1759, au mois d'avril, Contades quitta Clèves pour marcher vers le Hanovre, et l'armée du Mein, commandée par le duc de Broglie, entra en Hesse. Ferdinand de Brunswick se porta contre de Broglie et fut vaincu par lui, le 13 avril, à Minden. Contades rejoignit de Broglie, et, comme il était le plus ancien en grade, prit le commandement des deux armées réunies. Or, le duc ne pouvait souffrir qu'on le commandât. Il avait eu le mérite de rétablir la discipline dans son armée, où les jeunes officiers nobles, qui correspondaient avec Versailles, ne se gênaient point pour critiquer ses opérations; mais c'était un hautain personnage, ironique et amer, insupportable à tout le monde. A Minden, où l'armée était concentrée, Contades et lui se querellaient. Brunswick, qui s'était retiré au delà du Weser, reparut, marcha sur Minden, et, le 1er août, répara par une victoire son échec du mois d'avril. Après la défaite, De Broglie accusa Contades d'inertie, et Contades accusa De Broglie de trahison. La Cour donna raison à De Broglie, qui reçut le commandement en chef.

CAMPAGNES FRANÇAISES (1759-1761). QUERELLE ENTRE CONTADES ET DE BROGLIE.

L'année 1760, le duc disposait de 130 000 hommes. Le gros de son armée était réuni sur le Mein; une réserve de trente et quelques mille hommes, sur le Rhin, devait se tenir à ses ordres; le comte de Saint-Germain commandait ce corps. De Broglie et Saint-Germain réunis battirent Ferdinand de Brunswick à Corbach, près de Cassel, le 16 juillet. Mais Saint-Germain avait aussi mauvais caractère que le duc; lui aussi voulait commander en chef; il se

QUERELLE ENTRE DE BROGLIE ET SAINT-GERMAIN.

plaignait à Versailles de toute la conduite du duc et finit par déclarer qu'il « déserterait », plutôt que de continuer à servir sous ses ordres. Il dut quitter l'armée, très regretté des officiers et des soldats. A la fin de la campagne, Ferdinand de Brunswick ayant envoyé son neveu assiéger Wesel, le marquis de Castries, détaché par De Broglie, le battit à Clostercamp, le 15 octobre. Ce fut dans la nuit qui précéda cette bataille que le chevalier d'Assas et le sergent Dubois, tombés dans une embuscade et sommés de se taire, sous peine de mort, donnèrent l'éveil au régiment d'Auvergne et se firent tuer.

QUERELLE ENTRE DE BROGLIE ET SOUBISE.

En 1761, l'année où Choiseul devint secrétaire d'État de la Guerre, l'armée d'Allemagne fut portée à 160 000 hommes. Soubise commanda sur le Rhin et De Broglie sur le Mein. De Broglie, surpris par Brunswick en février, faillit perdre Cassel, mais répara son échec. Les deux généraux français se donnèrent rendez-vous pour le 16 juillet sur le Rhin. De Broglie, arrivé un jour plus tôt, n'attendit pas Soubise pour attaquer Brunswick; il ne voulait sans doute ni être commandé en chef par lui, ni partager avec lui l'honneur de la journée. Il fut battu; Soubise ne lui porta point secours et il semble bien que ce fut à dessein. Les deux armées regagnèrent leurs postes du Rhin et du Mein. Les deux généraux s'accusèrent mutuellement en Cour; cette fois De Broglie fut disgracié. D'Estrées, qui lui succéda, laissa prendre Cassel et rétrograda sur le Rhin. Ce fut la fin des inutiles opérations militaires en Allemagne.

LA RÉSISTANCE DE FRÉDÉRIC (1759-1761).

A l'Est, pendant ces trois années, Frédéric, en grand péril toujours, tint tête à ses ennemis. Les Autrichiens et les Russes avaient enfin résolu de se joindre dans la campagne de 1759. Les Russes, commandés par Soltikof, arrivèrent en août à Francfort-sur-l'Oder, et firent leur jonction avec un corps autrichien. Le 12, Frédéric les attaqua à Kunersdorf; ce fut une effroyable journée; Frédéric, qui avait près de 50 000 hommes engagés, en perdit près de 20 000. Berlin aurait été pris et le Brandebourg conquis, si les alliés l'avaient voulu; mais Daun appela Soltikof en Silésie; reconquérir la Silésie, c'était l'idée fixe autrichienne. Les Russes allèrent jusqu'à Glogau, attendirent inutilement les Autrichiens et retournèrent en Prusse. Daun avait marché en Saxe, où l'armée des Cercles opérait pour reprendre l'électorat aux Prussiens; il occupa Dresde en septembre. La Saxe était donc perdue pour Frédéric; mais il avait conservé Berlin et le Brandebourg, à son grand étonnement; ce fut, dit-il, « le miracle de la maison de Brandebourg ». L'année d'après, en 1760, il connut de pires extrémités. Une armée autrichienne était en Saxe; une autre en Silésie et les Russes reparurent sur l'Oder; Frédéric se battit en Saxe, en

Silésie; il aurait été cerné par les coalisés, s'ils ne s'étaient pas aussi mal concertés que dans la campagne d'avant; les Russes encore une fois reprirent le chemin du Nord. Mais, au mois d'octobre, des troupes russes et autrichiennes se présentèrent devant Berlin, qui, étant ville ouverte, capitula presque sans défense et fut pillée; après quoi les Russes, Frédéric approchant, se retirèrent en Pologne. Frédéric retourna en Saxe, où, après avoir battu les Autrichiens à Torgau, le 3 novembre, il prit ses quartiers d'hiver. La campagne de 1761 s'annonça comme la précédente; on se battit en Saxe, en Silésie, où les Russes reparurent; Russes et Autrichiens continuèrent à se mal entendre; mais un corps russe conquit la Poméranie, et Frédéric, dont l'armée était épuisée et le trésor vide, se demandait en janvier 1762 ce qu'il allait devenir.

Un nouveau miracle survint. La tsarine Elisabeth, qui avait, en mars 1760, resserré l'alliance austro-russe, ne semblait pas moins acharnée à la perte de Frédéric que l'impératrice Marie-Thérèse. Elle entendait garder le pays de Prusse, comme Marie-Thérèse reprendre la Silésie. Elle mourut le 5 janvier 1762. Son neveu, Pierre, lui succéda; Allemand de race et de cœur et admirateur passionné de Frédéric, il lui rendit la Prusse par le traité du 5 mai 1762, et, le 19 juin, fit alliance avec lui. Il ne régna pas longtemps; sa femme Catherine le fit enfermer et assassiner. La nouvelle tsarine entendait bien ne pas mettre la Russie au service de la Prusse, et elle rappela les troupes que Pierre avait envoyées à Frédéric; mais elle respecta le traité du 5 mai. Frédéric avait les mains libres contre les Autrichiens, lorsqu'on commença à parler de paix.

LE REVIREMENT RUSSE.

III. — LES OPÉRATIONS MARITIMES ET COLONIALES : MONTCALM ET LALLY-TOLLENDAL (1756-1763)

A ce moment-là, la France avait subi de grands désastres sur mer et aux colonies.

Cependant, elle n'avait pas négligé sa marine. Rouillé, qui, après la disgrâce de Maurepas en 1749, l'administra jusqu'en 1754, fit construire trente-huit vaisseaux de ligne; il restaura les fortifications de Louisbourg; il fonda une académie de marine; sous son ministère, fut créé l'établissement de Ruelle, qui dispensa la France d'acheter des canons à l'étranger. Lorsque Machault lui succéda en 1754, la guerre avec l'Angleterre s'annonçant, les crédits de la marine furent augmentés; au lieu de 17 à 18 millions qu'avait eus Rouillé, Machault disposa de plus de 30 millions de livres; il pressa les constructions; en

LES MINISTRES DE LA MARINE.

1755, il put armer 45 vaisseaux de ligne ; 18 étaient en construction. Des escadres se formèrent à Brest, à Rochefort et à Toulon, et de grands approvisionnements de munitions et de vivres furent concentrés dans les ports ; les succès de la campagne maritime de 1756 sont dus à l'administration de Machault. Mais, après sa disgrâce se succédèrent le marquis de Moras, honnête et médiocre administrateur, qui resta au ministère de février 1757 à juin 1758 ; le lieutenant-général des armées navales, de Massiac, qui, ne pouvant s'entendre avec l'intendant des armées navales, Le Normand de Mézy, qu'on lui avait adjoint pour l'assister, fut renvoyé le 1ᵉʳ novembre ; enfin le lieutenant de police Berryer, sous l'administration duquel s'effondra la marine. A la fin, il suspendit les travaux des ports et vendit à des particuliers le matériel des arsenaux. Choiseul, son successeur, relèvera la marine, mais trop tard pour le succès de la guerre engagée.

L'ANARCHIE PARMI LES OFFICIERS DE MARINE.

La France manqua sur mer d'officiers généraux. Durant tout le règne de Louis XV, on en trouve à peine un qui ait vraiment de la valeur, La Galissonnière, et il meurt en 1756. Il se rencontra de braves capitaines, comme le chevalier d'Epinay, le marquis de Boulainvilliers, de L'Age, de Bouville, de La Motte-Piquet ; mais les chefs d'escadre, L'Estauduère, Conflans, d'Aché, furent au-dessous de leur tâche. Quant à la masse des officiers, elle était divisée contre elle-même par l'esprit de corps. Le Roi ayant confié des commandements à des capitaines de corsaires, une jalousie furieuse s'éleva contre ces nouveaux venus, qu'on flétrissait du nom d' « officiers bleus » ; leurs adversaires, les « officiers rouges » refusaient de servir avec eux en sous-ordre. Le 27 avril 1756, l'officier bleu Beaussier, commandant l'escadre du Canada, est attaqué, sur son vaisseau *Le Héros*, par deux vaisseaux anglais ; MM. de Montalais et de La Rigaudière, officiers rouges, assistent à l'action, sans rien faire pour le dégager. On ouvre une enquête sur leur conduite ; mais les témoins n'osent parler ; on les a avertis de bien peser leurs dépositions, et ils savent qu'il y va pour eux de la pendaison.

Ce fut enfin une cause capitale d'infériorité pour la France que son principal effort fût réclamé par la guerre continentale, où l'Angleterre avait à peine engagé ses armes.

WILLIAM PITT.

A la marine française, insuffisante et mal commandée, l'Angleterre opposa des forces considérables. En prévision de la guerre, le nombre des vaisseaux de guerre avait été porté de 291 à 345 entre 1752 et 1756 ; de 1756 à 1760, il montera à 422. Cette marine était commandée par des amiraux d'une réputation établie, Byng, Boscawen, Hawke, et elle eut la fortune d'être dirigée par le plus grand homme d'État de l'Angleterre, William Pitt. Depuis qu'il était entré à la Chambre des

Communes, Pitt s'était révélé passionné pour la grandeur de l'Angleterre ; il avait été l'adversaire des pacifiques Walpole. La grandeur de l'Angleterre, il la voulait établir par la destruction de la puissance maritime de la France. L'Angleterre du XVIIIᵉ siècle, l'Angleterre parlementaire, l'Angleterre marchande, l'Angleterre orgueilleuse, avide d'argent et de gloire réunis, fut personnifiée par lui. Il avait la tenace volonté britannique, une grande force de travail, le don de l'autorité, une éloquence nourrie de l'antique, un peu déclamatoire, impressionnante. Pitt coopéra le plus tard possible à la guerre sur le Continent, et donna tous ses soins à la guerre de mer, réclamant et obtenant de gros subsides — de 1757 à 1758, les dépenses s'accroissent de deux millions de livres sterling, — stimulant les chantiers, tenant les flottes en perpétuelle activité. Il associa les colonies à l'action de la métropole et leur envoya des flottes et des troupes. Deux ou trois ans suffiront pour assurer à l'Angleterre la victoire et l'empire des mers.

La guerre commença pourtant par une victoire française. Une escadre commandée par La Galissonnière arrivait à Minorque le 17 août 1756, et débarquait 12 000 hommes, commandés par Richelieu. Le siège du fort Philippe, qui dominait Mahon, commençait aussitôt. Le 20, l'amiral Byng vint attaquer l'escadre française ; après un long combat il résolut de se retirer à Gibraltar pour y attendre des renforts ; il croyait le fort Philippe imprenable. Le 27 juin, par un assaut de nuit, ce fort fut emporté. En Angleterre, la colère fut grande ; Byng fut condamné à mort malgré l'honorable intervention de Pitt, et exécuté. La France célébra la conquête de Mahon comme une grande victoire nationale.

LA PRISE DE PORT-MAHON (JUIN 1756).

L'année d'après, en 1757, les Anglais commençaient l'attaque des côtes de France. Ils occupaient l'île d'Aix à l'embouchure de la Charente ; s'ils n'avaient manqué d'audace, ils auraient détruit Rochefort. En 1758, la flotte française de la Méditerranée fut bloquée à Toulon ; Pitt avait résolu d'opérer un débarquement sur les côtes de l'Atlantique, et une flotte était prête en avril dans les eaux de Wight ; mais un temps défavorable et l'indécision des commandants fit manquer l'entreprise. Les Anglais brûlèrent quelques vaisseaux, pillèrent les faubourgs de Saint-Malo sans attaquer la place et détruisirent à Cherbourg les travaux commencés d'un port militaire. Leur principal effort fut porté en Bretagne ; 13 000 hommes débarquèrent dans la baie de Saint-Cast. Cette invasion fut repoussée par une petite armée de soldats, de gardes-côtes, de nobles et de paysans, que le duc d'Aiguillon, « commandant » de Bretagne, avait rassemblés. Ainsi l'attaque contre le sol français ne réussissait point à l'Angleterre.

LES ANGLAIS ATTAQUENT LES CÔTES DE FRANCE.

‹ 273 ›

Mais l'attaque projetée contre les Iles Britanniques en 1759 allait être fatale à la France. Choiseul avait ordonné les préparatifs d'un débarquement en Grande-Bretagne : Soubise devait partir de Normandie, Chevert de Flandre, et d'Aiguillon, avec le corps principal, de Bretagne. Des troupes et des transports étaient réunis, et les flottes de Brest et de Toulon avaient reçu leurs ordres ; mais Pitt entoura d'une chaîne de vaisseaux la Grande-Bretagne et l'Irlande, et organisa la défense terrienne par des milices que l'aidèrent à lever les villes, les compagnies et les particuliers ; en juin, il jugeait les Iles Britanniques inattaquables. Alors le commodore Rodney alla bombarder le Havre, et Boscawen cingla vers Toulon. Boscawen ne put empêcher la flotte commandée par La Clue de sortir et de franchir le détroit de Gibraltar ; mais il l'attaqua à Lagos, sur la côte portugaise, et La Clue fut battu après une belle résistance, les 18 et 19 août. Cependant les projets de débarquement n'étaient pas abandonnés en France. La flotte de Brest, commandée par Conflans, se dirigea vers Quiberon pour y prendre les troupes de d'Aiguillon ; Conflans se trouva en présence de l'amiral Hawke, n'osa le combattre et se retira vers la baie, où il se heurta aux récifs des Cardinaux. Hawke l'attaqua ; des vingt et un vaisseaux français, deux furent coulés, deux brûlés, deux jetés à la côte, sept se réfugièrent dans la Vilaine, huit à Rochefort. La flotte de l'Atlantique était réduite à l'impuissance comme la flotte de la Méditerranée. La France avait perdu 29 vaisseaux de ligne et 35 frégates ; sa flotte était réduite à presque rien. Elle n'était plus en état de défendre ses colonies.

En 1758, les désastres avaient commencé dans l'Amérique du Nord. Pour sauver les colonies françaises du continent d'Amérique, une énergique intervention de la métropole aurait été nécessaire. En 1757, les Anglais avaient armé 12 000 hommes et 16 vaisseaux de ligne. L'année d'après, une flotte de plus de 40 vaisseaux de ligne et de 100 transports fut envoyée par la métropole ; le général Amherst et le colonel Wolfe, que Pitt lui avait fait adjoindre, commandaient 14 000 hommes de troupes régulières. Le 1er juin, ils étaient devant Louisbourg. Ce poste avancé de la colonie française, sur la côte sud-est de l'île du Cap-Breton, avait reçu un renfort de 12 vaisseaux, que Beaussier avait amenés de Brest ; mais il était mal remparé, pauvre en munitions et défendu seulement par 3 000 réguliers. Après avoir forcé les Français d'évacuer la ligne du rivage, les Anglais attaquèrent la place ; au milieu de juillet, ils arrivèrent au glacis. Le 21, un vaisseau de Beaussier sauta, et deux autres s'enflammèrent ; le reste fut capturé après que les équipages eurent été débarqués.

L'un après l'autre, les bastions furent enlevés, et les Anglais entrèrent, le 27 juillet 1758, dans la ville en ruines.

Jusque-là, sur le continent, les Canadiens avaient tenu bon. Ils avaient gagné à leur cause beaucoup d'Indiens, et les troupes régulières, 6 000 hommes, étaient commandées par un énergique général, Montcalm, qui, en 1756 et en 1757, avait remporté de notables succès. Mais le Canada était menacé de consomption, s'il était abandonné à lui-même ; chaque année, il fallait lui apporter des provisions, notamment des grains. La vie renchérit d'autant plus que la levée des milices nuisait au travail des champs. Vaudreuil, gouverneur de la colonie, écrivait en avril 1757 : « Il est mort beaucoup d'Acadiens ; le nombre des malades est considérable, et ceux qui sont convalescents ne peuvent se rétablir par la mauvaise qualité des aliments qu'ils prennent ». Les fournisseurs de vivres, les munitionnaires volaient autant et plus que partout ailleurs. Enfin Vaudreuil et Montcalm ne s'entendaient pas : le gouverneur, d'humeur autoritaire, têtu, voulait être en fait, comme il était en droit, le directeur des opérations militaires. Montcalm, qui le jugeait incapable, obéissait mal au gouverneur et même agissait sans prendre ses ordres. En 1758, Montcalm repoussa près du fort Carillon, au nord du lac du Saint-Sacrement, une armée de colons anglais, commandée par Abercromby ; mais une colonne anglaise s'empara du fort de Frontenac et captura la flottille du lac Ontario ; une autre, arrivée en novembre devant le fort Duquesne, le trouva presque sans défenseurs, la plus grande partie de la garnison ayant dû se retirer, faute de vivres. Le fort Duquesne se rendit, et les Anglais construisirent sur son emplacement Pittsburg. Désormais, la Louisiane était coupée du Canada.

En 1759, une grande expédition fut préparée en Angleterre. Une flotte, commandée par Saunders, transporta des troupes commandées par Wolfe ; Pitt avait obtenu pour Wolfe 10 000 hommes et 20 000 tonnes de provisions, et les ravitaillements avaient été prévus. Le 21 juin, la flotte arriva devant Québec. Cette attaque sur mer était inattendue, la navigation du Saint-Laurent étant très difficile. Vaudreuil et Montcalm avaient appris seulement en avril, les projets des Anglais ; ils avaient eu peu de temps pour préparer la défense ; ils avaient la supériorité du nombre, mais leurs 16 000 hommes étaient pour la plupart des miliciens, et Montcalm se défiait des milices qu'il ne jugeait bonnes que pour la défensive. Il craignait d'ailleurs, s'il attaquait, un échec qui aurait compromis la défense de Québec et voulait attendre la mauvaise saison, qui obligerait la flotte ennemie à se retirer. Québec est situé sur la rive gauche du fleuve ; Wolfe occupa en aval l'île d'Orléans et la rive droite, d'où il bombarda. La ville

supporta le bombardement et repoussa une attaque, le 31 juillet.
L'amiral Saunders parlait de retraite, mais les Anglais tentèrent un
dernier effort. Wolfe décida de remonter le fleuve, pour aller débarquer en amont, au bas du plateau d'Abraham qui domine la ville;
le 13 septembre, il escalada cette position, qu'il trouva mal gardée.
Il semble que Montcalm aurait pu attendre l'arrivée de détachements
qui opéraient dans l'intérieur, commandés par Bougainville, Bourla-
maque et le chevalier de Lévis; mais il se jeta sur les Anglais; Wolfe
et lui furent tués dans la bataille, et les Français rejetés dans la ville,
que Vaudreuil affolé évacua. Quand Bougainville et Lévis arrivèrent
devant Québec, le commandant, à la prière des habitants, et avec
l'autorisation de Vaudreuil, avait capitulé (17 septembre).

LE CANADA PERDU.　　Les Anglais avaient été tenus en échec du côté des Grands Lacs,
mais la prise de Québec et la mort de Montcalm avaient décidé du
sort de la colonie. En 1760, le chevalier de Lévis ne réussit pas
à reprendre Québec; en 1760, Montréal se rendit aux Anglais. D'autre
part, les Anglais prirent la Guadeloupe en 1759 et la Martinique en
1762. La France ne conservait en Amérique que la Louisiane, Cayenne
et la moitié occidentale de Saint-Domingue.

EN INDE;
POLITIQUE
DE DUPLEIX.　　En Inde, de grands et singuliers événements, sur lesquels il faut
revenir, s'étaient accomplis depuis que la paix d'Aix-la-Chapelle y avait
arrêté les hostilités. Dupleix avait saisi l'occasion, qu'il attendait[1],
d'appliquer la politique de pénétration chez les princes indigènes.
Contre le nabab du Carnatic, Anaverdi Kan, qui avait été l'allié des
Anglais, se leva un compétiteur, Chunda-Sahib, ami des Français.
D'autre part, le soubab du Decan, Nizam-el-Moulouk, mourut en 1748,
après avoir déshérité son fils aîné, Nazir, au profit de son petit-fils,
Murzapha. Nazir réclama la succession et chassa Murzapha; celui-ci
demanda l'aide de Dupleix. Or, le soubab du Decan était un des plus
grands princes de l'Inde; sa capitale était Haïderabad, et ses villes
principales Aurengabad, Golconde, Bangalore, Mangalore; il avait
de nombreux et de riches vassaux, et son autorité s'étendait jusqu'aux deux côtes de la Péninsule. Le nabab du Carnatic était vassal
du soubab; Arcote était sa capitale; parmi ses forteresses, Gingi et
Trichinopoli étaient les plus considérables. Il importait fort à
Dupleix et à la Compagnie d'avoir pour alliés ces deux princes, les
principaux établissements français étant situés sur la côte du Carnatic. Aussi, lorsque les deux prétendants eurent fait cause commune
entre eux, il fit cause commune avec eux. Le Conseil supérieur
de Pondichéry conclut donc une convention en vertu de laquelle

1. Voir, plus haut, p. 158-163.

Chunda recevrait une subvention de 300 000 livres et un contingent de 400 Français et de 2 000 indigènes armés à l'européenne ; il promettait de céder à la Compagnie un territoire à l'ouest de Pondichéry.

*SUCCÈS
ET MÉCOMPTES.*

En juillet 1749, la petite armée de la Compagnie se mit en marche vers Arcote. Elle était commandée par d'Autheuil, sous les ordres de qui servait le marquis de Bussy-Castelnau, un officier venu en Inde avec La Bourdonnais. Elle rallia les douze cents hommes que commandaient Murzapha et Chunda, et, après un combat, livré le 3 août, et où fut tué Anaverdi, entra dans Arcote. Après quoi, les deux princes allèrent à Pondichéry saluer Dupleix, qui s'avança au-devant d'eux en grand appareil, porté en palanquin, escorté de soldats et d'éléphants. Dupleix leur demanda de ne rien entreprendre dans le Decan avant que la conquête du Carnatic fût assurée, et, pour cela, d'aller assiéger Trichinopoli, où s'était réfugié Méhémet-Ali, fils d'Anaverdi. Mais ils préférèrent une fructueuse expédition contre le rajah de Tandjaore, sur lequel ils prélevèrent, en décembre 1749, une contribution de plusieurs millions. Pendant ce temps, le soubab Nazir envahit le Carnatic avec une énorme armée, trois cent mille hommes, dit-on, parmi lesquels un contingent de 600 Anglais, commandé par le major Lawrence. Il est vrai, cette armée n'était pas solide, et le soubab était un médiocre homme de guerre ; un boulet qui passa près de lui, lors d'une première rencontre, l'affola ; mais il eut la bonne fortune que son adversaire Murzapha se rendît à lui, et que l'armée adverse, désorganisée par une mutinerie des troupes françaises, se repliât jusqu'à Pondichéry. Ce fut un des moments où Dupleix, qui, avec de si petits moyens, osait de si grandes entreprises, désespéra de sa fortune.

*TRAITÉ AVEC
MURZAPHA,
SOUBAB DU DECAN.*

Il reprit confiance quand il sut que des nababs de Nazir étaient prêts à se révolter contre leur chef. Une attaque de nuit, faite par 300 Français, mit le désordre dans l'immense armée, qui s'enfuit. Méhémet-Ali restait seul en face des Français ; le 1er septembre 1759, son camp fut attaqué par d'Autheuil et Bussy, qui s'en emparèrent. Le 11 septembre, Bussy assiégea Ginghi, la plus forte forteresse du Carnatic, — à cinquante milles à l'ouest de Pondichéry, — et que l'on croyait imprenable, défendue comme elle était par trois citadelles à pic ; il la prit, le lendemain. Effrayé par ce fait d'armes, Nazir, qui s'était retiré vers Arcote, aurait voulu négocier avec Dupleix ; il pensait à retourner au Decan ; mais, le 15 novembre, il fut attaqué de nuit par 565 Français et 2 000 cipayes. La lutte fut courte ; Nazir fut assassiné par un de ses nababs, et Murzapha, qu'il traînait prisonnier avec lui, proclamé soubab. Bientôt après Murzapha était intronisé dans Pondichéry ; Dupleix, assis sur un trône pareil, assistait à la cérémonie. Murzapha conféra à Dupleix le gouvernement du pays au sud de la Kistna jusqu'au cap Comorin; il confirma la souveraineté de la Compagnie française sur le district de Mazulipatam, qu'elle avait occupé pendant la guerre contre Nazir, sur celui de Yanaon, où elle avait fait récemment un établissement, et il consentit à une extension du territoire de Karikal. Dupleix, laissé libre de disposer du Carnatic comme il l'entendrait, en donna l'investiture à Chunda.

BUSSY AU DECAN ET CHEZ LES MAHRATTES.

Mais Murzapha n'était pas encore maître du Decan, ni Chunda en pleine possession du Carnatic où Méhémet-Ali occupait toujours Trichinopoli. Dupleix permit à Murzapha d'emmener avec lui au Decan Bussy, avec un corps de 300 Français et de 1 800 cipayes et une batterie d'artillerie. Bussy apparut alors dans toute sa valeur d'homme de guerre et de politique; il avait appris vite à connaître l'Inde, dont il parlait à peu près toutes les langues. L'entreprise fut un moment compromise quand, en février 1751, Murzapha fut assassiné par des nababs. Il fallait tout de suite trouver un autre soubab; Bussy choisit, d'accord avec les nababs, Salabut, frère de Nazir. Il le conduisit en avril à Haïderabad, en juin à Aurengabad; Salabut confirma les concessions faites à la Compagnie par Murzapha. Comme un peuple de guerriers établi au nord du Decan, les Mahrattes, avaient envahi ce pays avec une grande armée, il porta la guerre chez eux. Les Mahrattes rétrogradèrent; à vingt milles de leur capitale, ils furent attaqués dans leur camp, la nuit du 9 décembre 1751, où ils considéraient avec effroi une éclipse de lune; ils s'enfuirent en déroute. Au commencement de l'année suivante, le pays des Mahrattes fut par un traité de paix soumis à l'autorité de la Compagnie.

ORGANISATION DU PROTECTORAT.

Ainsi, au jour le jour un empire se dessinait, couvrant une grande partie de la péninsule indoue. Au début, Dupleix n'avait fait que prêter des soldats et des canons à des princes; d'Autheuil et Bussy étaient comme des mercenaires entrés pour un temps au service de Murzapha et de Chunda. Mais, après que Murzapha eut été intronisé soubab à Pondichéry, après que Chunda eut été investi du Carnatic par Dupleix, après les conventions signées avec les princes, c'était comme des protectorats qui s'organisaient. Au Decan, ce fut un protectorat en règle; Bussy demeura, après qu'il y eut installé Salabut, à Aurengabad, et mit ses canons dans la citadelle. A mesure que Dupleix suivait le progrès de cette fortune, il haussait ses ambitions. Il eut un moment l'idée de faire attribuer à Salabut la soubabie du Bengale pour étendre au pays du Gange l'influence française. Bussy lui écrivait, le 1er septembre 1751, qu'il n'avait qu'à commander à Delhi pour y être obéi : « Tout ce que vous demanderez à Delhi viendra incessamment ». Dupleix étant mécontent de Chunda, le nabab du Carnatic, il parla de se faire lui-même nabab de ce pays. Bussy l'encourageait dans ses projets; il lui écrivait, le 23 septembre : « Je vous réponds sur ma tête de vous faire nabab du Carnatic », et enfin, le 14 octobre : « L'affaire du Carnatic vient d'être terminée. Le Divan m'a promis la *paravana* en votre nom, et, après vous à la nation française. » Dupleix, sur la nouvelle que Méhémet Ali était mort, annonça à Bussy qu'il allait se faire proclamer nabab, mais la nouvelle était fausse; Méhémet vivait encore et il avait l'appui des Anglais.

L'OPPOSITION DE LA COMPAGNIE ANGLAISE.

La Compagnie anglaise s'inquiétait de l'énorme progrès de la Compagnie française. Le gouverneur de Madras, Saunders, et le major Lawrence commandant les troupes de l'Inde, n'avaient reconnu ni Murzapha ni Salabut comme soubabs du Decan, ni Chunda comme nabab du Carnatic. Contre Chunda, ils s'étaient faits les protecteurs de Méhémet-Ali; le 4 août 1751, Saunders avait avisé Dupleix que Méhémet avait engagé aux Anglais le royaume de Trichinopoli en garantie de l'argent qu'il leur devait. Chunda, renforcé par un corps d'Européens commandé par le Français d'Autheuil, marcha sur Trichinopoli; il battit un corps anglais envoyé de Saint-David, mais ne put l'empêcher d'entrer dans la place. D'Autheuil, étant tombé malade, fut remplacé par Law, un neveu du financier, qui bloqua la ville.

LES VICTOIRES DE CLIVE AU CARNATIC.

Dans ces conjonctures, un officier civil de la Compagnie anglaise, Clive, qui avait pris part à la défense de Madras contre La Bourdonnais et obtenu de servir avec rang d'enseigne pendant le siège de Pondichéry, proposa à Lawrence d'attaquer Arcote pendant que les forces de Chunda étaient occupées devant Trichinopoli, et que les forces françaises se trouvaient ou devant cette ville ou avec Bussy dans le Decan. Le 11 septembre 1751, Clive entra dans Arcote. Au printemps de l'année suivante, Lawrence, qui avait pris Clive pour second, marcha vers Trichinopoli, qui résistait toujours. Il pénétra dans la ville, le 8 avril 1752, et, après une campagne de deux mois, fit prisonnière l'armée de Law. Chunda fut assassiné, et Méhémet proclamé nabab; alors l'influence anglaise remplaça celle de la France dans le Carnatic. L'armée de Law n'existant plus, celle de Bussy étant retenue au Decan, il ne restait à Dupleix que Pondichéry, Gingi et les possessions de la côte; pour les défendre, il n'avait point de troupes. Il fut donc obligé de demander du secours en France.

CONFLIT ENTRE DUPLEIX ET LA COMPAGNIE FRANÇAISE.

Or, il y avait entre lui et la Compagnie un dissentiment très grave. Peu à peu, il avait été amené à faire des conquêtes. Comme il dira plus tard :

« Un enchaînement de circonstances, qu'on aurait eu de la peine à prévoir, a cependant conduit au but que l'on cherche depuis longtemps.... L'on a saisi les occasions qui se sont présentées. »

Mais la Compagnie l'avait vu avec grande inquiétude suivre les circonstances. Le 5 mai 1751, elle lui avait écrit qu'elle attendait « avec la plus grande impatience » que la paix régnât « sur la côte de Coromandel »; que « nul autre avantage ne pouvait tenir lieu de la paix »; que la paix seule « était capable d'opérer le bien du commerce, dont il devait s'occuper essentiellement ». Le 1er février 1752, elle reprenait : « Il est temps de borner l'étendue de nos concessions dans l'Inde ». Silhouette, commissaire du Roi près la Compagnie, pose en principe qu'il ne convient pas à la Compagnie de se rendre « puissance militaire ». Il écrit, le 13 septembre 1752 :

> « On préfère généralement ici la paix à des conquêtes, et les succès n'empêchent pas qu'on ne désire un état moins brillant mais plus tranquille et plus favorable au commerce. On ne veut plus se rendre une puissance politique dans l'Inde; on ne veut que quelques établissements en petit nombre... et quelques augmentations de dividendes. »

Dans un mémoire au Contrôleur général de juillet 1753, il ajoutera :

> « L'idée de donner la loi à tout le Decan, avec une poignée de Français, est une folie. »

DUPLEIX ACCUSÉ EN FRANCE. — Quand on connut en France le désastre de Trichinopoli, un grand mouvement se produisit contre Dupleix. Depuis longtemps on lui reprochait son orgueil, son ambition, sa cupidité aussi. Il est vrai qu'il aimait l'argent; il accepta, de ses alliés, des présents et des *jaguirs*, c'est-à-dire des rentes et des pensions. Sa femme fut très avide; fille d'un chirurgien de la Compagnie, veuve d'un conseiller au Conseil supérieur de Pondichéry, très intelligente et au fait comme personne des affaires et des mœurs de l'Inde, parlant des langues indigènes, conseillère de son mari, dont elle soignait les intérêts en France comme en Inde — en France elle envoyait des cadeaux à Mme de Pompadour — la « *Begun* Joanna », comme on l'appelait, avait des façons de souveraine. Elle recevait, comme son mari, des *jaguirs* : après son intronisation, Murzapha donna à chacun des deux époux des terres dont le revenu était de 240 000 livres; après son installation à Aurengabad, il investit la Begun d'une nababie. Dupleix et sa femme n'étaient pas seuls, il est vrai, à s'enrichir; des conseillers au Conseil supérieur firent des fortunes; Bussy envoya en France beaucoup d'argent pour acheter des terres. Mais ce fut à Dupleix surtout qu'on s'en prit, lorsque les revers mirent son œuvre en danger.

SA DISGRÂCE. — Pendant que les Compagnies anglaise et française, ou plutôt les militaires et les agents de ces Compagnies entraient en conflit, les deux gouvernements de France et d'Angleterre étaient encore à l'état de paix. Ni l'un ni l'autre n'entendait se laisser mener à la guerre par les Anglais et les Français de l'Inde. On négocia entre Versailles et Londres, et il fut convenu qu'un commissaire anglais et un commissaire français se rendraient chacun de son côté en Inde pour arrêter la lutte commencée et en prévenir le retour. Le commissaire français fut Godeheu, ancien membre du Conseil de Chandernagor, un des directeurs de la Compagnie. Il arriva muni d'une instruction officielle et de pouvoirs secrets. Dupleix, dont Godeheu était l'ami, le vit entrer à Pondichéry, le 2 août 1754, avec d'autant plus de joie que Godeheu amenait des troupes avec lui. Mais, le 3 août 1754, Godeheu se fit reconnaître comme gouverneur par les troupes et donner les clés de la place ; le 14, Dupleix était embarqué à destination de la France. Il y fut d'abord bien accueilli. Un revirement s'était produit après le départ de Godeheu ; des mémoires de Dupleix, arrivés sur ces entrefaites, avaient ouvert les yeux aux ministres, et même des ordres furent expédiés en Inde pour annuler les instructions données à Godeheu ; mais ils arrivèrent trop tard. Quand on sut à Versailles que Godeheu avait traité avec les Anglais, on accepta le fait accompli. Dupleix ne put se faire rendre justice. Sa fortune, qu'on avait confisquée, ne lui fut pas rendue ; il n'obtint pas la restitution de sommes qu'il avait avancées à la Compagnie ; ses créanciers le poursuivirent et sa maison fut vendue.

« J'ai sacrifié ma fortune, écrivait-il, et ma vie pour enrichir ma nation en Asie.... Je me suis soumis à toutes les formes judiciaires, j'ai demandé comme le dernier créancier ce qui m'était dû ; mes services sont traités de fables... »

Il mourra dans cette misère, le 10 novembre 1764.

En décembre 1754, Godeheu avait signé avec le gouverneur Saunders un traité conforme aux instructions qu'il avait emportées, où on lui prescrivait de ne pas garder des possessions trop difficiles à défendre. En vertu de ce traité, la Compagnie française ne devait conserver que Pondichéry, Karikal et un établissement entre Nizampatnam et la rivière Gondecama. Les deux Compagnies, anglaise et française, s'engageaient à renoncer à toute « dignité » en Inde et à ne plus se mêler aux différends entre les princes indigènes ; ainsi serait établie l'égalité entre les deux Compagnies ; mais les sacrifices qu'y faisait la France étaient énormes, car c'était elle qui possédait des dignités indigènes, elle qui avait des alliés, des protégés, le commencement d'un empire. Un Anglais a dit avec raison : « On conviendra que peu de nations ont fait à l'amour de la paix des sacrifices d'une importance aussi considérable ». Au reste, ce traité devint bientôt caduc ; la guerre officielle entre la France et l'Angleterre allait bientôt commencer.

LE TRAITÉ GODEHEU.

Après le départ de Dupleix, Godeheu ne resta en Inde que
six mois; il s'embarqua en février 1755. Son successeur, Duval de
Leyrit, maintint Bussy dans le Decan, et lui-même empêcha les
Anglais de faire des progrès dans le Carnatic, où ils pratiquaient,
malgré le traité Godeheu, l'immixtion dans les affaires indigènes.
Quand la guerre eut été déclarée, il réduisit les Anglais aux places de
Saint-David, Arcote, Madras et Trichinopoli. Mais alors arriva en Inde
le comte de Lally-Tollendal, avec la qualité de gouverneur général
de l'Inde. Lally était un Irlandais, qui avait servi le prétendant
Charles-Edouard. Passé au service du roi de France, il avait été
employé à des missions secrètes. Dans l'armée, il s'était distingué
partout où il avait combattu, à Kehl, à Philipsbourg, à Dettingen et
à Fontenoy. Il était soldat énergique, obstiné, insoucieux de l'obstacle.
« Mon devoir, dit-il un jour, est de prendre Saint-David, quoi qu'il
arrive, dussé-je me cramponner au sol avec mes ongles. » Et c'était
un impérieux, au geste cassant. Quand il eut affaire à des administrateurs coloniaux, à des spéculateurs, à des marchands, il se trouva
dépaysé, ne voyant partout que des spéculateurs et des fripons. Il ne
savait pas les affaires de l'Inde, et ne comprit rien, ne voulut rien
comprendre aux mœurs indigènes. D'ailleurs, ses instructions étaient
contraires aux idées de Dupleix et de Bussy : les expéditions loin
des côtes lui étaient interdites; il devait se contenter de prendre
Saint-David, Arcote, Madras; encore fallait-il qu'il brûlât ces villes
et les rasât. On lui prescrivait aussi de remplacer dans son armée
les porteurs par des bœufs et de faire porter aux soldats leurs vivres
et leurs bagages. On connaissait bien mal à Versailles les conditions
de la guerre en Inde.

C'est en avril 1758 que Lally arriva à Pondichéry, escorté par
une flotte que d'Aché commandait — et qui ne devait servir à peu près
à rien pendant la guerre. — Il attaqua Saint-David, qu'il prit en juin
et qu'il détruisit. Puis il commit toutes sortes de fautes, dont la plus
grosse fut d'offenser et de violenter les indigènes, « ces misérables
noirs », comme il le disait. Après Saint-David, il voulait prendre Madras;
pour se procurer de l'argent, il alla faire dans le royaume de Tandjaore
une odieuse expédition, où il mit en adjudication le pillage d'une
ville et fit fondre les statues d'or d'une pagode vénérée. Il commit
une grande faute en rappelant Bussy du Decan; Bussy avait objecté
contre son rappel que l'occupation du Decan était nécessaire pour
protéger les possessions françaises du Sud contre les Anglais, qui
étaient devenus maîtres du Bengale.

De graves événements, en effet, s'étaient passés depuis deux ans
dans cette région du Gange inférieur. Le Bengale était une des plus

considérables et une des plus indépendantes soubabies de l'Inde. La
Compagnie anglaise y possédait Calcutta et plusieurs factoreries,
parmi lesquelles Hougly, et la Compagnie française y avait Chandernagor. En juin 1756, le soubab Souradja-up-Daoula entra en guerre
contre les Anglais, s'empara de Calcutta et y fit prisonniers
146 Anglais qu'il enferma dans un « trou noir » de quelques mètres
carrés ; 116 des prisonniers y moururent asphyxiés. Pour les venger,
le Conseil de Madras envoya Clive avec 900 Anglais et 1 500 cipayes.
Clive reprit Calcutta et Hougly ; puis il négocia avec le soubab et
signa avec lui, en février 1757, une alliance offensive et défensive, et
mit la main sur Chandernagor. Le soubab s'inquiéta de ce succès
et se retourna vers les Français. Mais Clive débaucha un nabab
auquel il promit la soubabie, et qui trahit Souradja quand, avec
ses 3 000 hommes, Clive attaqua près de Plassey les 3 000 fantassins
et les 18 000 cavaliers du soubab. Après cette victoire, qui ne leur
avait pas coûté cent hommes, les Anglais occupèrent Mourchidabad,
capitale de la soubabie ; la conquête du Bengale leur était assurée.
Tout de suite, ils entrèrent dans le Carnatic, d'où ils chassèrent les
quelques troupes françaises qui y étaient demeurées après que Bussy
avait rejoint Lally.

 Lally, avec l'aide de Bussy, s'empara d'Arcote et fit une tenta-*ÉCHEC DEVANT*
tive sur Madras ; mais il était sans munitions, sans vivres, sans*MADRAS.*
argent ; ses troupes, qu'il ne payait pas, se mutinaient ; des soldats
passaient à l'ennemi qui avait de quoi les nourrir. Après un succès
remporté sur une sortie des Anglais et deux assauts donnés à la ville,
l'apparition d'une flotte anglaise l'obligea à se retirer sur Pondichéry
le 17 février 1759. Pendant ce temps, les Anglais obligeaient le
soubab du Decan, jusque-là l'allié docile de Bussy, à accepter leur
protectorat ; Bussy, envoyé par Lally vers le soubab, ne put le regagner. Il était irrité de toutes les fautes qu'il voyait commettre à Lally,
qu'il appelait un « fou furieux ». Lally, de son côté, traitait mal son
second et lui attribuait les revers ; parlant de Bussy et du gouverneur
de Pondichéry, il écrivait : « Si je vous avais envoyé, il y a six mois,
ces deux hommes pieds et poings liés, cette colonie serait en état de
défense ». Il accusait même Bussy d'être, « comme Médée », versé
dans l'art de la trahison. Comme il avait mis tout le monde contre
lui, il détestait et calomniait tout le monde.

 La situation de la colonie devint désespérée, lorsque la flotte de*LA PERTE*
d'Aché, qui ne se sentait pas de force à tenir la mer contre les Anglais,*DE L'INDE.*
s'éloigna en septembre 1759 pour ne plus revenir. Dans les premiers
mois de 1760, les troupes françaises, délabrées, peu sûres, firent
d'inutiles tentatives sur Arcote et Trichinopoli et se retirèrent,

vaincues, sur Pondichéry. Les Anglais bloquèrent la ville où la discorde paralysa la défense. Lally et le Conseil supérieur échangèrent des injures ; le général voulut empêcher le gaspillage des subsistances ; les marchands firent des émeutes ; Lally ordonna de dresser des gibets et des roues destinés aux mutins. Après cinq mois de siège, il capitula, en janvier 1763 ; les Anglais, traitant la ville comme les Français avaient traité Saint-David, la détruisirent. Il ne restait à la France en Inde que Mahé, qui capitula en février.

LE PROCÈS
DE LALLY.

A Paris, où arrivaient à la fois les nouvelles des désastres de l'Inde et du Canada, Lally fut accusé de tous les crimes possibles. Il demanda aux Anglais la liberté sur parole pour aller se défendre. Le ministère révéla sa correspondance à ceux qu'il avait accusés en termes si violents ; ils s'ameutèrent contre lui. Bussy, Leyrit, des conseillers de l'Inde arrivèrent. Bussy, en termes modérés, d'ailleurs, expliqua les désastres par les fautes commises. Les conseillers publièrent mémoires contre mémoires ; un d'eux, Le Noir, alla jusqu'à inventer un tarif des prix auxquels Lally avait vendu les villes françaises à l'Angleterre. Choiseul conseillait au général de s'enfuir ; il voulut rester pour être jugé. Il demanda à comparaître devant un conseil de guerre, mais le Procureur général du Parlement le réclama. Par lettres-patentes du 12 janvier 1763, le Roi ordonna que le Parlement instruisît l'affaire « en tout ce qui aurait trait aux faits de l'Inde ». Il espérait englober ainsi dans l'accusation tous ceux qui auraient méfait dans l'Inde et peut-être sauver le général ; le Parlement ne voulut juger que lui. Pendant dix-huit mois, le procès traîna sans que Lally fût interrogé. Les magistrats étudiaient les mémoires écrits contre les accusés ; ils n'étaient pas en état de comprendre les affaires de l'Inde, qu'ils ne connaissaient pas. On prétendit qu'il y en avait qui prenaient les « cipayes » pour des pièces de monnaie. Le conseiller Pasquier fut chargé du rapport ; il accusa Lally d'avoir causé la perte de la colonie, énuméra des indices qui pouvaient le faire accuser de trahison, notamment les négociations pour la reddition de Pondichéry, qui lui semblaient un galimatias inexplicable ; il conclut que l'accusé avait trahi « les intérêts du Roi ». Lally fut condamné, le 6 mai 1766, à avoir la tête tranchée. L'exécution eut lieu trois jours après en place de Grève. La naissance et le rang du condamné lui donnaient le droit d'être conduit au supplice dans son carrosse drapé de deuil ; on le mit sur un tombereau et on le bâillonna. Le bourreau ne l'ayant décapité qu'à demi de son coup de hache, lui saisit les oreilles pour maintenir la tête, pendant que les aides sciaient le cou. Quelques hommes seulement, parmi lesquels Voltaire, prirent la défense de ce malheureux, qui avait commis bien des fautes, mais sur qui il était trop commode de rejeter les fautes de tous et surtout du plus grand coupable, le Gouvernement, qui l'avait choisi, bien qu'impropre à une tâche trop difficile, et qui s'était mis, par sa politique continentale, hors d'état de secourir l'Inde. L'opinion publique fut exprimée dans une vilaine lettre de Mme Du Deffand à Walpole : « Lally est mort comme un enragé.... Comme on eut peur qu'il n'avalât sa langue, on lui mit un bâillon... On a été content de tout ce qui a rendu le supplice plus ignominieux, du tombereau, des menottes, du bâillon. Le bourreau a rassuré le confesseur qui craignait d'être mordu.... Lally était un grand fripon, et, de plus, il était fort désagréable.... »

IV. — LE TRAITÉ DE PARIS

Choiseul n'avait pas cessé de négocier pour obtenir la paix. Il essaya de traiter séparément avec l'Angleterre; il accepta la médiation que lui offrit Charles III, qui, en 1759, devint roi d'Espagne, à la mort de son frère Ferdinand VI. Il s'excusait auprès de la Cour de Vienne; le 29 octobre, dans une lettre à son cousin Choiseul-Praslin, ambassadeur auprès de l'Impératrice, il parlait le grand effort qu'il avait fait pour la campagne de 1759, sur terre et sur mer, et rappelait nos « malheurs militaires ». « Je crois, disait-il, qu'il est difficile qu'ils puissent être plus grands. » Il regrettait que les « alliés puissants » de la France n'eussent pas mis « par leurs succès du poids dans la balance ». Il confessait l'épuisement du royaume : « Notre crédit, qui faisait la grande branche de notre puissance, est anéanti ». Le Roi a fait « une espèce de banqueroute »; pour payer les troupes au mois de novembre, on a parlé en conseil d'envoyer à la Monnaie la vaisselle du Roi et des particuliers. C'était « un état affreux ». Or, « il n'y a pas d'engagement qui tienne contre l'impossible ». Sans doute, il ne voulait pas abandonner l'Impératrice : « Nous ne ferons pas la paix de terre sans elle, nous nous détruirons d'année en année en sa faveur, mais il faut la prévenir que nous serons forcés par les circonstances à faire la paix avec l'Angleterre, dès qu'il sera possible ».

CHOISEUL NÉGOCIE UNE PAIX PARTICULIÈRE AVEC L'ANGLETERRE.

Cette tentative d'une paix séparée avec l'Angleterre et l'intimité qui commençait à s'établir entre la France et l'Espagne déplaisaient à Vienne. A Londres, on prit très mal l'intervention de l'Espagne. Après quelques allées et venues d'agents et des conversations en Angleterre et en Hollande, l'Angleterre, repoussant l'idée d'un traité où le roi de Prusse ne serait pas compris, les négociations furent

L'INTRANSIGEANCE DE PITT.

interrompues au printemps de 1760. Elles reprirent à la fin de l'année, après la mort de George III ; cette fois il fut question d'un congrès général, qui se tiendrait à Augsbourg, mais ce congrès ne se réunit pas. Pitt rédigea, en juillet 1761, un *ultimatum* hautain et haineux. Bussy était alors ambassadeur de France à Londres ; il expliqua à Choiseul, dans une lettre d'août 1761, la puissance de Pitt :

> « Ce ministre est, comme vous le savez, l'idole du peuple, qui le regarde comme le seul auteur de ses succès, et qui n'a pas la même confiance dans les autres membres du Conseil. La Cour et ses partisans sont obligés d'avoir les plus grands égards pour les fantaisies d'un peuple fougueux qu'il est très dangereux de contrarier jusqu'à un certain point. M. Pitt joint à la réputation de la supériorité d'esprit et de talents celle de la probité la plus exacte et du plus singulier désintéressement... Il n'est pas riche et ne se donne aucun mouvement pour l'être. Simple dans ses mœurs et dans sa représentation, il ne cherche ni le faste ni l'ostentation. Il ne fait sa cour ni ne la reçoit de personne. Grands et petits, si l'on n'a pas à l'entretenir d'affaires, on n'est pas admis à le voir chez lui. Il est très éloquent, il a de la sûreté et de la méthode, mais captieux, entortillé et possédant toute la chicane d'un habile procureur. Il est courageux jusqu'à la témérité. Il soutient ses idées avec feu et avec une opiniâtreté invincible, voulant subjuguer tout le monde par la tyrannie de ses opinions. M. Pitt paraît n'avoir d'autre ambition que celle d'élever sa nation au plus haut point de la gloire et d'abaisser la France jusqu'au plus bas degré de l'humiliation. »

<small>FRANCE
ET ESPAGNE.</small>

On négocia pourtant sur l'*ultimatum* anglais. La France et l'Espagne agissaient de concert ; Bussy présenta les réclamations de l'Espagne, et appuya la demande qu'elle fit du droit de pêche à Terre-Neuve. Sur quoi Pitt, qui aurait mieux aimé, dit-il, donner aux Espagnols « la tour de Londres », écrivit à Bussy :

> « Je dois vous déclarer très nettement au nom de S. M. qu'elle ne souffrira point que les disputes de l'Espagne soient mêlées en façons quelconques dans les négociations de la paix entre les deux Couronnes... En outre, on n'entend pas que la France ait en aucun temps le droit de se mêler de pareilles discussions entre la Grande-Bretagne et l'Espagne. »

Choiseul fit alors parvenir à Charles III un mémoire où il mettait en parallèle la conduite de l'Angleterre et celle de la France. C'est dans ces circonstances que fut conclu le « pacte de famille ».

<small>LE PACTE
DE FAMILLE.</small>

L'idée d'une alliance entre Bourbons n'était pas nouvelle, puisque les Bourbons de Versailles, de Madrid et d'Italie s'étaient unis déjà au temps de la succession de Pologne et de la succession d'Autriche ; mais Choiseul lui donna toute son ampleur. Par la Convention du 15 août 1761, les rois de France et d'Espagne se garantissaient réciproquement leurs États et possessions ; toute attaque contre l'un d'eux obligerait l'autre à l'assistance immédiate ; les contingents étaient fixés, aucune paix ne pourrait être signée que d'un commun accord.

Les Bourbons de Parme et des Deux-Siciles seraient admis au pacte ; bientôt, en effet, Don Philippe de Parme et Ferdinand de Naples y adhérèrent ; il pourrait être étendu aux rois de Portugal et de Sardaigne. C'était une vaste conception : la France, l'Espagne et l'Italie bourbonienne se seraient trouvées alliées entre elles et avec l'Autriche, l'amie de la France ; une grande ligue catholique se fût opposée aux États protestants, la Prusse et l'Angleterre. Elle ne put être réalisée en entier ; ni le Portugal, ni la Sardaigne n'adhérèrent ; mais l'essentiel de la combinaison, c'était l'étroite union de la France et de l'Espagne, qui réalisait l'espérance de Louis XIV. Plus tard, au temps de la guerre d'indépendance américaine, cette union rendra de grands services à la France ; malheureusement, au moment où l'on était, l'Espagne ne pouvait apporter un concours de forces suffisantes à la France vaincue et épuisée. On le vit bien, après que, le 1er mai 1762, l'Espagne eut déclaré la guerre à l'Angleterre.

A cette date, un grand événement s'était accompli en Angleterre. Le crédit de Pitt avait été ébranlé par l'avènement de George III, le 27 octobre 1760. Le nouveau roi n'aimait pas le grand ministre ; Pitt, qui continuait à se montrer intransigeant avec Bussy, auquel il disait, en août 1761, que « l'heureux moment de la paix » ne lui semblait pas encore venu, fut renversé le 5 octobre 1761. Lord Bute, son successeur, était d'humeur moins intraitable ; mais il fallait qu'il comptât avec l'opinion anglaise, avec le parti militaire, avec le parti des marchands et du peuple dont Pitt était l'idole. L'intervention de l'Espagne fut un grand argument pour les partisans de la guerre, l'occasion s'offrant de ruiner la marine et le commerce de l'Espagne et d'attaquer les Indes espagnoles. En août 1762, les Anglais avaient conquis la Havane ; pourquoi s'arrêter en si beau chemin ? Cependant, le 3 novembre 1762, furent signés les préliminaires de Fontainebleau, qui devinrent, le 10 février 1763, le traité de Paris.

La France recouvrait la Martinique, la Guadeloupe et Belle-Isle en échange de Minorque restituée à l'Angleterre. Elle obtenait, sous des conditions compliquées, stipulées en termes difficultueux, le droit de pêche à Terre-Neuve et les îlots de Saint-Pierre et de Miquelon. Elle cédait son empire des Indes, où elle ne gardait — et à condition de n'y pas lever de troupes — que les comptoirs de Chandernagor, Yanaon, Karikal, Mahé, Pondichéry. Elle cédait son empire d'Amérique, les îles de la Dominique, de Saint-Vincent, de Tabago, de Grenade et des Grenadines, le Canada, l'île du Cap-Breton, les îles du Saint-Laurent, la vallée de l'Ohio, la rive gauche du Mississipi. Pour recouvrer la Havane, l'Espagne céda aux Anglais la Floride ; pour dédommager l'Espagne — ce fut le premier effet du pacte de famille, — la France lui donna la Louisiane. Enfin elle céda le Sénégal, où elle ne garda que l'île de Gorée.

Quelques mois après, le 15 février 1763, le traité d'Hubertsbourg terminait la guerre continentale. Cette paix remettait les choses dans l'état d'avant la guerre. Le roi de Prusse, qui avait recouvré la Poméranie, évacuée par la Suède, en vertu d'un traité conclu à Hambourg en mai 1762, garda la Silésie. Frédéric et l'Angleterre étaient les vainqueurs de cette grande guerre.

La résistance de Frédéric, roi de 2 500 000 sujets, aux attaques de tant d'ennemis, qui semblaient tellement plus puissants que lui, a étonné le monde. La force qu'il a révélée est décuplée par l'admiration qu'il a partout inspirée. Cette admiration fut profonde en Allemagne, où le sentiment patriotique, qui, depuis si longtemps avait souffert si durement, s'exalta. Un protecteur de l'Allemagne s'annonçait en la personne du roi de Prusse, bien plus redoutable pour la France et pour tous les États habitués à pêcher dans les eaux troubles d'Allemagne, que n'avait été l'Autriche. La guerre de Sept Ans a fait la Prusse grande puissance allemande et grande puissance européenne. L'Angleterre est décidément la maîtresse des mers; la marine française, qu'elle a détruite, pourra renaître, mais quel concours de circonstances aurait-il fallu pour que la France reprît ses empires perdus? Ces circonstances ne devaient pas se présenter.

En France, le sentiment national a été violemment offensé par tant de désastres, qui n'avaient pas même laissé l'honneur sauf. On applaudissait Frédéric; on le célébrait en vers et en prose; on faisait des chansons sur les ministres qui conduisaient la politique, sur les généraux qui conduisaient les armées, des chansons gaies même sur les désastres. C'est qu'on se désintéressait des faits et gestes d'un gouvernement et d'une Cour qui perdaient toute autorité, tout crédit sur la nation. On n'en ressentait pas moins vivement la diminution de la France dans le monde. On pensait ce qu'écrivit le cardinal de Bernis dans un jugement sur le rôle des divers États, avant et pendant la guerre : « Le nôtre a été extravagant et honteux ».

CHAPITRE III

LA PROPAGANDE PHILOSOPHIQUE

I. LA FORMATION DU PARTI PHILOSOPHIQUE. L'ENCYCLOPÉDIE. — II. LE
PATRIARCHE DE FERNEY. — III. ROUSSEAU.

I. — LA FORMATION DU PARTI PHILOSOPHIQUE. L'ENCYCLOPÉDIE

« LE milieu du siècle, écrit d'Alembert, paraît destiné à faire époque dans l'histoire de l'esprit humain par la révolution qui semble se préparer dans les idées. » Montesquieu publiait en effet l'*Esprit des Lois* en 1748; Buffon, le premier volume de son *Histoire Naturelle* en 1749; Rousseau, le *Discours sur les sciences et les arts* en 1750; Diderot, le premier volume de l'*Encyclopédie* en 1751. C'est

*L'ESPRIT
PHILOSOPHIQUE.*

1. SOURCES. D'Argenson (t. VII), Barbier (t. III et IV), Mme du Deffand, Dufort de Cheverny, Mme d'Epinay, Grimm, Hénault, déjà cités. D'Alembert, *OEuvres et Correspondance inédite*, p. p. Henry, Paris, 1886. *Encyclopédie; Discours préliminaire* (t. I, Paris, 1751). Diderot, *OEuvres complètes*, Paris, 1875-1877, 20 vol. Bachaumont, *Mémoires secrets pour servir à l'histoire de la république des lettres depuis 1762 jusqu'à nos jours*, Londres, 1777-1789, 36 vol. (les sept premiers volumes). Rousseau (J.-J.), *OEuvres* (éd. de 1826) et notamment *Art. sur l'économie politique; Disc. sur les sciences et les arts; Disc. sur l'inégalité* (t. II); *Lettre sur les spectacles* (t. II); l'*Emile* (t. III, IV, V); le *Contrat social* (t. VI); *Lettre à Christ. de Beaumont* et *Lettres de la montagne* (t. VII); *La nouvelle Héloïse* (t. VIII, IX et X); *Les Confessions* (t. XV, XVI et XVII). Voltaire, *OEuvres*, et notamment : *Correspondance*, éd. Garnier; les *Quand*; les *Car*; le *Plaidoyer pour Ramponeau*; l'*Extrait des sentiments de Jean Meslier*; le *Sermon des Cinquante* (t. XL, éd. Beuchot); le *Traité de la tolérance* (t. XLI); les *Guèbres* (t. IX); l'*Histoire du Parlement* (t. XXII); le *Dictionnaire philosophique* (t. XXVI à XXXII); l'*Essai sur les mœurs*, éd. Beuchot; *Le Siècle de Louis XIV*, éd. Rébelliau et Marion, Paris, 1892. Longchamp et Wagnière, *Mémoires sur Voltaire et ses ouvrages*, 2 vol., Paris, 1825. *Lettres de Mmes de Grafigny, d'Epinay, Suard,...* (sur leur séjour auprès de Voltaire), publ. par Asse, Paris, 1878. Mlle de Lespinasse, *Lettres*, p. p. Asse, Paris, 1876; et *Lettres inédites*, p. p. Henry, Paris, 1887. Condillac, *OEuvres completes*, 21 vol., Paris, 1821-1822. D'Holbach, *Système de la Nature*, Paris, 1770, 2 vol. Palissot, *OEuvres*, 4 vol., 1788. *L'Année littéraire*, publ. par Fréron, à partir de 1754. *Lettres de quelques Juifs... à M. de Voltaire*, par l'abbé Guénée, 1769.

OUVRAGES A CONSULTER. Aubertin, Texte, Rocquain, Lanson, Faguet, Desnoiresterres, Lion, Bertrand, déjà cités. — Brunel, *Les Philosophes et l'Académie française*, Paris, 1884. Broche, *Une époque* (Montesquieu, Rousseau, Locke), Paris, 1905. Roustan, *Les Philosophes et la Société française au XVIIIᵉ siècle*, Paris, 1906 (abondante bibliographie pp. 439-449).
Lanson, *Voltaire*, Paris, 1906 (indications bibliographiques). Champion, *Voltaire, Etudes*

alors que les « Philosophes » devinrent un parti considérable. Ils étaient très différents les uns des autres, partagés en athées et en déistes, divisés par des antipathies et des jalousies personnelles ; mais ils s'accordaient dans la confiance en la raison, l'amour de l'humanité, le respect de la personne humaine et de ses droits naturels. Ils croyaient à la bonté originelle de l'homme et à sa perfectibilité. Une sorte d'optimisme, d'ailleurs clairvoyant chez quelques-uns, et une étonnante facilité d'espérance leur donnaient l'idée alors nouvelle du progrès indéfini ; enfin, ces ennemis des religions, gardant le don de la foi et de l'enthousiasme, rêvaient d'unir les hommes par les lumières philosophiques comme par une religion nouvelle :

« O Nature, Souveraine de tous les êtres, écrit Diderot en conclusion au *Système de la Nature* de d'Holbach, et vous, ses filles adorables, vertu, raison, vérité, soyez à jamais nos seules divinités ; c'est à vous que sont dus l'encens et les hommages de terre. Montre-nous donc, ô Nature, ce que l'homme doit faire pour obtenir le bonheur que tu lui fais désirer... Inspirez du courage à l'être intelligent ; donnez-lui de l'énergie ; qu'il ose enfin s'aimer, s'estimer, sentir sa dignité ; qu'il ose s'affranchir, qu'il soit heureux et libre, qu'il ne soit jamais l'esclave que de vos lois ; qu'il perfectionne son sort, qu'il chérisse ses semblables ; qu'il jouisse lui-même, qu'il fasse jouir les autres. »

LA MÉTHODE DES PHILOSOPHES. Il n'y avait au XVIIIᵉ siècle que deux ordres de connaissances qui fussent constitués en sciences, la théologie et les mathématiques. Les Philosophes empruntèrent leur méthode aux mathématiques, dont les calculs avaient produit de si grandes découvertes, et, tout libres penseurs qu'ils fussent, à la théologie. De certains principes, ils tirèrent des conséquences. La plupart d'entre eux ignoraient l'importance de l'observation et de l'expérience et la puissance des faits. Ils n'avouaient pas qu'il y eût un inconnaissable ; ils croyaient qu'aucun mystère n'est impénétrable à la raison.

LEUR CAPITALE ERREUR. Ils attendaient de la raison la découverte d'une science politique et sociale, qui établirait une société juste, fraternelle et heureuse.

critiques, Paris, 1892. Brunetière, *Etudes critiques*, 3ᵉ et 4ᵉ séries (Voltaire et Rousseau), Paris, 1887. Maugras, *Querelles de philosophes, Voltaire et Rousseau*, Paris, 1886.
Beaudoin, *La vie et les œuvres de J.-J. Rousseau*, 2 vol., Paris, 1891 (avec bibliographie). Chuquet, *J.-J. Rousseau*, Paris, 1893 (Collection des Grands Ecrivains français). Brédif, *Du caractère intellectuel et moral de J.-J. Rousseau*, Paris, 1906. E. Rod, *L'Affaire J.-J. Rousseau*, Paris, 1906. J. Lemaître, *J.-J. Rousseau*, Paris, 1907. Mornet, *Le sentiment de la nature, de J.-J. Rousseau à Bernardin de Saint-Pierre*, Paris, 1907. Ducros, *Rousseau (1712-1757)*, Paris, 1908. Macdonald, *La légende de J.-J. Rousseau*, trad. française, par Roth, Paris, 1909. Voir aussi les « Annales de la Société J.-J. Rousseau », publiées à Genève à partir de 1905.
Rosenkrantz, *Diderot's Leben und Werke*, Leipzig, 1866. Ducros, *Diderot*, Paris, 1894. J. Morley, *Diderot and the Encyclopædists*, Londres, 1886, 2 vol. Bertrand, *D'Alembert*, Paris, 1889. Ducros, *Les Encyclopédistes*, Paris, 1900. Perey et Maugras, *Une femme du monde au XVIIIᵉ siècle* (Mme d'Epinay), Paris, 1883. Asse, *Mlle de Lespinasse et la marquise du Deffand*, Paris, 1877. Hatin, *Histoire politique et littéraire de la presse*, 8 vol., Paris, 1859. Lichtenberger, *Le socialisme au XVIIIᵉ siècle*, Paris, 1895. Cruppi, *Un avocat journaliste au XVIIIᵉ siècle, Linguet*, Paris, 1895.

Ils se faisaient une idée abstraite et par trop simple de l'homme, et leur science sociale concluait trop vite à des applications pratiques ; D'Holbach définissait la raison « la connaissance du bonheur » et des moyens d'y parvenir. Ils eurent cette illusion que de bonnes lois suffiraient à créer l'idéale société. Diderot disait : « Si les lois sont bonnes, les mœurs sont bonnes », et Helvétius : « Les vices d'un peuple sont cachés dans sa législation ; c'est là qu'il faut fouiller pour arracher la racine de ses vices » ; et, encore : « C'est le bon législateur qui fait le bon citoyen. » Ce fut leur capitale erreur, avec leur hâte d'aboutir et de conclure, qui a fait qu'aucun d'eux n'a laissé un vrai monument philosophique.

Parmi les Philosophes, un seul a pris une place dans l'histoire de la philosophie proprement dite, l'abbé de Condillac [1], chef de l'école sensualiste. Il était un disciple de Locke, mais qui n'adoptait point toutes les doctrines du maître. Dans son ouvrage le plus connu, le *Traité des Sensations*, paru en 1754, Condillac suppose une statue douée successivement de tous les sens, et il montre comment les différentes sensations suffisent pour éveiller en elle l'attention, la mémoire, l'abstraction, les passions, etc. « Le moi de chaque homme, dit-il, n'est que la collection des sensations qu'il éprouve et de celles que la mémoire lui rappelle ; c'est tout à la fois la conscience de ce qu'il est et le souvenir de ce qu'il a été ». Ainsi tout l'esprit s'expliquerait, semble-t-il, par la sensation transformée. Mais Condillac ajoute qu'il y a dans l'homme un principe intellectuel, et que c'est un sujet unique, l'âme, qui sent à l'occasion des mouvements des organes. Il croyait à une morale innée, répudiait les théories trop audacieuses, et ne se mêlait point aux polémiques de son temps. Son système séduisait par sa simplicité, sa logique et sa clarté. Lui-même estimait ces qualités par-dessus toutes les autres. Théoricien du langage, il pensait que les « signes » non seulement accompagnent les idées, mais servent à les former ; que les dénominations sont la condition des idées abstraites, et, par là, du raisonnement. Il faut donc « se faire des idées précises » et les « fixer par des signes constants ». « Tout l'art de raisonner, dit-il, se réduit à l'art de bien parler ». Il parlait clairement et purement. Devenu précepteur du prince de Parme, Condillac écrivit à l'usage de son élève un *Cours d'Études*, où l'on trouve des vues nouvelles et justes sur le langage et la littérature. Il distingue, dans les œuvres, la liaison des idées, qui dépend de la raison, laquelle est partout la même, le caractère et le style, différents selon les climats et les nations, et

CONDILLAC.
LE TRAITÉ
DES SENSATIONS.

1. Condillac (Étienne Bonnot, abbé de) est né en 1714 et mort en 1780.

qu'il faut estimer dans la mesure où ils font valoir la liaison des idées. C'est la théorie d'un logicien épris de la raison classique, mais qui sait tenir compte des génies variés des peuples.

Un livre du baron d'Holbach [1], *le Système de la Nature*, paru en 1770, bien qu'il ne contienne aucune théorie nouvelle, mérite d'être cité comme le résumé le plus complet des idées matérialistes du temps. D'Holbach nie tout mystère : « Il n'est et il ne peut rien y avoir hors de l'enceinte qui renferme tous les êtres ». — « Les illusions spiritualistes sont des erreurs de physique. » — « Une substance spirituelle qui se meut et qui agit implique contradiction. » L'homme moral n'est qu'un aspect de l'homme physique, éphémère, jeté dans l'immensité du monde. A cet être, la société doit des lois où l'intérêt de chacun se confonde avec l'intérêt de tous. « Le citoyen ne peut tenir à la patrie, à ses associés, que par le lien du bien-être; ce lien est-il tranché, il est remis en liberté. » La morale ne peut être fondée sur la volonté de Dieu, « despote farouche, qui est visiblement le prétexte et la source de tous les maux dont le genre humain est assailli de toutes parts ».

Tous les Philosophes n'approuvaient pas ces négations violentes. Mais ils s'unissaient tous pour lutter contre la théologie et contre le clergé. Ils revendiquaient la liberté de penser et d'écrire contre l'Église, pour la défense de laquelle les tribunaux soumettaient à une censure les livres, les brochures, même les préfaces des tragédies, et, si souvent, ordonnaient la « brûlure ». Ils attaquaient les abus ecclésiastiques, et profitaient du discrédit où était tombée l'Église qui réclamait sans cesse la protection de l'État, et qui oubliait de faire en elle-même les réformes nécessaires.

Diderot et d'Alembert furent d'abord les chefs de cette opposition. Diderot [2], fils d'un coutelier de Langres, fut élevé chez les Jésuites de sa ville natale, et il acheva ses études classiques au collège d'Harcourt à Paris. A la sortie du collège, il se trouva sans ressources, entra chez un procureur, sous prétexte d'étudier le droit, mais ne s'engagea pas dans une profession régulière, afin de se donner entièrement à la littérature. Il apprit les mathématiques, l'anglais, l'italien, composa pour vivre des sermons à tant la pièce, se fit précepteur, travailla pour les libraires et se procura parfois de l'argent par des expédients plus plaisants qu'honorables. Sa curiosité était universelle. Il traduisit des livres anglais, l'*Histoire de la Grèce* de Stanyan,

---

1. D'Holbach est né en 1723, et mort en 1789.
2. Diderot est né en 1713, et mort en 1784.

l'*Essai sur le mérite et la vertu* de Shaftesbury, un dictionnaire de médecine; il écrivit un éloge enthousiaste de Richardson, le célèbre romancier, auteur de *Clarisse Harlowe*, des *Réflexions sur Térence*, une dissertation sur les *Systèmes de musique des Anciens*. Mais c'est par des *Pensées philosophiques*, parues en 1746, qu'il se signala. Il y faisait cette déclaration : « Je veux mourir dans la religion de mes pères... mais je ne peux convenir de l'infaillibilité de l'Église que la divinité des Écritures ne me soit prouvée ». Il alla bientôt beaucoup plus loin; la *Lettre sur les Aveugles à l'usage de ceux qui voient*, parue en 1749, est un manifeste d'athéisme; dans un livre intitulé *De l'interprétation de la nature*, publié en 1754, il explique le monde par les transformations de la matière douée d'une force éternelle.

Diderot avait une endurance au travail et une exubérance extra-ordinaires. Très robuste, « taillé en porteur de chaises », avec un grand front, des yeux vifs et des lèvres sensuelles, débraillé dans sa tenue et dans ses propos, violent et bon, dévoué, mais d'un zèle indiscret dans ses amitiés, il répandait infatigablement sa verve, ses enthou-siasmes et ses idées dans des conversations, dans des lettres, dans des écrits de toutes sortes, dialogues, contes, dissertations. « La tête d'un Langrois, a-t-il dit, est sur ses épaules comme un coq d'église au haut d'un clocher : elle n'est jamais fixe dans un point; et, si elle revient à celui qu'elle a quitté, ce n'est pas pour s'y arrêter. » Il avait une éloquence impétueuse et bavarde, une sensibilité prompte aux larmes et à l'admiration : *SON CARACTÈRE.*

> « Je suis plus affecté des charmes de la vertu que de la difformité du vice. S'il y a dans un ouvrage, dans un caractère, dans un tableau, dans une statue, un bel endroit, c'est là que mes yeux s'arrêtent; je ne vois que cela; je ne me souviens que de cela; le reste est presque oublié. Que deviens-je lorsque tout est beau ! »

Capable de trouver des pensées profondes, il n'était pas dans sa nature, ni quelquefois dans ses desseins, de les développer avec patience et clarté. Cependant, c'est lui qu'on appelait par excellence « le phi-losophe », moins pour ses ouvrages que pour son génie et pour son rôle et son autorité dans le parti.

Avant tout, il fut l'homme de l'Encyclopédie, œuvre immense, qu'il conçut, dirigea et accomplit. Cette publication ne devait être à l'origine qu'une traduction revue et augmentée de la *Cyclopedia or universal dictionary of the arts and science*, publiée en 1727, en Angleterre, par Ephraïm Chambers. Les libraires Briasson et Le Breton, après s'être adressés à divers savants, confièrent l'entreprise à Diderot en 1745. Il résolut de faire un répertoire universel des con- *L'IDÉE DE L'ENCYCLOPÉDIE.*

naissances humaines, qui serait aussi le manifeste d'un grand parti philosophique, et il s'associa d'Alembert pour diriger avec lui cet énorme travail.

D'ALEMBERT. SES ŒUVRES.

Jean Le Rond, dit d'Alembert [1], était le fils naturel du chevalier Destouches et de Mme de Tencin. Abandonné par sa mère, élevé par la femme d'un vitrier, mais pourvu par son père d'une rente de 1 200 livres, il fut instruit au collège Mazarin, étudia le droit, la médecine et surtout les mathématiques. A vingt-trois ans, il fut admis à l'Académie des Sciences. En 1743, il écrivit un *Traité de mécanique* dont on a dit qu'il renouvelait la science du mouvement. Son livre sur la *Cause des Vents*, qui lui valut un prix à l'Académie de Berlin, sa *Théorie de la précession des équinoxes*, son *Traité sur la résistance des fluides*, ses *Recherches sur différents points importants des systèmes du monde*, parues en 1754, le mirent au premier rang des savants de son temps.

SON CARACTÈRE.

D'Alembert avait, dit Grimm [2], « les yeux petits mais le regard vif, la bouche grande, un sourire très fin, un air d'amertume, et je ne sais quoi d'impérieux », une habitude d'attention pénétrante, un mouvement inquiet dans les sourcils, un son de voix « si clair et si perçant qu'on le soupçonnait beaucoup d'avoir été dispensé par la nature de faire à la philosophie le sacrifice cruel qu'Origène crut lui devoir ». Il possédait un fonds inépuisable « d'idées et d'anecdotes »; il n'était point de matière « qu'il n'eût le secret de rendre intéressante ». Par moments, il faisait le « polisson » en imitant le jeu des acteurs de la Comédie ou de l'Opéra, et en bernant ses confrères de l'Académie. Aussi eut-il un grand succès dans les salons, surtout chez Mlle de Lespinasse.

D'Alembert, qui se contentait d'un revenu de dix sept cents livres de rente, préféra son indépendance aux offres de Catherine et de Fré-

---

1. D'Alembert est né en 1718, et mort en 1783.

2. Frédéric-Melchior Grimm, né à Ratisbonne en 1723, mort à Gotha en 1807. Il vint en France comme précepteur des enfants du comte de Schomberg. Présenté par J.-J. Rousseau dans le monde des lettres, il devint l'ami de Diderot et l'amant de Mme d'Epinay, et se brouilla comme eux avec Rousseau en 1757. Il se fit connaître comme critique musical, partisan de la musique italienne contre la musique française, et publia en 1753 le *Petit Prophète de Boehmischbrode*. La même année, il succéda à l'abbé Raynal dans la rédaction d'une *Correspondance* destinée à la duchesse de Saxe-Gotha et à d'autres princes allemands, puis à l'impératrice Catherine, et aux rois de Suède et de Pologne. Grimm renseignait les souverains étrangers sur la vie parisienne, mœurs, modes, scandales, politique, livres nouveaux; il sut les intéresser et les rendre favorables aux idées encyclopédiques. Diderot et Mme d'Epinay furent souvent ses collaborateurs; Meister le remplaça en 1773. La *Correspondance*, qui était connue dans le public par des fragments, ne fut publiée qu'en 1812. Grimm est un critique très bien informé, et l'un des étrangers établis en France qui ont le mieux saisi l'esprit français, et parlé notre langue avec le plus d'élégance.

Il termina sa vie dans les honneurs : à la cour de Catherine en 1774; choisi par la diète de Francfort comme ministre plénipotentiaire à la cour de Versailles en 1776, créé baron du Saint-Empire. Il dut quitter Paris en 1790, et reçut de Catherine les fonctions de ministre de Russie près le cercle de la Basse-Saxe.

La Propagande philosophique.

déric II, qui lui proposaient, l'une, de diriger l'éducation du grand-duc Paul, l'autre, de succéder à Maupertuis comme président de l'Académie de Berlin. Une fois encyclopédiste et philosophe, il devint intolérant et sectaire; la passion antireligieuse enragea cette âme froide.

Il se chargea d'écrire le *Discours préliminaire* de l'œuvre. Il y explique l'origine et la succession des connaissances humaines, classe les sciences et les arts, à l'exemple de Bacon, selon qu'ils dépendent surtout d'une des trois principales facultés, la mémoire, la raison, l'imagination. Il trace un tableau des progrès de l'esprit humain depuis l'invention de l'imprimerie et l'émigration en Occident des savants du Bas-Empire. Cette préface excita l'admiration des contemporains, et la mérita comme le mérite tout grand effort de synthèse; mais le fond en a beaucoup vieilli, et la forme n'est pas pour sauver l'œuvre de l'oubli. D'Alembert est un écrivain lourd et sec, avec de l'emphase. *LE DISCOURS PRÉLIMINAIRE DE L'ENCYCLOPÉDIE.*

L'Encyclopédic, dont le travail dura vingt années, comprend dix-sept volumes de texte et onze volumes de planches, quatre volumes de suppléments et deux volumes de tables. C'est naturellement une œuvre disparate. On y relève des disproportions choquantes, des contradictions de détail, des *lapsus*. Elle s'est inspirée de l'esprit pratique des philosophes anglais, de Bacon et de Locke. Celui-ci avait écrit « qu'il n'y a de connaissances vraiment dignes de ce nom que celles qui conduisent à quelque invention nouvelle et utile, qui apprennent à faire quelque chose mieux, plus vite et plus facilement qu'auparavant ». Diderot donna la plus grande place à des articles sur les arts et métiers, qu'il revisait lui-même; c'est la partie la plus originale de l'œuvre. Il fut secondé par le chevalier de Jaucourt, qui à lui seul écrivit environ la moitié de l'Encyclopédie. Il demanda la collaboration de nombreux spécialistes comme Daubenton pour l'histoire naturelle, Barthès et Tronchin pour la médecine, du Marsais et Beauzée pour la grammaire, Marmontel pour la littérature et Rousseau pour la musique. Au reste, tous les grands esprits du temps furent appelés à rédiger des articles. *L'ENSEMBLE DE L'ENCYCLOPÉDIE.*

Dans les articles de doctrine, on évita d'abord les audaces trop manifestes. Diderot et d'Alembert en signèrent eux-mêmes de très orthodoxes, firent appel à des prêtres et confièrent, par exemple, les mots : *Ame*, *Athée* et *Dieu* à l'abbé Yvon, d'ailleurs libéral. Les auteurs usaient d'hypocrisie, lorsqu'ils exposaient avec force, de façon à les bien faire valoir, des thèses qu'ils déclaraient condamner. Cependant, il était impossible de se tromper sur l'esprit général de l'œuvre. Elle est pleine de très vives critiques de toutes les sortes d'abus, et les opinions sensualistes et matérialistes s'y firent jour de *SA DOCTRINE.*

plus en plus. Aussi les Encyclopédistes parurent-ils compromettants. Montesquieu déclina l'offre des articles *Démocratie et Despotisme*; Buffon, qui donna en 1765 l'article *Nature*, n'aimait pas les Encyclopédistes; Voltaire, Duclos, Rousseau, Turgot se séparèrent tour à tour du parti des « Cacouacs », athées, cyniques et bruyants.

D'autre part, dès que parut le premier volume, en 1751, les Jansénistes et les Jésuites s'accordèrent pour attaquer des écrivains, destructeurs de toute foi. Il y eut des querelles graves. L'abbé de Prades, que Diderot avait enrôlé parmi ses collaborateurs, soutint en Sorbonne une thèse où, à propos de la chronologie de la Genèse, il paraissait critiquer les miracles. Le président de la thèse et le prieur de la Sorbonne avaient-ils mis leur signature sur le livre sans l'avoir lu, ou ne fut-il jugé suspect qu'à la réflexion? L'abbé ne fut dénoncé que plusieurs jours après la soutenance. On insinua qu'il assimilait les miracles du Christ aux cures d'Esculape et d'Apollonius de Tyane, et que Diderot lui avait suggéré des propositions scandaleuses. La Sorbonne assemblée condamna l'abbé de Prades sans l'entendre par 82 voix contre 54, et le déclara déchu de ses grades; l'archevêque de Paris obtint contre lui une lettre de cachet. Pour échapper à un arrêt de prise de corps rendu par le Parlement, l'abbé s'enfuit en Allemagne. Diderot écrivit en sa faveur une *Apologie*; mais un arrêt du Conseil, le 7 février 1752, ordonna la destruction des deux volumes parus de l'Encyclopédie, attendu qu'ils enseignaient l'esprit de révolte contre Dieu, corrompaient les mœurs et détruisaient l'autorité royale. Diderot se mit un moment à l'abri par la fuite.

Mais le Gouvernement ne persista pas longtemps dans cette rigueur. Il se mit à pratiquer, entre les deux partis, le jeu de bascule dont il avait si souvent usé à l'égard des Jésuites et des Jansénistes. Un magistrat libéral, Lamoignon de Malesherbes, directeur de la librairie de 1750 à 1763, favorisait presque ouvertement les Philosophes. C'était, d'ailleurs, pour ceux-ci une protection que de paraître un parti redoutable. Ils faisaient leur propagande par des brochures, et le public trouvait admirables tous les écrits que dénonçaient les mandements des évêques. Enfin, la publication fut reprise en novembre 1753, et continua régulièrement jusqu'au tome VII, qui parut en 1757. Dans l'intervalle, d'Alembert avait été reçu à l'Académie Française, et cette élection avait été une victoire des Philosophes sur le parti dévot.

Mais alors l'attentat de Damiens rendit aux dévots leur puissance, et l'on sévit contre les ouvrages « séditieux ». Le Parlement fit aux écrivains une guerre en règle, où il engloba les imprimeurs, relieurs et colporteurs de livres. C'est alors que fut condamné avec éclat un livre d'Helvétius, intitulé l'*Esprit*, paru en 1758. Helvétius, ancien fermier général, protecteur généreux des philosophes et des gens de lettres, avait ramassé en quatre dissertations les opinions souvent exposées devant lui par ses amis matérialistes et athées. Son livre avait été publié avec privilège du Roi ; peut-être le censeur chargé de l'examiner ne l'avait-il pas lu. La Sorbonne condamna l'*Esprit* ; le Conseil du Roi révoqua le privilège ; le Parlement rendit un arrêt de brûlure ; le Pape fulmina un bref. Helvétius se rétracta, puis il s'en alla vivre en Prusse et dans les cours allemandes.

NOUVELLE CONDAMNATION DE L'ENCYCLOPÉDIE.

Or, l'avocat général Omer Joly de Fleury avait dénoncé dans ses réquisitoires contre les livres, les progrès des mauvaises doctrines, qui menaçaient l'ordre social autant que la religion, et qui gagnaient toutes les parties de l'État, « avec la rapidité d'une maladie contagieuse » ; il avait signalé l'existence d'une sorte d'association des Philosophes, obéissant à un mot d'ordre et agissant d'après des plans arrêtés. Le Parlement institua une commission de théologiens et d'avocats chargés d'examiner l'Encyclopédie ; un arrêt du Conseil la supprima de nouveau, le 8 mars 1759.

ACHÈVEMENT DE L'ŒUVRE.

C'était alors une grosse affaire, où plus d'un million était engagé ; quatre mille souscripteurs avaient versé chacun cent quatorze livres d'avance ; Diderot avait préparé un recueil de plus de trois mille planches. Les intéressés réclamèrent. Les ministres laissèrent subsister le privilège pour les volumes de planches, comme si les planches eussent gardé quelque valeur sans le texte qu'elles devaient illustrer.

D'Alembert, fatigué par les persécutions, s'était retiré, malgré les instances de Diderot, qui assuma la charge de terminer l'œuvre. Grâce à la protection de Mme de Pompadour, de Choiseul et de Malesherbes, l'Encyclopédie s'acheva. Le Gouvernement feignit d'ignorer qu'un ouvrage interdit par lui fût imprimé à Paris. Le dernier volume du texte parut en 1765, et le dernier volume des planches en 1772.

INFLUENCE DE DIDEROT.

Cette immense entreprise, qui enrichit trois ou quatre libraires, laissa pauvre son principal ouvrier. Diderot écrivait en 1769 : « N'est-il pas bien étrange que j'aie travaillé trente ans pour les associés de l'Encyclopédie, que ma vie soit passée, qu'il leur reste deux millions et que je n'aie pas un sol ? A les entendre, je suis trop heureux d'avoir vécu. » Du moins, il eut le mérite d'avoir dirigé et terminé l'œuvre qui résumait les connaissances de son siècle et d'avoir groupé autour de lui un grand parti. Il était admiré à l'étranger comme en France ;

Catherine de Russie l'appela auprès d'elle. L'Encyclopédie n'a pas suffi à l'activité de Diderot. Une partie considérable de son œuvre n'a paru qu'après sa mort, et sa renommée fut accrue par les ouvrages posthumes qui révélèrent toute la variété et la profondeur de son génie : des romans comme le *Neveu de Rameau*, ses fameux *Salons* où il créa la critique d'art, et des essais, le *Supplément au voyage de Bougainville*, le *Rêve de d'Alembert* écrit en 1769, où sa philosophie de la nature rencontre les hypothèses qui ont plus tard guidé la science : l'unité de toutes les forces, — pesanteur, élasticité, attraction, électricité, — et même le transformisme.

II. — LE PATRIARCHE DE FERNEY.

VOLTAIRE
COURTISAN.

APRÈS l'échec de ses ambitions scientifiques, Voltaire était revenu aux lettres et à la philosophie frondeuse qui lui avaient donné la célébrité. Il avait fait représenter à Lille, en 1741, *Mahomet ou le Fanatisme* ; Mahomet c'était « Tartufe les armes à la main », inventant une religion pour s'asservir les hommes jusqu'à obtenir d'eux le crime. Mais comme il avait de certaines visées et qu'il aspirait à des honneurs politiques, il se garda pendant quelques années de provoquer le scandale par des œuvres trop hardies. Poussé par Richelieu dans la faveur de Mme de Châteauroux, il devint une manière de diplomate, fit le voyage de La Haye, avec mission de brouiller les États généraux et le roi de Prusse, et, en 1743, celui de Potsdam, afin d'amener Frédéric à recommencer la guerre contre l'Autriche. Après la mort de Mme de Châteauroux, il trouve une protectrice plus dévouée encore en Mme de Pompadour, qui le produit à la Cour. Il écrit alors une comédie-ballet, la *Princesse de Navarre*, et des poèmes officiels, comme la *Bataille de Fontenoy*, compose le *Temple de la Gloire*, devient historiographe du Roi, gentilhomme de la Chambre, membre de l'Académie Française en 1746, membre des Académies de Rome, de Saint-Pétersbourg, de Cortone et de Florence. Il est en apparence au sommet de la faveur; mais il ne plaît pas à Louis XV, qui se méfie de « ces gens-là ». Toujours menacé, sentant le danger, il va chez le roi Stanislas, à Lunéville; puis il revient à Paris; enfin, après la mort de Mme du Châtelet, survenue en 1749, il cède aux appels de Frédéric II, avec lequel il est depuis treize ans en correspondance et en échange d'admiration, et il décide d'aller en Prusse. Mais, à son regret, il ne fut pas chargé de la moindre mission diplomatique. Peut-être le gouvernement eût-il été habile de se l'attacher par les grâces et les honneurs, dont il était

avide. Voltaire, déçu, reprenait peu à peu sa liberté de polémiste. Il
écrivit ses premiers contes satiriques, *Le Monde comme il va*, et
Zadig (1747).

Il arriva le 10 juillet 1750 à Potsdam, reçut les insignes de chambellan du roi de Prusse, et fut d'abord dans l'enchantement :

> « Cent cinquante mille soldats victorieux, point de procureurs, opéra,
> comédie, philosophie, poésie, un héros philosophe et poète, grandeur et grâces,
> grenadiers et muses, trompettes et violons, repas de Platon, société et liberté!
> Qui le croirait? »

Mais, s'il savait donner un tour exquis à la flatterie, il était
d'humeur trop vive et trop indiscrète pour faire un bon courtisan.
D'ailleurs, il avait « la passion d'intriguer et de cabaler ». Il publia
la *Diatribe du docteur Akakia* contre Maupertuis, qui présidait l'Académie de Berlin et irrita Frédéric, qui fit brûler ce libelle. Les deux
« amis » se brouillèrent. Voltaire partit, ou plutôt s'enfuit en 1753.

Pendant son séjour en Prusse, il avait achevé en 1751 le *Siècle
de Louis XIV* et commencé l'*Abrégé de l'Histoire Universelle*, connu
plus tard sous le nom d'*Essai sur les Mœurs*.

Pour le *Siècle*, Voltaire a utilisé le souvenir de ses relations avec
les survivants du grand règne, lu tous les documents qu'il put se
procurer, et, par exemple, des mémoires inédits, comme ceux du
duc de Saint-Simon et de Louis XIV. Il raconte d'abord l'histoire
politique et militaire du règne, puis les anecdotes sur le Roi et la
Cour. Viennent ensuite des chapitres sur le gouvernement intérieur,
le commerce, l'industrie et les finances; sur les sciences, les lettres
et les arts, qui font, à son avis, du siècle de Louis XIV l'un des
quatre grands siècles de la civilisation. A la fin, dans les chapitres
sur les affaires ecclésiastiques, il suggère que, même aux époques
les plus brillantes de la pensée, la raison a toujours des progrès à
faire contre le fanatisme. L'ordre analytique, que Voltaire a préféré
à l'ordre chronologique, n'est pas sans inconvénient : mais il met en
lumière le dessein de l'historien philosophe : « ce n'est point simplement les annales » du règne qu'il écrit, « c'est plutôt l'histoire de
l'esprit humain puisée dans le siècle le plus glorieux à l'esprit humain ».

L'*Essai sur l'histoire générale et sur les mœurs et l'esprit des
nations depuis Charlemagne jusqu'à nos jours*, qui parut en 1756, et
auquel s'ajouta plus tard une Introduction sur les peuples de l'antiquité, est un ouvrage de vulgarisation; tous les peuples, et non seulement ceux d'Europe, y ont trouvé une place. Voltaire a inauguré
ainsi l'histoire universelle et encyclopédique.

Devant ce chaos d'hommes et de faits, il déclare absurde la conception de la Providence, telle que la présente Bossuet. Le hasard est, à ses yeux, le maître des événements, et les plus petites causes déterminent le sort des empires. Mais les grands hommes agissent puissamment aussi dans l'histoire. Grâce à cette puissance, on peut croire à un progrès du bien-être et de la raison parmi les hommes. Voltaire trouve dans l'*Essai*, où il a dépensé beaucoup d'intelligence, d'innombrables prétextes à philosophie voltairienne; en même temps qu'il s'indigne des sottises et des crimes du passé, il multiplie les allusions au présent. Aussi a-t-il jugé prudent de désavouer par-devant notaires la première édition de l'*Essai*.

LES DÉLICES ET FERNEY. A son retour de Prusse, n'osant pas s'aventurer en France, il erra pendant plus d'un an en Alsace et en Lorraine. Il sentait le besoin de s'assurer un asile : « Il faut, disait-il, que des philosophes aient deux ou trois trous sous terre contre les chiens qui courent après eux ». Il finit par s'établir en Suisse, où il acheta près de Genève, en 1755, une propriété qu'il appela *les Délices*. Mais il offensait la foi et l'austérité genevoise; le « Magnifique Conseil » du petit État l'invita à supprimer le théâtre privé où il jouait la tragédie. Il acquit alors en France les domaines de Tournay et de Ferney, tout près de la frontière, qu'il pouvait passer à la moindre alerte.

A partir de 1760, il résida d'ordinaire au château de Ferney, entouré d'un personnel nombreux de serviteurs et de secrétaires. Sa nièce, Mme Denis, « une petite grosse femme toute ronde... laide et bonne, criant, décidant, politiquant, raisonnant, déraisonnant », mais sans trop de prétentions, qui adorait son oncle et l'amusait, l'aidait à recevoir les visiteurs et les hôtes. La gloire de Voltaire l'avait suivi dans sa retraite, où se succédaient les Parisiens en renom et les étrangers de passage en Suisse, comme le prince de Brunswick, le landgrave de Hesse, le prince de Ligne, des Italiens, des Russes, surtout des Anglais.

VOLTAIRE EN 1760. En 1760, il atteint soixante-six ans. Dans la figure, encadrée d'une large perruque, les saillies du nez et du menton ressortent d'une façon excessive; les yeux sont toujours brillants; le sourire exprime l'habitude de la moquerie. Lui-même a dit : « Il est vrai que je ricane beaucoup, cela fait du bien et soutient son homme dans la vieillesse ». Il porte une veste de basin, longue jusqu'aux genoux, des bas et des souliers gris de fer; le dimanche il met quelquefois un habit mordoré, une veste galonnée d'or, des manchettes en dentelles jusqu'au bout des doigts, « car avec cela, dit-il, on a l'air noble ». Il avait d'ailleurs la vanité de faire le seigneur. Il a gardé son activité merveilleuse; tout en disant qu'il se meurt, il travaille dix-huit et vingt heures par jour. Il écrivait en 1759 :

« Je n'ai point cette raideur d'esprit des vieillards ; je suis flexible comme une anguille et vif comme un lézard, et travaillant toujours comme un écureuil. Dès qu'on me fait apercevoir d'une sottise, j'en mets vite une autre à la place. »

Voltaire continue à jouer et à écrire des tragédies : *Olympie, le Triumvirat, les Guèbres, les lois de Minos.* Il s'occupe aussi des problèmes économiques ; il répare des routes, et en trace de nouvelles, établit des ateliers d'horlogerie, vend ses produits à Constantinople et dans les Pays Barbaresques. Il fabrique de la soie et fait hommage à la duchesse de Choiseul d'une paire de bas : *SES OCCUPATIONS MULTIPLES.*

« Ce sont, dit-il, mes vers à soie qui ont travaillé à les fabriquer chez moi ; ce sont les premiers bas qu'on ait faits dans ce pays. Daignez les mettre, Madame, une seule fois ; montrez ensuite vos jambes à qui vous voudrez, et si on n'avoue pas que ma soie est plus forte et plus belle que celle de Provence et d'Italie je renonce au métier. Donnez-les ensuite à une de vos femmes, ils lui dureront un an. »

Il crée un haras, et demande un étalon de race au marquis de Voyer, intendant des écuries du Roi :

« Mon sérail est prêt, monsieur, il ne me manque plus que le sultan que vous m'aviez promis. On a tant écrit sur la population que je veux au moins peupler le pays de Gex de chevaux, ne pouvant guère avoir l'honneur de provigner mon espèce. »

Il imagine des plans d'admirables fermes modèles ; il développe la prospérité du village de Ferney par l'agriculture et par l'industrie, comme il convient à un bon seigneur. Il s'entend mieux que personne aux placements d'argent ; il aime l'argent et s'enrichit.

Mais il se tient au courant de la vie de Paris ; de Ferney il excite les Encyclopédistes à combattre la superstition qu'il appelle « l'Infâme ». Il se donne avec ardeur à la philosophie, puisqu'elle est devenue la grande affaire de son temps. Ses idées ne sont nullement originales et ne s'ordonnent pas en système. Adversaire de toutes les religions, qu'il confond injustement dans le même mépris superficiel et grossier, et dont il attribue la naissance et la puissance uniquement à la fourberie des prêtres et à l'imbécillité des peuples, il professe la religion « naturelle », et reste fermement déiste. Il croit en un Dieu rémunérateur et vengeur qui impose aux peuples une morale ; à l'origine, c'est Dieu qui a mis dans le cœur de l'homme « l'instinct qui nous fait sentir la justice », et qui est la « loi naturelle », universelle et fixe comme la raison. Elle apparaît peu à peu aux consciences, et finira par l'emporter sur les préjugés et les vices. Voltaire est au fond optimiste et pratique. Il est vrai que son roman de *Candide*, publié en 1758, est un manifeste d'ironie contre l'optimisme de Leibniz et contre *SES IDÉES PHILOSOPHIQUES.*

le triste désordre qui subsiste dans le train de l'univers; mais le conseil qu'il a donné, à la fin de *Candide*, « de cultiver son jardin », et de ne point se soucier du reste, il ne l'a pas suivi. Son pessimisme n'est pas une opinion métaphysique, — il avait le moins possible de ces sortes d'opinions ; — le sentiment qu'il avait de la faiblesse humaine n'excluait pas la confiance en la vie :

> « Je vous ai donné des bras pour cultiver la terre (dit la Nature aux hommes), et une petite lueur de raison pour vous conduire ; j'ai mis dans vos cœurs un germe de compassion pour vous aider les uns les autres à supporter la vie. N'étouffez pas ce germe, ne le corrompez pas, apprenez qu'il est divin, et ne substituez pas les misérables penseurs de l'école à la voix de la nature. »

Il s'élève souvent, comme d'ailleurs la plupart des philosophes de ce temps, au ton religieux. Il semble même vouloir fonder une Église nouvelle, dont la religion sera la vérité. Il a dit un jour :

> « Dieu bénit notre Église naissante ; les écailles tombent des yeux ; le règne de la vérité est proche. »

SES IDÉES POLITIQUES.   En politique il souhaite de nombreuses réformes : l'impôt proportionnel et sans privilèges, la réduction des armées, la suppression des droits féodaux, la liberté individuelle, l'éducation du peuple, l'abolition du servage, l'abolition de la vénalité des charges de justice, la suppression de la torture, le divorce, etc. Mais, pas plus qu'un système philosophique, il n'a construit un système politique. Tout comme il est resté déiste, il reste conservateur. Pour un grand territoire, une monarchie modérée lui paraît être le meilleur des gouvernements ; mais la monarchie comme elle s'est établie en France lui paraît bonne, si elle respecte les lois.

LA LUTTE CONTRE L'ÉGLISE.   Voltaire n'a pas demandé que l'Église fût séparée de l'État. Il souhaitait que le catholicisme fût « réduit » à la condition où se trouvait en Angleterre l'anglicanisme, c'est-à-dire une religion dominante et non la religion exclusive. « Il faut, disait-il, qu'il soit enfin permis de prier Dieu à sa mode comme de manger à son goût. » Il niait qu'un homme eût le droit de dire à un autre : « Crois ce que je crois et ce que tu ne veux pas croire, ou tu périras ». A conquérir la tolérance, tout philosophe devait travailler « selon ses forces ».

Plus que personne, il travailla contre l'Église. Polémiste, merveilleux journaliste, il organisait sa propagande. Son commissionnaire Thiériot court chez ceux dont il faut réchauffer le zèle ou gagner l'appui. Damilaville, premier commis des vingtièmes, fait circuler par toute la France sous le cachet du contrôleur général la correspondance et les pamphlets des Philosophes. De 1760 à 1768, il ne

se passe guère de jours où Voltaire n'adresse quelque billet à Damilaville.

Il a trouvé la tactique à suivre. Plus de gros ouvrages, disait-il, *LA TACTIQUE.*
mais des brochures qu'on lance comme les flèches d'un carquois,
sans que personne sache de quelles mains elles partent. Une brochure est vite lue, et court de pays en pays, invisible à la police.
Point de métaphysique : « Il est à la fois plus sûr et plus agréable de
jeter du ridicule et de l'horreur sur les disputes théologiques ». Et il
tourne en ridicule toute l'histoire sainte, le paradis terrestre, le ser-
pent, les aimables filles de Loth, l'arche de Noé. Ses écrits les plus
retentissants furent le *Sermon des cinquante* et l'*Extrait des sentiments de Jean Meslier, curé d'Étrépigny.*

Des copies du Sermon circulèrent dès 1760. C'était, dit Barbier, *LE SERMON DES
un ouvrage épouvantable. CINQUANTE (1760).*

> « On suppose... qu'il se tient à Genève une assemblée de cinquante gens de
> lettres, qui tour à tour font un discours dans cette assemblée, et que celui-ci
> est de M. de Voltaire... Les deux premiers points sont une critique affreuse de
> l'Ancien Testament, pour en démontrer la fausseté et l'impiété ; et le troisième
> est de même contre le Nouveau Testament. Si l'auteur était connu, on ne lui
> ferait pas faire de voyage autre part qu'à la place de Grève, pour y être brûlé. »

L'abbé Meslier, prêtre champenois, austère de mœurs et doux aux *L'EXTRAIT
pauvres, avait écrit un livre pour demander pardon à ses paroissiens DES SENTIMENTS
de les avoir toute sa vie trompés en leur prêchant le catholicisme. (1762).*
Il y niait l'existence de Dieu et l'immortalité de l'âme ; il y condamnait le gouvernement monarchique et concluait au communisme.
Voltaire, qui connaissait le livre depuis trente ans, le trouvait long,
ennuyeux, rempli d'opinions détestables. Mais il pensa qu'il en
pourrait tirer « un excellent catéchisme de Beelzébuth ». Il y puisa
en effet toutes sortes d'arguments contre l'ancienne loi, la doctrine
chrétienne et les miracles. Les Philosophes déclarèrent que l'Évangile de Meslier convertirait un jour la terre, et d'Alembert proposa
cette épitaphe pour la tombe du curé :

> « Ci-gît un fort honnête homme de prêtre, curé de village, en Champagne,
> qui, en mourant, a demandé pardon à Dieu d'avoir été chrétien, et qui a prouvé
> par là que quatre-vingt-dix-neuf moutons et un Champenois ne font pas cent
> bêtes. »

Voltaire multiplia ses « flèches » sans jamais épuiser son « car- *AUTRES ÉCRITS.*
quois ». Raillant et ricanant, il ne craignait pas de se répéter. Il fit
paraître les *Questions de Zapata, traduites par le sieur Tamponnet,
docteur en Sorbonne* ; la *Canonisation de Saint-Cucufin, frère d'Ascoli,
et son apparition au sieur Aveline, bourgeois de Troyes, mise en lumière
par le sieur Aveline lui-même* ; des contes en prose, *l'Ingénu, la Prin-*

cesse de Babylone; des contes en vers comme *les Trois Empereurs de Chine en Sorbonne*, des dialogues, des homélies et des tragédies encore et toujours. Au même temps, il écrivit un *Traité sur la tolérance* et le *Dictionnaire philosophique en huit volumes*, qui fut suivi du *Dictionnaire philosophique portatif*. Le *Dictionnaire* est une œuvre de polémique, comme à peu près toutes les œuvres de Voltaire; les anecdotes grivoises s'y mêlent à des dissertations sérieuses. Voltaire y a versé son érudition, acquise par une immense lecture, mais sujette à de nombreuses erreurs, dont ses adversaires, Nonotte et l'abbé Guénée, remplirent des recueils.

Ainsi le « patriarche de Ferney » était peu à peu devenu, ce que ne faisait pas prévoir la première moitié de sa vie, le chef des Philosophes, par ses qualités, sa prodigieuse activité, l'éclat de son esprit, le don d'expliquer et de vulgariser les questions dont tout le monde se préoccupait, son généreux et sincère amour de l'humanité, mais aussi par ses défauts, la fâcheuse répugnance à s'attarder aux choses obscures, l'inaptitude à la réflexion profonde, l'incapacité de méditer, la promptitude à la pirouette et au rire.

PRUDENCE ET PRÉCAUTIONS DE VOLTAIRE.

Voltaire avait le talent d'échapper aux magistrats, à ceux de Genève comme à ceux de France. Il ne signait pas ses opuscules, et désavouait ceux qu'on lui attribuait. Il avertit lui-même, un jour, le « Magnifique Conseil » de Genève que le libraire Rey, d'Amsterdam, expédiait un lot de dictionnaires philosophiques et autres livres pernicieux, qu'il reniait d'avance; pendant ce temps, dit-on, un lot plus considérable arrivait chez un autre libraire. Il se couvrait de protecteurs illustres, Richelieu, Bernis, Choiseul. Mais les colporteurs et les lecteurs de ses œuvres interdites n'échappèrent pas toujours à la justice. Lui-même fut deux ou trois fois dans des alarmes qui allèrent jusqu'à l'affolement; en 1755, quand parut à Bâle une édition de sa *Pucelle*, un laid et insupportable poème; en 1764, après le supplice du chevalier de la Barre, sur le bûcher de qui le bourreau brûla le *Dictionnaire philosophique*; en 1765, quand l'Assemblée du Clergé condamna *in globo* les écrits des Philosophes.

Le philosophe redoubla de précautions : il rebâtit l'église de Ferney; il va à la messe tous les dimanches. En 1768, il fit ses Pâques, et adressa un petit sermon à l'auditoire : communion scandaleuse, qui indigne l'évêque d'Annecy, au point qu'il en porte plainte au Roi. L'année suivante, il feint d'être moribond, se confesse, communie, et fait constater cette manifestation de piété par un notaire. D'Argenson lui écrivait un jour : « Monsieur, faites comme moi, soyez jésuite ». Voltaire n'avait pas besoin de ce conseil. Il jouait sans scrupules ces vilaines comédies.

Sa plus sûre défense était dans l'opinion publique. Sa popularité grandissait. Sa belle conduite dans les affaires de Calas et de Sirven, dont on trouvera bientôt l'histoire, y avait contribué. Il semblait au-dessus de tous les périls. En 1770, l'Avocat général Séguier, dans un réquisitoire qui fit grand bruit, avouait et déplorait la victoire de la philosophie :

> « Les philosophes se sont élevés, disait-il, en précepteurs du genre humain. Liberté de penser, voilà leur cri, et ce cri s'est fait entendre d'une extrémité du monde à l'autre. Leur objet était de faire prendre un autre cours aux esprits sur les institutions civiles et religieuses, et la révolution s'est pour ainsi dire opérée. »

La même année, Mme Necker ouvrait une souscription pour élever une statue à Voltaire. Dans quelques années, Paris le reverra et lui fera un triomphe.

III. — ROUSSEAU.

CEPENDANT un homme qui ne ressemblait pas à Voltaire, qui ne ressemblait à personne, un homme tout à part, qui avait une foi à lui, des passions et des rêves, poète, orateur, rhéteur, disputait au patriarche de Ferney la gloire de régner sur les âmes.

Jean-Jacques Rousseau naquit à Genève le 28 juin 1712, d'un horloger sans fortune, Isaac Rousseau, et de Suzanne Bernard, fille d'un ministre protestant. Sa mère mourut en le mettant au monde; son père lui donna une première éducation bizarre; avec lui, Jean-Jacques, âgé de sept ans, lisait des romans, sur lesquels le père et le fils s'attendrissaient des nuits entières. Il déclama les anecdotes héroïques de Plutarque, se crut Grec ou Romain, et s'éprit de la liberté. Son tempérament, précocement éveillé, troubla son imagination qui était très vive. Sa sensualité se dépensait en rêves, en audaces sottes et en pratiques honteuses.

Isaac Rousseau, forcé de quitter Genève, confia son fils au pasteur Lambercier. Jean-Jacques fut mis en apprentissage chez un greffier, puis chez un graveur; ses maîtres le dégoûtèrent de ces métiers. Comme il n'avait point de famille, ni d'argent à employer, il suivit sa fantaisie; à seize ans, il s'enfuit de Genève. Un bon curé lui donna une recommandation pour une jeune dame d'Annecy, Mme de Warens, protestante convertie au catholicisme. Elle avait vingt-huit ans au moment de leur rencontre, « un visage pétri de grâces, de beaux yeux bleus pleins de douceur, un teint éblouissant », les cheveux cendrés, « auxquels elle donnait un tour négligé qui la rendait très

‹ 3o5 ›

piquante ». Elle se mêlait de politique, cherchait la fortune dans des entreprises qui devaient finir par la ruiner. Rousseau l'aima comme une charmante « maman ». Pour lui plaire, il abjura, comme elle avait fait, le protestantisme.

VIE VAGABONDE.   Il ne se fixa pas d'abord auprès d'elle ; il vagabondait, mais il revenait au bon logis ; elle lui donnait, outre l'hospitalité, des leçons de tenue, de morale et de musique. Puis il repartait pour de nouvelles aventures. Il fut laquais, vola un ruban précieux et accusa du larcin une servante innocente. Il se lia avec des personnages étranges, un prestidigitateur, un archimandrite, se fit professeur de musique et prit un pseudonyme sonore. Il était toujours en route, voyageant à pied le plus souvent ; en 1732 il poussa jusqu'à Paris. Heureux dans la nature, habitué à la pauvreté, tiré du besoin quand il le voulait par sa protectrice, il vivait en dehors des conditions habituelles de la vie.

Quand il eut vingt-deux ans, Mme de Warens lui offrit d'être sa maîtresse. Il la prit sans désir, avec reconnaissance et comme par nécessité ; l'amour vint ensuite ; mais il accepta fort bien un partage de cette singulière maîtresse avec le jardinier Claude Anet, dont il estimait les vertus. Ainsi s'établit entre eux trois, comme il a dit lui-même, « une société peut-être sans exemple sur la terre ».

LES CHARMETTES.   Mme de Warens avait loué une petite maison dans la campagne de Chambéry, les « Charmettes ». Jean-Jacques y passa deux années d'une vie délicieuse, au milieu des fleurs, des bois, de paysages clairs et tranquilles ; il y lut beaucoup, avec l'ambition de tout apprendre, médita et rêva. Mais au retour d'un voyage à Montpellier, délaissé pour un autre amant, il s'éloigna de Mme de Warens. Après avoir été précepteur à Lyon, — tâche dont il s'acquitta mal, — il revint à Paris en 1741, pour y tenter la fortune.

DÉBUTS A PARIS.   Il apportait une méthode de notation de la musique par des chiffres ; mais l'Académie des Sciences la jugea impraticable. Un Jésuite le présenta à quelques femmes de qualité, qui firent de lui le secrétaire de l'ambassadeur de France à Venise. Il se brouilla vite avec son chef, et rentra sans argent à Paris. Il composa un opéra que fit jouer en 1744 le fermier général de la Popelinière, les *Muses galantes*. Chez ce financier, chez Mme d'Épinay, femme séparée d'un autre fermier général, il fit la connaissance des Philosophes, en particulier de Diderot et de Duclos.

THÉRÈSE LE VASSEUR.   Il vivait avec une servante laide et illettrée, Thérèse Le Vasseur. Il eut d'elle cinq enfants, et les abandonna tous aux Enfants-Trouvés. Il fit cette odieuse action sans scrupules, en homme habitué par sa jeunesse errante et pauvre à user des établissements de charité publique. Il se paya de mots, disant qu'il destinait ses enfants à

« devenir ouvriers ou paysans plutôt qu'aventuriers ou coureurs de fortune ». Il se faisait croire qu'il se conduisait en citoyen de la République de Platon.

Rousseau n'aimait pas la vie mondaine; il était peuple et voulait rester peuple; mais il se montrait volontiers dans le monde, fier d'y être admis et d'y faire une figure originale par son mépris des convenances et des modes. Il était petit, de teint brun; des yeux pleins de feu animaient sa physionomie. Sans être beau, son visage intéressait. Souvent l'intimidation arrêtait en lui la parole et contraignait ses manières. Avec les femmes, « complimenteur sans être poli ou au moins sans en avoir l'air », il laissait paraître son orgueil et sa mélancolie, et s'attirait à tout le moins leur curiosité. Avec les hommes, des poussées de sa conscience rompaient son silence. Quand ses amis le contredisaient — ils le faisaient quelquefois exprès pour l'exciter — sa conversation, très commune à l'ordinaire, devenait « sublime ou folle ».

Au reste, il sentait parfaitement que son étrangeté pouvait être un moyen de succès, et il se composa avec soin un personnage :

« Je commençai ma réforme par ma parure, je quittai la dorure et les bas blancs, je pris une perruque ronde, je posai l'épée, je vendis ma montre... Ma chambre ne désemplissait pas de gens qui, sous divers prétextes, venaient s'emparer de mon temps. Les femmes employaient mille ruses pour m'avoir à dîner. Plus je brusquais les gens, plus ils s'obstinaient. Bientôt il aurait fallu me montrer comme Polichinelle, à tant par personne. »

Jean-Jacques détestait l'uniformité de mœurs que la mode établissait en France. Les autres philosophes louaient surtout la politique, la science, la tolérance des Anglais; lui, il admirait leur caractère, et tout d'abord leur indépendance morale : « Les Anglais.... ont conservé avec leur liberté le privilège d'être chacun en particulier tel que la nature l'a formé ». Il estimait leurs manières rudes et leurs instincts républicains : « C'est, disait-il, la seule nation d'hommes qui reste parmi les troupeaux divers dont la terre est couverte ».

Sans doute, ce protestant de Genève avait des accointances morales avec les protestants d'Angleterre. Cette prédisposition intime était fortifiée par ses goûts qui le rapprochaient de l'idéalisme anglais. Il croyait à l'unité du bien et du beau, imaginant de « belles matinées » où des compagnies brillantes et vertueuses se reposent dans des paysages riants. Il aimait, dans les *Saisons* de Thomson, l'amour de la nature; dans l'*Essai sur l'Homme*, de Pope, l'éloge de la passion. Du *Robinson Crusoë* de Daniel de Foë, il tira peut-être quelques-unes de ses théories sur l'éducation.

L'homme naturel, l'homme primitif, lui semblait l'être idéal, et le retour à la vie primitive, la condition du bonheur de l'humanité. Avant lui, les missionnaires jésuites du Paraguay avaient écrit des *Lettres* où ils opposaient les vertus de leurs catéchumènes aux vices des civilisés, et répandu en Europe des préjugés sur la supériorité de l'homme sauvage. Il y avait longtemps, d'ailleurs, que des utopistes imaginaient un état de nature afin de critiquer par comparaison la société de leur temps; et les historiens, en donnant une peinture trop belle des cités antiques, encourageaient l'admiration et le regret des temps passés. L'idée de Rousseau ne parut donc pas absurde. Au reste, il ne soutenait pas que l'état de nature eût jamais existé dans toute sa perfection, et il n'a point proposé en exemple les mœurs des sauvages. L'idée « que la nature a fait l'homme heureux et bon, mais que la société le déprave et le rend misérable » convenait à un esprit moral et romanesque. Il souffrait de sa propre corruption; ne voulant pas en chercher la source dans son cœur, il en trouvait l'explication dans son paradoxe; mais il ne croyait pas à la possibilité du retour à l'état primitif. Il a dit dans ses *Dialogues:*

« La nature humaine ne rétrograde pas, et jamais on ne remonte vers les temps d'innocence et d'égalité, quand une fois on s'en est éloigné; c'est encore un des principes sur lesquels il (Rousseau) a le plus insisté. Ainsi son objet ne pouvait être de ramener les peuples nombreux, ni les grands Etats, à leur première simplicité, mais seulement d'arrêter, s'il était possible, le progrès de ceux dont la petitesse et la situation les ont préservés d'une marche aussi rapide vers la perfection de la société, et vers les détériorations de l'espèce. On s'est obstiné à l'accuser de vouloir détruire les sciences, les arts, les théâtres, les académies, et replonger l'univers dans sa première barbarie; et il a toujours insisté, au contraire, sur la conservation des institutions existantes, soutenant que leur destruction ne ferait qu'ôter les palliatifs en laissant les vices, et substituer le brigandage à la corruption. »

Telle est la théorie qu'il imagine pour concilier ses rêves d'un âge d'or, ses récriminations de solitaire qui sent mal ce qu'il doit à la société, avec son bon sens qui le détourne des bouleversements et des révolutions.

Le point de vue auquel Rousseau se place dans ses ouvrages est singulier; mais il a pris soin de l'expliquer à ses lecteurs. Il ne s'inquiète pas de découvrir la vérité; il expose seulement des idées, laissant au public éclairé le soin d'en tirer le profit possible. Il écrit, à propos de l'état de nature, dans le *Discours sur l'inégalité* :

« Il ne faut pas prendre les recherches dans lesquelles on peut entrer dans ce sujet pour des vérités historiques, mais seulement pour des raisonnements hypothétiques et conditionnels, plus propres à éclairer la nature des choses qu'à en montrer la véritable origine. »

La Propagande philosophique.

Aux objections qu'on pourrait lui faire sur la hardiesse de ses idées impraticables, il a répondu en ces termes :

« Proposez ce qui est faisable, ne cesse-t-on de me répéter. C'est comme si l'on me disait : Proposez de faire ce qu'on fait, ou du moins, proposez quelque bien qui s'allie avec le mal existant. »

Il revendiquait le droit d'écrire ses pensées comme elles lui venaient :

« Je dis exactement ce qui se passe dans mon esprit. »

Il n'était pas dupe de ses utopies, mais il n'en faisait pas la critique. Par malheur, la plupart de ses contemporains ne se sont pas plus que lui donné cette peine.

Son premier grand succès fut un *Discours sur les sciences et les arts*, qu'il publia en 1750, pour répondre à la question que l'Académie de Dijon avait mise au concours : « Le progrès des sciences et des arts a-t-il contribué à corrompre ou à épurer les mœurs ? » Rousseau prit parti naturellement contre les arts et les sciences. Il soutint que, nés de la superstition, de la curiosité, du mensonge, ils ont entretenu les vices et les ont multipliés; qu'ils ont créé le luxe, divisé la société en oisifs et en pauvres, et qu'enfin la civilisation tout entière est corruptrice :

DISCOURS SUR LES SCIENCES ET LES ARTS (1750).

« Le luxe nourrit cent pauvres de nos villes, et en fait périr cent mille dans nos campagnes. L'argent qui circule entre les mains des riches et des artistes, pour fournir à leurs superfluités, est perdu pour la subsistance du laboureur. Il faut des jus dans nos cuisines : voilà pourquoi tant de malades manquent de bouillon. Il faut des liqueurs sur nos tables : voilà pourquoi le paysan ne boit que de l'eau. Il faut de la poudre à nos perruques : voilà pourquoi tant de paysans n'ont pas de pain. »

A ces dramatiques antithèses, il ajoutait des exemples tirés de l'histoire ancienne; il rappelait la frugalité des Romains ou des Perses de Cyrus, et prononçait des sentences, souvent justes :

« Le goût du faste ne s'associe guère dans les mêmes âmes avec celui de l'honnête. Non, il n'est pas possible que des esprits dégradés par une multitude de soins futiles s'élèvent jamais à rien de grand; et, quand ils en auraient la force, le courage leur manquerait. »

Il traitait ces lieux communs avec l'accent de la conviction, et se sentait à son aise dans ces développements nobles, abstraits, sans preuves, sans intention précise.

Le *Discours* « prit par-dessus les nues », écrit Diderot. L'effet produit est expliqué par Garat dans ses Mémoires : « Une voix qui n'était pas jeune, et qui était pourtant tout à fait inconnue, s'éleva, non du fond des déserts et des forêts, mais du sein même de ces

SUCCÈS DU DISCOURS.

sociétés, de ces académies et de cette philosophie où tant de lumières... faisaient naître tant d'espérances..., et, au nom de la vérité, c'est une accusation qu'elle intente... contre les lettres, les arts, les sciences, et la société même ». Le public, qui aimait toutes ces choses, s'étonna d'être ainsi bravé, s'en étonna, mais s'en émut aussi ; à son « admiration » se joignit « une sorte de terreur ».

DISCOURS
SUR L'INÉGALITÉ
(1755).

En 1755 pour un nouveau concours ouvert par l'Académie de Dijon, il composa le *Discours sur l'origine et les fondements de l'Inégalité parmi les hommes,* qui fit moins de bruit que le premier, mais qui l'emportait de beaucoup par la force de la pensée. C'est là que Rousseau a exposé le plus longuement sa légende sur l'état primitif de l'humanité, où l'homme robuste, solitaire, portant dans son cœur la pitié naturelle qui est le germe de toutes les vertus, vivait sans querelles et sans passions. Mais le jour vint où une première iniquité détruisit le bonheur de ces premiers âges :

> « Le premier qui, ayant enclos un terrain, s'avisa de dire : Ceci est à moi, et trouva des gens assez aveugles pour le croire, fut le vrai fondateur de la société civile. »

La culture des terres, qui obligea de les partager, l'échange du fer contre des denrées, l'inégalité des forces, du travail, des besoins, rendirent plus sensibles et firent permanentes les différences entre les hommes. Rousseau voudrait que l'humanité se fût arrêtée à l'état sauvage, lorsque l'agriculture ne faisait que de naître, et que la terre était encore commune. D'ailleurs, il aurait jugé vain l'effort pour rétablir le communisme. Montesquieu aussi a vanté l'égalité absolue et le communisme dans son apologue des Troglodytes, sans que cela tirât pour lui, pratiquement, à conséquence. Mais Rousseau était plus qu'aucun de ses contemporains capable de soulever les passions contre le régime social. Lui, qui avait passé par les plus basses conditions, il était, comme il le dit dans sa *Lettre à Mgr Christophe de Beaumont,* « celui qui gémit sur les misères du peuple et qui les éprouve ».

RAILLERIES
DE VOLTAIRE.

Les autres Philosophes, gens sociables, qui s'accommodaient fort bien du présent après tout, et comptaient sur le progrès pour détruire les abus, furent choqués par les paradoxes de Jean-Jacques.

> « J'ai reçu, Monsieur, lui écrivait Voltaire, votre nouveau livre contre le genre humain ; je vous en remercie. Vous plairez aux hommes à qui vous dites leurs vérités, mais vous ne les corrigerez pas. On ne peut peindre avec des couleurs plus fortes les horreurs de la société humaine dont notre ignorance et notre faiblesse se promettent tant de douceur. On n'a jamais employé tant d'esprit à vouloir nous rendre bêtes ; il prend envie de marcher à quatre pattes quand on lit votre ouvrage. Cependant, comme il y a plus de soixante ans que j'en ai

perdu l'habitude, je sens malheureusement qu'il m'est impossible de la reprendre, et je laisse cette allure naturelle à ceux qui en sont plus dignes que vous et moi. »

Ce fut la première escarmouche entre ces deux hommes; ils rompirent tout à fait environ trois ans plus tard. Rousseau était retourné à Genève en juin 1754; bien accueilli, il y passa l'été. Pour reprendre le titre de citoyen de Genève, il « était rentré dans le culte établi dans son pays », c'est-à-dire qu'il s'était refait protestant. A ce moment, Voltaire, qui était aux Délices, voulut introduire les spectacles à Genève, en dépit des pasteurs. Pour lui venir en aide, d'Alembert écrivit dans l'*Encyclopédie* l'article GENÈVE, où il souhaita de voir cette ville fonder un théâtre pour s'y former le goût. Rousseau fit paraître alors sa *Lettre à d'Alembert sur les Spectacles*, critique véhémente du théâtre et de la corruption qu'il produit. Il eut gain de cause auprès des bourgeois de Genève, et se fit de Voltaire un ennemi déclaré.

RUPTURE ENTRE LES DEUX PHILOSOPHES.

De retour en France, Jean-Jacques devint l'hôte de Mme d'Epinay, qui avait fait disposer pour lui une maison de jardinier, l'Ermitage, à côté de son château de la Chevrette. Il passa là des jours heureux, presque solitaire, dans la forêt de Montmorency. Il jouissait de la nature comme autrefois aux Charmettes, mais avec une tristesse « attirante » où il se plaisait, et des ravissements pieux. Il fut bientôt agité de sentiments plus violents. Il rencontra la belle-sœur de Mme d'Epinay, Sophie d'Houdetot, conçut pour elle la plus forte passion de sa vie et obtint des rendez-vous qui le jetaient dans un trouble ardent. Elle-même fut émue, mais demeura la fidèle maîtresse de Saint-Lambert. Rousseau estimait ce philosophe poète, et c'est à peine s'il se sentait jaloux de lui. Son amour était un transport qui ne dérangeait point le reste de ses sentiments; il resta juste, bienveillant et déférent envers son rival.

ROUSSEAU A L'ERMITAGE (1756).

Mais il finit par se brouiller avec Mme d'Epinay. Elle devait aller à Genève, et souhaitait qu'il y allât avec elle. Rousseau vit dans ce désir une atteinte à son indépendance, et comme Grimm, Diderot et d'Holbach se permirent de le désapprouver, il rompit avec eux et, finalement, avec le parti encyclopédique. Dans le monde des Philosophes, il devint un solitaire.

Il quitta l'Ermitage après le départ de Mme d'Epinay, le 15 décembre 1757. Alors il loua une maisonnette à Montlouis, près de Montmorency, puis logea dans un petit château que le maréchal et la maréchale de Luxembourg mirent à sa disposition.

A MONTMORENCY.

Les six années qu'il passa à l'Ermitage et à Montmorency, se promenant, lisant, écrivant, sans presque voir personne, furent les

SES INFIRMITÉS.

plus fécondes de sa vie. Cependant, il souffrait d'infirmités nombreuses. Une rétention d'urine était pour lui une gêne continuelle. Vers trente ans, il avait été pris de bourdonnements d'oreille qui ne disparurent jamais complètement ; il avait des maux de gorge fréquents ; en 1758, il fut atteint d'une sorte d'enflure dans le bas-ventre. Enfin, s'annonçaient en lui des symptômes de neurasthénie, au sens médical du mot, et sa passion pour Mme d'Houdetot les aggravait.

LA NOUVELLE
HÉLOÏSE (1760).

Cette passion lui inspira le roman de la *Nouvelle Héloïse*. Julie, jeune fille noble et vertueuse, aime Saint-Preux, son jeune précepteur, et devient sa maîtresse. Plus tard, pour obéir à son père, qui n'a pas voulu la marier à son amant par préjugé nobiliaire, elle épouse M. de Wolmar. Alors, elle sent la grandeur et la sainteté du mariage, et devient la plus sage et la plus fidèle des femmes. Wolmar a tant de confiance en elle, qu'il charge Saint-Preux d'élever leurs enfants. Tous trois soutiennent leur effort de loyauté jusqu'à ce qu'un accident mortel sauve à temps Julie d'une seconde chute. Ce livre est émouvant, tantôt par la peinture de l'amour, tantôt par la beauté du consentement au devoir. Rousseau y est éloquent dans les dissertations sur le duel ou le suicide, poétique et vrai quand il décrit le Léman, le Valais ou les vendanges dans le domaine de Clarens. Les femmes admirèrent Rousseau pour les vertus qu'il donnait à Julie, amante, épouse et mère. Elles louaient « à l'heure » l'*Héloïse* et ne la lisaient qu'en pleurant.

ÉMILE OU
DE L'ÉDUCATION
(1762).

En même temps que ce roman, Rousseau avait composé le traité d'éducation le moins pratique, mais le plus abondant en idées justes et fécondes que l'on ait écrit, l'*Émile*. Son dessein était de montrer qu'une éducation qui ne contraindrait point la nature, c'est-à-dire les dispositions innées qu'altèrent d'ordinaire l'habitude et l'opinion toutes faites, conserverait à l'homme sa bonté originelle et assurerait son bonheur. Il suppose qu'Émile est élevé seul, par un précepteur qui se donne ce soin par goût désintéressé. Émile est riche et noble ; il ne s'agit point de le préparer à quelque profession, mais de faire de lui un homme. Jusqu'à douze ans, il exercera son corps et ses sens ; de douze à quinze ans, capable de réfléchir, il recevra l'instruction ; plus tard, quand son adolescence sera prête pour les graves sentiments, on lui parlera de la religion. Il devra refaire en quelque sorte les expériences de l'humanité ; il attendra, pour s'initier à des connaissances, qu'il en ait senti le besoin ; il commencera d'apprendre l'astronomie parce qu'il lui faudra retrouver son chemin dans la campagne, et la lecture, parce qu'il voudra lire un billet d'invitation. Pendant longtemps, le précepteur n'interviendra que pour disposer les circonstances et préparer la leçon des choses. Émile ne sera jamais puni ; il ne se soumettra jamais passivement à l'enseignement du maître. Cette méthode a le défaut d'être fort longue et de n'habituer l'enfant à aucune discipline ; mais elle développe l'attention, le jugement et respecte la spontanéité de l'esprit auquel elle donne confiance dans les vérités qu'il acquiert. Émile, ayant éprouvé l'utilité de la science et la vérité de la morale, ne sera point tenté par des doutes sur leur valeur. D'ailleurs, cet idéal d'éducation ne devait pas sembler chimérique à Jean-Jacques, qui s'était formé et instruit par ses aventures et au hasard de la vie ; c'était un peu sa propre expérience qu'il racontait.

Ce nouveau livre eut comme l'*Héloïse* un succès très vif. Les femmes que Rousseau y exhortait à nourrir elles-mêmes leurs enfants se prirent d'enthousiasme pour leurs devoirs de mères. Tenant le livre en main, elles donnaient le sein aux nouveau-nés ; l'on en vit qui allaitaient en plein théâtre, aux applaudissements du public. De jeunes nobles apprirent comme Émile des métiers manuels.

Mais l'*Émile* inquiéta les Philosophes par un de ses épisodes, la *Profession de foi du vicaire savoyard*, qui est en réalité celle de Jean-Jacques. Le vicaire se déclare ému par la sainteté de l'Évangile. Il proteste contre « l'esprit raisonneur et philosophique » qui « attache à la vie, effémine, avilit les âmes, concentre toutes les passions dans la bassesse de l'intérêt particulier », esprit plus funeste que le fanatisme même. C'était la condamnation des Encyclopédistes, qui ne savaient que penser de cette apologie du sentiment religieux : « Je vois Rousseau tourner autour d'une capucinière, où il se fourrera quelqu'un de ces matins », écrivait Diderot. Mais, dans ce même livre, Jean-Jacques niait la révélation, les miracles et le privilège divin du christianisme. Il écrivait :

LA PROFESSION DE FOI DU VICAIRE SAVOYARD.

> « Je crois toutes les religions bonnes quand on y sert Dieu convenablement. Le culte essentiel est celui du cœur. »

Averti que le Parlement allait procéder contre lui « en toute rigueur » à cause de ses impiétés, décrété de prise de corps, il s'enfuit, la nuit du 8 au 9 juin 1762. Tout le monde se déclarait contre lui. De plus en plus, il était solitaire.

Quelques semaines avant l'*Émile*, il avait publié le *Contrat social*. La doctrine en est que la société résulte d'un pacte assurant la protection mutuelle de ses membres, à condition d'une « aliénation totale de chaque associé avec tous ses droits à toute la communauté » ; chacun « met en commun sa personne et toute sa puissance sous la suprême direction de la volonté générale » ; il devient « partie indivisible du tout ». « Comme il n'y a pas un associé sur lequel on

LE CONTRAT SOCIAL (1762).

n'acquière le même droit qu'on lui cède sur soi, on gagne l'équivalent de tout ce qu'on perd et plus de force pour conserver ce qu'on a. »

Il suit de là que tout gouvernement fondé par la force est illégitime. C'est la volonté générale qui est « le souverain ». Les législateurs ne font qu'éclairer ce souverain; les gouvernants ne sont que ses délégués, qui reçoivent commission d'exercer la puissance exécutive, parce qu'elle ne consiste qu'en actes particuliers. Le gouvernement le plus parfait serait la démocratie; mais il n'est applicable que dans les états très petits, où les citoyens se connaissent et peuvent se rassembler; d'ailleurs c'est le plus sujet aux agitations intestines. Il faut que le souverain choisisse la forme de gouvernement qui convient le mieux à chaque pays. Une aristocratie, mais élective, est peut-être la meilleure de ces formes. En tout cas, il importe que rien ne rompe l'unité sociale. La religion a trop souvent créé un pouvoir religieux rival du pouvoir civil; ou bien, comme le christianisme pur, elle inspire aux citoyens le détachement et la résignation : « Les vrais chrétiens sont faits pour être esclaves; ils le savent et ne s'en émeuvent guère; cette courte vie a trop peu de prix à leurs yeux ».

L'État a le droit d'imposer à ses membres une religion qui les oblige à se montrer bons citoyens :

> « Il y a une profession de foi purement civile dont il appartient aux souverains de fixer les articles, non pas précisément comme dogmes de religion, mais comme sentiments de sociabilité sans lesquels il est impossible d'être bon citoyen ni sujet fidèle. »

Ainsi s'explique la conclusion draconienne :

> « Que si quelqu'un, après avoir reconnu publiquement ces mêmes dogmes, se conduit comme ne les croyant pas, qu'il soit puni de mort; il a commis le plus grand des crimes, il a menti devant les lois. »

VÉRITABLE PORTÉE DU « CONTRAT ».

Telles sont les théories principales du *Contrat social*. Rousseau a voulu donner à son livre une apparence de déduction rigoureuse, à la Spinoza; mais le *Contrat* n'est pas une abstraction pure. L'auteur pensait à la république de Genève, sa patrie. Et puis, il subissait l'influence de ses lectures; l'expérience politique lui manquant pour remplir tout son ouvrage de ses propres faits et gestes, comme il en avait coutume, il se ressouvient de l'*Esprit des Lois* et de l'histoire romaine; il parle en concitoyen des législateurs antiques. Il faut remarquer aussi que l'idée de la souveraineté du peuple se trouve fréquemment dans les auteurs protestants; elle est déjà dans Jurieu; on la trouve encore dans Burlamaqui, dont les *Principes de droit politique*, parus en 1751, offrent de grandes ressemblances avec le *Contrat social*.

Cependant, Jean-Jacques, après qu'il s'était enfui de Montmorency, avait recommencé sa vie errante. Il aurait voulu se retirer à Genève; mais le *Contrat* et l'*Emile* y furent interdits. Il s'établit à Motiers-Travers, dans le comté de Neuchâtel, où il passa trois ans. Ce fut un temps de polémiques et de querelles; il répondit à l'archevêque de Paris, qui avait lancé contre lui un mandement, par la *Lettre à Mgr Christophe de Beaumont*, où il fit la déclaration publique de son retour à l'Église protestante :

« Je suis chrétien, et sincèrement chrétien, selon la doctrine de l'Evangile. Je suis chrétien, non comme un disciple des prêtres, mais comme un disciple de Jésus-Christ. La forme du culte est la police des religions, et c'est au souverain qu'il appartient de régler la police de son pays. »

Il communiait selon le rite calviniste; mais le Conseil de Genève lui tenait rigueur. Le procureur général Tronchin publia contre lui des *Lettres écrites de la Campagne*; il répondit par les *Lettres écrites de la Montagne*, où il se fit le défenseur des principes de la Réformation contre les pasteurs, et démontra que le gouvernement de Genève était illégitimement aux mains d'une aristocratie. Toute la Suisse s'agitait; Voltaire diffamait Jean-Jacques; les pasteurs voulaient l'excommunier; celui de Motiers, Montmolin, excita contre lui les paysans, qui un jour assaillirent sa maison à coups de pierres. Jean-Jacques s'enfuit le lendemain, 7 septembre 1765. La petite île Saint-Pierre, dans le lac de Bienne, lui servit d'asile pendant six semaines; il y vécut selon son idéal, seul et rêvant.

En janvier 1766, il se laissa persuader de suivre David Hume en Angleterre, et habita la campagne, logé au château de Wootton, chez un ami de Hume. Mais son humeur ombrageuse dégénérait en folie de la persécution. Il crut qu'on tramait des complots autour de lui, prit Hume en horreur et s'enfuit secrètement de Wootton en 1767. Revenu en France, il habita successivement Lyon, Grenoble, et enfin, à partir de 1770, Paris, qu'il ne quitta que pour aller mourir chez le marquis de Girardin, l'un de ses admirateurs, à Ermenonville, en juillet 1778.

Il avait passé ses dernières années dans une chambre modeste et claire de la rue Plâtrière, soigné par Thérèse, copiant de la musique, calmé, herborisant et se promenant avec Bernardin de Saint-Pierre, son ami et son disciple. Ses admirateurs le consultaient sur leur conduite : il leur donnait les conseils les plus modérés, comme s'il eût réservé pour lui seul ses paradoxes. Il entreprit l'analyse et l'apologie de sa vie, et il écrivit les *Confessions* et les *Dialogues, ou Rousseau juge de Jean-Jacques.* De plus en plus, le délire de la persécution se révélait. Cependant, il portait en lui « la ressource de l'innocence et de la résignation », et il éprouvait encore au spectacle de la campagne « un mélange d'impression douce et triste » qui lui rappelait ses rêveries en Savoie ou dans l'île Saint-Pierre. Son dernier ouvrage, les *Rêveries d'un promeneur solitaire*, contient des récits d'une poésie tantôt lyrique, tantôt familière.

LES CONFESSIONS.   Ses *Confessions* ne parurent qu'après sa mort. Mais il les avait fait connaître par des lectures faites dans l'hiver de 1770-1771 et par des extraits. Elles sont le chef-d'œuvre de Rousseau. Il y a raconté sa vie, sans doute avec quelques inexactitudes de détail, quelques mirages du souvenir, et, tout en confessant ses fautes et ses tares, avec une partialité naturelle en sa faveur; mais il a merveilleusement analysé son propre caractère, et donné le modèle de l'histoire d'une âme : « Je veux montrer à mes semblables, a-t-il dit, un homme dans toute la vérité de la nature; et cet homme, ce sera moi ».

CARACTÈRE
DE ROUSSEAU.   La « nature » de Jean-Jacques est très complexe. Il est né citoyen d'une république; sans famille et pauvre, il a été élevé hors cadres, dans l'aventure; de là viennent en partie ses idées sur la politique et la société. Il est né protestant, de là cette préoccupation de lui-même et cette attention aux péchés intimes, ce trouble moral et cette religiosité; de là aussi, peut-être, comme on l'a dit, cette conception d'une primitive vie heureuse, qui ressemble à celle du Paradis perdu. Il est né plus sensible que personne, en ce temps de la sensibilité, et ses propres misères l'ont fait compatissant aux misères d'autrui. « Quant à la sensibilité morale, a-t-il dit en parlant de lui-même, je n'ai connu aucun homme qui en fût autant subjugué. » Et puis, il est un malade, tourmenté de maux divers, hypocondriaque; et par moments, ce qui explique les bizarreries de sa conduite et de sa pensée, il touche à la folie.

ROUSSEAU
ÉCRIVAIN.   Doué d'imagination et de raison oratoire, il savait communiquer aux âmes ses émotions les plus douces et aussi les remuer par la force plébéienne de ses indignations, et par sa foi dans la bonté humaine, et par sa vertueuse et véhémente éloquence. « Rousseau n'a rien découvert, mais tout enflammé », dit Mme de Staël. Il fit une impression prodigieuse par la nouveauté et « la magie de son style ». La claire prose du temps était abstraite, pauvre de mots et de figures. Rousseau eut l'abondance, le mouvement, le don des images et des traits, une propriété de termes qui va parfois jusqu'à la vulgarité voulue et, enfin, l'harmonie et le nombre. Son éloquence sent souvent l'effort. On y trouve tantôt « une emphase étudiée », tantôt « une sorte de rudesse et d'âpreté affectée, mais énergique »; mais elle est naturelle dans les descriptions, et dans l'expression des sentiments intimes. Rousseau ne s'évertue pas à faire de la peinture au moyen des mots; mais il découvre devant son lecteur des paysages de montagnes, de lacs et de forêts. Pour noter les nuances de ses ravissements et de ses tristesses, il emploie un subtil et riche vocabulaire, qui servira plus tard à Benjamin Constant, à Balzac, à Sainte-Beuve romancier et critique, à George Sand. Mais il garde toujours une simplicité virile, dont l'accent n'est pas encore celui de la mélancolie romantique.

C'est Rousseau pourtant qui a été le promoteur du romantisme. *ROUSSEAU ET LE* *ROMANTISME.* Il a conseillé aux hommes de fuir la société, de se réfugier dans le sein de la nature, de chercher l'indépendance dans la solitude, de s'y exalter par la rêverie et par l'adoration. Il a donné aux romanciers et aux poètes l'exemple de remplir leurs ouvrages d'eux-mêmes, et de substituer à la raison impersonnelle des classiques l'étude passionnée des sentiments individuels. Gœthe a fait à Strasbourg des extraits de Rousseau, avant d'exprimer les souffrances du jeune *Werther*, auxquelles ressembleront celles du *René* de Chateaubriand. Bernardin de Saint-Pierre a noté en compagnie de Jean-Jacques des colorations du ciel, et reçu de lui la doctrine de la Providence, et Bernardin inspirera Chateaubriand dans *Le Génie du Christianisme*, et il commencera, par ses paysages des tropiques et des îles lointaines, la littérature exotique qu'illustrera l'auteur d'*Atala*. Enfin, les écrivains étrangers, surtout ceux de l'Allemagne, se font les imitateurs de Jean-Jacques et, grâce à lui, les différentes littératures nationales, pénétrées d'un même esprit, formeront peu à peu une littérature européenne.

Jean-Jacques Rousseau, détesté de quelques-uns de ceux qui le *L'INFLUENCE* *MORALE* *DE ROUSSEAU.* connaissaient personnellement et qui voyaient de près ses défauts et ses misères, fut aimé à la passion par la foule de ses contemporains. Ses écrits étaient attendus avec une impatience extraordinaire et lus avec une émotion fébrile. Évidemment ce public était prédisposé à l'entendre et à le comprendre. On avait besoin d'autre chose que de moqueries, de rires et de sarcasmes. Des âmes échappées des religions aspiraient à un nouveau *Credo* qui donnât une nouvelle direction à la vie; la prédication de Jean-Jacques leur sembla d'un prophète et d'un saint. Il fut l'homme nécessaire à l'humanité. Sa mort laissa des inconsolables : « O Rousseau, s'écria Madame de Staël, qu'il eût été doux de te rattacher à la vie »! Mais sa prédication deviendra, après sa mort, plus puissante; en lui, plus qu'en tout autre, la Révolution saluera un « précepteur du genre humain ». Les orateurs le prendront pour modèle de leur éloquence échauffée d'apostrophes et de prosopopées; le *Contrat social*, que Marat commentera sur les places publiques à la veille de 1789, sera l'Évangile des révolutionnaires proprement dits; Robespierre prendra dans Rousseau l'idée de la religion de l'Être suprême. Ces disciples tireront des idées et des sentiments du maître des conséquences qu'il aurait désavouées certainement. Le maître avait dit « ce qui se passait dans sa tête », en dédaignant de s'en tenir au « faisable »; c'était son droit d'écrivain philosophe; les disciples, en voulant imposer à la réalité concrète des conceptions pures et des rêves commettront de terribles erreurs. Mais il fallait bien que quelqu'un opposât à des institutions, à des idées, à des sentiments, à des mœurs, que tout le monde avouait caducs, les droits permanents de la personne humaine et de l'humanité. L'avoir fait avec cette passion, avec cette sincérité, cette éloquence de génie, c'est la gloire particulière de l'homme qui a voulu être « celui qui gémit sur les misères du peuple, et qui les éprouve ».

CHAPITRE IV

LA « *DESTRUCTION* » DES JÉSUITES; LA PERSÉCUTION DES PROTESTANTS; LES AFFAIRES CALAS, SIRVEN, LA BARRE.

I. — LA DESTRUCTION DES JÉSUITES; LA RÉFORME DES COLLÈGES. — II. LA PERSÉCUTION DES PROTESTANTS. LES PROCÈS CALAS, SIRVEN ET LA BARRE.

I. — LA DESTRUCTION DES JÉSUITES; LA RÉFORME DES COLLÈGES [1]

AU moment où la propagande philosophique battait son plein, des épisodes, simultanés ou successifs, se produisirent qui mirent aux prises les opinions et les passions contradictoires entre lesquelles le pays était partagé, et prirent l'importance d'événements historiques. Un des plus considérables, l'expulsion des Jésuites, eut pour cause un accident arrivé à un membre de la compagnie.

GRANDS INCIDENTS.

1. SOURCES. *Mémoires secrets* (Bachaumont), Grimm, D'Alembert (*Correspondance*), Voltaire (*OEuvres*, et notamment la *Correspondance*), Besenval, Talleyrand, déjà cités. *Extraits des assertions dangereuses et pernicieuses en tous genres que les soi-disans Jésuites ont... soutenues, enseignées et publiées,* Paris, 1762. *Compte-rendu des Constitutions des Jésuites,* par M. Louis-René de Caradeuc de La Chalotais. Nouvelle édition, s. l., 1762. *Second Compte-Rendu sur l'appel comme d'abus des Constitutions des Jésuites,* par M. Louis-René de Caradeuc de La Chalotais, s. l., 1762. D'Alembert, *Sur la destruction,* broch., s. l., 1765. Fontette (Chevalier de), *Correspondance,* p. p. H. Carré, Paris, 1893. Miromesnil (Hue de), *Correspondance politique et administrative,* p. p. P. le Verdier, Rouen et Paris, 1899-1903, 5 vol., t. II (1761-1763). Georgel (l'abbé), *Mémoires pour servir à l'histoire des événements de la fin du XVIIIe siècle, depuis 1760 jusqu'en 1806-1810,* Paris, 1817-1818, 6 vol., t. I. Des Cars (duc), *Mémoires,* Paris, 1890, 2 vol. Guyton de Morveau, *Mémoire sur l'éducation publique,* 1764. Rolland d'Erceville, *Plan d'éducation,* 1768. Diderot, *Plan d'une Université,* au t. III des *OEuvres complètes,* éd. Assezat. Guyot, *Répertoire universel et raisonné de jurisprudence civile et criminelle, canonique et bénéficiale,* 17 vol., Paris, 1784, Art. Collèges, au t. III. *Encyclopédie ou Dictionnaire raisonné des sciences, des arts et des métiers,* t. III (Art. Collèges).

OUVRAGES A CONSULTER. Lacretelle, Michelet, Jobez (t. V et VI), Aubertin, Picot, Crousaz-Cretet, Rocquain, Sicard, Cabasse, Campardon, Bertrand (*D'Alembert*), Cruppi, Desnoiresterres, Perey (*Duc de Nivernais*), Texte, déjà cités. Crétineau-Joly, *Histoire religieuse, politique et littéraire de la Compagnie de Jésus,* Paris, 1856, 3e éd., 6 vol., t. V Saint-Priest

FAILLITE
DU P. LA VALETTE;
L'ORDRE IMPLIQUÉ
DANS L'AFFAIRE.

Le Père La Valette était parti pour les Antilles, en 1741, comme missionnaire; pour éteindre les dettes contractées par la maison de l'Ordre à Saint-Pierre de la Martinique, et, sans doute aussi, obéissant à une vocation naturelle, il se mit à faire de l'agriculture et du commerce. Encouragé par le succès, il étendit ses opérations; mais une épidémie enleva bon nombre des nègres qu'il employait à des défrichements, et, en 1755, il eut beaucoup à souffrir des captures de vaisseaux faites par les Anglais. Bref, il fut ruiné. Une maison de Marseille, la maison Gouffre et Lioncy, sa créancière pour 1 500 000 livres, fut entraînée dans sa perte, déposa son bilan en 1756, et attaqua, devant la juridiction consulaire, non les Jésuites de La Martinique, mais ceux de France, comme solidairement responsables. Elle gagna son procès. Les Pères en appelèrent au Parlement de Paris; c'était une grande imprudence; tout le Parlement n'était pas janséniste, mais les Jansénistes y donnaient le ton. Il y avait d'ailleurs accord préétabli entre le Jansénisme et le Parlement qui, avant qu'on parlât de Jansenius, détestait dans les Jésuites l'ultramontanisme. Puis les magistrats étaient ravis de montrer leur puissance, en engageant cette lutte sans l'agrément ou même contre l'agrément du Roi, et de recevoir l'applaudissement du public. Leurs traditions, leur esprit de corps, leurs opinions, leurs croyances, leur intérêt se rencontraient dans cette affaire.

LES JÉSUITES
CONDAMNÉS (1761).

Le 8 mai 1761, sur les conclusions de l'Avocat général Le Pelletier de Saint-Fargeau, le Parlement condamna les Jésuites : ils devaient rembourser ses créances à la maison Gouffre et Lioncy et lui verser, à titre de dommages-intérêts, 50 000 livres; défense leur était faite de se mêler à l'avenir d'aucun genre de trafic. Au Palais, la foule accueillit le prononcé du jugement avec des cris d'enthousiasme; les Jésuites présents furent couverts de huées, et le

(de) *Histoire de la chute des Jésuites au XVIIIe siècle (1750-1782)*, Paris, 1844. Bastard d'Estang (de), *Les parlements de France*, Paris, 1857, 2 vol., t. II. Dubédat, *Histoire du Parlement de Toulouse*, Paris, 1885, 2 vol., t. II. Marion, *La Bretagne et le duc d'Aiguillon (1753-1770)*, Paris, 1898. Pocquet (B.), *Le pouvoir absolu et l'esprit provincial : Le duc d'Aiguillon et La Chalotais*, Paris, 1900, 3 vol.

Compayré, *Histoire critique des doctrines de l'éducation en France*, Paris, 1881, 2e éd., 2 vol., t. II. Sicard (l'abbé), *Les études classiques avant la Révolution*, Paris, 1887. Douarche (A.), *L'Université et les Jésuites*, Paris, 1888. Duruy (Albert), *L'instruction publique et la Révolution*, Paris, 1882. Lallemand, *Histoire de l'éducation dans l'ancien Oratoire de France*, Paris, 1889. Beaurepaire (Ch. de), *Recherches sur l'instruction publique dans le diocèse de Rouen avant 1789*, Evreux, 1872, 3 vol., t. III. Boissonnade et Bernard, *Histoire du collège et du lycée d'Angoulême (1516-1895)*, Angoulême, 1895. Tranchau, *Le collège et le lycée d'Orléans* Orléans, 1893. Delfour, *Histoire du lycée de Pau*, Paris, 1890; *Les Jésuites à Poitiers (1604-1762)*, Paris, 1901. Dupuy, *L'Instruction secondaire en Bretagne au XVIIIe siècle*, Rennes, 1883. Carré (G.), *L'enseignement secondaire à Troyes, du moyen âge à la Révolution*, Paris, 1888. Gaullieur, *Hist. du collège de Guyenne*, Bordeaux, 1874. Maître, *L'instr. publique dans les villes et les campagnes du comté Nantais avant 1789*, Nantes, 1882.

Premier Président et l'Avocat général portés en triomphe. Des inconnus s'embrassaient, comme si la France eût remporté une grande victoire.

Ce ne fut là qu'une entrée de jeu. Bien que le passif de La Valette ne s'élevât qu'à deux millions, le Parlement rendit contre l'Ordre un arrêt de saisie. Tous les créanciers des Jésuites firent aussitôt valoir leurs droits ; le chiffre des créances montant à cinq millions, l'Ordre parut insolvable.

Au cours du procès, le 17 avril, un conseiller de la Grand'Chambre, ardent janséniste, ambitieux de bruit et de renommée, ayant des liaisons à la Cour et avec l'*Encyclopédie*, l'abbé de Chauvelin, « en sa qualité de chrétien, de citoyen, et de magistrat », avait dénoncé aux Chambres assemblées les statuts et constitutions de la Société de Jésus « comme contenant des choses très singulières sur l'ordre public », et il en avait réclamé l'examen. La Cour avait ordonné qu'il en fût déposé, sous trois jours, un exemplaire au greffe ; les Jésuites avaient obéi. Leur procès avec la maison Lioncy terminé, le Roi exigea du Parlement qu'il lui remît les « statuts et constitutions » ; il voulait, disait-il, les faire examiner par son Conseil, et comptait que son Parlement ne statuerait pas à leur sujet. Les magistrats remirent au Roi un exemplaire des statuts, et, comme ils en avaient un autre, ils continuèrent de faire informer par les Gens du Roi.

EXAMEN DES CONSTITUTIONS DE LA COMPAGNIE.

Au début de juillet, l'Avocat général Omer Joly de Fleury présenta et commenta en plusieurs séances les « Constitutions », et démontra que, d'après ces textes, le Général de l'Ordre était au-dessus des conciles, des papes, des évêques, des rois et de la justice ; nul Jésuite ne pouvait, en matière civile ou criminelle, répondre aux magistrats sans l'autorisation de ce chef ; et la puissance du personnage était d'autant plus redoutable que des hommes de toutes conditions, ecclésiastiques ou laïques, célibataires ou gens mariés, pouvaient s'affilier à l'Ordre et lui apporter le secours de leurs relations dans le monde. Omer Joly de Fleury insista sur le vœu d'obéissance des Jésuites et tira grand parti de ces paroles de saint Ignace :

RÉQUISITOIRE D'OMER JOLY.

« Laissons-nous surpasser par les autres religieux dans la pratique des jeûnes, des veilles et l'austérité de la vie ; mais soyons plus parfaits que tous pour l'obéissance... Celui qui veut s'offrir entièrement à Dieu, outre sa volonté, doit encore lui sacrifier son esprit, son jugement ; il doit non seulement vouloir ce que le supérieur veut, mais encore penser comme lui. »

Sur les conclusions de l'Avocat général, il fut ordonné qu'une commission examinerait les « Constitutions ». La chose était à ce point prévue que Chauvelin, nommé commissaire, se trouva presque

RAPPORT DE L'ABBÉ DE CHAUVELIN.

aussitôt prêt à lire le rapport. Il avait eu pour collaborateurs l'abbé Terray, conseiller à la Grand'Chambre comme lui, et L'Averdy, homme intègre et grand travailleur, très influent aux Enquêtes, Janséniste passionné, dont la vie se passait à rédiger des mémoires contre les Jésuites.

Chauvelin exposa qu'un homme qui s'affiliait à l'Ordre cessait par là même d'être sujet du Roi. Il rappela les théories des Jésuites sur le régicide, et l'assassinat de Henri III par Jacques Clément, Paris encouragé par eux à la résistance contre Henri IV, les conspirations où les Jésuites avaient trempé en Angleterre, en Pologne, en Carinthie, en Carniole et à Venise ; il évoqua le souvenir de l'attentat de Damiens et de la tentative d'assassiner le roi de Portugal en 1758 ; il fit allusion aux persécutions contre les Jansénistes.

LE PARLEMENT ORDONNE LA SUPPRESSION DES COLLÈGES. — Comprenant que cette affaire donnait au Parlement un surcroît d'autorité, le Gouvernement essaya de mettre le holà. Il ordonna aux supérieurs des maisons de Jésuites de remettre au greffe du Conseil tous leurs titres et pièces, et le Roi dit au Premier Président et au Procureur général qu'il entendait que le Parlement suspendît toute décision ; mais, le 6 août 1761, sur la proposition de L'Averdy, furent condamnés au feu vingt-quatre ouvrages écrits par les Jésuites, comme destructifs de la morale chrétienne et attentatoires à la sûreté des citoyens, même des rois ; il fut enjoint à tous étudiants, séminaristes ou novices, installés dans les collèges, pensions ou séminaires de la Société, d'en sortir avant le 1er octobre. Tout contrevenant serait exclu de tout grade universitaire, de tout office public, de toute charge municipale.

LE ROI ORDONNE DE SURSEOIR. — Louis XV aurait dû prendre un parti net : ou laisser faire le Parlement, ou casser les arrêts. Choiseul lui proposait cette alternative, car plus le gouvernement, disait-il, hésiterait, plus les magistrats s'engageraient à fond. Louis XV parut d'abord vouloir procéder par rigueur ; mais le Chancelier de Lamoignon l'amena à tergiverser, par crainte de voir le Parlement repousser une émission de rentes viagères. Sans improuver les arrêts, le Roi, par lettres patentes du 29 août 1761, ordonna de surseoir un an à l'exécution ; mais les juges, en enregistrant les lettres patentes, le 7 septembre, se permirent de raccourcir ce délai et fixèrent au 1er avril 1762 la fermeture des collèges.

LE HAUT CLERGÉ PREND PARTI POUR L'ORDRE. — Entre temps, les Jésuites protestaient de leur fidélité à la Couronne, et le haut clergé prenait parti pour eux. Quarante-cinq évêques déclaraient qu'on ne pouvait rien leur reprocher, ni sur la conduite, ni sur les doctrines. Le seul évêque de Soissons, Fitz-James, déclara la Société inutile et dangereuse ; encore était-il le protecteur de l'Oratoire, ordre rival des Jésuites.

Choiseul envoya à Rome le cardinal de Rochechouart, pour faire comprendre au Général que son autorité était incompatible avec les lois du royaume, et lui demander de nommer un vicaire qui résidât en France; il voulait une réponse immédiate. La transaction qu'il proposait fut repoussée. Alors le Roi essaya de sauver les Jésuites par un moyen-terme. Dans une Déclaration du 9 mars 1762, il ordonna qu'aucun ordre du Général ne serait exécutoire sans être revêtu de « lettres d'attache registrées », et que les Jésuites enseigneraient les quatre propositions de 1682, moyennant quoi il annulait les procédures déjà faites contre eux. Il espérait que le Parlement accepterait la Déclaration; mais le Parlement nomma des commissaires pour l'examiner, ne les pressa pas de lui rendre compte, poursuivit ses procédures et gagna ainsi le 1ᵉʳ avril 1762.

Alors l'arrêt ordonnant la fermeture des établissements des Jésuites fut exécuté dans tout le ressort. Puis un arrêt du 6 août 1762 supprima la société elle-même. Ses biens furent mis sous séquestre et les Pères dispersés; défense fut faite à ceux-ci de porter l'habit de l'Ordre et d'entretenir aucune correspondance à l'étranger. Pour acquérir des grades universitaires, posséder des bénéfices et remplir des offices publics, les écoliers sortis des collèges de Jésuites devront prêter serment de fidélité au Roi et jurer le respect des quatre articles de 1682. Les Pères seront incapables d'exercer aucune fonction ecclésiastique s'ils ne prêtent pas ce serment.

Le Parlement a résumé, dans l'arrêt du 6 août, les raisons de la condamnation des Jésuites. Il y avait eu, dit-il, « abus relativement à la doctrine morale et pratique constamment et persévéramment enseignée ». La dite doctrine était déclarée

« perverse, destructive de tout principe de religion et même de probité, injurieuse à la morale chrétienne, pernicieuse à la société civile, séditieuse, attentatoire aux droits et à la nature de la puissance royale, à la sûreté même de la personne sacrée des souverains, et à l'obéissance des sujets, propre à exciter les plus grands troubles dans les États, à former et à entretenir la plus profonde corruption dans le cœur des hommes. »

Les rédacteurs de l'arrêt avaient fait, dans les considérants, de nombreux emprunts aux *Extraits*, parus en 1762, *des assertions dangereuses et pernicieuses en tous genres que les soi-disant Jésuites ont dans tous les temps et persévéramment soutenues, enseignées et publiées dans leurs livres, avec l'approbation de leurs supérieurs et généraux.* Cette compilation avait été composée par les jansénistes Goujet, Minard, Roussel de La Tour et le président Rolland d'Erceville, qui fut le bailleur de fonds. On y avait rassemblé, en mettant en regard des textes latins une traduction française, tout ce que des Pères avaient écrit de contraire à l'autorité des Rois, tout ce qu'il y avait d'immoral ou de risible chez leurs auteurs les plus vieillis. Le catéchisme du Père Pomey leur avait fourni, sur les joies du Paradis, des détails bizarres, dont les incrédules faisaient gorge chaude.

En 1763, un auteur anonyme publia une *Réponse aux Extraits des Assertions*, où il releva sept cent cinquante-huit falsifications, altérations de textes, ou fautes de traduction; mais la masse des lecteurs ne se préoccupa point de critique et accepta les *Extraits* comme indiscutables.

Le Parlement de Toulouse demanda un exemplaire des *Extraits* au Parlement de Paris le 5 mai 1762; le 22, il le reçut; le 19 juin, il condamna les maximes pernicieuses qui s'y trouvaient, et les fit imprimer pour les répandre dans tout son ressort. Le seul rapprochement des dates montre que les Toulousains furent dans l'impossibilité d'examiner attentivement les textes; ils jugèrent sur la foi des confrères de Paris, qui s'en étaient eux-mêmes rapportés, sans plus de critique, aux compilateurs.

Parmi les Parlements et Conseils souverains, ceux de Flandre et de Franche-Comté, d'Alsace et d'Artois furent seuls à ne pas vouloir poursuivre les Jésuites. En procédant contre la Société, d'autres acquirent de la célébrité, ceux de Bretagne et de Provence, par exemple. Le Procureur général au Parlement de Rennes, La Chalotais, fut applaudi par les Philosophes pour avoir soutenu, dans ses *Comptes rendus des Constitutions des Jésuites*[1], que « tout établissement religieux doit avoir pour but l'utilité du genre humain », et montré que la Compagnie ne se conformait pas à cette règle. Il humilia les « Constitutions » par la comparaison qu'il en fit avec les « principes de la loi naturelle ». Il reprit les arguments présentés au Parlement de Paris et insista sur le fait que les Jésuites n'admettent pas « l'indépendance absolue du Roi dans le temporel », et n'ont pas « abandonné la doctrine du régicide ». De l'indépendance du Roi, disait-il, ils font « depuis un siècle », une « question d'école » sur laquelle se peut soutenir « le pour et le contre »; ce qui est « être criminels d'État, mériter les peines dues aux séditieux, aux perturbateurs du repos public, aux rebelles ». Quant au régicide, les Jésuites, il est vrai, ne l'enseignent pas en France, « mais ils tiennent à un corps et à un régime » qui en a soutenu et en soutient la doctrine. S'ils n'enseignent pas le crime, ils établissent comme « indubitables » des « principes » qui y conduisent; « ils en font disparaître l'atrocité

---

1. Le premier compte-rendu de La Chalotais fut fait au Parlement de Rennes, les 1, 3, 4, 5 décembre 1761, et le second les 21-22 et 24 mai 1762.

par des distinctions, et, dans l'occasion, laissent le fanatisme tirer les conséquences ».

En Provence, l'affaire donna lieu à de singuliers épisodes où apparut la violence des passions parlementaires. Le Parlement d'Aix, en enjoignant aux Jésuites, le 5 juin 1762, de produire leurs Constitutions, avait prononcé la confiscation de leurs biens, c'est-à-dire préjugé son jugement définitif. Le président d'Éguilles protesta contre cet acte de prévarication. Après qu'il eut prononcé la suppression de l'Ordre, le 28 janvier 1763, le Parlement bannit d'Éguilles du royaume à perpétuité, malgré que des lettres du Roi eussent ordonné de surseoir aux poursuites engagées contre lui. D'autres Parlementaires, réputés convaincus de machinations contre l'autorité, l'honneur et la sûreté de la magistrature, furent pour quinze ans interdits de leurs fonctions et dépossédés de leurs charges.

LE PARLEMENT DE PROVENCE.

Le Parlement de Rouen condamna les Jésuites, le 12 février 1762; celui de Rennes, le 27 mai; le Conseil souverain du Roussillon, le 12 juin; le Parlement de Bordeaux, le 18 août; celui de Metz, le 1er octobre; celui de Grenoble, au mois de janvier 1763; celui de Toulouse, le 26 février; celui de Pau, le 13 avril 1764.

AUTRES PARLEMENTS.

Le Roi ne crut pas pouvoir résister à la magistrature que soutenait l'opinion générale. En février 1763 fut réglée la procédure à suivre pour vendre les biens des Jésuites; les revenus des bénéfices unis à leurs maisons furent attribués au « Bureau des économats », par lesquels le clergé subvenait à des œuvres d'assistance et d'enseignement. Le Parlement de Paris, le 22 février 1764, voulut exiger des Pères qu'ils reconnussent pour impies les doctrines contenues dans les *Extraits des Assertions*; comme ils refusèrent, il les condamna, le 9 mars, à quitter la France. Ce fut pour atténuer la rigueur de cet arrêt que le Roi rendit l'édit de novembre 1764 :

CONDAMNATION A L'EXIL ATTÉNUÉE PAR LE ROI.

« Voulons et nous plaît qu'à l'avenir la Société des Jésuites n'ait plus lieu dans notre royaume, pays, terres et seigneuries de notre obéissance; permettant néanmoins à ceux qui étaient dans la dite société de vivre en particuliers dans nos États, sous l'autorité spirituelle des ordinaires des lieux, en se conformant aux lois de notre royaume et se comportant en toutes choses comme nos bons et fidèles sujets. Voulons en outre que toutes procédures criminelles qui auraient été commencées à l'occasion de l'institut et Société des Jésuites, soit relativement aux ouvrages imprimés ou autrement, contre quelques personnes que ce soit, et de quelque état, qualité et condition qu'elles puissent être, circonstances et dépendances, soient et demeurent éteintes et assoupies, imposant silence à cet effet à notre Procureur général. »

Cependant les Jésuites se défendaient, et ils étaient défendus par des amis en de nombreux écrits, tels que la *Lettre écrite au Roi*

LES JÉSUITES SE DÉFENDENT.

par *l'évêque D. P. sur l'affaire des Jésuites,* la brochure intitulée *Mes doutes sur les Jésuites,* les *Mémoires présentés au Roi par deux magistrats du parlement d'Aix contre des arrêts et arrêtés de leur compagnie,* l'*Appel à la raison,* le *Nouvel Appel à la raison des écrits et libelles publiés par la passion contre les Jésuites de France,* la *Lettre pastorale de M. l'Évêque de Lavaur au sujet d'un volume in-4° ayant pour titre : Extraits des assertions pernicieuses et dangereuses, etc.* la *Lettre d'un homme de province à un ami de Paris au sujet d'une nouvelle fourberie des soi-disant Jésuites.*

Les Pères arguaient que les griefs cent fois répétés contre eux avaient été par eux cent fois réfutés. Leurs Constitutions qu'on dénonçait, disaient-ils, comme des pièces occultes nouvellement découvertes, étaient connues de tous. On leur reprochait surtout l'obéissance à un général étranger; mais beaucoup d'autres ordres, à qui l'on n'en faisait pas reproche, avaient donné l'exemple avant eux. Enfin c'était chose inique que de punir toute la Société pour des fautes qu'avaient pu commettre quelques-uns de ses membres.

LA HAINE
DU JÉSUITE.

Mais les Parlements condamnèrent tous les écrits favorables à la Société. La haine du Jésuite devint une mode et une furie. Les salons la prêchaient; on y parlait de Pascal comme d'un saint; Joly de Fleury, Monclar, La Chalotais, L'Averdy, Chauvelin, étaient portés aux nues. Des plaisanteries couraient les rues. On comparait Jésus-Christ à un pauvre capitaine réformé qui a perdu sa « compagnie ». Les camelots de la foire Saint-Ovide, qui se tenait près de la place Vendôme, vendaient une statuette en cire, habillée en Jésuite, avec une coquille d'escargot pour base; en tirant une ficelle, on faisait rentrer le Jésuite dans sa coquille.

LE RÔLE
DE MADAME
DE POMPADOUR
ET DE CHOISEUL.

Si le Roi a consenti la « destruction » des Jésuites, c'est que tout le monde a donné contre eux, Parlementaires, Philosophes, courtisans. L'opinion ne leur était d'ailleurs pas moins hostile à l'étranger, par exemple en Portugal et dans les États bourboniens d'Espagne, de Naples et de Parme, qu'en France. Est-il vrai que Mme de Pompadour ait voulu, en prenant parti contre eux, se venger de l'opposition qu'ils lui firent quand elle prétendit devenir dame d'honneur de la Reine? et que Choiseul l'ait assistée pour lui plaire, et pour flatter les Philosophes et les Parlements? Il semble bien que Choiseul et la marquise aient laissé faire les choses, et que tout au plus ils y aient aidé. Le Parlement n'avait pas besoin d'être excité contre des religieux dont il était depuis longtemps l'adversaire et l'ennemi.

PHILOSOPHES ET
PARLEMENTAIRES.

Les Philosophes et les Parlementaires avaient ensemble combattu contre l'Ordre. Ceux-ci triomphaient, mais ceux-là s'amusaient aux dépens de leurs alliés, qui se croyaient les grands vainqueurs. D'Alembert, écrivant à Voltaire, disait des Parlements : « Ce sont les exécuteurs de la haute justice pour la philosophie, dont ils prennent les ordres, sans le savoir ». Dans son écrit *Sur la Destruction des Jésuites*, d'Alembert leur disait leur fait, par une comparaison entre les Jésuites et les Jansénistes :

« Entre ces deux sectes, l'une et l'autre méchantes et pernicieuses, si l'on était forcé de choisir, en leur supposant un même degré de pouvoir, la société qu'on vient d'expulser serait la moins tyrannique. Les Jésuites, gens accommodants, pourvu qu'on ne se déclare pas leur ennemi, permettent assez qu'on pense comme on voudra; les Jansénistes, sans égards comme sans lumières, veulent qu'on pense comme eux; s'ils étaient les maîtres, ils exerceraient sur les ouvrages, les esprits, les discours, les mœurs, l'inquisition la plus violente. »

A présent que les Jésuites, troupes régulières et disciplinées, étaient détruits, d'Alembert pensait que la philosophie aurait raison de ces « cosaques », de ces « pandours » de jansénistes.

Quant à Voltaire, il raconte, dans une lettre du 25 février 1763, qu'il a procédé chez lui au jugement des Jésuites :

LE JUGEMENT DE VOLTAIRE.

« Il y en avait trois chez moi, ces jours passés, avec une nombreuse compagnie. Je m'établis premier président, je leur fis prêter serment de signer les quatre propositions de 1682, de détester la doctrine du régicide, du probabilisme,... d'obéir au Roi plutôt qu'au Pape...; après quoi je prononçai : La Cour, sans avoir égard à tous les fatras qu'on vient d'écrire contre vous, et à toutes les sottises que vous avez écrites depuis deux cent cinquante ans, vous déclare innocents de tout ce que les parlements disent contre vous aujourd'hui, et vous déclare coupables de ce qu'ils ne disent pas; elle vous condamne à être lapidés avec des pierres de Port-Royal, sur le tombeau d'Arnauld. »

Mais il ne préférait pas les Jansénistes aux Jésuites; il voulait que l'on tînt entre eux la « balance égale ». Il ne faut, disait-il, exterminer personne. Si les Jésuites sont des « vipères » et les Jansénistes des « ours », il ne faut pas oublier que l'on peut faire « des bouillons de vipères », et que les ours fournissent « des manchons ». La lutte entre Jansénistes et Jésuites lui paraissait avoir cette utilité que, pendant qu'ils se battaient, les bonnes gens demeuraient tranquilles. Il disait : A présent que les Jésuites étaient détruits, qu'allaient faire les Jansénistes, et leurs amis les Parlementaires?

JANSÉNISTES ET JÉSUITES JUGÉS PAR LES PHILOSOPHES.

> Les renards et les loups furent longtemps en guerre;
> Les moutons respiraient. Des bergers diligents
> Ont chassé, par arrêt, les renards de nos champs.
> Les loups vont désoler la terre;
> Nos bergers semblent, entre nous,
> Un peu d'accord avec les loups.

Le premier usage que fit le Parlement de sa victoire fut de mettre la main sur les collèges d'où les Jésuites avaient été expul-

LA RÉFORME DES COLLÈGES.

sés. Les Jésuites avaient une centaine de collèges, dont trente-huit
dans le seul ressort du Parlement de Paris. Comme toutes les congrégations à qui les évêques et les villes confiaient des collèges, ils
avaient enseigné à peu près sans contrôle. Or, l'occasion se présentait
pour la magistrature d'intervenir dans l'administration de ces maisons.
Les Parlements, qui jouissaient du droit de déléguer leurs procureurs
généraux pour les visiter, se mirent à préparer les plans d'une
réforme de l'éducation. De tous côtés, d'ailleurs, des municipalités
et des particuliers leur adressaient des mémoires à ce sujet.

BUREAUX D'ADMINISTRATION DES COLLÈGES (1763).

En février 1763, un édit du Roi attribua la direction des collèges
à des « Bureaux d'administration » :

> « Dans les villes, où il y a Parlement ou Conseil supérieur, le Bureau sera
> composé de l'Archevêque ou Évêque qui y présidera, de notre Premier Pré-
> sident et notre Procureur Général en la Cour, des deux premiers officiers
> municipaux, de deux notables choisis par le Bureau et le principal du Collège,
> et, en cas d'absence de l'Archevêque ou de l'Évêque, il sera remplacé par un
> ecclésiastique qu'il aura choisi, et qui se placera après le Procureur Général.
> Dans les autres villes, le premier de la justice royale ou seigneuriale, et celui
> qui sera chargé du ministère public, auront le droit de séance au Bureau; et
> l'ecclésiastique qui remplacera l'Archevêque ou l'Évêque, en cas d'absence,
> prendra place après celui qui présida. »

Les Bureaux d'administration nommeront les principaux et
les professeurs; ils auront aussi le droit de les révoquer; ils
administreront les biens communs et arrêteront les programmes d'enseignement.

GRIEFS CONTRE L'ÉDUCATION DES JÉSUITES.

On vit alors se produire un très curieux effort pour réformer la
vieille éducation scolaire et l'approprier aux besoins d'une société
qui se transformait. Les Philosophes et les Parlementaires s'accordèrent pour la réclamer. Les Philosophes reprochaient aux Jésuites
d'être demeurés attachés aux vieilles méthodes, sans tenir compte
d'idées et de méthodes nouvelles, que les Jansénistes avaient appliquées
dans leurs petites écoles [1], et les Oratoriens, et même les Universités,
dans leurs collèges. Les Pères enseignaient le latin par des gram-
maires écrites en latin, et l'on parlait latin dans leurs classes. En dépit
de Descartes et du cartésianisme, ils enseignaient la scolastique.
Aucune place n'avait été faite par eux aux études modernes. Voltaire,
dans le *Dictionnaire philosophique*, au mot ÉDUCATION, prête à un
conseiller de Parlement ce jugement sur l'éducation par les Jésuites :

> « Lorsque j'entrai dans le monde, dit le Conseiller,... je ne savais ni si Fran-
> çois Ier avait été fait prisonnier à Pavie, ni où est Pavie... Je ne connaissais ni
> les lois principales, ni les intérêts de ma patrie; pas un mot de mathéma-
> tiques, pas un mot de saine philosophie. Je savais du latin et des sottises. »

1. Voir *Histoire de France*, t. VII, 1, pp. 100 et 101.

D'Alembert, dans l'*Encyclopédie*, au mot Collège, accuse les Jésuites d'avoir produit « une nuée de versificateurs latins », et d'employer sept à huit ans à apprendre aux écoliers à parler pour ne rien dire.

Les Parlementaires, de leur côté, ou, pour parler plus exactement, un certain nombre de Parlementaires menèrent une très vive campagne. Dans un *Essai d'Éducation nationale ou plan d'études pour la jeunesse*, paru en 1763, le Procureur général au Parlement de Bretagne, La Chalotais, reprocha aux Jésuites de dresser leurs élèves par la scolastique aux querelles théologiques, « l'opprobre de la religion et de la raison ». Dans un *Mémoire sur l'éducation publique*, paru en 1764, un Avocat général au Parlement de Dijon, Guyton de Morveau, traita les exercices scolastiques d' « inepties puériles », qui préparent les jeunes esprits « à l'erreur par le délire de l'orgueil ».

ÉCRITS DE PARLEMENTAIRES SUR LES ÉTUDES.

Ces deux magistrats demandent qu'à l'étude, mise en honneur, de la langue maternelle, « la plus nécessaire dans le cours de la vie », s'ajoute celle d'autres langues vivantes. Morveau voudrait qu'on enseignât l'italien, l'anglais et l'allemand dans chaque « capitale de province ». L'anglais, dit La Chalotais, est « devenu nécessaire pour les sciences, et l'allemand pour la guerre ». Rolland d'Erceville, président au Parlement de Paris, montre, dans son *Plan d'éducation*, en 1768, combien la connaissance des langues vivantes est indispensable pour le commerce et les voyages.

ENSEIGNEMENTS NOUVEAUX RÉCLAMÉS. LANGUES VIVANTES ET HISTOIRE.

Ces écrivains réclament l'introduction dans les études de l'histoire générale, et en particulier de l'histoire moderne :

> « Je voudrais, dit La Chalotais, qu'on composât, pour l'usage des enfants, des histoires de toute nation, de tout siècle, et surtout des siècles derniers ; que celles-ci fussent plus détaillées, que même on les leur fît lire avant celles des siècles plus reculés. »

Le Président Rolland d'Erceville demandait aussi qu'on donnât aux enfants « une teinture » de la géographie, en commençant par leur faire connaître leur pays, et La Chalotais voulait qu'on introduisît dans l'enseignement géographique les mœurs, les coutumes, l'industrie, l'agriculture et le commerce des différents peuples. Enfin le grand progrès des sciences éveillait l'idée qu'on préparât les enfants à les connaître. En 1762, la municipalité de La Flèche réclame au Parlement de Paris un enseignement de la physique où les expériences démontreront les préceptes. La Chalotais recommandait d'accoutumer les enfants à voir des machines produisant ou facilitant le mouvement, de leur faire remarquer les effets du levier, des roues, des poulies, de la vis, du coin et des balances ; de les instruire de faits astronomiques, de la distance du soleil à la terre, etc.

GÉOGRAPHIE, ÉCONOMIE POLITIQUE, SCIENCES.

Pour tous ces enseignements, il fallait un personnel nouveau. La Chalotais, Guyton de Morveau, Rolland répugnaient à le recruter parmi les ecclésiastiques qui, renonçant au monde, ne pouvaient, disaient-ils, avoir des « vertus politiques ». Ils se défiaient surtout des « réguliers », excepté des Oratoriens, qui avaient largement ouvert leurs maisons aux idées modernes[1]; ils cherchaient des laïques. Guyton de Morveau se persuadait qu'il y avait à Paris assez de gens de lettres inoccupés pour fournir les collèges de professeurs. Mais, somme toute, la proportion des maîtres laïques ne dépassa pas dix sur cent dans les établissements réorganisés. La Chalotais avait prévu qu'il y aurait surtout pénurie pour les enseignements nouveaux, mais il ne s'en était pas inquiété outre mesure :

« Je pense, dit-il dans le *post-scriptum* de son *Essai sur l'Éducation*, que l'objet des études étant une fois fixé, Sa Majesté pourroit faire composer des livres classiques élémentaires où l'instruction fût faite relativement à l'âge, et à la portée des enfants, depuis six ou sept ans jusqu'à dix-sept ou dix-huit... Un mot de Sa Majesté suffiroit. Il y a dans la République des Lettres beaucoup plus de livres qu'il n'en faut pour composer, avant deux ans, tous ceux qui seroient nécessaires; et il y a, dans les Universités et dans les Académies, plus de gens de lettres qu'il n'en faut pour bien faire ces ouvrages. »

La Chalotais pensait qu'avec ces ouvrages tous les maîtres seraient bons; il suffirait « qu'ils sussent bien lire ».

L'Université de Paris n'en proposa pas moins au Roi de faire du collège Louis-le-Grand une école destinée à former des professeurs. Le Roi consentit par lettres patentes du 21 novembre 1763. L'Université recueillant l'héritage des Jésuites à Paris, supprima un certain nombre de leurs maisons et en appliqua les revenus à former, à Louis-le-Grand, « une pépinière abondante de maîtres ».

En attendant le personnel nouveau, il fallut recourir presque partout aux prêtres séculiers, et, par conséquent, demander aux évêques leur collaboration. Les évêques l'accordèrent, prirent même à leur charge bien des dépenses, et, par là, s'assurèrent une grande autorité dans l'administration des collèges. Présidents des bureaux d'administration, ils étaient à peu près les maîtres dans les villes où ne se trouvait pas un parlement : à Montpellier, M. de Malide; à Lyon, M. de Montazet; à Pamiers, M. de Verthamon; à Soissons, M. de Fitz-James; à Sens, le cardinal de Luynes furent les vrais directeurs de l'enseignement.

---

1. Sans sacrifier l'enseignement du latin, cette compagnie, qui dirigeait en France trente collèges, donnait au français une grande importance. Elle faisait composer ses élèves plus souvent en français qu'en latin, leur donnait des prix de français; elle avait été la première à organiser l'enseignement de la géographie et de l'histoire; elle donnait dans ses programmes une large place aux sciences exactes et aux sciences naturelles.

Aussi se produisit-il des conflits entre évêques et Parlements. A Angoulème, par exemple, l'évêque de Broglie fut longtemps aux prises avec le Parlement de Paris. Appuyé sur le Bureau et sur le corps de ville, il prétendait expulser les maîtres laïques. Il ne parvint pas à faire nommer professeurs des ecclésiastiques de son choix ; mais, à son instigation, la municipalité refusa toute subvention au collège, qui fut ruiné.

CONFLITS A PROPOS DES COLLÈGES.

Le clergé séculier fournit de bons maîtres à nombre de maisons. L'abbé Delille, qui devint plus tard professeur au Collège de France, débuta comme maître de classe élémentaire au collège de Beauvais. L'abbé Batteux, qui, lui aussi, enseigna au Collège de France, et fut membre de l'Académie des Inscriptions et de l'Académie française, fut professeur de rhétorique à Reims ; le théologien Bergier devint, en 1767, principal du collège de Besançon ; à Dijon le collège fut illustré par un historien de la Bourgogne, l'abbé Courtépée, par un historien de la Fronde, l'abbé Mailly, et par un polémiste adversaire de Voltaire, l'abbé Clément.

LES NOUVEAUX MAITRES.

Des efforts furent faits pour organiser les enseignements nouveaux. A Rouen et à Bordeaux, on enseigna l'hydrographie ; à Bordeaux, Clermont, Besançon, Reims, Arras, des professeurs spéciaux professèrent les mathématiques, la physique expérimentale et le dessin. Quelques collèges bretons ont tenté d'attribuer au français le même rang qu'aux langues mortes et donné à leurs élèves des notions d'histoire et de géographie. Dans la deuxième année de philosophie, ils joignirent au cours de physique un cours de mathématiques ; à la physique générale ils substituèrent la physique expérimentale.

ESSAIS D'ENSEIGNEMENTS NOUVEAUX.

Dans tous les établissements, l'enseignement religieux garda la place principale. Un arrêt du Parlement de Paris du 27 janvier 1765 prescrit la récitation du catéchisme, de l'épître et de l'évangile du dimanche. Au collège d'Orléans, tous les samedis, un catéchisme est fait dans toutes les classes ; et, les veilles de fêtes, les professeurs donnent des devoirs sur le mystère du lendemain. A Angoulème, les écoliers, internes et externes, sont tenus d'assister, tous les jours, à la messe de l'aumônier. Partout l'Ancien et le Nouveau Testament sont commentés en classe [1].

L'ENSEIGNEMENT RELIGIEUX.

Dans l'ensemble, les résultats de la réforme scolaire ne répondirent pas aux espérances des réformateurs. Plusieurs parlementaires s'y intéressèrent avec un très grand zèle, le président Rolland,

MÉDIOCRE SUCCÈS DE LA RÉFORME.

1. Dans les Collèges de Jésuites étaient données des représentations théâtrales où le public venait en foule, surtout à Paris. Ils furent remplacés par des tournois scolaires. Les rhétoriciens y exposaient les règles de l'éloquence, prononçaient des harangues, débitaient des odes, expliquaient des textes. On récompensait les plus habiles par des médailles d'or et d'argent.

par exemple, qui fut jusqu'en 1789 une sorte de directeur de l'Enseignement secondaire dans le ressort du Parlement de Paris. Mais il s'en fallait que les Parlements s'intéressassent sérieusement à l'éducation publique; la plupart des magistrats étaient rebelles à toutes nouveautés. Le gouvernement intervint à peine dans la réforme. Pour créer des enseignements et les pourvoir du matériel nécessaire, pour rétribuer les nouveaux maîtres, l'argent manqua souvent. L'éducation a donc été plutôt troublée que renouvelée après « la destruction des Jésuites ». Mais des idées justes sur l'éducation furent produites, et l'on commença de comprendre que l'éducation de la jeunesse devait être chose publique et nationale.

II. — *LES PROTESTANTS. LES PROCÈS CALAS, SIRVEN ET LA BARRE* [1]

LES RIGUEURS CONTRE LES PROTESTANTS.

LES Philosophes et les Parlementaires qui s'étaient un moment accordés dans la lutte contre les Jésuites se retrouvèrent aux prises sur la question de la liberté de conscience.

Maltraités par le duc de Bourbon [2], les protestants avaient un moment respiré sous le ministère de Fleury; mais la persécution avait

---

1. SOURCES. Rabaut (P.), *Mémoire*, p. p. N. Weiss, *Les protestants du Languedoc et leurs persécuteurs en 1752* (Bull. de la Soc. hist. du Protest. fr., 1895); Voltaire, *Correspondance* (éd. Garnier), et t. XL de l'éd. Beuchot : *Mémoire pour Donat Calas, pour son père, sa mère et son frère (1762); Déclaration de Pierre Calas; Histoire d'Elisabeth Canning et de Calas (1762); Histoire des Calas; Déclaration juridique de la servante de Mme Calas;* t. XLI, *Traité de la tolérance.*

OUVRAGES A CONSULTER. Michelet (t. XVII), Jobez (t. IV et VI), Desnoiresterres (*Voltaire et la Société*), Rocquain, Faguet (*XVIIIe s.*), Dubédat, Cruppi (*Linguet*), déjà cités. Coquerel (Ch.-A.), *Histoire des églises du désert*, Paris, 1841, 2 vol. Hugues, *Antoine Court : Histoire de la restauration du protestantisme en France au XVIIIe siècle*, Paris, 1872, 2 vol. Arnaud, *Histoire des protestants du Vivarais et du Velay, pays de Languedoc, de la Réforme à la Révolution*, 1888, 2 vol., t. II. Du même, *Histoire des protestants de Provence, du Comtat Venaissin et de la principauté d'Orange*, Paris, 1884, 2 vol. t. II. Coquerel (Arth.), *Jean Calas et sa famille*, Paris, 1869. Rabaut, *Sirven, Etude historique sur l'avènement de la tolérance*, Paris, 1891, 2e éd. Masmonteil, *La législation criminelle dans l'œuvre de Voltaire*, Paris, 1901 (thèse de droit). Haag (Eug. et Em.), *La France protestante ou vies des protestants français qui se sont fait un nom dans l'histoire*, Paris, 1846-1858, 10 vol.; nouvelle éd., en cours de publ. Galabert, *Les Assemblées de protestants dans le Montalbanais en 1744 et 1745, d'après des documents inédits* (Bull. de la Soc. hist. du Prot. fr., 1900). Gelin, *Les mariages au Désert et leurs conséquences en Poitou, en 1749* [Arrêt du Parlement de Bordeaux], (Bull. de la Soc. hist. du Prot. fr., 1894). Lods et Benoît, *Nouveaux échos de la tour de Constance : trois lettres inédites de Marie Durand* [1752-1759] (Bull. de la Soc. du Prot. fr., 1903); Lods, *Le maréchal de Richelieu persécuteur des protestants de la Guyenne (1758)*, Documents (Bull. Prot. fr., 1899); *Court de Gébelin et la représentation des Eglises réformées auprès du gouvernement de Louis XV (1763-1766), Jubilé cinquantenaire de la Société de l'histoire du protestantisme français* (Bull. Prot. fr., 1902). Maillard, *Un synode du Désert en Poitou (1744)*, Documents (Bull. Prot. fr., 1893). Reuss, *Un chapitre de l'histoire des persécutions religieuses. Le clergé catholique et les enfants illégitimes protestants et israélites, en Alsace, au XVIIIe siècle et au début de la Révolution* (Bull. Prot. fr., 1903). Teissier et Fontaine-Berbinau, *Forçats et prisonnières à la suite de l'Assemblée de Mouzoules, 1742* (Bull. Prot. fr., 1900).

2. Voir ci-dessus, pp. 84 et 85.

recommencé à partir de 1732. Ce furent les rigueurs habituelles : les galères pour les hommes et la réclusion perpétuelle pour les femmes qui fréquentaient les assemblées tenues « au désert[1] », dans des lieux écartés, carrières, forêts, cavernes, où les religionnaires se rendaient pour prier et entendre prêcher; le refus de considérer comme légitimes les enfants des mariages qu'un prêtre catholique n'avait pas consacrés; des amendes ruineuses frappant quiconque n'envoyait pas ses enfants à la messe ou au catéchisme; des enlèvements de jeunes filles religionnaires pour les faire élever dans des couvents. Le Gouvernement aurait voulu que les Protestants fissent « valider » leurs mariages, et se serait contenté, pour cela, d'un mariage bénit dans une église catholique par l'eau et le signe de la croix; mais les prêtres n'acceptaient pas ce compromis. Ils ne voulaient reconnaître pour mariés que ceux qui avaient reçu le sacrement selon les formes. En 1752, il fallut de longues négociations entre le duc de Richelieu, lieutenant général du Roi en Languedoc, l'intendant du Languedoc, Saint-Priest, et l'évêque d'Alais, de Montclus, pour que ce prélat invitât ses curés à ne plus donner le nom de bâtards aux enfants des protestants.

  Contre les pasteurs, l'unique peine était la mort. Ils ne se laissèrent pas effrayer. Antoine Court fonda à Lausanne, vers 1730, un séminaire protestant français, l'*École des pasteurs du désert*, qui fut entretenu par les dons des églises réformées, françaises et étrangères. Le pasteur Durand prêcha en Vivarais, et fut pendu à Montpellier, en 1732. Michel Viala fit, en 1735, une tournée dans le haut Languedoc et la haute Guyenne, où il réorganisa les églises. Morel-Duvernet, arrêté en 1739 et conduit à Tournon, essaya de s'évader et fut tué à coups de fusil. En 1744, un *Synode national* se réunit « au désert » dans le bas Languedoc, le 18 août, et il s'y trouva des pasteurs du haut et du bas Poitou, de l'Aunis, de la Saintonge, du Périgord, du haut et bas Languedoc, de la basse Guyenne, des Cévennes, du Vivarais, du Velay, du Dauphiné, même de la Normandie. Le Synode arrêta de présenter respectueusement au Roi une requête au nom de tous les protestants du royaume, pour y justifier leurs « assemblées », leurs « mariages » et leurs « baptêmes »; il régla des questions de discipline et choisit les livres de piété dont on devait user dans les églises. Il fit une manifestation de loyalisme, lorsque la nouvelle lui arriva de la maladie de Louis XV à Metz : « On s'est jeté à genoux, dit le procès-verbal des séances, pour

LES PASTEURS.

SYNODE NATIONAL DE 1774.

----

1. Voir *Histoire de France*, t. VIII, 1, pp. 340-360.

EXÉCUTIONS DE PASTEURS. FRANÇOIS ROCHETTE.

demander à Dieu, avec une ardente prière, le rétablissement de Sa Majesté. »

Les années d'après, des exécutions de pasteurs se succédèrent. En 1745, le pasteur Roger, qui avait paru au Synode et venait de prêcher en Dauphiné, fut pendu à Grenoble; en 1746, le pasteur Louis Ranc fut pendu à Die; en 1746, Mathieu Majal, et, en 1752, François Benezet le furent à Montpellier. Le plus célèbre de tous les pasteurs d'alors fut François Rochette. Parti de Lausanne, il s'était fait consacrer dans le haut Languedoc, et il avait commencé d'exercer son ministère en Agénois. On l'appela dans le Quercy. Une nuit qu'il allait baptiser un enfant, il fut pris pour un voleur et conduit devant les juges consulaires de Caussade; interrogé sous la foi du serment, il se reconnut pasteur. Trois « gentilshommes verriers[1] », les frères Grenier, ayant voulu l'enlever à ses juges, le tocsin de la ville sonna; les paysans accoururent armés de fourches. Rochette et les Grenier furent amenés à Cahors, puis à Toulouse où le Parlement les jugea et les condamna en février 1762. Rochette fut conduit, avec les Grenier, tête nue, pieds nus, en chemise et la corde au cou, devant le grand porche de Saint-Étienne de Toulouse; il s'y agenouilla, tenant en main une torche de cire jaune. Il devait demander « pardon à Dieu, au Roi et à la justice », mais il ne pria Dieu que de pardonner à ses juges. Il refusa la grâce qu'on lui offrait à condition qu'il abjurât, et fut pendu au gibet sur la petite place des Salins. Les Grenier furent décapités.

LE RÔLE DU CLERGÉ CATHOLIQUE.

La principale responsabilité de la persécution revient au Clergé. Repoussant la présomption admise dans la Déclaration de 1724 que tous les sujets du Roi avaient embrassé la religion catholique et romaine, les évêques demandaient que les suspects d'hérésie, pour se marier, fussent astreints à présenter, avec leur acte d'abjuration, des certificats d'accomplissement du devoir pascal, et que ceux qui vivaient conjugalement, sans avoir fait bénir leur union par un prêtre catholique, fussent poursuivis. Le Gouvernement fit droit à leurs exigences. En 1739, plusieurs protestants du Vivarais, mariés « au désert », sont dénoncés au présidial de Nîmes[2] « pour concubinage notoire et scandaleux »; le présidial demande à Saint-Florentin ce qu'il doit faire, et le secrétaire d'État répond qu'on peut « procéder criminellement ». En conséquence, les juges interdisent aux accusés et à leurs femmes de « cohabiter », et leur enjoignent de se présenter sous quinze jours devant l'évêque diocésain à l'effet d'obtenir, s'il y

1. Dans quelques provinces, les gentilshommes pouvaient fabriquer le verre sans déroger, et les roturiers qui le fabriquaient pouvaient acquérir la noblesse. De là l'expression de *gentilshommes verriers.*
2. Le siège présidial de Nîmes tenait alors les *Grands Jours* au Vivarais.

a lieu, l'autorisation de se faire marier par les curés de leurs paroisses. Les enlèvements d'enfants se multiplient. Dans les diocèses de Die, Viviers, Uzès, Apt, Nîmes, Dax, Cahors, Aix, les jeunes filles sont enfermées dans des couvents, parfois en si grand nombre qu'on ne peut les surveiller et qu'elles s'évadent. On enlevait aussi les garçons afin de « réhabiliter » leurs baptêmes. A Nîmes et dans les Cévennes, en 1751 et en 1752, des dragons en conduisent de force dans les églises. Il arrivait que des garçons de 13 à 14 ans se battaient avec les soldats. Mêmes violences en Poitou et en Normandie ; à Caen et à Saint-Lô, en 1744, des prêtres conduisaient les archers chez les huguenots qui avaient des enfants.

Bien que la conduite du Gouvernement ait souvent donné satisfaction aux évêques, il n'alla pas aussi loin que l'Église aurait voulu le conduire. Saint-Florentin déclarait, il est vrai, vouloir appliquer la loi contre l'hérésie : « La loi, disait-il, a été dictée par des motifs supérieurs, et ce serait renverser l'ouvrage de soixante années que d'y porter la moindre atteinte » ; mais il n'usa pas de rigueur continue. En temps de guerre, il devient très circonspect. En 1744, la France étant aux prises avec l'Angleterre et l'Autriche, il conseille à l'intendant du Poitou de fermer les yeux sur ceux qui ne font pas baptiser leurs enfants par les prêtres, sauf à les poursuivre « plus tard ».

LA CONDUITE DU GOUVERNEMENT.

> « J'espère, dit-il, que les Nouveaux Convertis, ne se voyant pas troublés dans leurs exercices, ne s'assembleront pas avec des armes. Si cela arrivait, je ne crois pas que vous deviez essayer de les dissiper sans être assuré non seulement d'avoir la supériorité, mais de la conserver en cas que l'orage se fortifiât, et c'est de quoi je doute fort. »

Comme on lui signalait la présence d'agents anglais dans les Cévennes, où il redoutait un soulèvement de protestants, il reprochait à l'intendant de Montauban ses rigueurs et lui enjoignait de contenir « le zèle dangereux des ecclésiastiques, des consuls et des anciens catholiques ». A l'archevêque d'Aix, qui voulait des troupes pour faire arrêter des jeunes filles protestantes, il répondait :

IL CONSEILLE LA MODÉRATION.

> « Les circonstances ne paraissent pas convenables pour ôter des *nouvelles catholiques* à leurs parents ; et l'emploi des troupes à cette besogne, non seulement les détournerait de l'ordre de leur marche, mais serait dangereux pour l'honneur de ces filles, pour la sûreté des personnes, les biens et effets de leurs parents, et enfin même d'un succès très équivoque. »

Au reste, calculant ce que coûtait l'entretien de ces pensionnaires par force et de tous les prisonniers pour fait de religion, il craignait les reproches du Contrôleur général toujours à court d'argent. A Alais, Uzès, Saint-Hippolyte, Nîmes, Montpellier, à la Tour de Constance à Aigues-Mortes, les prisons étaient pleines. On arrêtait en

Dauphiné, à Lyon, en Bourgogne les protestants qui voulaient émigrer; mais on les relâchait pour ne pas avoir à les nourrir, et ils retournaient chez eux où la persécution les reprenait.

INCONSÉQUENCES DU GOUVERNEMENT.

Cependant, Saint-Florentin fut impitoyable pour les pasteurs. « Rien, écrit-il à l'intendant Lenain, ne peut faire plus d'impression que le supplice d'un prédicant »; et, bien qu'il se fût contenté de demander aux simples religionnaires un catholicisme d'apparence, il craignait de passer pour un ministre tolérant. Il a félicité l'intendant du Languedoc, Saint-Priest, d'avoir défendu dans sa province la vente du *Traité de la tolérance*, de Voltaire.

ÉVOLUTION DE L'OPINION.

Les populations catholiques avaient longtemps soutenu le Clergé dans la persécution; mais, au milieu du siècle, se manifestèrent des sentiments de répugnance. Les soldats chargés d'arrêter les émigrants se dégoûtèrent de cette besogne; les officiers mirent leur point d'honneur à ne pas surprendre les religionnaires « au désert ». Parti de Versailles avec l'ordre de dissoudre, en Languedoc, les assemblées défendues, Richelieu fit afficher dans la province que nulle assemblée ne serait tolérée, ne fût-elle que de quatre personnes, et que tout mariage contracté au désert devait être sur-le-champ « réhabilité »; puis, dégoûté, lui aussi, de la persécution, en sentant l'inutilité, il s'abstint de faire exécuter ses ordres. Des magistrats, des intendants cessèrent d'appliquer rigoureusement la loi. Sans reconnaître aux Huguenots leur état civil, et sans les laisser libres d'ouvrir des temples, on toléra leurs réunions au désert et dans des maisons particulières. Il circula des écrits sur la tolérance. Antoine Court publia *le Patriote français et impartial* en 1753; le chevalier de Beaumont, *l'Accord parfait de la nature, de la raison, de la révélation et de la politique sur la tolérance*, la même année. D'autre part, le maître des requêtes, Turgot, dans *le Conciliateur ou Lettres d'un ecclésiastique à un magistrat sur les affaires présentes*, conclut en 1754 à l'établissement d'un mariage purement civil.

THÉORIES DE L'ÉGLISE.

Mais l'Église n'admettait pas ces tempéraments. En 1767, Marmontel, collaborateur de l'*Encyclopédie*, dramaturge et romancier, ayant publié un roman, *Bélisaire*, où il prêchait la tolérance, la Sorbonne censura l'ouvrage, et l'archevêque de Paris le condamna par un mandement. De la censure de la Faculté et du mandement, il ressortait que les deux puissances, la temporelle et la spirituelle, étant unies étroitement, le glaive devait être mis au service de la foi.

La faculté de théologie déclarait :

« Le prince a reçu le glaive matériel pour réprimer... non seulement les doctrines qui coupent les nœuds de la Société et provoquent à toute espèce de crime, comme le matérialisme, le déisme et l'athéisme, mais aussi tout ce qui peut ébranler les fondements de la doctrine catholique, donner atteinte à la pureté de sa foi et à la sainteté de sa morale; il a le droit d'empêcher les discours, les écrits, les assemblées, les complots, et tous les moyens extérieurs par lesquels on voudrait attaquer la religion, répandre des erreurs, et se faire des partisans. »

Parmi les Philosophes qui combattirent l'intolérance religieuse, Voltaire se mit au premier rang. Il mit tout son esprit, sa passion sincère pour la liberté de penser, son horreur pour l'inhumanité dans les affaires Calas et Sirven.

AFFAIRES CALAS ET SIRVEN.

Jean Calas et Anne-Rose Cabibel, sa femme, étaient marchands d'indiennes à Toulouse, dans la rue des Filatiers. Le mari avait soixante-quatre ans, la femme quarante-cinq. Ils avaient quatre fils : Marc-Antoine, Pierre, Louis et Donat, et deux filles : Rose et Anne. Leur servante, Jeanne Viguier, était catholique. L'avant-dernier des fils, Louis, converti au catholicisme, ayant quitté sa famille, avait exigé de son père, conformément aux édits, une pension. L'aîné, Marc-Antoine, était un esprit mélancolique; gradué en droit, il regrettait que sa qualité de protestant lui fermât le barreau; avec ses frères, il aidait ses parents dans leur commerce.

LA FAMILLE CALAS.

Un soir, le 13 octobre 1761, fut retenu à souper chez les Calas un jeune protestant de Bordeaux, Lavaysse, qui se destinait au métier de pilote, et devait, sous peu, passer à Saint-Domingue. Le repas terminé, Marc-Antoine quitta la compagnie, ayant, disait-il, à sortir. Deux heures après, Pierre Calas et Lavaysse, voulant sortir à leur tour, se trouvèrent en présence du corps de Marc-Antoine pendu à une porte. A leurs cris, la famille accourut; le corps fut détaché. Les Calas se concertèrent avec Lavaysse et la servante pour déclarer que Marc-Antoine était mort d'apoplexie; ils voulaient, par ce mensonge, épargner à la famille le scandale du suicide, et le procès qu'on eût fait, selon la législation du temps, au cadavre du suicidé avant de le traîner par les rues sur une claie, la face vers la terre.

MORT DE MARC-ANTOINE CALAS (1761).

Dans la foule amassée devant la maison des huguenots courut le soupçon d'assassinat. Un officier de justice criminelle, le capitoul David de Beaudrigue, arriva chez les Calas; il ne procéda à aucune enquête sur place, ne se demanda pas comment Marc-Antoine, un homme de vingt-huit ans, avait pu se laisser étrangler, sans que ses habits ou son corps gardassent la trace d'une lutte. Il fit porter le cadavre à la maison de ville, où il emmena les Calas, Lavaysse et Jeanne Viguier. Tous, bien qu'ils eussent été emprisonnés séparément, déclarèrent que Marc-Antoine s'était pendu; mais le capitoul ne voulut pas les croire. Il prétendait leur faire avouer que Marc avait eu le projet d'abjurer, et qu'à cause de cela il avait été assassiné. Le

L'ARRESTATION DES CALAS.

Procureur du Roi demanda à l'autorité ecclésiastique de faire lire au prône et afficher dans les rues un « moniteur » ordonnant aux fidèles de révéler à la justice ou à leurs curés ce qu'ils pouvaient savoir au sujet de Marc-Antoine et de sa mort. Dans ce moniteur, cette mort était attribuée à un crime.

FUNÉRAILLES DE MARC-ANTOINE. Marc-Antoine fut proclamé martyr. On avait conservé son corps dans la chaux vive et, un dimanche, quarante prêtres allèrent le chercher au Capitole, et le portèrent dans l'église des Pénitents blancs. Un catafalque y était dressé, surmonté d'un squelette tenant d'une main une palme, et, de l'autre, un écriteau avec cette inscription : « Abjuration de l'hérésie, — Marc-Antoine Calas ». Toutes les confréries de la ville étaient là ; parmi les pénitents blancs, se trouvait le frère converti du mort, Louis Calas.

CONDAMNATION DE JEAN CALAS. Le 13 novembre 1761, le tribunal des capitouls, composé de quatre juges et de trois assesseurs, jugea qu'avant « dire droit » Calas père et sa femme et leur fils Pierre seraient appliqués à la torture, et que Lavaysse et Jeanne Viguier y seraient seulement « présentés ». Le Procureur du Roi et les accusés appelèrent simultanément de cette sentence, et l'affaire fut ainsi portée au Parlement de Toulouse.

Il fut arrêté que Calas père serait jugé le premier et seul. Sur treize juges, sept opinèrent pour la mort ; trois se réservèrent, voulant attendre les résultats de la torture ; deux demandèrent que l'on vérifiât s'il était matériellement possible que Marc-Antoine se fût pendu ; un seul vota l'acquittement. Sept voix sur treize ne suffisaient pas pour prononcer la mort ; mais l'un des six juges qui ne l'avait pas votée, M. de Bojal, doyen des conseillers, se ravisa, et l'arrêt de mort devint exécutoire le 9 mars 1762.

SON EXÉCUTION. Jean Calas fut mis à la torture, qui ne lui arracha pas d'aveu. Il fut conduit le 10 mars 1762 sur un chariot, en chemise et pieds nus, devant la cathédrale, pour y faire publiquement amende honorable, puis, à la place Saint-Georges où était dressé l'échafaud. L'exécuteur le coucha sur la croix de Saint-André, et lui rompit à coups de barre de fer les bras, les jambes et les reins. Le vieillard criait : « Je suis innocent ! » Dans sa lente agonie, il paraissait prier. L'exécuteur enroula sur une roue ce corps désarticulé, le visage tourné vers le ciel, pour y vivre encore, comme avait ordonné l'arrêt de la Cour, « en peine et repentance » de son crime et « servir d'exemple et donner la terreur aux méchants [1] ».

1. Les juges bannirent Pierre Calas, mirent Mme Calas et Lavaysse hors de procès, et acquittèrent Jeanne Viguier, comme si Jean Calas eût été capable seul, à soixante-quatre ans, d'étrangler son fils dans la force de l'âge.

Les Jésuites, les Protestants.

Un marchand de Marseille, de passage à Toulouse lors de l'exécution de Calas, et qui, de là, se rendit à Genève, s'arrêta à Ferney pour raconter à Voltaire le procès du malheureux, qu'il croyait innocent. Voltaire s'informa; sur les premiers avis qu'il reçut, il jugea Calas coupable. En sa qualité de philosophe, il n'aimait pas mieux les protestants que les catholiques; le « fanatisme » des Genevois l'exaspérait. Il plaisanta sur le cas de Calas : « Ce saint réformé, dit-il, a pensé être « fort supérieur à Abraham, car Abraham n'avait fait qu'obéir », quand il pensa sacrifier son fils à Dieu; au lieu que Calas a tué son fils « de son propre mouvement, et pour l'acquit de sa conscience ». Il disait encore : « Nous ne valons pas grand'chose, mais les Huguenots sont pires que nous; et, de plus, ils déclament contre la Comédie ».

Puis, il s'inquiéta et se mit à s'enquérir; ayant appris que le plus jeune des fils Calas s'était enfui à Genève, il alla le voir et l'interrogea. Il écrivit à Mme Calas, pour lui demander si elle signerait que son mari était mort innocent; elle se déclara prête à le faire. Alors l'enquête s'étendit, merveilleusement conduite par Voltaire, qui, ayant plaidé toute sa vie, était un procédurier de premier ordre. En février 1763, il écrivait : « J'ose être sûr de l'innocence de cette famille, comme de mon existence. »

Pour obtenir la cassation de l'arrêt de Toulouse, la réhabilitation de la mémoire de Calas et des réparations à la veuve et aux enfants, Voltaire s'adressa au Chancelier Lamoignon, à Mme de Pompadour, à Choiseul, à tout le monde. Il aida Mme Calas à se rendre à Paris, et il écrivit à son ami, le comte d'Argental, conseiller au Parlement de Paris :

« La veuve Calas est à Paris, et dans le dessein de demander justice. L'oserait-elle, si son mari eût été coupable? Si, malgré toutes les preuves que j'ai, malgré les serments qu'on m'en a faits, cette femme avait quelque chose à se reprocher, qu'on la punisse, mais si c'est, comme je le crois, la plus vertueuse et la plus malheureuse femme du monde, au nom du genre humain, protégez-la! »

Ce fut devant le Conseil du Roi que Mme Calas porta son appel. Le Parlement de Toulouse ayant refusé de délivrer l'extrait de sa procédure, le Conseil l'exigea au nom du Roi. Et Voltaire s'écria : « Il y a donc une justice sur la terre! Il y a donc enfin de l'humanité! Les hommes ne sont donc pas tous de méchants coquins! » Le Conseil cassa la sentence des capitouls et les arrêts du Parlement, le 4 juin 1764. De soixante personnes, tant ministres que magistrats, dont le Conseil était, ce jour là, composé, vingt auraient voulu, pour ménager le Parlement de Toulouse, n'ordonner que la revision du procès; mais tous les autres opinèrent pour la cassation pure et simple. Le Roi renvoya le procès au tribunal des Requêtes de l'Hôtel, qui, le 9 mars 1765, rendit un arrêt définitif réhabilitant la mémoire de Jean Calas, et déchargeant de toute accusation sa veuve, son fils Pierre, Lavaysse et Jeanne Viguier. Sur la demande de dommages-intérêts, le tribunal ne donna pas d'autre satisfaction aux Calas que de les renvoyer à se pourvoir ainsi qu'ils aviseraient; mais il arrêta d'écrire au Roi pour les recommander à ses bontés. Le Roi partagea entre eux trente six mille livres. La réhabilitation fut complète. Les Calas furent reçus par la Reine et par les ministres; on courait sur leur passage, on battait des mains, on pleurait; le dessinateur Carmontel composa l'estampe de la famille Calas; une souscription s'ouvrit en Angleterre pour les Calas. Et Voltaire, il devint plus populaire que jamais.

L'AFFAIRE SIRVEN. En même temps que l'affaire Calas, se poursuivit l'affaire Sirven. Sirven vivait à Castres, de la profession de commissaire à terriers, c'est-à-dire qu'il établissait, d'après les anciens titres, le montant des droits revenant au seigneur lorsqu'on refaisait le terrier d'une seigneurie. En 1760, une de ses filles, du nom d'Élisabeth, fut enlevée sur la requête de l'évêque de Castres, M. de Barral, qui la fit placer dans un couvent, pour la raison qu'elle voulait se convertir au catholicisme. Au couvent, elle donna des signes de démence, et l'évêque la fit rendre à ses parents. Elle devint alors tout à fait folle. Comme les religieuses qui l'avaient gardée accusaient ses parents de la persécuter, Sirven quitta Castres pour Saint-Alby. Là, sa fille se jeta dans un puits, le 2 janvier 1762; la rumeur publique l'accusa de l'avoir tuée. Le médecin qui examina le cadavre conclut que, n'ayant d'eau ni dans les intestins ni dans le ventre, elle ne s'était pas noyée, qu'on l'avait donc jetée dans le puits morte, étouffée probablement. Un juge de Mazamet lança un décret de prise de corps contre Sirven et sa famille.

CONDAMNATION DES SIRVEN. Le premier mouvement de Sirven fut de se livrer à la justice, mais des amis lui persuadèrent de s'enfuir; il s'en alla à Genève, avec sa femme et ses trois filles. Le procureur fiscal ayant donné des conclusions où il déclarait tous les Sirven convaincus d'assassinat, le haut justicier de Mazamet, le 29 mars 1764, condamna comme parricide le père à être rompu sur la roue et brûlé vif, la mère à être pendue et étranglée.

VOLTAIRE PREND EN MAIN LA CAUSE. Dès qu'ils étaient arrivés en Suisse, les Sirven avaient couru chez Voltaire, qui, encore une fois, fit une enquête; il se convainquit de leur innocence, mais attendit, pour intervenir, la fin de l'affaire Calas. En 1766 seulement il publia son *Avis au public sur les parri-*

cides imputés aux Calas et aux Sirven. La nouvelle cause passionna moins le public que la précédente parce que les Sirven avaient la vie sauve ; mais, le 31 août 1767, Sirven se constitua prisonnier à Mazamet. Un nouveau drame s'annonçait ; il fut court et finit bien. Le Parlement de Toulouse, devenu prudent, défendit au premier juge d'instruire de nouveau l'affaire et subrogea à sa place un autre juge. La défense prouva la fausseté des témoignages qui avaient été produits au premier procès et la grossièreté des erreurs commises par le médecin. Le nouveau juge fut, dit Voltaire, « comme le diable obligé de reconnaître la justice de Dieu ». Il mit Sirven hors d'instance, l'élargit et lui fit donner main-levée de ses biens qui avaient été saisis. Mais, comme on le relâchait sans proclamer son innocence, Sirven interjeta appel au Parlement de Toulouse, et demanda vingt mille livres de dommages-intérêts. Le Parlement réforma la sentence de 1764, condamna les consuls de Mazamet aux dépens, mais n'accorda pas de dommages-intérêts.

L'ACQUITTEMENT
(1767).

Calas et Sirven étaient des huguenots, et cette qualité assurément prévint contre eux leurs juges ; le chevalier de La Barre fut victime des sentiments de l'Église et des magistrats à l'égard des Philosophes.

LE SACRILÈGE
D'ABBEVILLE (1765).

Sur un pont d'Abbeville, en 1765, des inconnus mutilèrent, à coups de sabre, un crucifix ; la population fut exaspérée par le sacrilège. L'évêque d'Amiens, M. de La Motte, au milieu d'un immense concours de fidèles, pieds nus et corde au cou, alla faire amende honorable à l'image sainte, et les curés lancèrent des monitoires. On ne découvrait pas de coupables ; mais un maître d'armes dénonça des jeunes gens qui s'étaient vantés, chez lui, de ne pas s'être mis à genoux et de n'avoir pas même ôté leurs chapeaux devant la procession du Saint-Sacrement : c'étaient MM. d'Étalonde, Moisnel, de La Barre et de Maillefeu, tous quatre mineurs. Il se trouva qu'un assesseur du Procureur du Roi à Abbeville, Duval de Soicourt, était l'ennemi personnel de l'abbesse de Willancourt, tante du chevalier de La Barre. On ajouta au fait d'irrévérence dont les jeunes gens étaient accusés le crime de sacrilège commis au pont d'Abbeville.

Au cours de l'interrogatoire devant la chambre criminelle de la sénéchaussée de Ponthieu, La Barre avoua qu'il avait chanté des chansons de corps de garde et lu de mauvais livres, le *Portier des Chartreux*, la *Religieuse en chemise*, le *Tableau de l'amour conjugal*, le *Dictionnaire philosophique et portatif* de Voltaire. Le Procureur du Roi était d'avis de faire mettre les trois jeunes gens dans une maison de force sans les juger, par lettre de cachet ; il en fit la proposition au Procureur général près le Parlement de Paris, Joly

LA BARRE
CONDAMNÉ
A ABBEVILLE
ET A PARIS.

de Fleury. Mais, au Parlement, l'occasion parut bonne de frapper un lecteur de Voltaire, et de punir en lui l'irrespect des Philosophes pour toutes les choses sacrées. Ordre fut donc envoyé à Abbeville d'instruire le procès. La Barre, jugé à part, fut condamné à mort pour ses lectures, pour des chansons qu'il avait chantées et pour l'injure faite à une procession. Le chevalier en appela au Parlement de Paris où le jugement fut confirmé. La Barre n'avait pas été défendu, le Parlement ayant interdit à Linguet, l'avocat, d'imprimer le mémoire qu'il avait composé pour la défense. L'évêque d'Amiens tenta généreusement de sauver le malheureux, mais le Roi refusa la grâce. Le 1ᵉʳ juillet 1766, à Abbeville, La Barre, portant sur le dos un placard où était écrit le mot *Impie*, fut conduit devant le porche de l'église de Saint-Wulfran pour faire amende honorable et avoir la langue coupée. Il fut ensuite décapité sur la place du grand marché, et son corps brûlé sur un bûcher. En même temps fut brûlé le *Dictionnaire philosophique*. Des autres jeunes gens, un s'était enfui, qui alla voir Voltaire, puis se réfugia en Russie. Les trois autres, que Linguet avait défendus, furent relâchés.

JUGEMENT DES PHILOSOPHES SUR LES PARLEMENTS.　　A la nouvelle de l'exécution de La Barre, Voltaire écrivit à d'Alembert : « Ce n'est plus le temps de plaisanter... Quoi! des Busiris en robe font périr, dans les plus horribles supplices, des enfants de seize ans!.... Et la nation le souffre! » Il disait encore : « L'homme est un animal bien lâche ; il voit tranquillement dévorer son prochain, et semble content, pourvu qu'on ne le dévore pas. Il regarde ces boucheries, avec le plaisir de la curiosité. » Voltaire s'en prit surtout au conseiller Pasquier, qui, au Parlement, avait, disait-on, chargé contre les Philosophes, instigateurs de sacrilèges. C'était, selon lui, cet « homme à gros yeux », à « mufle de bœuf », et dont la langue était « bonne à griller », qui avait persuadé à ses collègues de se faire cannibales, pour montrer qu'ils étaient chrétiens. Mais Grimm et Diderot conseillaient à Voltaire d'être prudent. « La bête féroce a trempé sa langue dans le sang humain, écrivit Diderot, elle ne peut plus s'en passer.... et n'ayant plus de Jésuites à manger, elle va se jeter sur les Philosophes ».

Les procès de Calas, de Sirven et de La Barre furent des événements dans l'histoire de la France et aussi dans celle de l'Europe, car l'Europe s'y intéressa, comme aux persécutions contre les protestants. Les écrits des Philosophes, répandus partout, opposèrent au vieux monde, à l'Église et à l'État unis et intolérants, au fanatisme populaire, à la magistrature pédante et cruelle, au système atroce des procédures et des peines, les idées de tolérance, de liberté et d'humanité.

CHAPITRE V

LE MOUVEMENT ÉCONOMIQUE ET LES FINANCES, DE MACHAULT AU TRAITÉ DE PARIS[1]

I. L'ÉCOLE DE GOURNAY; LA RÉFORME DU SYSTÈME RÉGLEMENTAIRE ET LA DESTRUCTION DE LA COMPAGNIE DES INDES. — II. L'ÉCOLE DE QUESNAY, LA QUESTION DES GRAINS ET LE PRÉTENDU PACTE DE FAMINE. — III. L'ÉTAT DES FINANCES AVANT ET APRÈS LE TRAITÉ DE PARIS; SILHOUETTE, BERTIN, L'AVERDY.

I. — L'ÉCOLE DE GOURNAY; LA RÉFORME DU SYSTÈME RÉGLEMENTAIRE ET LA DESTRUCTION DE LA COMPAGNIE DES INDES

AU milieu du XVIIIe siècle, le colbertisme, qui était dans toute sa force[2], fut attaqué, comme le furent toutes les sortes de puissances. Il était, d'ailleurs, devenu intolérable.

La législation industrielle et commerciale s'encombrait de plus

ABUS DU RÉGIME RÉGLEMENTAIRE.

1. SOURCES. D'Argenson (t. IV et suiv.), Barbier (t. III et IV), Moufle d'Angerville (t. IV), déjà cités; Arnould, *De la balance du commerce*, Paris, 1791, 2 vol. et atlas. *Collection des principaux Economistes* (Daire), Paris, 1846, 2 vol. t. I; Quesnay, *Le droit naturel; Analyse du tableau économique; Maximes générales du gouvernement économique d'un royaume agricole*; Art. extraits de l'Encyclopédie : *Fermiers; Grains; Œuvres économiques et philosophiques*, éd. Oncken, Francfort-sur-le-Mein, 1888; Art. *Hommes et Impôts*, publ. dans la Rev. d'Hist. des doctrines économiques, 1908. Dupont de Nemours, *De l'origine et des progrès d'une science nouvelle; abrégé des principes de l'économie politique*, 1768. Le Mercier de la Rivière, *L'ordre naturel et essentiel des sociétés politiques*, 1767. Baudeau, *Première introduction à la philosophie économique ou analyse des États policés*, 1771. Forbonnais, *Eléments du commerce*, Leyde et Paris, 1754, 2 vol. Turgot, *Œuvres*, Paris, 1844, 2 vol., t. I : Art. *Foires et marchés; Éloge de Gournay*. Voltaire, éd. Beuchot, t. XXXIV : *L'homme aux quarante écus*. Moheau, *Recherches et considérations sur la population de la France*, Paris, 1778.

OUVRAGES A CONSULTER. Bleunard (t. II), Clamageran (t. III), Clément (*Portraits; Silhouette*), Espinas, de Lavergne, Delahante, Levasseur (*Histoire des classes ouvrières*), de Luçay, Montyon, Roustan, Taine, Thirion, Tocqueville, déjà cités. Gide et Rist, *Histoire des doctrines économiques depuis les physiocrates jusqu'à nos jours*, Paris, 1909. Afanassiev, *Le commerce des céréales en France au XVIIIe siècle* (trad. Boyer), Paris, 1894. D'Avenel, *Histoire économique de la propriété, des salaires, des denrées et de tous les prix en général depuis l'an 1200 jusqu'en l'an 1800*, Paris, 1894-1898, 4 vol. Babeau, *Le village sous l'ancien régime*, Paris, 1879, 2e éd.; *la vie rurale dans l'ancienne France*, Paris, 1882. Biollay, *Études économiques*

en plus. Le moindre fabricant, pour ne pas tomber en faute, aurait
dû être jurisconsulte. L'administration prétendait vérifier la qualité
et l'origine des matières premières employées, les procédés de fabrication, la dimension des étoffes. D'innombrables agents, pour protéger
les consommateurs contre la mauvaise foi des producteurs, recherchaient, par exemple, si les draps étaient fabriqués avec des laines
de telle ou telle espèce, si les bas étaient de filoselle et de fleuret à
trois brins, si les bas pour hommes pesaient cinq onces, ceux pour
femmes trois onces. Des contrôleurs apposaient des marques. Les
draps étaient marqués jusqu'à trois fois, « en toile », c'est-à-dire à la
sortie du métier, au retour du moulin à foulon, et à la suite du dernier apprêt; ils portaient un plomb indiquant leur qualité.

Pour tout manquement, si léger fût-il, les fabricants risquaient
de dures pénalités :

« J'ai vu, dit un inspecteur des manufactures, Roland de la Platière, dans un
Mémoire de 1778, couper par morceaux, dans une seule matinée, quatre-vingts,
quatre-vingt-dix et cent pièces d'étoffes... J'ai vu, les mêmes jours, en con-
fisquer plus ou moins, avec amendes plus ou moins fortes;.. j'en ai vu attacher
au carcan, avec le nom du fabricant, et menacer celui-ci de l'y attacher lui-
même, en cas de récidive. J'ai vu tout cela à Rouen; et tout cela était voulu
par les règlements, ou ordonné ministériellement; et pourquoi? Uniquement
pour une matière illégale, ou pour un tissage irrégulier. J'ai vu faire des

sur le XVIIIᵉ siècle : *Le pacte de famine*, Paris, 1885. Biré, *La légende du pacte de famine*
(dans le *Correspondant*, 1889, t. CLVI). Boissonnade, *Etudes sur les rapports de l'Etat
et de la grande industrie aux XVIIᵉ et XVIIIᵉ siècles; Essai sur l'organisation du travail
en Poitou, depuis le XIᵉ siècle jusqu'à la Révolution* (Mémoires de la Société des antiquaires
de l'Ouest, t. XXI et XXII de la 2ᵉ série, 1898-1899). Du même auteur : *Le socialisme d'Etat
sous l'ancien régime* (ouv. non encore publié, dont nous avons eu communication). Bord,
Histoire du blé en France : le pacte de famine, Paris, 1887. De Calonne, *La vie agricole sous
l'ancien régime dans le nord de la France*, Paris, 1885. Des Cilleuls, *L'histoire et le régime de
la grande industrie au XVIIᵉ et au XVIIIᵉ siècles*, Paris, 1898. Fournier de Flaix, *La réforme
de l'impôt en France*, t. I : *Les théories fiscales et les impôts en France et en Europe au XVIIᵉ
et au XVIIIᵉ siècles*, Paris, 1885. Grimaud (Edouard), *Lavoisier (1743-1794), d'après ses manuscrits, ses papiers de famille et d'autres documents inédits*, Paris, 1899. Funck-Brentano, *Mandrin, capitaine général des contrebandiers de France*, Paris, 1908. De Foville, *La France
économique*, Paris, 1889, 2 vol. Guyot (Yves), *Quesnay et la Physiocratie*, Paris, 1896. Huvelin,
Essai historique sur le droit des marchés et des foires, Paris, 1897. Kareiev, *Les paysans et
la question paysanne en France dans le dernier quart du XVIIIᵉ siècle*, Paris, 1899. Krug-
Basse, *L'Alsace avant 1789, ou état de ses institutions provinciales et locales*, Paris, 1877.
Labouchère, *Oberkampf*, Paris, 1878. Levasseur, *La population française*, Paris, 1889-1892,
3 vol. Id., *Des progrès de l'Agriculture française dans la seconde moitié du XVIIIᵉ siècle*
(Rev. d'écon. pol., 1898). Loménie (de) *Les Mirabeau*, Paris, 1879, 3 vol. Marion, *Etat des
classes rurales au XVIIIᵉ siècle dans la généralité de Bordeaux*, Paris, 1902. Sée, *Les classes
rurales en Bretagne du XVIᵉ siècle à la Révolution*, Paris, 1906. La Farge, *L'Agriculture en
Limousin au XVIIIᵉ siècle et l'Intendance de Turgot*. Ardascheff, *Les intendants de province
sous Louis XVI* (trad. fr.), Paris, 1909. Martin, *La grande industrie en France sous le règne
de Louis XV*, Paris, 1900. Id., *Les associations ouvrières au XVIIIᵉ siècle (1700-1792)*, Paris,
1900. Pariset, *La Chambre de Commerce de Lyon au XVIIIᵉ siècle* (Mém. de l'Acad. des sciences...
de Lyon, t. XXIV, 1887). Ripert, *Le marquis de Mirabeau, l'ami des hommes, ses théories
politiques et économiques*, Paris, 1901. Schelle, *Vincent de Gournay*, Paris, 1897. Id., *Dupont
de Nemours et l'école physiocratique*, Paris, 1888. Id., *Turgot*, Paris, 1909. Truchy, *Le libé-
ralisme économique dans les œuvres de Quesnay* (Rev. d'Econ. pol., 1899, t. XIII).

2. Voir plus haut, pp. 103 et 104, et t. VII, 1, pp. 219 et suiv.; t. VIII, 1, pp. 234-235.

descentes chez les fabricants, avec une bande de satellites, bouleverser leurs ateliers, répandre l'effroi dans leur famille, couper une chaîne sur le métier ; et pourquoi ? Pour avoir fait des pannes en laine, qu'on faisait en Angleterre, et que les Anglais vendaient partout, même en France, et cela, parce que les règlements de France ne faisaient mention que des pannes en poil. J'ai vu, sentence en main, huissiers et cohortes poursuivre à outrance, dans leur fortune et dans leur personne, de malheureux fabricants, pour avoir acheté leurs matières ici plutôt que là, à telle heure plutôt qu'à telle autre. »

Aux embarras des règlements s'ajoutaient les conflits entre corps de métiers, chacun prétendant fabriquer quelque produit réservé à d'autres, sans pour cela tolérer qu'on fabriquât le sien. *CONFLITS ENTRE CORPS DE MÉTIERS.*

Les manufactures royales conservaient leurs privilèges pour des raisons qui, longtemps, avaient paru justes : assurer la fabrication de bons produits, et soutenir ainsi l'industrie française contre la concurrence étrangère, le travail libre étant jugé incapable de se tirer d'affaire. Mais nombre de gens commençaient de trouver surprenant qu'à côté des privilèges survivant à la destruction de la féodalité, l'État en établît, d'importance non moins grande, en faveur d'individus ou de sociétés. *MANUFACTURES ROYALES.*

Contre les abus de ce régime se forma un parti de réformateurs. Il se divisa en deux écoles, l'une commerciale, l'autre agricole. Il chercha ses maîtres en Hollande, en Angleterre et en trouva quelques-uns en France. *LES ÉCONOMISTES.*

L'école commerciale eut Gournay[1] pour chef. Fils d'un négociant de Saint-Malo, et négociant lui-même, Gournay avait, tout jeune, visité l'Espagne, Hambourg, l'Angleterre et la Hollande. Dans ses voyages, il s'était convaincu de l'inefficacité du protectionnisme. Il devint intendant du commerce en 1751, et membre du Bureau de commerce. Ardent propagandiste de ses idées, il accomplit ce prodige d'amener les administrateurs à se défier des règlements et de les rendre plus libéraux que le public ; il persuada aux inspecteurs des manufactures de traiter les fabricants avec douceur. C'est à lui qu'on attribue la formule fameuse : « Laissez faire, laissez passer[2] ». Il entreprit des voyages dans le royaume de 1753 à 1756 ; il obtint la fondation d'écoles de dessin à Nantes, à Rouen, à Saint-Malo. Il n'a publié que des traductions d'ouvrages anglais, notamment le traité de Child sur le commerce ; mais il a exposé ses idées dans des rapports, des mémoires et des lettres conservés aux Archives nationales. *L'ÉCOLE COMMERCIALE. GOURNAY.*

1. Gournay est né en 1712, et mort en 1759;
2. Tout au plus Gournay permettait-il à l'État de distribuer aux fabricants des gratifications et des prix, des marques d'honneur. Il ne voulait pas qu'on poursuivit un ouvrier pour avoir fabriqué une étoffe jugée inférieure, parce que tout fabricant, disait-il, ajoute quelque chose à la masse des richesses de l'État, parce que les consommateurs peuvent préférer une marchandise inférieure, mais peu coûteuse, à une marchandise parfaite, mais de grand prix.

ÉTABLISSEMENT
DE LA LIBERTÉ
INDUSTRIELLE.

Le Bureau de commerce mit prudemment les maximes nouvelles en pratique. Il achemina la France vers la liberté économique par toute une série de mesures. Il réserva le titre de manufactures royales aux établissements qui travaillaient vraiment pour le Roi, aux Gobelins, à la Compagnie des Glaces, à la manufacture de Sèvres, ou aux fabriques qui justifiaient cette distinction par l'ancienneté de leurs services ou la supériorité de leurs produits. Il s'efforça de gagner à ses vues les intendants des provinces, le grand commerce et la grande industrie. De fait, il y parvint. En 1757, on vit toutes les fabriques du Languedoc tisser les draps du Levant ; et, dix ans plus tard, les Van Robais qui, depuis plus d'un siècle, produisaient seuls à Abbeville les draps fins, se décidèrent à renoncer à leur monopole et à faire l'éloge de la liberté.

Peu à peu, l'État permit aux fabricants de varier leur outillage et leurs produits, de faire face aux besoins multiples de la consommation, d'innover et de suivre les mouvements de la mode. En bien des cas, les visites des inspecteurs et des gardes-jurés devinrent de simples formalités.

LES TOILES
PEINTES.

L'ancienne et la nouvelle école se querellèrent au sujet des toiles peintes ou indiennes, dont la concurrence était si redoutée par les fabricants de soieries et de lainages [1]. L'importation en était interdite, et il était interdit aussi d'imprimer sur aucune toile des fleurs ou autres figures. L'abbé Morellet écrivit en 1758 ses *Réflexions sur les avantages de la libre fabrication et de l'usage des toiles peintes en France*. Ses arguments, qui lui venaient de Gournay, ne s'appliquaient pas seulement à la fabrication des indiennes. En thèse générale, il démontrait la nécessité de la liberté industrielle, pour le fabricant comme pour le consommateur. Il eut contre lui les tisseurs de Rouen, Lyon, Tours, Amiens, mais pour lui les Philosophes, les salons, le grand public, surtout les femmes. Le Bureau de commerce et le Conseil autorisèrent en 1759 la fabrication des toiles de coton « blanches, peintes ou imprimées, à l'imitation de celles des Indes », attendu l'utilité d'une industrie qui pouvait donner aux pauvres des habillements à bon marché.

OBERKAMPF.

L'expérience de la liberté réussit à merveille. La fabrication des étoffes imprimées prospéra dans les provinces qui avaient le plus protesté contre leur libre fabrication, en Normandie, en Picardie, dans l'Ile-de-France, dans le Lyonnais et le Beaujolais. Oberkampf, graveur à la manufacture Kœchlin et Dolfus, à Mulhouse, vint s'établir près de Paris, sur la Bièvre. En 1761, il fabriqua trois mille

---

1. Voir *Hist. de France*, t. VII, pp. 237, 391.

six cents pièces d'indiennes. Pendant quarante ans, ses produits abondèrent sur nos marchés; c'étaient des étoffes appelées *siamoises* ou *mignonnettes*, mousselines à fond blanc, qu'on faisait venir de Suisse, pour les décorer de bouquets de fleurs.

Dans toute l'industrie française, on sent une sorte de renouvellement. Un arrêt du Conseil, du 10 mai 1763, ayant donné aux maîtres papetiers le droit de faire usage des machines et instruments qui leur paraîtraient le plus convenables, les maîtres de l'Angoumois, du Gâtinais, de l'Auvergne, distancés par l'Angleterre et la Hollande, renouvelèrent leur matériel et leurs procédés. De même, des maîtres tanneurs appliquèrent les procédés de la tannerie britannique dans des manufactures qu'ils fondèrent à Montauban et à Dunkerque en 1749, à Bayonne en 1750, à Lectoure en 1752. Les chamoiseurs avaient, depuis le début du siècle, en raison de l'ouverture du marché espagnol, presque le monopole de l'achat des peaux à la Plata, comme ils l'avaient, d'ailleurs, au Canada; vers le milieu du siècle ils concentrèrent leur activité à Niort, Blois, Châtellerault, Lunéville, Grenoble. Niort avait la spécialité des gants de castor, de daim, de chamois et celle des buffleteries pour la cavalerie. La fabrication des verres et des cristaux prospéra dans l'Argonne, à Sainte-Ménehould, en Brie, à Montmirail, dans les Trois-Évêchés, dans le Bordelais; de même que les verriers avaient imité Venise pour les glaces et la verrerie de luxe, ils imitèrent l'Angleterre et la Bohême pour la verrerie usuelle. Les raffineries de sucres coloniaux se développèrent [1] dans presque tous les ports de commerce, à Bordeaux, Dunkerque, Nantes, Rouen, la Rochelle, Marseille. Les fabriques de savon se multiplièrent plus rapidement encore. A Marseille, en un demi-siècle, le nombre en passa de 7 à 50. La coutellerie de Châtellerault, qui décroissait, conserva cependant son renom; de 1750 à 1768 il s'y trouve encore 208 maîtres couteliers dont les produits alimentent les foires de Beaucaire et de Bordeaux, de Bretagne, de Normandie, et pénètrent dans les îles du Nouveau-Monde. La fabrique de Lyon subit un préjudice du fait des droits que les Anglais et les Hollandais mirent sur ses soieries; vers 1750, ces droits s'élevaient en Angleterre jusqu'à 70 p. 100 de la valeur; les soieries lyonnaises n'en atteignirent pas moins à cette époque la perfection du dessin et des nuances.

L'organisation du travail n'a pas été modifiée au XVIIIᵉ siècle [2]; mais on voit de plus en plus se former de grandes agglomérations

GRAND DÉVELOPPEMENT DE L'INDUSTRIE.

---

1. Voir *Hist. de France*, t. VII, 2, pp. 246 et 247, et plus haut, p. 109.
2. Voir *ibid.*, t. VIII, 1, pp. 229-239.

ouvrières. Il y avait, à Lyon, quarante-huit mille personnes employées au travail de la soie; à Marseille, deux mille; à Tours, six cents. Les Van Robais d'Abbeville occupaient quatre mille ouvriers drapiers; les Lebauche, de Sedan, cinq cents. En Languedoc, la fabrication des draps du Levant comptait trente mille ouvriers dont dix mille dans les seules fabriques de Carcassonne, Saptes et Conques. Mêmes groupements dans les manufactures de tabacs à Paris, au Havre, à Tonneins; dans celles de verrerie, de céramique, de métallurgie. La fabrication des glaces occupe, à Saint-Gobain, mille à douze cents ouvriers en été, dix-huit cents à deux mille en hiver, de six cents à mille au faubourg Saint-Antoine, à Paris; les toiles, cotonnades et velours de coton, douze cents ouvriers à Sisteron, dix-huit cents chez les La Forêt, à Limoges, quinze cents dans le faubourg Saint-Sever, à Rouen.

La condition des ouvriers n'a pas changé. Ils continuent d'être emprisonnés dans les règlements corporatifs[1]. Les salaires ne se sont pour ainsi dire pas élevés. La manufacture de Beauvais paye les plus habiles ouvriers de 2 à 3 livres par jour, et celle des Gobelins 20 sous; mais les fabriques de soie, à Tours, ne donnent que 10 ou 12 sous; les ouvrières d'Abbeville ne gagnent que 4 sous et demi, celles d'Aubusson de 2 à 5 sous[2].

Les Économistes ont demandé la liberté du commerce comme celle de l'industrie. Ils ont attaqué les privilèges des foires et marchés, dénié à l'administration le droit d'en limiter le nombre et d'interdire la vente de certaines marchandises ailleurs qu'en certains lieux :

« Qu'importe, disait l'un d'eux, que ce soit Pierre ou Jacques, le Maine ou la Bretagne qui fabriquent telle ou telle marchandise, pourvu que l'État s'enrichisse et que les Français vivent?... Qu'importe qu'une étoffe soit vendue à Beaucaire ou dans le lieu de sa fabrication, pourvu que l'ouvrier reçoive le prix de son travail? Qu'importe qu'il se fasse un grand commerce, dans une certaine ville et dans un certain moment, si ce commerce momentané n'est grand que par les causes mêmes qui gênent le commerce et qui tendent à le diminuer dans tout autre temps et dans toute l'étendue de l'État? »

Or, chaque port de France avait, pour ainsi dire, sa spécialité ou plutôt ses privilèges d'arrivée et de destination. Les vins du « pays supérieur » devaient aboutir à Bordeaux; les vins expédiés aux colonies ne pouvaient être embarqués qu'à Bordeaux ou à Nantes; les relations avec le Levant s'effectuaient par Marseille, et le trafic de la Compagnie des Indes passait nécessairement par Lorient.

---

1. Voir plus haut, p. 103, et t. VIII, 1, p. 231.
2. Ces chiffres sont relevés dans un ouvrage manuscrit de M. P. Boissonnade, *Essai sur l'histoire et le régime des manufactures royales aux XVIIᵉ et XVIIIᵉ siècles*, l. III, ch. IV.

Cette Compagnie fut traitée par les Économistes en ennemie mortelle. Elle avait, depuis Fleury, singulièrement perdu de sa puissance, les guerres maritimes et coloniales l'ayant en partie ruinée. De 1744 à 1748, elle avait perdu, par capture ou naufrage, 29 navires. Voltaire estime à vingt-cinq millions la valeur des cargaisons perdues en 1745. En 1744 et en 1745 elle ne paya pas de dividendes ; ses actions, qui étaient cotées 2100 livres en 1743, tombèrent à 1348 en 1748. Après la paix d'Aix-la-Chapelle le commerce de la Compagnie avait été gêné par l'inquiétude où l'on était de voir les hostilités se perpétuer en Inde par la politique de Dupleix. La guerre de Sept Ans lui fit perdre, outre ses principaux territoires et comptoirs, le commerce du castor et la fourniture des nègres à Saint-Domingue. Ses bénéfices commerciaux s'étaient réduits à presque rien ; de 1759 à 1763, en quatre ans, ils ne furent que de 560 000 livres. Les actions qui étaient remontées à 1 500 livres en 1756, tombèrent à 725 livres en 1762.

DÉCADENCE DE LA COMPAGNIE DES INDES.

La paix signée, la Compagnie fit un grand effort. Elle s'était engagée à payer les dépenses occasionnées par la guerre de l'Inde, 70 millions ; en 1765, le gouvernement l'autorisa à demander à ses actionnaires 400 livres par action, c'est-à-dire, pour 50 000 actions, 20 millions, à émettre un emprunt sous forme de loterie dont le total des lots fut fixé à 477 000 livres de rentes viagères, et en 1767, à emprunter 12 millions par obligations remboursables en cinq ans. Ces emprunts furent couverts ; le commerce reprit, et avec une telle activité que les bénéfices atteignirent six millions. La Compagnie espérait qu'en 1769, ses recettes seraient en équilibre avec ses dépenses.

Mais, plus que la perte des colonies, plus qu'une dette accumulée par deux guerres successives, les théories des Économistes menacèrent la Compagnie des Indes.

UN MÉMOIRE DE GOURNAY.

Le système des compagnies, emprunté à l'Angleterre, avait, disaient-ils, fait son temps ; les compagnies, organisées pour « le bien général du royaume », avaient tourné contre leur objet ; par leurs privilèges elles empêchaient la concurrence de mettre « un juste prix aux produits », maintenaient le commerce et l'industrie dans une espèce de « servitude ». C'était d'ailleurs la doctrine de Montesquieu qui avait proposé de transférer à l'État les attributions des compagnies :

« La nature des grandes Compagnies, écrivait-il dans l'*Esprit des Lois*, est de donner aux richesses particulières la force des richesses publiques ; cette force ne peut se trouver que dans les mains du Prince. »

Le 26 juin 1755, dans un mémoire adressé au Contrôleur général

Moreau de Séchelles, Gournay proposa de « liquider le commerce et les dettes de la Compagnie des Indes, de déclarer le trafic de l'Inde ouvert à tous ». Les frais des compagnies de commerce, disait-il, sont proportionnellement plus grands que ceux des particuliers commerçant; il donnait comme raison de ce fait qu'elles faisaient des dépenses étrangères à leur objet, ce qui était vrai pour la Compagnie des Indes, si on la faisait responsable de la politique et des conquêtes; que cette compagnie avait contracté des emprunts à un taux onéreux; que ses Directeurs se recrutaient par la brigue et la faveur, ne s'occupaient pas assez des affaires communes, faisaient le commerce pour leur propre compte. Il pensait que l'on pouvait rembourser la dette de la Compagnie en vendant ses vaisseaux et ses magasins, et en transformant en rentes perpétuelles à 4 p. 100, au bénéfice des créanciers, la rente servie par le Roi à la Compagnie, et qui s'élevait en 1756 à 6 300 000 livres. Il assurait que, l'opération terminée, Dunkerque et Marseille feraient aussitôt le commerce en Inde. Il concluait sur son projet :

> « Cette proposition augmentera considérablement notre navigation, nos manufactures, et la culture de nos terres; toutes ces choses sont la source des richesses; elles se tiennent entre elles, et découlent naturellement d'un commerce libre; on ne peut jamais se les promettre des commerces exclusifs. »

Quatorze ans plus tard, ce fut aussi la conclusion d'un rapport demandé par le Contrôleur général à l'économiste Morellet. Un banquier qui commençait à faire parler de lui, Necker, partisan du colbertisme, essaya vainement de défendre la Compagnie avec laquelle il faisait des affaires; les Économistes étaient parvenus à mettre tout le monde contre elle. Le privilège de la Compagnie des *LE PRIVILÈGE* Indes fut supprimé par arrêt du Conseil le 13 août 1769; les action-*DE LA COMPAGNIE* naires abandonnèrent leurs droits au Roi, qui accepta la cession *SUPPRIMÉ (1769).* de leur actif et se chargea de leur passif. Le 3 septembre, le Parlement fit des « représentations » au Roi, non pour protester contre l'abolition de la Compagnie, mais pour rendre au moins justice à l'œuvre qu'elle avait accomplie, et que ses ennemis méconnaissaient :

> « Cette Compagnie, dit-il, présente dans le point de vue général de son existence le magnifique projet de porter la gloire du nom français et la puissance de Votre Majesté jusqu'aux extrémités du monde. Sa marine a fourni des sujets distingués à votre marine; ses vaisseaux ont toujours soutenu les droits de souveraineté dont il a plu à Votre Majesté lui confier la défense dans une partie du monde. Les différentes secousses qu'elle a éprouvées ont été occasionnées moins par les variations de son commerce que par les guerres que l'État a eu à supporter, la situation fâcheuse des finances de l'État, et peut-être l'effet de l'autorité qui a toujours dirigé et souvent ordonné ses opérations. »

Il est vrai que le Gouvernement avait rendu la vie pénible à la Compagnie par sa politique, par ses guerres, et par l'autorité qu'il exerçait sur elle, et qu'elle avait surmonté de grandes difficultés, et fait preuve de vitalité; mais l'expérience qui se fit après sa suppression donna raison aux Économistes. En 1770, pour faire cesser toutes récriminations, on assembla des représentants des principales villes du royaume et on leur demanda s'il y avait lieu de rétablir la Compagnie; ils répondirent négativement. Le commerce des Indes Orientales, qui, de 1725 à 1769, n'avait donné qu'un résultat moyen de huit millions de francs par an, une fois libre, prit un développement considérable. La valeur moyenne des seules importations sur sept années consécutives s'éleva à vingt millions deux cent quatre-vingt-quatorze mille livres.

II. — L'ÉCOLE DE QUESNAY, LA QUESTION DES GRAINS ET LE PRÉTENDU PACTE DE FAMINE

PENDANT que des Économistes travaillaient à vivifier par la liberté le commerce et l'industrie, d'autres enseignaient que « la terre est l'unique source de toutes les richesses » et que « la culture de la terre produit tout ce qu'on peut désirer ». On les appela les « Physiocrates », c'est-à-dire ceux qui croient à la puissance de la nature. Quesnay fut leur chef.

Fils d'un avocat au Parlement de Paris, né en 1694 en Ile-de-France, à Méré, près Montfort-l'Amaury, élevé dans un petit domaine de famille, un jardinier lui apprend à lire; un chirurgien du pays lui enseigne le latin, le grec, les sciences. Il va travailler à Paris cinq ou six ans, y suit des cours de médecine, de chirurgie, étudie la botanique, la philosophie, les mathématiques, apprend à dessiner et à graver, devient un habile graveur, se fait recevoir chirurgien de l'Hôtel-Dieu de Mantes et publie une étude sur la saignée. Chirurgien du Roi en 1737, secrétaire général de l'Académie de chirurgie, il écrit la préface remarquable des Mémoires de cette Académie. Rendu par la goutte incapable d'opérations, il se fait recevoir docteur en médecine en 1744, devient premier médecin ordinaire du Roi, Il occupe un entresol au-dessus de l'appartement de Mme de Pompadour. Louis XV avait de l'affection pour lui, et l'appelait *le Penseur*. *QUESNAY (1694-1774).*

Quesnay a exposé les doctrines physiocratiques dans deux articles de l'Encyclopédie [1] sur les *Fermiers* et les *Grains*, et dans deux traités *SES ŒUVRES.*

1. Il avait en outre préparé pour l'Encyclopédie les articles *Hommes* et *Impôts*, qu'il ne publia pas. Ils ont été édités dans la *Revue d'hist. des doctr. économiques* de 1908.

l'*Analyse du Tableau économique* et les *Maximes générales du gouvernement économique d'un royaume agricole*, publiés en 1760.

SA DOCTRINE.   Un écrit sur le *Droit naturel*, qui est de 1765, donne la philosophie du « penseur ». Il croyait à un droit antérieur et supérieur à tout gouvernement : le « droit de l'homme aux choses propres à sa jouissance, indéterminé dans l'ordre de la nature tant qu'il n'est pas assuré par la possession actuelle, déterminé dans l'ordre de la justice par une possession effective... acquise par le travail, sans usurpation sur le droit de possession d'autrui ».

Il accordait à l'homme la liberté individuelle, la liberté de penser, la liberté du travail, la liberté du commerce et prescrivait le respect de la propriété, l'égalité de tous devant la loi. Quesnay était en ces doctrines d'accord avec Locke; mais Locke concluait contre le pouvoir absolu, et Quesnay voulait seulement que ce pouvoir respectât le droit naturel. Il n'admettait pas de « contreforces » comme Clergé, Noblesse, Parlements, qui n'étaient bonnes qu'à produire « la discorde »; il tenait pour le « Despotisme éclairé », dont il avait besoin d'ailleurs pour obtenir la réforme économique que seul un maître absolu pouvait opérer.

Le maître, toutefois, devait renoncer à tout réglementer; les règlements sur la circulation des grains étaient une cause de misère :

« Le principe de tout progrès est l'exportation des denrées parce que la vente à l'étranger augmente les revenus; que l'accroissement des revenus augmente la population; que l'accroissement de la population augmente la consommation; qu'une plus grande consommation augmente de plus en plus la culture, les revenus des terres et la population. »

TRAVAIL AGRICOLE SEUL PRODUCTIF.   Quesnay prétend établir que le travail agricole est le seul productif, et que l'industrie « ne multiplie pas les richesses ». Il loue sans réserves Sully d'avoir « saisi les vrais principes du gouvernement économique du royaume en établissant les richesses du roi, la puissance de l'État, le bonheur du peuple, sur les revenus des terres, c'est-à-dire sur l'agriculture et sur le commerce extérieur de ses productions ». Pour lui, les agriculteurs seuls forment la « classe productive ». Il range au contraire dans la « classe stérile » tous les citoyens *PRÉVENTIONS CONTRE L'INDUSTRIE ET LE COMMERCE.* « occupés à d'autres travaux que ceux de l'agriculture », et regrette que la protection de l'État ait assuré aux manufactures d'énormes profits. Il écrit en 1757 :

« Les manufactures nous ont plongés dans un luxe désordonné. La consommation entretenue par le luxe... ne peut se soutenir que par l'opulence; les hommes peu favorisés de la fortune ne peuvent s'y livrer qu'à leur préjudice et au désavantage de l'État. »

Il estime que les gains des industriels, comme ceux des commerçants, se font aux dépens des cultivateurs et de la masse du pays. Les gains s'accumulent dans les villes. « Les commerçants participent aux richesses des nations, mais les nations ne participent pas aux richesses des commerçants. Le négociant est étranger dans sa patrie. » Quesnay demande qu'on rende l'industrie et le commerce libres, afin que la concurrence fasse tomber au plus bas leurs bénéfices; qu'on cesse de dépeupler les campagnes pour donner des ouvriers à l'industrie; de faire baisser le prix des blés pour que la main-d'œuvre ouvrière soit moins chère qu'à l'étranger; il demande que la classe productive soit libre de vendre ses produits au plus haut prix possible.

La richesse ne dérivant que de la terre, les charges publiques ne doivent peser que sur le revenu de la terre. Pour fixer ce revenu, on déduira du produit brut des cultures la subsistance et la rémunération des laboureurs, les frais d'entretien ou de renouvellement du bétail et du matériel agricole, toutes les « avances » de l'agriculture, parce que ces « avances », disent les *Maximes générales du gouvernement économique*, doivent être envisagées comme « un immeuble qu'il faut conserver précieusement pour la production de l'impôt, du revenu et de la subsistance de tous les citoyens ».

LES PROPRIÉTAIRES PAYERONT SEULS L'IMPÔT.

Donc, point d'impôts qui ne portent exclusivement sur la rente du sol, c'est-à-dire sur le prix de fermage payé par les fermiers, sur les portions de revenus payées par les métayers et les colons, ou sur ce qui reste au propriétaire cultivant lui-même quand il a mis à part tous ses frais. Les fermiers, métayers, colons ne payeront plus les impôts; le propriétaire foncier les payera seul[1]. Les maisons ne seront pas imposées, parce qu'elles s'usent et ne se reproduisent pas comme les fruits de la terre. Plus d'impôts indirects, parce qu'ils pèsent sur les artisans et les commerçants dont les gains ne sont que des « salaires », et dont le travail ne laisse pas d'excédent, de « surplus », comme la production agricole[2]. Ces impôts sont d'ailleurs aussi improductifs que

---

1. Estimant que la production agricole s'élève en France annuellement à 5 milliards, Quesnay admet que la *classe productive* conserve 2 milliards pour son entretien, l'entretien du bétail, les semences, les engrais, etc., et qu'elle achète à l'industrie pour 1 milliard de produits. Restent 2 milliards qui, comme produit net, seront versés à la classe propriétaire et souveraine; à cette classe l'Etat réclamera un impôt calculé sur le pied d'un tiers du produit net, ou d'un douzième du produit brut total, soit un peu plus de 600 millions.

2. L'affirmation de Quesnay vient de ce que, de son temps, on voyait toute une catégorie d'hommes, la Noblesse, le Clergé, vivant des fermages ou *produit net* des terres; on ne voyait pas encore, comme de nos jours, une classe d'actionnaires, vivant de rentes servies par l'industrie. Le travail agricole paraissait seul laisser tous les ans, outre ses « reprises », un « excédent ». De là cette opinion que les gens employés par l'industrie ne « produisent » pas, m is « gagnent ». *Classe stérile*, dit Quesnay; *stipendiés*, dira Turgot.

vexatoires et se détruisent eux-mêmes par l'excès des frais de perception ; la seule gabelle perd ainsi 50 p. 100. La simplicité de l'impôt
direct et unique diminuera la classe des financiers et des agents
fiscaux ; les fortunes financières, si pernicieuses à la société, ne pourront plus se former.

Quesnay réclame l'amélioration du sort des cultivateurs pauvres
qui sont de beaucoup les plus nombreux. Il distingue entre une
petite culture — pratiquée surtout dans l'Ouest et le Centre par des
paysans qui, dans de petits domaines, ne pouvant acheter de chevaux, labourent avec des bœufs, n'ont ni le bétail ni les instruments
agricoles nécessaires, renoncent par force à toute amélioration de
leur exploitation, renoncent à défricher les terres incultes, laissent de
nouvelles terres en friche tous les ans, — et une *grande culture*, qui
se trouve surtout dans les pays du Nord ; là, dans de grandes fermes,
les chevaux remplacent les bœufs ; on fume fortement les champs,
on accumule un capital considérable en bétail, en instruments,
en bâtiments, on améliore, on défriche, on paye aux propriétaires
de gros fermages. Il faudrait que la *petite culture* disparût ; car,
dit l'article sur les *Grains*, « le cultivateur qui ne peut faire les
dépenses nécessaires succombe, au lieu que dans les grandes
fermes exploitées par de riches laboureurs, il y a moins de dépense pour l'entretien et la réparation des bâtiments, et à proportion
beaucoup moins de frais et beaucoup plus de produit net dans les
grandes entreprises que dans les petites ».

Là où il ne se formerait pas de grandes fermes, les petites propriétés se grouperaient pour diminuer les frais généraux d'exploitation.

Personne ne croit aujourd'hui que le travail agricole soit le seul
productif ; mais il est certain que, les produits agricoles tenant la
première place dans la consommation, et leurs prix variant suivant
leur abondance ou leur rareté, l'achat des produits industriels est
déterminé par l'état de l'agriculture. Les grandes erreurs de Quesnay
furent de croire que, l'intérêt particulier des négociants et l'intérêt
de la Nation étant opposés, il y avait danger à développer le commerce, et que les propriétaires du sol devaient seuls supporter le
poids de l'impôt.

Les doctrines de Quesnay, cet « homme parti de la charrue »,
comme dit Turgot, eurent de nombreux partisans. Le plus célèbre
et le plus bruyant fut le marquis de Mirabeau[1], le père du grand
orateur de la Révolution. Ce marquis fut un fougueux polémiste.
Dans un ouvrage de 1756, *l'Ami des Hommes ou Traité sur la popu-*

---

1. Le marquis de Mirabeau est né en 1715 et mort en 1789.

lation, plein de diatribes contre le luxe, il avait fait l'apologie de l'agriculture, mais en soutenant que les progrès en étaient paralysés par les trop grands domaines : « Les gros brochets, disait-il, dépeuplent la rivière; les gros propriétaires étouffent les petits ». Les articles publiés par Quesnay, dans l'Encyclopédie, le rallièrent à la grande culture qu'il vanta dans sa *Philosophie rurale*, en 1763. Comme le livre était presque de ton religieux, Grimm l'appela « le Pentateuque » de la « secte » économique.

Dans ses *Lettres sur les corvées*, en 1760, Mirabeau fait prévoir Turgot. Par sa *Théorie de l'impôt*, la même année, il attaque les hommes et les choses avec une hardiesse inouïe. L'impôt, dit-il, doit être un « tribut » consenti au souverain, non une « dépouille » arrachée aux sujets. L'impôt le plus juste et le plus avantageux à l'État portera sur le produit net du sol; l'assiette et le recouvrement des taxes devront être attribués à des assemblées d'États; enfin les impôts indirects devenant inutiles, il faudra supprimer les fermes générales. Aux yeux de Mirabeau, la régénération de la France doit même commencer par la destruction des fermes :

« Quand l'État, dégradé et abattu, dit-il, se soumet aux conditions que ses fermiers lui imposent, l'épuisement arrive à son comble; les édits ne sont que prétextes d'exaction, et le peuple ne peut plus rien fournir de réel. Les coffres du prince, percés de toutes parts, ne sont même plus capables de servir d'entrepôts momentanés. La science des ressources a pris la place de la science économique. On épuise les emprunts et les expédients; on vomit des créations de charges; on engage, en un mot, l'État, les sujets, le prince, la foi, la loi, les mœurs, l'honneur.... L'exemple de tous les âges et de tous les empires en est la preuve. Partout les fermiers publics ont acheté du prince la nation, et détruit enfin la nation, le prince, et eux-mêmes. »

Les fermiers sollicitèrent une lettre de cachet contre Mirabeau qui fut incarcéré quelques jours à Vincennes, et relégué ensuite en sa terre de Bignon.

Après Mirabeau, les plus célèbres disciples de Quesnay furent Dupont de Nemours et Le Mercier de la Rivière. Dupont [1] n'avait encore que vingt-trois ans quand il passa, en 1763, de la littérature à l'économie politique; mais il témoignait déjà de tels talents que Quesnay dit de lui : « Il faut soigner ce jeune homme, car il parlera quand nous serons morts ». Dupont fut plus tard l'ami de Turgot, le collaborateur de Vergennes et de Calonne, et l'un des esprits les plus clairvoyants de l'Assemblée Constituante. En 1765, il commença de rédiger le *Journal de l'Agriculture, du Commerce et des Finances*, et il soutint une vive polémique contre l'abbé Baudeau,

DUPONT DE NEMOURS.

L'ABBÉ BAUDEAU.

1. Dupont de Nemours est né en 1739 et mort en 1817.

qui, dans les *Ephémérides du citoyen ou Chronique de l'esprit national*, combattait alors les Économistes. Baudeau se laissa convaincre par Dupont; et quand celui-ci, en 1772, fut congédié par les propriétaires du *Journal de l'Agriculture*, comme trop libéral, il propagea les idées de ses anciens adversaires dans les *Nouvelles Ephémérides économiques, ou Bibliothèque raisonnée de l'histoire, de la morale et de la politique.*

Le Mercier de la Rivière [1] eut son heure de célébrité en 1767, quand il fit paraître l'*Ordre naturel et essentiel des sociétés politiques*; ses amis le placèrent du coup sur le rang de Montesquieu. Ancien conseiller au Parlement de Paris, ancien intendant de la Martinique, administrateur et légiste distingué, il fut, parmi les Physiocrates, celui qui présenta les conséquences du système de Quesnay sous la forme la plus rigoureuse. Il prétendit démontrer que le souverain était co-propriétaire du sol avec les particuliers, et qu'en vertu de son droit il en partageait avec eux le produit net; l'impôt représentait sa part.

Les Économistes, surtout les Physiocrates, furent attaqués et raillés, non seulement par les partisans du régime protecteur, comme Forbonnais, qui les traitait de métaphysiciens, mais par les Philosophes eux-mêmes.

Grimm leur reproche leur orgueil, l'obscurité de leur langage, l'ennui qui se dégageait de leurs écrits. « Secte d'abord aussi humble que la poussière » dont ils sont sortis, ils ont pris, dit-il, un ton « impérieux » et « arrogant »; ils ont répandu sur le royaume « une teinte si sombre », que si le « ciel nous eût retiré le Paraclet de Ferney » — c'est-à-dire Voltaire — nous en fussions infailliblement « tombés dans le spleen, dans la jaunisse, dans la consomption, dans un état, en un mot, pire que la mort ». Et Grimm constate que plus les Économistes se montrent « esprits communs et plats », plus le nombre de leurs partisans s'accroît.

Il y eut antagonisme entre J.-J. Rousseau, l'historien Mably, et les Physiocrates. Rousseau multipliait les diatribes contre les riches; Mably, dans les *Doutes proposés aux philosophes économistes sur l'ordre naturel et essentiel des sociétés politiques*, publiés en 1768, reprochait à la propriété d'avoir détruit l'égalité naturelle. Mais c'est

Voltaire qui a porté aux Physiocrates les coups les plus rudes. Il était en relations avec les financiers de Paris, ennemis acharnés des Économistes; il répugnait aux vues systématiques de Quesnay. Il attaqua l'école dans l'*Homme aux quarante écus*.

1. Lemercier de la Rivière est né en 1720 et mort en 1794.

« Il parut, dit-il, plusieurs édits de quelques personnes qui, se trouvant de loisir, gouvernent l'État au coin de leur feu. Le préambule de ces édits était que la puissance législatrice et exécutrice est née, de droit divin, co-propriétaire de ma terre, et que je lui dois au moins la moitié de ce que je mange... Les nouveaux ministres disaient encore, dans leur préambule, qu'on ne doit taxer que les terres, parce que tout vient de la terre, jusqu'à la pluie, et que, par conséquent, il n'y a que les fruits de la terre qui doivent payer l'impôt. Un de leurs huissiers vint chez moi, dans la dernière guerre; il me demanda pour ma quote-part trois setiers de blé et un sac de fèves, le tout valant 20 écus, pour soutenir la guerre.... Comme je n'avais alors ni blé, ni fèves, ni argent, la puissance législatrice et exécutrice me fit traîner en prison, et on fit la guerre comme on put. En sortant de mon cachot, n'ayant que la peau sur les os, je rencontrai un homme joufflu et vermeil dans un carrosse à six chevaux; il avait six laquais, et donnait à chacun d'eux, pour gages, le double de mon revenu.... Il m'avoua, pour me consoler, qu'il jouissait de 400 000 livres de rentes. « Vous en payez donc 200 000 à l'État, lui dis-je, pour soutenir la guerre...; car moi, qui n'ai juste que mes 120 livres, il faut que j'en paye la moitié? » — « Moi, dit-il, que je contribue au bien de l'État! Vous voulez rire, mon ami; j'ai hérité d'un oncle qui avait gagné 8 millions à Cadix et à Surate; je n'ai pas un pouce de terre, tout mon bien est en contrats, en billets sur la place; je ne dois rien à l'État. C'est à vous de donner la moitié de votre subsistance, vous qui êtes un seigneur terrien.... Payez mon ami; vous qui jouissez en paix d'un revenu clair et net de quarante écus. »

Au reste Voltaire condamnait aussi le régime que les Physiocrates se proposaient de détruire. Sous la nouvelle finance, dit l'Homme aux quarante écus, on m'enlève « tout d'un coup, nettement et paisiblement, la moitié de mon existence; mais j'ai peur qu'à bien compter, on m'en eût pris, sous l'ancienne, les trois quarts ».

Assurément les Physiocrates ont répandu le goût des choses agricoles. Gouvernement et particuliers se sont intéressés à « la campagne ». Le Contrôleur général Bertin invite, en 1760, les intendants à provoquer la formation de « Sociétés d'Agriculture », fonde les écoles vétérinaires d'Alfort et de Lyon, autorise la circulation des grains dans l'intérieur du royaume; l'exportation, sous son ministère, devient possible par des moyens détournés. Il encourage les dessèchements de marais, les défrichements de terres incultes, l'usage des baux à long terme, qui permettent au fermier de recueillir les fruits de son travail. Il projette d'ouvrir des canaux en Bourgogne, en Picardie, en Flandre. C'est le moment où Parmentier fait sa propagande en faveur de la pomme de terre, où Daubenton fait connaître le mouton mérinos, où l'abbé Tessier et Thouin commencent d'écrire un traité d'agriculture. De grands personnages se font agronomes, comme Choiseul, La Rochefoucauld, le marquis de Turbilly. On vient de loin visiter la bergerie de Choiseul à Chanteloup.

L'AMOUR DE L'AGRICULTURE.

Tout ce mouvement en faveur de l'agriculture, les capitaux

engagés, les facilités données à la circulation des produits, la multi-
plication des routes et des chemins et, d'autre part, l'accroissement
de la population, la diminution de valeur des métaux précieux, ame-
nèrent une hausse des denrées et, par conséquent, des produits des
terres et des fermages [1].

HAUSSE
DES PRODUITS.

 L'hectolitre de blé qui, en moyenne, avait valu 11 fr. de 1725 à
1750, valut 13 fr. 25 de 1750 à 1775 ; l'hectolitre d'avoine qui, dans la
première période, avait valu 3 francs, en valut 4 dans la seconde ;
l'hectolitre d'orge passa de 4 fr. 80 à 7 fr. 30. Pour produire plus de
grains, on défricha des terrains vagues, des landes, et, en bien des
pays, on déboisa les coteaux. La viande haussa dans les mêmes proportions que les céréales ; on accrut donc le bétail. Les foins étant
devenus plus rares et ayant alors renchéri, on multiplia les prairies
artificielles, surtout les luzernes qui étaient déjà très répandues dans
le Nord. L'élévation du prix des vins fit que les cultivateurs se
mirent à planter des vignes, mais les administrateurs renouvelèrent
la défense d'entreprendre ces plantations sans autorisation préalable [2].

 La grande masse des paysans demeurait fidèle aux vieilles pratiques d'assolement biennal et triennal, à la routine de l'outillage
traditionnel [3]; ils faisaient de plus grosses récoltes en étendant la
culture.

HAUSSE
DES TERRES.

 Le prix des terres qui, durant les quarante dernières années du
règne de Louis XIV, avait considérablement baissé — de 50 p. 100 au
dire de Boisguilbert — se releva. Un hectare de terre, qui, de 1701
à 1725, aurait rapporté 11 francs de revenu et se serait vendu
265 francs, rapporta, de 1725 à 1750, 13 fr. 75 et se vendit 344 francs ;
de 1750 à 1775, il rapporta 18 francs et se vendit 515 francs. Le prix
des fermages s'éleva donc ; mais les fermages haussèrent proportionnellement plus que les denrées, en sorte que les propriétaires
firent plus de profit que les fermiers.

---

1. De très importants phénomènes, encore mal étudiés, l'accroissement de la population
et celui du numéraire, se produisaient alors. — Forbonnais estime que la population de la
France, à cause de la guerre de la succession d'Espagne et de la grande mortalité de
l'année 1709, est descendue, au temps de la Régence, à 16 ou 17 millions d'âmes. D'après
Voltaire, qui exprime cette opinion dans les *Remarques de l'Essai sur les mœurs*, elle aurait
atteint environ 20 millions vers 1763. L'abbé Expilly, dans son *Dictionnaire géographique,
historique et politique des Gaules et de la France*, paru en 1762, compte 20 794 357 habitants,
sans compter la population de Paris, ni celle de la Lorraine, qui n'est pas encore réunie ;
en les ajoutant le total dépasserait 22 millions. Il est impossible d'admettre ces précisions ;
mais l'accroissement de la population est certain. — L'augmentation du numéraire est due
à l'activité plus grande du travail dans les mines du Mexique, du Pérou et de la vice-
royauté de Buenos-Ayres.

2. Voir plus haut, pp. 102 et 103.

3. Voir plus haut, p. 104 (note), et *Hist. de France*, t. VIII, 1, p. 224 et 225.

Le sort de la masse des cultivateurs s'améliora-t-il? Des historiens le soutiennent, et d'autres le nient. Pour les uns, de 1750 à 1789, la vie rurale s'est transformée, sous l'impulsion des administrateurs, des « Sociétés d'Agriculture », des Économistes, de l'esprit public. Pour les autres, l'absentéisme des grands seigneurs, et le poids de l'impôt, des corvées et de la milice, auraient fait plus de mal que par le passé. Il semble qu'il y ait chez les uns et les autres une part de vérité, une plus grande part toutefois chez les premiers. Les salaires des ouvriers agricoles ne se sont pas accrus en proportion du prix des denrées, et, dans les temps de disette, qui reviennent fréquemment, les salariés au jour le jour sont exposés à la pleine misère. D'autre part, les profits de l'agriculture sont plus grands pour les propriétaires que pour les fermiers; mais la condition des fermiers et des métayers est, en général, bien meilleure. Les rapports des intendants constatent un progrès dans la plupart des provinces. En 1774, un économiste, Moheau, dans ses *Recherches et considérations sur la population de la France*, atteste l'amélioration de la vie rurale :

> « On peut observer, dit-il, qu'il y a un moindre nombre de maisons composées de torchis, que les nouvelles sont moins resserrées et mieux aérées, que les lieux d'habitation bien situés ont gagné en population ce que les autres ont perdu....
>
> « Le paysan français est mal vêtu.... La toile, vêtement de beaucoup, ne les protège pas suffisamment contre la rigueur des saisons; mais depuis quelques années... il est un bien plus grand nombre de paysans qui portent des vêtements de laine....
>
> « Dans l'état habituel de la consommation du peuple (c'est-à-dire en dehors des disettes), on a pu observer que dans plusieurs provinces ou contrées, dont les habitants se nourrissaient anciennement de pain de blé sarrazin, d'orge ou de seigle, l'espèce du pain est devenue meilleure. Nous ne pourrions assurer s'il y a plus grand nombre d'hommes dans les aliments desquels entre la viande; mais certainement il en est beaucoup plus qui boivent du vin, excellente boisson pour les pauvres, non seulement parce qu'elle est alimentaire, mais parce qu'elle est aussi un très bon antiputride. »

C'était une opinion universellement répandue que la consommation du blé était inférieure à la production, et que les disettes provenaient, non de causes naturelles, mais de causes factices, comme « la malice d'aucuns marchands et regrattiers[1] ». D'où cette habitude de considérer les opérations sur le blé comme des entreprises d'accaparement, et les marchands de blé comme des affameurs contre lesquels devait sévir l'autorité. D'où aussi l'intervention de l'État et la responsabilité qu'il prenait dans le service de l'alimentation publique.

1. Voir *Hist. de France*, t. VII, 1, pp. 215-216, et t. VIII, 1, pp. 227-228.

Depuis le xvie siècle, on avait établi des magasins publics de grains ; il en existait à Lille, à Nancy, à Rennes, à Bordeaux, à Lyon, dans la banlieue de Paris. La Régie des blés du Roi, c'est-à-dire le service administratif qui préparait et surveillait les opérations entreprises par le Gouvernement sur les blés, avait des correspondants à Marseille, pour faire des achats en Italie et dans le Levant ; elle ne leur imposait aucun traité, leur demandait des renseignements, et se faisait soumettre, chaque année, par eux, des projets d'achats. Les intendants d'ailleurs, sur les rapports des subdélégués, mettaient le Contrôleur général au courant des promesses ou des résultats des récoltes. Mais les réserves attribuées à l'approvisionnement éventuel de Paris étaient de soixante mille setiers seulement, et la ville en consommait, paraît-il, annuellement un million ; les réserves n'auraient donc pu la nourrir que durant trois semaines. Aussi le Parlement et le Bureau de la ville, s'inquiétèrent-ils souvent, et il arrivait que le Parlement expédiât ses huissiers en Brie, pour réquisitionner le blé.

BRUITS SUR LES PROFITS DU ROI.

Mais le Gouvernement était accusé de faire des bénéfices sur ses opérations, et, en 1753, le marquis d'Argenson, parlait d'un profit d'un million par jour. De là devait naître l'histoire du *Pacte de famine*.

LA « SOUMISSION » DE L'AVERDY.

En 1765, un sieur Malisset, gardien de la réserve des grains, fit observer à L'Averdy, alors Contrôleur général, que, si cette réserve demeurait longtemps en magasin, elle exigerait des frais de manutention fort élevés. Il proposa de renouveler lui-même, à ses risques et périls, les approvisionnements, par des séries de ventes et d'achats. Il offrit de se faire cautionner pour cette entreprise par trois financiers, Le Ray de Chaumont, Rousseau et Perruchot. L'Averdy estima le marché avantageux pour l'État, et un contrat valable pour dix ans, portant le titre de « Soumission », fut signé le 28 août 1765. Malisset toucherait trente mille livres de gages annuels.

MALISSET ET SES CAUTIONS (1767).

Très honnête homme, L'Averdy n'aurait jamais consenti à couvrir de son patronage les spéculations malhonnêtes d'une compagnie. Mais Malisset avait escompté une transformation du commerce des grains dont le Contrôleur général ne soupçonnait pas qu'il pût tirer parti. Voyant que les boulangers, constamment trompés dans leurs achats de blés, se mettaient à acheter, de préférence, des farines, il fit construire des moulins, pour transformer en farines les grains du Roi. Il se croyait d'autant plus sûr de réaliser des bénéfices que les marchands de farines étaient seulement tolérés à Paris. Or Malisset signa avec ses cautions un acte de partage de bénéfices chez un notaire de Paris en 1767, et cette pièce tomba aux mains d'un certain Le Prévost de Beaumont, qui en parla comme d'un *Pacte de famine* conclu entre le Contrôleur général et des traitants. Pour l'em-

pêcher de publier quelque libelle, le Gouvernement l'emprisonna en
octobre 1769. Le Prévost refusa, dit-on, sa liberté plutôt que de
s'engager à garder le silence sur les opérations de Malisset, et
demeura en prison vingt ans, d'abord à la Bastille, puis en diverses
prisons, en dernier lieu dans la maison de santé Piquenot à Bercy.
Dès le début de sa captivité, il écrivit au Roi pour lui dire qu'on
l'avait trompé, en créant des magasins de grains pour prévenir les
famines; que les achats et ventes de grains au nom de l'État donnaient « des millions, ou plutôt des milliards » à des spéculateurs.
Outre Malisset et ses associés, il dénonçait au Roi les ministres
L'Averdy, Bertin, Maynon d'Invau, Choiseul, le lieutenant de police
Sartine, les intendants de finances Trudaine de Montigny, Boutin,
Langlois. On ne sait s'il fut de bonne foi[1]; mais il est certain que
le plus heureux des associés, de Malisset, Le Ray de Chaumont, ne
possédait, lorsqu'il mourut, qu'une pension de douze mille livres;
Rousseau et Perruchot moururent insolvables; et Malisset lui-même,
devenu fou, demeura débiteur de cent quinze mille livres envers le
Trésor. Il n'est pas possible que la compagnie dite du *Pacte de famine*
ait fait des gains considérables.

LE PRÉTENDU
PACTE DE FAMINE.

III. — *L'ÉTAT DES FINANCES AVANT ET APRÈS LE TRAITÉ DE PARIS : SILHOUETTE, BERTIN, L'AVERDY*

CE fut un triste temps pour les Contrôleurs généraux que celui
des ministères de Bernis et de Choiseul et de la guerre de Sept
Ans[2]. Une Déclaration royale du 7 juillet 1756 ayant ordonné la levée
d'un second vingtième et la création de 1 800 000 livres de rentes
perpétuelles, le Parlement de Paris et la Cour des Aides refusèrent

LES CONTRÔLEURS
GÉNÉRAUX ET LES
PARLEMENTS.

---

1. En 1789, le 5 octobre, Le Prévost de Beaumont devint libre, en vertu d'un ordre de
Guignard de Saint-Priest, secrétaire d'État du département de Paris, et il dénonça le
contrat de la société Malisset en 1790, soit dans une brochure, *Le Prisonnier d'État*, soit
dans les *Révolutions de Paris*, sous ce titre : *Horrible conspiration liguée anciennement entre
le Ministère, la Police et le Parlement contre la France entière, découverte en juillet 1768 par
Jean-Charles-Guillaume Le Prévost de Beaumon , ancien secrétaire du clergé de France, détenu
vingt-deux ans (pour vingt ans) sans déclaration de cause, pour l'empêcher de révéler et
dénoncer le pacte infernal de Laverdy qui lui est tombé dans les mains en cette même année 1768.*
Le Contrat Malisset fut reproduit par Manuel, dans sa *Police dévoilée*, et les propriétaires
du *Moniteur Universel*, Panckoucke et Agasse, le donnèrent dans le *Supplément* qu'ils
publièrent en 1790. Le *Moniteur Universel* ne commença de paraître que le 24 novembre 1789,
mais le *Supplément* reprit l'exposé des événements à partir du 5 mai 1789, et le contrat
Malisset fut publié aux dates des 15 et 16 septembre 1789. Quand L'Averdy fut traduit
devant le tribunal révolutionnaire, Le Prévost se présenta comme témoin, et réédita son
roman sur le *Pacte*.

2. Au Contrôle se succédèrent Moreau de Séchelles (1754-1756), de Moras (1756-1757) et de
Boulogne (1757-1759).

l'enregistrement. Les parlements provinciaux les imitèrent; le public les soutint; et, les magistrats procédant par démissions en masse, plusieurs furent exilés ou mis en prison. Le cours de la justice fut suspendu à Paris, Rouen, Bordeaux, durant plusieurs mois, à plusieurs reprises.

SILHOUETTE.

L'arrivée aux affaires de M. de Silhouette, en 1759, fit sensation. Le nouveau Contrôleur général avait traduit l'*Essai sur l'homme*, de Pope, en 1736, et diverses *dissertations* de Bolingbroke et de Warburton. Il avait visité l'Angleterre, écrit sur la navigation et le commerce, et s'était fait la réputation d'un homme à idées. Aussi honnête qu'instruit, il avait, par malheur, plus étudié les hommes dans les livres que dans la vie réelle.

Il régla la procédure des cotes d'office dans l'imposition de la taille, essaya, comme tous les Contrôleurs généraux, d'empêcher les injustices dans la répartition des charges. Il annula quantité de dons et de pensions accordés sans titres légitimes, réserva un fonds spécial pour récompenser les services rendus à l'État. Il suspendit, pour la durée de la guerre, et pour deux ans après la paix, de nombreuses exemptions de tailles. Enfin il attaqua de front les fermiers généraux, dont la richesse faisait contraste avec la pénurie de l'État.

EMPRUNT SUR LA FERME GÉNÉRALE.

Le bail Henriet, conclu en 1755, réservait au Roi la moitié des bénéfices de la ferme au-dessus de cent dix millions, prix du bail. Silhouette imagina de vendre au public cette part de bénéfice, et de greffer sur l'opération un emprunt dissimulé. Il émit soixante-douze mille actions de 1 000 livres, portant intérêt à 5 p. 100, remboursables pendant les six ans du bail, à raison de douze mille par an. C'était un emprunt assez onéreux, car il revint à 6 1/2 p. 100; mais le public content de participer à la ferme et d'entrer au partage des bénéfices, fournit volontiers les soixante-douze millions demandés. Silhouette, pour avoir ainsi réalisé, comme par un coup de baguette, un gros capital, passa quelque temps pour un très habile homme. Mais les fermiers généraux furent irrités du procédé. On ne leur enlevait rien, mais leurs bénéfices devaient être livrés à la publicité, leur gestion surveillée de plus près; quatre commissaires royaux assistaient aux comités et aux comptes-rendus de la ferme.

LES BÉNÉFICES DES FERMIERS.

Ce fut précisément ce mécontentement des fermiers qui valut à Silhouette un moment de grande popularité.

Sénac de Meilhan [1] a calculé les bénéfices des fermiers généraux, receveurs et financiers de toute sorte qui participaient à la levée des

1. Dans ses *Considérations sur les richesses et le luxe*, publ. en 1787, p. 352.

impôts. D'après lui, de 1726 à 1776, 1719 millions auraient été partagés entre 1 400 personnes, dont quelques-unes avaient des parts énormes; chaque année, un petit nombre d'individus auraient accaparé et transporté à Paris une trentaine de millions; les provinces en auraient été « desséchées ». Sénac évalue la fortune de quelques financiers : Samuel Bernard et Paris de Montmartel auraient gagné chacun 33 millions; trois autres, 10 millions chacun; cinq, 8 millions; cinquante, de 3 à 6 millions. Et il conclut :

« Voilà, dans un nombre de 60 personnes, 336 millions de livres rassemblés. Les auteurs qui ont le plus déclamé contre les profits de la finance n'ont peut-être jamais imaginé qu'ils pussent s'élever à la somme immense que présente ce tableau. »

On reprochait aussi aux fermiers les moyens qu'ils employaient pour assurer leur puissance. Ils casaient la clientèle des grands pour s'assurer leur appui; tenaient le Roi par la favorite sortie de leurs rangs; la noblesse d'épée et de robe recherchait leur alliance pour redorer ses blasons. Ils avaient trois cent mille agents dans le royaume.

La condamnation en bloc des fermiers généraux était une injustice. Il se trouvait parmi eux, en majorité, de fort honnêtes gens, laborieux, et qui, s'ils restaient longtemps en charge et ne faisaient pas de folles dépenses, s'enrichissaient par les bénéfices que leur assuraient les contrats légitimes et légaux conclus avec l'État. Plusieurs, par la culture de l'esprit, se firent une place dans la société distinguée du temps, figurèrent dans les salons des lettrés et des Philosophes, tinrent eux-mêmes des salons[1], furent des Mécènes pour les gens de lettres et surtout pour les artistes. Il ne faut pas oublier non plus que l'État aurait pu difficilement subsister, si, dans les moments d'extrême pénurie, qui revenaient souvent, il n'avait pas été aidé et soutenu par « la finance »; et cette aide n'était pas sans danger pour ceux qui donnaient. Mais le public ne distinguait pas entre les financiers. Sans prendre garde que la plupart des fermiers étaient riches de naissance, fils de magistrats, de notaires, de gros négociants, il ne voulait voir que les parvenus, Haudry, fils de boulanger, Perrinet, fils de marchand de vin, les Pâris, fils de cabaretier, Bouret, fils de laquais, qui déployaient, d'ordinaire, le luxe le plus insolent. D'ailleurs, il restait vrai que l'administration des fermes était très dure, les impôts perçus avec une grande rigueur, et que l'application des règlements sur la vente des produits et des marchandises

IMPOPULARITÉ DES FERMIERS.

1. Voir plus haut, p. 216.

exaspérait les métiers et le commerce. Toutes ces raisons, auxquelles il faut ajouter l'envie que produit toujours la richesse, expliquent l'impopularité des fermiers. Dans les salons, on se moquait d'eux; un jour qu'on demandait à Voltaire de conter une histoire de voleurs, il commença : « Il y avait une fois un fermier général... », et s'arrêta dans le rire, l'applaudissement de l'assistance. Le populaire souhaite mal de mort à ces « pillards généraux ». Un aventurier dauphinois, Mandrin, qui s'était fait « capitaine général des contrebandiers », ayant été, après nombre d'exploits commis aux dépens des receveurs et autres agents des fermes, après des combats et des victoires sur les troupes régulières, roué vif à Valence en 1755, devint un héros populaire « immolé à la vengeance » des fermiers. Le Gouvernement cédait à la pression de l'opinion publique, comme on voit par les mesures que prit Silhouette.

LE PROJET DE « SUBVENTION ».

La popularité de Silhouette ne fut pas de longue durée. Les ressources qu'il s'était procurées n'avaient pas comblé le déficit.

Dans un rapport qu'il présenta au Conseil, il évalua les dépenses de l'année 1760 à 503 millions. Il ne tenait pas compte des « anticipations » qui étaient de 100 millions, d'une cinquantaine de millions dus aux fermiers et aux receveurs généraux, des rescriptions ou mandats de payement des receveurs généraux qui dépassaient cent millions. Il calculait que les revenus ordinaires donneraient 286 millions, un fond extraordinaire 66 millions et demi, les actions des fermes 72 millions; restait à trouver 78 millions et demi. En conséquence il proposait d'établir une *Subvention générale*, c'est-à-dire un ensemble d'impôts portant principalement sur les privilégiés et les riches. Il suspendait, pour la durée de la guerre, le privilège de « franc-salé », exemption de gabelles dont jouissaient le Poitou, l'Aunis, la Saintonge, l'Angoumois, le Limousin, la Marche, l'Artois, la Flandre française et les villes de Boulogne et de Calais; il augmentait de quatre sous pour livre les droits des fermes, surtaxait de 10 pour cent sur les étoffes de luxe, doublait le droit de marque sur l'or et sur l'argent, taxait les domestiques, les chevaux de luxe, frappait d'un droit d'amortissement les parents des enfants qui entraient en religion avant leur majorité, exigeait des célibataires une triple capitation, créait enfin un troisième vingtième. Il ne put faire accepter ni la taxe sur les célibataires, ni le droit d'amortissement en raison de l'opposition qu'y aurait faite le Clergé; mais les autres projets formèrent le dispositif de l'édit de *Subvention*.

IMPOPULARITÉ DU PROJET.

A l'annonce de ces impôts, qu'il fallut faire enregistrer en lit de justice le 20 sept. 1759, ce fut un *tolle*. « Ils ne taxent pas l'air que nous respirons, dit Mme du Deffand; hors cela, je ne sache rien sur quoi ils ne portent ». Voltaire, qui avait promis à Silhouette de lui donner « une niche » au temple de la Gloire, tout à côté de Colbert, écrivit :

> « Nous avions un Contrôleur général que nous ne connaissions que pour avoir traduit en prose quelques vers de Pope. Il passait pour un aigle, mais, en moins de quatre mois, l'aigle s'est changé en oison. Il a trouvé le secret d'anéantir le crédit, au point que l'État a manqué d'argent pour payer les troupes. »

Contraint par la nécessité, Silhouette annonça le 21 octobre qu'il suspendait pour un an tout remboursement de capitaux au Trésor royal, qu'il ne paierait plus ni les mandats de payement des receveurs généraux, ni les lettres de change tirées des colonies; à titre d'indemnité il offrait un intérêt de 5 p. 100 pour les sommes non remboursées, mais les hommes d'affaires, les banquiers, les négociants n'avaient pas de placements à faire et avaient besoin d'être payés. Ce fut une perturbation générale du commerce et de l'industrie. Les journaux de Londres dénoncèrent le Roi de France comme banqueroutier. A Paris, on fabriqua des habits et des culottes « à la silhouette », sans poches ni goussets; on donna le nom de silhouette à cette sorte de dessin superficiel et vide, qui semble le portrait d'une ombre. Silhouette fut disgracié le 21 novembre. Le seul Rousseau le complimenta : « Vous avez bravé les cris des gagneurs d'argent. En vous voyant écraser ces misérables, je vous enviais votre place; en vous la voyant quitter, sans vous être démenti, je vous admire.... Les malédictions des fripons sont la gloire de l'homme juste. »

LA BANQUEROUTE. DISGRÂCE DE SILHOUETTE.

Ce ne fut pas sans appréhension que le lieutenant général de police Bertin consentit à succéder à Silhouette le 23 novembre 1759. Assez ignorant en finances, il gagna d'abord l'opinion par sa douceur et une tendance naturelle à user de palliatifs. Il retira les édits qui avaient provoqué le plus de colères; mais il fallut bien qu'il s'ingéniât à ressaisir, par voie détournée, les ressources auxquelles il renonçait. A la *Subvention générale* il substitua, en février 1760, un troisième vingtième, un doublement de la capitation des contribuables non soumis à la taille, et la levée d'un sou pour livre d'augmentation sur les droits des fermes. Il créa trois millions de rentes viagères, fit porter à la Monnaie la vaisselle d'argent exécutée pour le duc de Bourgogne, et autorisa les fabriques et les paroisses à y faire porter une partie des vases sacrés; ce qui était une façon de leur imposer ce sacrifice.

BERTIN (1759-1763).

La guerre terminée, la dette publique monta à 1 713 millions, et les sommes dues immédiatement, la dette flottante, à 250 millions.

La détresse était telle que le Contrôleur général ne faisait plus face aux frais courants de l'administration. Les Parlements rappelaient que les vingtièmes devaient disparaître avec la guerre ; mais il était impossible de diminuer les impositions. Bertin supprima le troisième vingtième et le doublement de la capitation, en avril 1763 ; mais il créa un nouveau sou pour livre des droits des fermes, généralisa la perception du centième denier qui se payait à toute mutation d'immeubles et s'étendait aux immeubles fictifs comme les rentes et les offices ; il prorogea pour six ans la levée du second vingtième, qui devait finir trois mois après la paix, et, pour le rendre très productif, ordonna le dénombrement et l'estimation de tous les biens-fonds du royaume sans aucune exception. Il projetait la confection d'un cadastre qui pût servir à une juste assiette des impôts.

SOULÈVEMENT DES PARLEMENTS. Le Parlement de Paris n'enregistra les édits de Bertin qu'en lit de justice ; les Parlements de Toulouse, Grenoble, Besançon, s'agitèrent violemment ; celui de Bordeaux traita les agents de perception de concussionnaires. C'étaient, dit-il le 7 septembre 1763, « une armée d'ennemis du repos public, n'ayant pour règle que les mouvements d'une cupidité insatiable. » Ils avaient « accumulé toutes les richesses du royaume », et en avaient « formé par le secours de l'impunité et la protection de ceux qui entouraient le trône des fortunes qu'il conviendrait de considérer comme les vraies caisses d'amortissement destinées par la loi au paiement des dettes de l'État » ; ce qui était demander la confiscation des biens des financiers. Les Gouverneurs avaient été chargés de faire enregistrer les édits en leur présence ; mais à Grenoble Dumesnil, à Toulouse Fitz-James furent décrétés de prise de corps par les Parlements, et durent se protéger par une garde permanente contre les huissiers et suppôts de justice. A Rouen, le 18 août, D'Harcourt déclarant qu'il assisterait à la délibération de la Cour sur la transcription des édits, le Premier Président Miromesnil lui répondit :

« La Cour ne peut se déterminer à concourir à la ruine de la nation, ni souffrir qu'elle soit consommée par le renversement des lois et le triomphe des oppresseurs publics. Toutes les transcriptions illégales que vous ferez exécuter sur les registres seront regardées comme des voies de fait et des coups d'autorité attentatoires à la constitution de la monarchie, et comme une offense au Roi dont vous compromettez la gloire et à la nation dont vous opprimez la liberté légitime. »

Sur ces paroles, les magistrats sortirent en corps, sauf Miromesnil, le Procureur général et le greffier en chef, que des lettres de cachet contraignaient d'assister le Gouverneur. D'Harcourt fit transcrire les édits sur les registres ; le Parlement ayant repris séance pour prononcer la nullité de l'enregistrement, d'Harcourt revint prendre séance ; il fut accueilli par des huées, et se retira. Dix conseillers furent exilés ; quatre-vingt-dix se démirent de leurs charges.

Le Gouvernement recula une fois de plus devant les Parlements. Une Déclaration du 21 novembre 1763 fixa comme terme extrême au second vingtième le 1ᵉʳ janvier 1768 ; elle annonça, pour la confection du cadastre, des règlements que les cours vérifieraient ; invita celles-ci à présenter des mémoires sur les moyens de perfectionner et de simplifier la répartition et la perception de l'impôt, la comptabilité des finances, supprima le centième denier sur les offices. Le Parlement de Paris enregistra en stipulant que le cadastre respecterait les immunités des biens nobles, et que les vingtièmes « seraient perçus sur les rôles actuels, dont les cotes ne pourraient être augmentées », ce qui était interdire de proportionner l'impôt aux progrès de la richesse publique. La victoire de la magistrature était complète.

VICTOIRE DE LA MAGISTRATURE.

Sans doute pour désarmer le Parlement de Paris, le Roi, après avoir retiré le Contrôle général à Bertin, le 13 décembre 1763, le donna au conseiller de L'Averdy. Il n'y avait pas d'exemple qu'un conseiller fût devenu Contrôleur général, et, si malade que parût l'État, des parlementaires, flattés de ce choix, crurent qu'il avait chance de se rétablir. L'Averdy passait pour un sage, et le bruit courait qu'il allait procéder à des économies et « retranchements » Lorsqu'il eut donné, le 23 décembre 1763, une ordonnance autorisant provisoirement le transport et le commerce des grains de province à province, et, le 19 juillet 1764, rendu le commerce des grains libre dans le royaume, et permis d'importer ou d'exporter, sauf à payer un léger droit, les Philosophes annoncèrent l'amélioration prochaine du sort des paysans. On reconnut bientôt que le nouveau ministre n'aimait ni les Philosophes, ni la philosophie, et qu'il avait trop haute opinion de lui-même pour permettre aux particuliers de discuter des choses publiques.

L'AVERDY.

Il n'établit aucune imposition nouvelle, mais il augmenta les anciennes. Il créa une caisse des arrérages et une caisse des amortissements ; à la première, qui était chargée d'acquitter les arrérages des rentes et les intérêts des avances ou emprunts, il affecta le produit des deux vingtièmes et des sols pour livre, plus un droit de mutation égal à un an de revenu sur toutes les mutations en ligne collatérale des contrats de rente sur l'État ; à la seconde, diverses sommes, que devait payer la caisse des arrérages : 10 millions par an jusqu'en 1767, 7 millions de 1768 à 1769, 6 millions de 1770 à 1771 et 3 millions de 1772 à 1781 ; la caisse des amortissements fut encore alimentée par une retenue annuelle de 1/10ᵉ sur tous les effets

ACCROISSEMENT DES IMPÔTS.

au porteur, les gages et augmentations de gages, autres que ceux des officiers de justice et de police. Des lettres patentes annoncèrent chaque année dans la suite, l'amortissement d'un nombre respectable de millions, mais de nouvelles dettes furent contractées. L'administration de L'Averdy contribua à produire les troubles de Bretagne, dont il sera question bientôt et qui furent si graves.

LES CONTRÔLEURS GÉNÉRAUX ET L'OPINION.

Ainsi l'un après l'autre les Contrôleurs généraux se démenaient dans l'impossible. Il leur fallait bien subvenir aux frais de la guerre et acquitter les dettes qu'elle laissait. « Quand on a contre les Anglais, disait Voltaire avec raison, une guerre si funeste, il faut que toute la nation combatte, ou que la moitié de la nation s'épuise à payer la moitié qui verse son sang pour elle. » Mais le mauvais régime politique, le mauvais régime financier apparaissaient de plus en plus comme les causes de la perpétuelle détresse. Les Parlements s'en prenaient à la monarchie absolue. Ils déclaraient que les sujets du Roi, étaient « des hommes libres, et non des esclaves » ; que la perception des impositions n'est « légitime » que pour les « dépenses faites dans l'intérêt de l'État ». Ils montraient « un déluge d'impôts » ravageant impitoyablement les villes et les campagnes, et toute la France « en proie à la bursalité ». Le public se passionnait pour la réforme financière. Malgré la défense portée, dans une Déclaration de mars 1764, d'écrire sur ces matières, les écrits pullulèrent. Une brochure d'un conseiller au Parlement de Paris, Roussel de La Tour, intitulée *La Richesse de l'État*, et qui proposait le remplacement de toutes les impositions par une capitation proportionnelle aux fortunes, eut un grand succès et provoqua de nombreuses approbations et de nombreuses critiques. Mais la plupart des écrivains n'avaient pas de vues pratiques; ils ne semblaient pas se douter qu'une réforme financière ne se pouvait accomplir que par une réforme à fond de la société française, à laquelle n'eussent pas consenti ces Parlementaires qui menaient le branle avec un si grand bruit. Voltaire voyait bien qu'il ne serait pas si aisé de faire cette réforme. Il écrivait le 2 avril 1764 : « Tout ce que je vois jette les semences d'une révolution qui arrivera immanquablement, et dont je n'aurai pas le plaisir d'être le témoin. »

CHAPITRE VI

LES DERNIÈRES ANNÉES DU MINISTÈRE CHOISEUL (1763-1770)[1]

I. ADMINISTRATION MILITAIRE, MARITIME ET COLONIALE DE CHOISEUL. — II. LES AFFAIRES DE BRETAGNE. — III. CHUTE DE CHOISEUL.

I. — ADMINISTRATION MILITAIRE, MARITIME ET COLONIALE DE CHOISEUL

PENDANT que la monarchie se débattait contre de si grandes difficultés, un bel effort était fait pour restaurer les forces de terre et de mer et pour vivifier le domaine colonial de la France. Le mérite en revient à Choiseul. Le principal ministre, ayant à diriger la politique générale et la Marine en même temps que la Guerre, et n'étant pas un militaire de profession, eut recours à des collaborateurs qu'il choisit très bien. Il trouva, dit Besenval, « mille

CHOISEUL SECRÉTAIRE D'ÉTAT DE LA GUERRE (1761-1774).

1. Sources. Besenval (t. I), Moufle d'Angerville (t. III et IV), Talleyrand (t. V), déjà cités ; *Mémoires de Choiseul*, p. p. F. Calmettes, Paris, 1904. *Encyclopédie méthodique*, partie : *Art militaire*, Paris, 1784, 4 vol. Briquet, *Code militaire ou compilation des ordonnances des rois de France concernant les gens de guerre*, Paris, 1761, 8 vol. Guyot, *Répertoire universel et raisonné de jurisprudence*, Paris, 1784, 17 vol. *Infanterie, Régiments provinciaux*, années 1762 à 1780 (Recueil d'ordonnances), s. l. n. d. Gribeauval, *Table des constructions des principaux attirails de l'artillerie*, de 1764 à 1789, Paris, 1792.

Ouvrages a consulter. Boutaric, Chabaud-Arnault (*Histoire des Flottes militaires*), Favé (t. IV), Jobez (t. V), Lacour-Gayet, Mention, Tuetey (*Les officiers*), Pajol (t. V et VII), Suzanne, d'Haussonville (*Hist. de la réunion de la Lorraine*), déjà cités. Favé, *Histoire de l'artillerie*, Paris, 1845, 2 vol. Hennebert, *Gribeauval*, Paris, 1896. Duruy (Albert), *L'armée royale en 1789*, Paris, 1888. Coste, *Les anciennes troupes de la marine (1622-1792)*, Paris, 1893. Lambert de Sainte-Croix, *Essai sur l'administration de la marine (1699-1792)*, Paris, 1892. Chevalier, *Histoire de la marine française pendant la guerre de l'Indépendance américaine*, Paris, 1886. Loir (Maurice), *La Marine royale en 1789*, Paris, 1892. Daubigny, *Choiseul et la France d'outre-mer après le traité de Paris*, Paris, 1892. Flammermont, *Le Chancelier Maupeou et les Parlements*, Paris, 1883. Boyé (Pierre), *Stanislas Leczinski et le troisième traité de Vienne*, 2e édit., Nancy, 1860. Id., *Le budget de la province de Lorraine et Barrois sous le règne de Stanislas*, Nancy, 1896. Krug-Basse, *Histoire du Parlement de Lorraine et Barrois*, Nancy, 1899. Pfister, *Histoire de Nancy*, tome III, Paris, 1908.

secours dans l'enthousiasme qu'il inspira à plusieurs personnes éclairées, qui lui dévouèrent et leurs soins et leurs veilles, autant par attrait pour lui que par désir de servir leur pays ».

Dès qu'on eut signé les préliminaires de la paix avec l'Angleterre, Choiseul, par l'ordonnance du 10 décembre 1762, commença de réformer l'armée. Il fallait bien faire des économies, mais il fallait aussi que les effectifs pussent être, à un moment donné, rapidement accrus, et l'armée mise en état d'entrer promptement en campagne. Il fut donc ordonné qu'en cas de guerre les levées seraient versées dans les corps existants, sans qu'il fût créé de nouveaux états-majors.

En même temps, on réduisit le nombre des officiers. Au début de la guerre il avait fallu les multiplier et accepter comme officiers beaucoup de roturiers. En 1763, Choiseul licencia des régiments, et ordonna aux colonels de chaque régiment de congédier des officiers; les roturiers furent sacrifiés les premiers. Il y eut parmi eux des résistances. Un sieur Lantier, fils d'un riche négociant de Marseille, lieutenant au régiment de l'Ile-de-France, ayant été congédié par le colonel marquis de Grenolle, fit intervenir auprès de Choiseul l'évêque d'Orléans et le maréchal de camp de La Roque. Choiseul se serait laissé aller à conserver Lantier, mais le colonel de Grenolle écrivit :

« Le plus réel privilège qui reste à la noblesse est l'état militaire; il est fait pour elle; lorsque des sujets, faits pour un autre état, occupent la place des gentilshommes, c'est une contravention à la règle établie par le souverain... Le militaire doit être composé de la partie la plus pure de la nation, des gens faits pour avoir des sentiments. »

Le sieur Lantier ne resta pas au régiment.

Mais des officiers nobles de la noblesse provinciale furent aussi remerciés. Des colonels perdirent les fonds qu'ils avaient empruntés pour acheter un régiment et des capitaines et des lieutenants le prix de leurs charges. Beaucoup tombèrent dans la misère. On leur donnait en compensation des pensions illusoires souvent, à cause de l'irrégularité des paiements. Un capitaine de grenadiers écrit à Choiseul en 1763 :

« Pour me soutenir je fus obligé de vendre mon épée à monture d'argent, ainsi que ma montre.... Je demande à servir partout où le ministre voudra me faire la grâce de m'employer. Je ne désire rien que de travailler pour avoir du pain. »

Un chevalier du Muy, qui commande en Flandre, écrit au ministre au sujet d'un ancien capitaine :

« Cet officier n'a pas de quoi acheter du pain qui fait sa seule nourriture.... Je viens de lui donner 50 écus pour passer une partie de l'hiver en lui disant que c'était une gratification de la Cour, afin de lui éviter l'humiliation de le recevoir de moi. Il demande une des compagnies vacantes dans le régiment provincial de Lille.... »

Un lieutenant-colonel reçoit de l'évêque de Soissons, pour lui, sa femme et sa fille, trente livres de pain et douze livres de viande par semaine ; les deux femmes n'osent pas aller à la messe parce qu'elles sont sans vêtements.

Les officiers qui demeurèrent en activité eurent souvent bien de la peine, eu égard à la hausse de toutes choses, à s'équiper et à vivre ; un lieutenant avait 900 livres d'appointements, un sous-lieutenant 600, et parfois ils étaient menacés de ne plus être payés. En 1772 on racontera que l'abbé Terray a proposé au Conseil de supprimer les appointements des officiers. Tous étaient mécontents. La noblesse pauvre n'avait pas d'autre carrière à suivre que le service du Roi, et ce service la ruinait.

Le Gouvernement essaye de lui donner quelques satisfactions. L'École militaire créée par le comte d'Argenson entretenait gratuitement 500 fils de gentilshommes [1]. Choiseul convertit le collège de La Flèche, d'où les Jésuites avaient été expulsés en 1762, en une école préparatoire dont les élèves les plus distingués devaient être appelés à l'École militaire de Paris, et il l'ouvrit aux fils des nobles. En vertu de l'ordonnance du 7 avril 1764, on pouvait entrer à La Flèche de huit à onze ans ; il y avait 250 places.

LES ÉCOLES MILITAIRES.

Choiseul aurait voulu empêcher les colonels et les capitaines d'exploiter les régiments et les compagnies comme « des fermes », mais la « vénalité » des grades rendait son projet en partie irréalisable. Les colonels vendaient certains grades au plus offrant. Au début de la guerre de Sept Ans, on avait créé un grand nombre de compagnies dans les régiments d'infanterie, et le colonel du régiment de Piémont s'était acquis une célébrité à vendre les compagnies et les lieutenances. Un correspondant du Secrétaire d'État de la Guerre lui écrivait en 1758 que, dans ce régiment, les grades se vendaient « comme la viande de boucherie ». Les abus de la vénalité, qu'avait naguère combattus Louvois [2], avaient tous reparu.

COLONELS ET CAPITAINES.

Les colonels sortaient pour la plupart de la noblesse de Cour, et commençaient à commander des régiments à l'âge de vingt-trois ans, souvent plus jeunes. Durant la guerre de Sept Ans, l'inexpérience des colonels et le train luxueux qu'ils menaient avaient frappé tout le

1. Voir plus haut, p. 227.
2. Voir *Hist. de France*, t. VII, 2, p. 233.

monde. Étant Secrétaire d'État de la Guerre, Belle-Isle, par l'ordonnance du 22 mai 1759, avait établi que l'on ne pourrait plus être colonel qu'après avoir servi sept ans, dont cinq comme capitaine. Choiseul ne fit pas respecter l'ordonnance à la rigueur, mais c'est du moins de son ministère que date la disparition des « colonels à la bavette ». Il ne diminua pas le nombre des colonels, l'accrut plutôt, pour se faire une clientèle de noblesse ; car, à la fin du règne de Louis XV, pour 163 régiments il n'y avait pas moins de 8 à 900 colonels pourvus, sinon d'emplois, du moins de commissions.

ADMINISTRATION DES RÉGIMENTS.

Par l'ordonnance du 10 décembre 1762, Choiseul décida qu'aucun régiment ne porterait plus le nom de son colonel; que tous recevraient des noms permanents, des noms de provinces. Il donna part dans l'administration des régiments aux majors et aux capitaines-trésoriers, nommés les uns et es autres par le Roi. Dans chaque régiment l'argent de la solde et de la masse fut remis au trésorier et versé en sa présence dans une caisse à trois serrures; le colonel, le major et le trésorier ayant chacun leur clef, la caisse ne s'ouvrait que si les trois personnages ou leurs représentants étaient présents. Pour tous fonds déposés ou pris dans la caisse, on établissait chaque mois trois états : l'un était envoyé au Secrétaire d'État; le major en prenait un autre; le trésorier conservait le troisième. La coopération du colonel, du major et du trésorier fut le premier essai des conseils d'administration des régiments.

A l'égard des capitaines, l'ordonnance du 10 décembre 1762 disposa :

« Les capitaines de tous les régiments de l'infanterie française seront à l'avenir déchargés du soin de faire les recrues, l'intention du Roi étant de leur faire fournir toutes celles dont ils auront besoin.... Sa Majesté fera pareillement fournir à l'avenir l'armement... »

Les capitaines, qui perdaient les bénéfices sur les levées ou l'entretien de leurs hommes, furent indemnisés par l'augmentation de leurs appointements, qui étaient d'abord de 1 700 livres et sont, dans l'ordonnance de 1762, fixés à 2 000 livres.

INSTRUCTION DES OFFICIERS.

Choiseul exigea des officiers qu'ils fussent instruits. Il fit enseigner aux jeunes gentilshommes de l'école de La Flèche les langues française et latine, l'histoire, la géographie, les mathématiques, le dessin, l'escrime. Il voulut qu'avant d'être officier on eût la connaissance pratique du service du sous-officier et du service du soldat, qu'on eût servi comme cadet dans une compagnie.

DISCIPLINE.

Il établit dans l'armée une discipline régulière. Le colonel dut résider auprès de son régiment, et fut placé sous la surveillance d'un officier général qui, tous les six mois, rendait compte au Secrétaire d'État « de la tenue, de l'instruction et de la conduite militaire du régiment ». Le major dut remplir toute sa fonction, qui consistait « dans la police, la discipline, la tenue et les exercices »; il devait aussi, sous peine d'être cassé, informer le Secrétaire d'État de la Guerre « des changements qu'on aurait introduits » dans le régiment. Il fut établi par l'officier général chargé des inspections un « contrôle de tous les officiers, contenant leurs noms, surnoms, les lieux de leur naissance, le détail de leur service, l'époque de leurs différents grades, leurs blessures, leurs mœurs, leurs talents », et aussi un état des dettes du régiment et des dettes personnelles de chaque officier.

Les autres réformes eurent surtout le soldat pour objet. Choiseul confia le recrutement à des sergents recruteurs, et paya directement le prix des engagements. Par l'ordonnance du 1ᵉʳ février 1763 et par celle de mai 1766, il fut interdit d'admettre des volontaires au-dessous de seize ans en temps de paix, au-dessous de dix-huit en temps de guerre et d'admettre personne au delà de cinquante ans. Le soldat sera nourri, équipé, armé par le Roi; les fonds seront versés à chaque régiment qui en rendra compte. C'était supprimer les entrepreneurs de fournitures et remplacer « l'entreprise » par la « régie ». Il fut ordonné aux capitaines de s'assurer que les soldats étaient bien nourris, sous peine de répression sévère pour toute négligence à ce sujet. L'état des uniformes des régiments fut fixé, et défense faite aux colonels d'y introduire ou laisser introduire aucun changement.

RECRUTEMENT; NOURRITURE ET HABILLEMENT DU SOLDAT.

La fabrication des armes, l'approvisionnement des magasins, l'organisation de la remonte, l'organisation des ambulances furent réglés. Pour assurer l'instruction technique de l'armée, un certain nombre de régiments devaient être conduits tous les ans au camp de Compiègne, dont on voulait faire quelque chose d'analogue aux camps d'instruction de Frédéric II. Une ordonnance du 1ᵉʳ mai 1768 réglementa le service des places. La législation militaire entra dans les plus petits détails; elle détermina jusqu'à la manière dont les soldats devaient arranger leurs cheveux; il fut défendu aux cavaliers de les tresser en queues démesurées et de se mettre à 7 ou 8 à coiffer un camarade.

CAMP DE COMPIÈGNE.

La réforme de l'artillerie fut un des principaux soins de Choiseul. Ici le grand collaborateur était Gribeauval.

Jean-Baptiste Vaquette de Gribeauval, né en 1715, entré comme volontaire dans le régiment de Royal-Artillerie en 1732, capitaine du corps des mineurs en 1752, envoyé en mission en Prusse par le

RÉFORME DE L'ARTILLERIE. GRIBEAUVAL.

comte d'Argenson à l'effet d'étudier l'artillerie légère des Prussiens, lieutenant-colonel en 1757, passa au service de l'impératrice Marie-Thérèse avec l'agrément de Louis XV, coopéra en 1758 à la prise de Glatz en Silésie, et défendit si bien Schweidnitz contre Frédéric, en 1762, que celui-ci n'y serait pas entré sans une explosion de magasins à poudre qui mit la place hors d'état de soutenir un assaut. La paix faite, Choiseul rappela Gribeauval, le fit maréchal de camp, inspecteur général d'artillerie. Gribeauval proposa alors de renouveler tout le matériel des canons.

LES VALLIÈRE.   En France régnait le système Vallière, qui devait son nom à Jean-Florent de Vallière, officier d'artillerie d'assez grande notoriété au temps de Louis XIV[1], directeur général de l'artillerie en 1720. Vallière avait établi l'uniformité des calibres, et, par l'ordonnance de 1732, réglé l'organisation du corps de l'artillerie, de ses écoles et de ses exercices. Son fils, le marquis de Vallière, directeur général de l'artillerie et du génie depuis 1747, était persuadé qu'il n'y avait rien à changer à l'œuvre de son père. Le système remontait cependant à une époque où les canons étaient surtout employés dans l'attaque et la défense des places. Or, les guerres récentes avaient prouvé que l'artillerie pouvait faire gagner des batailles; les Français lui devaient d'avoir vaincu à Fontenoy et à Raucoux. Mais, pour traîner des canons partout où donnent les troupes, il fallait les alléger.

ARTILLERIE LÉGÈRE.   Gribeauval fit comprendre que l'artillerie devait varier ses engins en raison des besoins de la guerre et qu'il fallait créer un matériel distinct pour chacun des services de campagne, de siège, de place, ou de côte. Pour alléger les pièces il les raccourcit, remplaça les essieux en bois par des essieux en fer; pour les rendre plus rapidement mobiles, il augmenta la hauteur des roues de leurs avant-trains. Son système, adopté en 1765, devait être en usage jusqu'en 1825.

L'OPPOSITION.   Sa réforme rencontra des adversaires : Vallière fils, les écrivains militaires Saint-Auban et Dupuget, les académiciens de Tressan et Buffon qui soutenaient que raccourcir les pièces, c'était en diminuer la portée, la justesse, la solidité. Mais l'expérience donna raison à Gribeauval. Lors de la conquête de la Corse, les artilleurs conduisirent sans peine leurs pièces sur des hauteurs escarpées. Quand Choiseul fut disgracié, Gribeauval fut mis à l'écart; il reprendra sa réforme sous Louis XVI.

FONDERIES ET MANUFACTURES DE L'ÉTAT.   Au XVIIe siècle, les fonderies des ports de Toulon, Rochefort et Brest, celles de Strasbourg, de Douai et de l'Arsenal de Paris étaient les seules dont le Roi eût l'entière propriété; partout ailleurs il se

1. Né en 1667, mort en 1759.

contentait d'exercer une certaine surveillance par ses agents. Au xviiie siècle, et surtout à partir du ministère Choiseul, l'État acquit un assez grand nombre de manufactures particulières, en créa de nouvelles, y introduisit les procédés de fabrication les plus perfectionnés, et forma un remarquable personnel d'ouvriers. Les manufactures de Saint-Étienne, Charleville, Maubeuge, Klingenthal devinrent établissements du Roi ; et de même les fonderies de canons de Ruelle, Indret, Montcenis, Saint-Germain, Lyon et Perpignan, les fabriques d'ancres et de poudres de Cosne et du Ripault.

Choiseul entra au ministère de la Marine en 1761 ; il en sortit en avril 1766, mais il fut remplacé par son cousin Choiseul-Praslin qui demeura en communauté d'idées avec lui.

Dans un *Mémoire* présenté au Roi en 1765, Choiseul a donné l'état de la Marine au moment où il succéda à Berryer :

CHOISEUL SECRÉTAIRE D'ÉTAT DE LA MARINE.

> « (A Brest), le peu qui restait dans les magasins était à l'encan ; l'on n'avait pas de quoi ni radouber, ni équiper les bâtiments qui avaient échappé au combat de M. de Conflans. Le port de Toulon n'était pas mieux que celui de Brest depuis le combat de M. de La Clue ; les vaisseaux étaient abandonnés, les magasins vides ; la marine devait partout et n'avait pas un sou de crédit. »

Le Roi ne possédait plus que « 44 vaisseaux de ligne tant bons que mauvais et 10 frégates ». Choiseul demanda aux États du Languedoc d'aider le Roi dans la reconstitution des forces navales. Les États décidèrent d'offrir un vaisseau et votèrent l'argent nécessaire ; les États de Bourgogne, de Flandre, d'Artois, le Parlement de Bordeaux, le corps de ville et les six corps de métiers de Paris, la chambre de commerce de Marseille, les fermiers généraux, les receveurs généraux, les régisseurs des postes, les chevaliers de l'ordre du Saint-Esprit suivirent cet exemple, votèrent des fonds ou se cotisèrent ; le Clergé de France vota un million ; de simples particuliers envoyaient leurs offrandes. Le tout fit, au dire de Choiseul, 14 millions, qui donnèrent quinze vaisseaux de ligne parmi lesquels le *Languedoc*, la *Bourgogne*, le *Marseillais*, le *Citoyen*, le *Saint-Esprit*.

LA FLOTTE RECONSTITUÉE.

La construction de ces vaisseaux ramena la vie dans les chantiers des arsenaux. Les crédits mis à la disposition de Choiseul, d'abord réduits de 20 à 16 millions, furent relevés peu à peu jusqu'à 26 millions et demi, chiffre de 1770.

Choiseul aurait voulu que la France fût toujours en état d'ouvrir les hostilités sur mer avec 80 vaisseaux de ligne, et 45 frégates. Quand il fut disgracié, 64 vaisseaux et 50 frégates étaient prêts à prendre la mer. Il tirait ses bois non seulement du royaume, mais encore d'Italie et de Turquie.

Aux trois arsenaux de Brest, Rochefort, Toulon, Choiseul ajouta un arsenal à Marseille en 1762, et Choiseul-Praslin un arsenal à Lorient en 1770, quand la Compagnie des Indes eut été supprimée.

BATAILLONS
AFFECTÉS
A LA FLOTTE
ET AUX COLONIES.

Choiseul reprit l'idée de Colbert sur l'armée coloniale [1] et remplaça les Compagnies franches qui, depuis Seignelay, faisaient sur la flotte « le service de la mousqueterie », par des bataillons d'infanterie de l'armée de terre qui furent affectés en même temps aux colonies. Il espérait établir ainsi, disait-il, l'union des deux armées de terre et de mer ; mais les fantassins ne se prêtèrent pas au service des vaisseaux et souvent désertèrent. C'étaient d'ailleurs presque tous de mauvais soldats, dont les régiments s'étaient volontiers débarrassés. Il était tellement nécessaire d'avoir une force permanente pour défendre les colonies et réduire au minimum l'emploi des troupes royales que Choiseul organisa des milices coloniales [2]. Mais les colons « abhorraient » les milices ; les plantations souffraient du service qu'elles imposaient ; les chambres d'agriculture des colonies protestèrent contre l'institution, et une espèce de révolte éclata à Saint-Domingue.

LES CATÉGORIES
D'OFFICIERS.

Le personnel des officiers et agents de la Marine comprenait quatre catégories : les officiers nobles attachés au service des vaisseaux du Roi, recrutés parmi les « gardes de la marine » dont il y avait des compagnies-écoles dans les ports de Brest, de Rochefort et de Toulon, et formant ce qu'on appelait le « grand corps » ; les officiers d'artillerie entrés au service en qualité d'aides d'artillerie, presque tous roturiers ; les intendants de marine et les commissaires et écrivains placés sous leurs ordres ; les officiers des ports soumis à l'autorité des commandants des ports et des intendants, occupés à la construction, au radoub, et sortant le plus souvent de la marine marchande. Des trois dernières catégories nul ne pouvait arriver à la première. Choiseul, qui voyait dans le grand corps beaucoup d'incapables, aurait voulu supprimer les « gardes de la marine » et recruter le grand corps parmi les officiers d'artillerie de marine, les officiers des ports, même parmi les corsaires et les capitaines-marchands qui s'étaient distingués dans la dernière guerre. Ce fut un soulèvement dans la noblesse, et Choiseul, désapprouvé par le Roi, dut renoncer au projet.

---

1. Voir *Hist. de France*, t. VII, 2, p. 259.
2. Celles qui avaient été équipées pendant la guerre de Sept Ans, furent licenciées en 1763, mais rétablies par une ordonnance du 20 mars 1764.

Les officiers de marine demandaient que leur expérience fût mise à profit pour la préparation des forces navales. Choiseul leur donna satisfaction au détriment des bureaux. Tandis que Colbert les avait exclus du « détail » des arsenaux [1], il leur ouvrit les arsenaux. L'artillerie de marine, jusque-là sous l'autorité de l'intendant de marine, passa sous celle de l'officier général commandant le port. Les capitaines de vaisseau qui, lorsqu'ils étaient dans les ports, dépendaient auparavant de l'intendant, devinrent les subordonnés directs du commandant. L'intendant n'eut plus de pouvoir qu'en ce qui concernait la « plume ». Le capitaine du port demeura bien sous ses ordres, mais il fut tenu de rendre compte au commandant, jour par jour, de l'état des vaisseaux. Les intendants et tout le corps de la plume se plaignirent; pour les consoler on leur fit porter l'uniforme et on leur donna le titre d' « officiers d'administration de la Marine ».

Les questions maritimes et navales furent sérieusement étudiées au temps de Choiseul. Le vicomte Bigot de Morogues, commissaire général de l'artillerie, publia en 1763, en le dédiant au Secrétaire d'État, un ouvrage sur la *Tactique navale*; deux ans après, Bourdé de Villehuet publia *Le Manœuvrier*, livre pratique dont l'autorité fut grande sur les officiers qui prirent part à la guerre de l'indépendance américaine. L'Académie de marine, association d'officiers de marine et d'artillerie formée à Brest par Bigot de Morogues, officiellement pourvue d'un règlement par Rouillé, en 1752, réorganisée en 1769 par Choiseul-Praslin, et placée comme toutes les grandes académies sous la protection du Roi, aida à la diffusion des études nautiques. L'hydrographie fut enseignée, non seulement à Paris par Digard de Kerguette, un maître en la matière, mais dans divers collèges, à Rouen, à La Rochelle, à Toulouse. A côté des écoles d'hydrographie qui, à Brest, à Rochefort, à Toulon, servaient aux « gardes de la marine », Choiseul, en 1765, organisa des écoles publiques d'hydrographie.

ÉTUDES NAUTIQUES.

Choiseul essaya d'organiser l'empire colonial de la France, en le reprenant aux Compagnies. Avant la suppression de la Compagnie des Indes, il se fit donner par elle en 1763 Gorée et les comptoirs de la Gambie et Ouidah dans le golfe de Guinée; il acheta Dakar. En 1767 il lui reprit les îles de France et de Bourbon avec leurs dépendances, les Seychelles et Sainte-Marie de Madagascar. Après la suppression, les établissements français des Indes passèrent sous le gouvernement direct du Roi; il y eut au département de la Marine un Bureau des Indes.

ADMINISTRATION DES COLONIES.

1. Voir *Hist. de France*, t. VII, 2, p. 262.

L'État substitué aux compagnies [1] va se charger du commerce des nègres, du ravitaillement des colonies et de la « peuplade ». Choiseul remit en vigueur les ordonnances qui permettaient aux artisans coloniaux de passer maîtres après dix ans de travail, aux juifs et aux protestants de pratiquer leur culte. Suivant l'usage, il fit embarquer pour les colonies des jeunes gens de famille, dont on voulait se débarrasser, des gens sans aveu et des vagabonds [2]. D'excellentes mesures économiques furent prises. Les colonies eurent des chambres de commerce et d'agriculture ; les ports furent agrandis et fortifiés ; Sainte-Lucie et Saint-Nicolas devinrent des ports francs.

Dans l'administration des colonies, comme dans celle de la marine et de la guerre, la pensée dominante de Choiseul fut de préparer la guerre contre les Anglais ; il espérait trouver une occasion dans le conflit prévu entre l'Angleterre et ses colonies d'Amérique. Il expédiait des agents secrets sur les côtes d'Afrique et d'Amérique, aux Indes, dans la Baltique, pour s'enquérir du commerce des Anglais et s'informer des points et du moment où il serait opportun de les attaquer. Il voulait faire de la Martinique et de la Guadeloupe les bases des opérations militaires. Il écrivit au Roi en 1769 :

« Si Votre Majesté avait la guerre avec les Anglais, il serait instant au moment qu'on l'envisagerait de faire passer en Amérique vingt-quatre bataillons qui trouveraient dans les îles ce qui leur serait nécessaire, resteraient pendant toute la guerre en Amérique, et seraient alimentés tant en vivres qu'en munitions par les escadres de Votre Majesté. C'est d'après ce plan que nous préparons les possessions de Votre Majesté dans cette partie du monde. »

Choiseul aurait voulu aussi qu'unie à la France par le *Pacte de famille*, l'Espagne prît ses précautions en vue d'une guerre contre l'Angleterre, et il écrivait à l'ambassadeur de France à Madrid :

« Vous devez insister chaque fois que vous en trouverez l'occasion sur la nécessité indispensable qu'il y a pour l'Espagne de travailler à augmenter sa puissance maritime et coloniale. »

---

1. Il ne resta qu'une compagnie privilégiée, celle de Barbarie, qui avait le monopole du commerce sur la côte septentrionale d'Afrique.
2. Un essai de colonisation en Guyane, en 1764, finit par un désastre. Environ 9 000 blancs, tirés en majorité de l'Acadie, furent débarqués à la Guyane, où les nègres manquaient, sans que rien eût été préparé pour les recevoir. Ils furent jetés pêle-mêle sur une plage où il n'y avait ni maisons, ni magasins, ni hôpitaux, et où des gens non acclimatés risquaient de périr. En quelques semaines, plus de la moitié de ces malheureux avaient succombé, et, en cinq mois, presque tous. Le désastre n'eut pas en France le retentissement qu'on pourrait croire ; il n'en servit pas moins d'argument à tous les adversaires de la colonisation officielle, à ceux qui prétendaient que les noirs pouvaient seuls résister au climat des tropiques ; et pourtant, il semble bien que ces émigrants ne furent pas plus victimes du climat que de l'effroyable incurie de leurs chefs.

II. — *LES AFFAIRES DE BRETAGNE* [1]

CE ministre occupé de si grands soins l'était pour le moins autant de petites choses et d'intrigues diverses. C'est là qu'il devait trouver sa perte. Il commença de compromettre son crédit dans les affaires de Bretagne, si singulières, et où l'on retrouve tant de preuves du désordre général et de la faiblesse du gouvernement royal.

En 1753, d'Aiguillon avait été nommé « Commandant » de Bretagne. Le duc de Penthièvre, gouverneur et lieutenant général de la province, était toujours absent de son gouvernement ; le « commandement » — qui n'était pas une charge et ne s'exerçait que par commission — était donc la fonction importante de la province. Emmanuel-Armand Vignerot du Plessis de Richelieu, duc d'Aiguillon, était fils d'Armand-Louis, comte d'Agenais, duc d'Aiguillon, et d'Anne-Charlotte de Crussol d'Uzès. Arrière-petit-neveu d'une dame de Combalet, nièce du cardinal de Richelieu, neveu du maréchal de Richelieu, apparenté à Maurepas, il était aussi neveu du Secrétaire d'État de Saint-Florentin, par sa femme, fille du comte de Plélo, tué à Dantzig en 1734. Il était élégant, de manières nobles, avec de la grâce ; d'esprit ordinaire, mais réfléchi et laborieux ; de caractère ferme ; de grand orgueil, ambitieux de se pousser au premier rang. Estimé du Dauphin, il passait pour le successeur probable de Choiseul, ce qui déplaisait au ministre et l'inquiétait.

La Bretagne réunie à la couronne la dernière des provinces françaises, et qui avait été aussi la dernière à recevoir des intendants,

---

1. SOURCES. Correspondance Fontette et Talleyrand (t. V), déjà citée. *Rapports... sur les correspondances des agents diplomatiques étrangers en France avant la Révolution*, p. p. J. Flammermont, Paris, 1896, dans les « Nouvelles archives des missions scientifiques », t. VIII. La Chalotais (de), *Mémoires* ; les deux premiers, s. l. n. d., 80 p. ; le troisième, s. l. n. d., 71 p. ; le quatrième est intitulé : *Sixième développement de la requête qu'a fait imprimer M. de Calonne pris à partie par l'ombre de M. de La Chalotais*, Londres, 1787. Linguet, *Mémoire à consulter et consultation pour Monsieur le duc d'Aiguillon*, Paris, 1770. Montbarrey (Prince de), *Mémoires*, Paris, 1826-1827, 3 vol. *Procès instruit extraordinairement contre MM. de Caradeuc de La Chalotais et de Caradeuc*, etc., éd. de 1768, 3 vol. in-12.

OUVRAGES A CONSULTER. Crousaz-Cretet, Cruppi, Flammermont, Jobez (t. VI), Rocquain, déjà cités. Bonneville de Marsangy, *Le Comte de Vergennes, son ambassade en Suède (1771-1774)*, Paris, 1898. Carné (de), *Les Etats de Bretagne*, Paris, 1868, 2 vol. Floquet, *Histoire du Parlement de Normandie*, Rouen, 1840-43, 7 vol., t. VI. Goncourt (Ed. et J. de), *La du Barry*, Paris, 1878. Vatel, *Histoire de Mme du Barry*, Paris, 1882-1883, 3 vol. Saint-André (Claude), *Mme du Barry, d'après les documents authentiques*, Paris, 1908. Marion, *La Bretagne et le duc d'Aiguillon (1753-1770)*, Paris, 1898. Pocquet, *Le pouvoir absolu et l'esprit provincial : Le duc d'Aiguillon et La Chalotais*, Paris, 1900, 3 vol.

s'était plusieurs fois révoltée [1]. Elle se prévalait de son Acte d'union de 1532, en vertu duquel aucune taxe ne pouvait être levée sur son territoire sans avoir été au préalable consentie par ses États [2]. Les nobles mettaient leur point d'honneur à défendre les libertés de leur province contre les pratiques des fonctionnaires royaux ; leur patriotisme breton était en partie sincère, mais il s'agissait aussi pour eux de se soustraire aux charges communes. Le Parlement de Rennes faisait cause commune avec les États dans la résistance.

PREMIERS
ACTES
DE D'AIGUILLON.

Si difficile que fût sa tâche, d'Aiguillon réussit d'abord on ne peut mieux. Il se créa un parti dans la noblesse bretonne. Aidé de l'intendant Le Bret, il fit l'assiette et la répartition du vingtième avec une modération et des ménagements dont on lui sut gré ; il multiplia les grandes voies de communication, les « grands chemins », comme on disait, améliora et adoucit notablement le système des corvées, s'intéressa à l'assainissement de quelques grandes villes. Pendant la guerre de Sept Ans, en 1758, à Saint-Cast, il sauva la province d'une invasion anglaise. Il défendait, à l'occasion, les privilèges de la Bretagne auprès des ministres. Mais, durant le procès des Jésuites, il demeura neutre, et cette neutralité le fit soupçonner de sympathies pour les religieux proscrits ; si bien qu'à Versailles et à Paris le parti Choiseul se mit à le dénoncer comme suppôt des Jésuites.

LE PROCUREUR
GÉNÉRAL
LA CHALOTAIS.

D'Aiguillon eut la mauvaise fortune de se brouiller avec le Procureur général au Parlement de Rennes, La Chalotais, pour avoir voulu empêcher — inutilement d'ailleurs — ce magistrat d'assurer sa survivance à son fils, un incapable. Or, le procès des Jésuites avait illustré La Chalotais ; les Philosophes le louaient ; Madame de Pompadour et Choiseul lui firent espérer le Contrôle général. Il lia pour ainsi dire partie avec ses protecteurs contre d'Aiguillon, en qui, outre ses griefs personnels, il détestait un rival. La Chalotais avait l'orgueil de la robe ; il était ambitieux et violent.

LE PARLEMENT
CONTRE
D'AIGUILLON.

Survinrent alors, en avril 1763, les mesures fiscales de Bertin, puis la Déclaration du 21 novembre suivant [3]. Le 5 juin 1764, à propos de l'enregistrement de cette Déclaration, le Parlement de Rennes fit des remontrances où il reprochait à d'Aiguillon ses « grands chemins » et la réforme de la corvée où il voyait un acte de despotisme.

INTERVENTION
DU ROI.

Louis XV fit mander à Versailles les principaux meneurs, de Montreuil, de La Gascherie, de Kersalaün et La Chalotais lui-même. Il leur dit :

---

1. Notamment en 1675, contre l'impôt du timbre (cf. *Hist. de France*, VII, 1, p. 352-356), et en 1719, contre une taxe sur les boissons (V. plus haut, p. 53).
2. Voir *Hist. de France*, t. V, 1, p. 225.
3. Voir plus haut, p. 366.

« Je n'ai pu voir sans peine que, dans une occasion où j'ai donné à mon Parlement les plus grandes marques de confiance, et où je ne devais attendre que des témoignages de son zèle et de sa reconnaissance, il ait ajouté par un arrêté compris, contre la règle ordinaire, dans son arrêt d'enregistrement de ma Déclaration du 21 novembre dernier, des objets qui y étaient totalement étrangers et qui ne tendent qu'à jeter des nuages sur une administration dont je suis aussi content que la province, ou même à élever des difficultés qui pourraient exciter des divisions entre mes sujets s'ils m'étaient moins attachés. Retournez dire à mon Parlement que je veux que cette affaire n'ait aucune suite. »

Après que la députation se fut retirée, Louis XV retint La Chalotais et l'avertit de prendre garde à sa conduite à l'avenir; il lui rappela que sa qualité de Procureur général, d'homme du Roi, l'obligeait particulièrement à respecter le Commandant. « Conduisez-vous, ajouta-t-il, avec plus de modération, c'est moi qui vous le dis. »

PERSISTANCE DE L'OPPOSITION PARLEMENTAIRE.

Les députés retournèrent à Rennes plus irrités qu'intimidés. Le Parlement fit de nouvelles remontrances; et de nouveau une députation fut appelée à Versailles. Mais cette fois, le Roi fut moins ferme à l'égard des magistrats; il ne leur dit rien pour défendre l'administration du duc d'Aiguillon.

Aux approches de la tenue d'États de 1764-1765, le nouveau Contrôleur général, L'Averdy, ordonna la levée en Bretagne de deux sous pour livre des droits des fermes, sans vouloir, comme le lui conseillait d'Aiguillon, attendre le consentement de l'assemblée. Il alléguait que la levée des droits des fermes générales ne regardait pas les États, et qu'il pouvait faire percevoir des sous pour livre additionnels à ces droits, si la Déclaration l'ordonnant était enregistrée par le Parlement de Rennes; or, cette cour venait de l'enregistrer, mais avec la pensée que les États feraient opposition à l'enregistrement. En effet, dès qu'ils furent assemblés à Nantes, en octobre 1764, les États firent opposition devant la Chambre des vacations, le Parlement étant alors en vacances, et, le 16 octobre, cette chambre rendit arrêt pour interdire la levée que le Parlement avait permise. Le Conseil du Roi cassa l'arrêt des Vacations, et interdit tout recours des États au Parlement. Mais les Parlementaires, revenus de vacances en novembre, interdirent l'affichage de l'arrêt du Conseil et suspendirent l'exercice de la justice; puis ils se démirent en mai 1765, sauf douze, qui furent persécutés par les démissionnaires et menacés d'être exclus de la magistrature, eux et leurs enfants jusqu'à la troisième génération. Rennes était en révolution. Avocats, procureurs, bas officiers du Palais, clients des juges démis s'agitaient. Libelles et caricatures allaient grand train.

TENUE D'ÉTATS. DÉMISSION DU PARLEMENT.

Des lettres anonymes injurieuses et menaçantes pour le Roi lui-même furent adressées au Secrétaire d'État Saint-Florentin [1]. Quelqu'un crut y reconnaître l'écriture de La Chalotais; le lieutenant de police de Sartine les soumit à trois experts pour les comparer avec des lettres du magistrat, et les experts conclurent à l'identité des écritures. Le Procureur général fut mis en état de surveillance.

Il avait des relations avec un gentilhomme du nom de Kerguézec, chef de l'opposition bretonne et implacable ennemi du Commandant. On accusait aussi La Chalotais d'avoir pris part à des conciliabules où furent dressés les plans de résistance des nobles, durant les États de 1764; mais cela ne suffisait pas pour le mettre en cause. Il advint alors qu'un subdélégué de l'intendant de Rennes, Audouard, ayant fait incarcérer un certain nombre de perturbateurs, fut pour cela condamné par le tribunal de police, composé de procureurs au Parlement, c'est-à-dire hostile à l'intendant et au Commandant. Le Conseil du Roi cassa la sentence, et, comme l'entente de La Chalotais avec les ennemis d'Audouard fut prouvée, le ministère fit arrêter le Procureur général.

En même temps furent conduits dans diverses prisons d'autres magistrats suspects qui, peu après, furent réunis au château de Saint-Malo avec La Chalotais. Celui-ci fut ensuite transféré à Rennes. Dans ses deux prisons, il travailla à loisir à des *Mémoires*, qui firent d'autant plus de bruit qu'il y dénonçait les Jésuites comme les instigateurs de son arrestation. On a conté qu'il les écrivit avec un cure-dent et de l'encre faite de suie, de vinaigre et de sucre; en réalité, il disposait de papier, de plumes et d'encre; il était en communication avec le dehors. Voltaire accrédita la légende d'un cure-dent qui « gravait pour l'immortalité ».

Le duc d'Aiguillon n'avait été pour rien dans l'arrestation de La Chalotais. Il voyageait alors dans le midi de la France. Sans qu'il fût consulté, des lettres patentes du 16 novembre constituèrent une commission de conseillers d'État et de maîtres des requêtes, afin de suppléer le Parlement de Bretagne et d'instruire à Saint-Malo le procès des magistrats. D'Aiguillon mit comme condition à son retour en Bretagne qu'un Parlement serait reconstitué, par lequel les magistrats incarcérés seraient jugés. Mais il eut l'imprudence d'engager des négociations pour recruter les nouveaux juges;

---

1. Voici le texte des billets anonymes : « Dis à ton maître, disait l'un, que malgré lui nous chasserons les douze J. F., et toi aussi ». L'autre était ainsi conçu et orthographié : « Tu es J. F. autant que les douze J. F. magistras qui ont échapé à la déroute générale. Raporte cecy à Louis pour qu'il connaisse donc nos affaire, et puis écris en son nom, mais sans son su, belle épitres aux douze J. F. magistra ».

les Parlementaires ne le lui pardonnèrent pas. Après sa rentrée à Rennes, en janvier 1766, il fut attaqué avec fureur. On alla jusqu'à dire qu'il avait pensé à faire décapiter La Chalotais dans la citadelle de Saint-Malo.

Cependant le nouveau Parlement se constitua; on l'appela par dérision le « bailliage d'Aiguillon ». Saisi du procès de La Chalotais et consorts, il n'était pas sûr de l'appui du ministère, qui se déjugeait si souvent. Des magistrats se récusèrent sous prétexte de parenté ou d'inimitiés, et le Parlement ne se trouva plus en nombre pour juger. En même temps, les autres Parlements protestaient contre ces innovations. Le 3 février, celui de Paris avait adressé au Roi des représentations sur la commission de Saint-Malo, tribunal dont les membres, disait-il, n'étaient que les « mandataires d'un pouvoir arbitraire »; il les avait renouvelées dix jours après, lors de la constitution du bailliage d'Aiguillon. Le Parlement de Rouen, par des remontrances répandues à profusion en Bretagne, traitait le bailliage d'Aiguillon de « fantôme de Parlement ». Le mouvement de protestation pouvant s'étendre et le bailliage d'Aiguillon en être intimidé, Louis XV alla inopinément, le 3 mars, au Parlement de Paris, et parla aux magistrats de telle façon que la séance reçut le nom de *Flagellation* :

LE BAILLIAGE D'AIGUILLON.

LA SÉANCE DE « FLAGELLATION ».

« Ce qui s'est passé dans mon Parlement de Rennes, dit-il, ne regarde pas mes autres Parlements. J'en ai usé à l'égard de cette cour comme il importait à mon autorité, et je ne dois de compte à personne. En ma personne seule réside la puissance souveraine; de moi seul mes cours tiennent leur existence et leur autorité; à moi seul appartient le pouvoir législatif, sans dépendance et sans partage...; l'ordre public tout entier émane de moi, et les droits et les intérêts de la nation, dont on ose faire un corps séparé du monarque, sont nécessairement unis dans mes mains, et ne reposent qu'en mes mains. »

Le lendemain, 4 mars, il écrivait au Parlement de Rouen :

« J'ai lu vos remontrances; ne m'en adressez jamais de semblables; l'agitation que vous supposez... parmi mes peuples... n'est que chez vous. Le serment que j'ai fait, non à la nation, comme vous osez le dire, mais à Dieu seul, m'oblige de faire rentrer dans le devoir ceux qui s'en écartent. »

Mais peu après il consentait à rappeler de Bretagne, sur sa demande, le duc d'Aiguillon, et, le 15 juillet, il rétablissait l'ancien Parlement de Bretagne. En novembre 1766, il évoqua le procès à son Conseil. Aussitôt le Parlement de Paris protesta contre l'usage de cette juridiction d'exception. Le Roi eut peur d'un conflit; il éteignit par lettres patentes du 21 décembre toute la procédure. En même temps, il assignait aux accusés, de son autorité propre, des lieux d'exil. Mais les partis politiques et religieux continuèrent de célébrer

LE ROI CÈDE.

La Chalotais victime de la haine des ultramontains et de son patriotisme breton. Les Philosophes, à peine sortis de la guerre contre les Jésuites, applaudissaient Choiseul que l'on savait favorable à La Chalotais. Le public voyait dans le succès de d'Aiguillon la revanche des Jésuites.

PROCÈS DE D'AIGUILLON.

A Rennes, les Parlementaires réinstallés se mirent à persécuter les juges, les avocats et les procureurs qui n'avaient pas, comme eux, suspendu le service, les officiers des juridictions inférieures qui avaient continué de rendre la justice, l'ingénieur Dorotte qui avait porté témoignage en faveur du Commandant, lors de la discussion sur les grands chemins. Divers libelles réclamèrent la mise en accusation de d'Aiguillon, et le Parlement de Rennes ouvrit une enquête sur la manière dont l'édit contre les Jésuites avait été exécuté par lui; des commissaires entendirent des témoins qui, gens de palais pour la plupart, chargèrent le Commandant, ou tout au moins son subordonné, le subdélégué Audouard. D'Aiguillon fut accusé non seulement d'abus d'autorité, mais encore d'avoir suborné des témoins contre La Chalotais et projeté de l'empoisonner.

Le Commandant lui-même réclamant des juges, il fut décidé au Conseil, le 24 mars 1770, qu'il serait jugé par le Parlement de Paris. Comme il était duc et pair, il relevait, en effet, de cette Cour où siégeaient les pairs de France quand un des leurs était en cause. Mais le Parlement de Paris avait déjà, à mainte reprise, dans ses remontrances, manifesté sur « l'Affaire de Bretagne » son opinion violemment hostile au Commandant de la province.

Le procès s'ouvrit à Versailles le 4 avril. On prononça la nullité des procédures de Rennes et on recommença l'information. Des témoins se contentèrent de citer des ouï-dire; d'autres contredirent à Paris leurs dépositions de Rennes. Certains témoignages, en termes identiques, semblèrent des leçons apprises. Il y eut une déposition sensationnelle du conseiller Cornulier de Lucinière; il prétendit savoir que d'Aiguillon était allé à Saint-Malo une nuit de janvier 1766, pour s'aboucher avec Lenoir et Calonne, membres de la commission chargée de juger La Chalotais; la conversation de ces trois hommes aurait été surprise; il en serait résulté que le Roi lui-même avait exigé la tête du Procureur général.

LETTRES D'ABOLITION.

D'Aiguillon ne cessa jamais de demander que son procès suivît son cours; il voulait porter plainte en subornation de témoins; il n'est donc pas vrai qu'il ait voulu se dérober. Mais le Roi signa, le 27 juin 1770, des lettres patentes où les procédures étaient déclarées nulles et le silence imposé à tous sur l'affaire. C'était, après la permission donnée à d'Aiguillon de se démettre de son gouvernement, une nouvelle reculade du Roi. L'apaisement ne s'ensuivit pas. Le Parlement rendit, le 2 juillet, l'arrêt suivant :

« La Cour, considérant que les lettres patentes du 27 juin sont des lettres d'abolition, sous un nom déguisé ; qu'elles ne sont point conformes aux charges, puisqu'elles déclarent que les accusés n'ont tenu qu'une conduite irréprochable, tandis qu'au contraire les informations contiennent les commencements de preuves graves et multipliées de plusieurs délits... déclare que le duc d'Aiguillon est, et le tiendra la dite Cour, pour inculpé de tous les faits contenus en la plainte du procureur général du Roi.... En conséquence a ordonné et ordonne que le dit duc d'Aiguillon soit averti de ne point venir prendre sa séance en icelle Cour et de s'abstenir de faire aucune fonction de pairie jusqu'à ce que, par un jugement rendu en la Cour des pairs, dans les formes et avec les solennités prescrites par les lois et ordonnances du royaume, que rien ne peut suppléer, il soit pleinement purgé des soupçons qui entachent son honneur. »

A la lecture de cet arrêt, Condorcet écrivit : « J'avoue que la haine parlementaire est aussi cruelle que le despotisme ministériel ».

III. — CHUTE DE CHOISEUL [1]

AU moment où le conflit devenait le plus aigu entre la royauté et les Parlements, Choiseul dominait encore l'État ; il agissait sur l'opinion par les salons et es gens de lettres. Mais il était près de sa chute. Sa conduite avait été trouble dans l'affaire de Bretagne. Il avait par dessous main soutenu La Chalotais contre d'Aiguillon, et il avait été quelque peu de connivence avec la noblesse. Or, cette affaire de Bretagne et l'agitation générale des parlementaires avaient excédé le Roi. Les Parlements, en effet, un moment intimidés par la séance de flagellation, avaient recommencé à correspondre entre eux. Les adversaires de Choiseul persuadèrent au Roi qu'il excitait la magistrature. On raconte que la duchesse de Gramont, sa

CHOISEUL MENACÉ.

1. Sources. *Rapports des agents diplomatiques étrangers*, Besenval (t. I), des Cars (t. I), du Deffand, Dufort de Cheverny (t. I), Georgel (t. I), du Hausset (*Mémoires secrets*), Moufle d'Angerville (t. IV), *Remontrances du Parlement de Paris* (t. III), Senac de Meilhan, déjà cités. Augeard, *Mémoires secrets (1760-1800)*, Paris, 1866. *Journal de Hardy* (B. N., mss fr. 6680-6687). *Lettres de Marie-Antoinette*, p. p. de La Rochetterie et de Beaucourt, Paris, 1895-1896, 2 vol. *Correspondance secrète entre Marie-Thérèse et le comte de Mercy-Argenteau, avec les lettres de Marie-Thérèse et de Marie-Antoinette*, p. p. d'Arneth et Geffroy, Paris, 1875, 3 vol. *L'Observateur anglais* (1777-1778), 4 vol. Moreau, *Mes souvenirs*, Paris, 1898-1901, 2 vol.

Ouvrages a consulter. De Broglie (*Le secret du Roi*), de Carné (*Les Etats de Bretagne*), Flammermont (*Maupeou*), de Goncourt (*La du Barry*), Jobez (t. V), Marion (*La Bretagne et le duc d'Aiguillon*), Michelet (t. XVII), Perey (*Le président Hénault*), Rocquain, Vatel, Saint-André, déjà cités.

Du Bled, *La Société française avant et après 1789*, Paris, 1892. De La Rochetterie, *Histoire de Marie-Antoinette*, Paris, 1890, 2 vol. Soury, *Etudes de psychologie : Portraits du XVIIIe siècle*, Paris, 1879. De Nolhac, *Études sur la cour de France : Marie-Antoinette, Dauphine*, Paris, 1898, 2e éd. Maugras, *La disgrâce du duc et de la duchesse de Choiseul*, Paris, 1903.

⟨ 385 ⟩

sœur, voyageant en Provence et en Languedoc, avait travaillé les Parlements d'Aix et de Toulouse. Il y eut à ce sujet une violente dispute « en plein Compiègne » entre Choiseul et le duc de Richelieu. La chute prochaine du ministre était annoncée à Paris et à Vienne ; on lui donnait pour successeur le duc d'Aiguillon.

Choiseul avait d'ailleurs, dans le ministère même, des ennemis dangereux : Maupeou et Terray.

LE CHANCELIER MAUPEOU.

René-Nicolas de Maupeou était devenu Chancelier après la retraite de son père, en 1768. Il avait alors cinquante-quatre ans. C'était un petit homme poli, complimenteur, à « langue dorée », mais autoritaire et dur, grand travailleur, hardi et constant dans ses desseins, intrigant, très ambitieux, et à qui peut-être son ambition inspira l'idée de s'opposer à Choiseul, en se faisant l'adversaire de la magistrature, dont il réprouvait, d'ailleurs, l'opposition à la Couronne. Le conseiller-clerc au Parlement, Terray, qu'il avait fait nommer Contrôleur général le 22 décembre 1769, se joignit à lui ; tous deux reprochaient à Choiseul ses grandes dépenses et aux Parlements leur opposition aux édits fiscaux même les plus justifiés.

TERRAY CONTRE CHOISEUL.

En 1770, Terray composa un mémoire sur la réorganisation militaire de 1763, où il prétendit établir que l'armée, sans être meilleure qu'autrefois, coûtait plus ; il le remit à Choiseul. Il soutint devant le Roi que ses calculs étaient exacts, et que si S. M. voulait de l'argent, on ne pouvait désormais en trouver qu'en retranchant les dépenses inutiles dans les départements de la Guerre, de la Marine et des Affaires étrangères. Choiseul lut au Conseil et remit au Roi des mémoires apologétiques sur son administration ; mais Louis XV demeura persuadé qu'il y avait du vrai dans les allégations du Contrôleur général.

MADAME DU BARRY.

Enfin la nouvelle favorite, Mme du Barry, paraît avoir aidé les ennemis de Choiseul à se débarrasser de lui. C'était la fille naturelle d'une certaine Anne Bécu, dite Quantigny, qui avait épousé à Paris un garde-magasin de la ferme générale. Élevée au couvent des dames de Sainte-Aure, puis demoiselle de magasin chez Labille, un marchand de modes rue Neuve-des-Petits-Champs, où elle était connue sous le nom de Mlle l'Ange ou de Jeanne Vaubernier, amie de Mlle Labille qui fut un peintre distingué, mise en relations par elle avec des peintres, des sculpteurs, des collectionneurs, elle avait connu dans ce monde un gentilhomme gascon enrichi dans les fournitures de l'armée et de la flotte, Jean du Barry. Devenue sa maîtresse, elle avait tenu salon chez lui, rue de la Jussienne, où elle recevait des gens de lettres et de cour. On dit qu'elle eut pour amants le duc de Richelieu, le comte de Fitz-James, le financier Sainte-Foy, le vicomte de Boisgelin.

Parmi ces artistes, ces lettrés et ces viveurs, elle s'était affinée. Jean du Barry, qui avait déjà tenté de donner pour maîtresse à Louis XV la fille d'un porteur d'eau de Strasbourg, « et plusieurs autres », l'avait aussi préparée à cet avenir. A Versailles, au printemps de 1768, elle se trouva sur le passage du Roi, qui s'éprit d'elle. Après la mort de la Reine, survenue le 24 juin 1768, elle vit le Roi, tantôt à Compiègne, tantôt à Versailles. Jean du Barry la maria alors à son frère Guillaume. Il ne restait plus qu'à présenter à la Cour la nouvelle comtesse du Barry. Pour cela, il fallut trouver une marraine; on s'adressa à la veuve du comte de Béarn, qui se prêta au désir du Roi, sur la promesse qu'on payerait ses dettes et qu'on protégerait ses fils qui étaient officiers de marine et de cavalerie. La présentation fut faite le 22 avril 1769.

Mme du Barry avait des yeux bleus, demi-clos, encadrés de sourcils bruns, une bouche délicieuse, des traits d'une finesse extrême, des cheveux blond cendré, bouclés et soyeux comme ceux d'un enfant. Elle avait pris les manières du monde et n'était pas sotte. Très gaie, ses éclats de voix et de rire, et ses espiègleries, amusaient le Roi toujours ennuyé. Bonne fille, elle ne s'intéressait pas à la politique et n'avait ni haines ni rancunes.

OPPOSITION DU PARTI CHOISEUL A LA FAVORITE.

Sans doute Choiseul, qui n'était pas scrupuleux, et, ancien protégé de Mme de Pompadour, n'avait pas le droit de l'être, se serait accommodé du caprice du Roi; mais les femmes de son parti lui imposèrent l'intransigeance. Les Choiseul firent à la maîtresse une guerre de chansons et de vaudevilles, applaudissaient à la *Bourbonnaise*, à l'*Apprentissage d'une fille de modes*, à l'*Apothéose du roi Pétaud*, aux *Anecdotes secrètes sur la comtesse du Barry* publiées à Londres par le gazetier Théveneau de Morande. Leur chansonnier attitré, le spirituel chevalier de L'Isle, ridiculisa la maîtresse dans les théâtres et les carrefours.

LE MARIAGE DU DAUPHIN.

Choiseul espéra trouver une aide puissante contre Mme du Barry. Dès le temps de son ambassade à Vienne, en 1757, il avait commencé de négocier le mariage du Dauphin avec l'archiduchesse d'Autriche, Marie-Antoinette, qui n'était alors qu'une enfant; il avait repris le projet en 1765; le mariage fut conclu en 1770. Persuadé que l'alliance autrichienne était utile à la France, et craignant que Joseph II, fils de Marie-Thérèse, associé par elle à l'Empire, admirateur de Frédéric II, n'entraînât l'Autriche vers la Prusse, il vit dans ce mariage une occasion d'affermir à la fois son « système » politique et sa faveur. L'archiduchesse quitta Vienne le 21 avril 1770. Quand elle passa à Strasbourg, ses futurs sujets lui donnèrent des fêtes. Trois compagnies de jeunes gens costumés en Cent-Suisses firent la haie sur son passage; trente-six petits bergers et bergères costumés en personnages de Lancret lui offrirent des fleurs. Puis ce furent des danses en plein air, des représentations théâtrales, des chœurs, des sonneries de cloches, des salves d'artillerie, des illuminations, un feu d'artifice sur l'Ill. Le 13 mai, Louis XV et la famille royale allèrent à Compiègne recevoir la Dauphine, qui fit son entrée le 16 à Versailles.

Elle fut tout de suite admirée. Elle n'était pas régulièrement belle; elle avait le front un peu trop bombé, les yeux un peu trop saillants, la lèvre épaisse des Habsbourg; mais sa jeunesse — elle avait quinze ans, — la fraîcheur et la transparence de son teint, sa chevelure blonde, sa démarche élégante et souple, sa bonne humeur et sa vivacité faisaient d'elle un être charmant. Elle prit d'abord en amitié Choiseul, en aversion Mme du Barry. Elle était reconnaissante au ministre qui avait fait sa fortune, et le croyait un homme supérieur. Elle le vit souvent chez Mesdames tantes, qui l'avaient détesté, mais le recevaient à présent en raison de la haine commune contre Mme du Barry.

Choiseul espérait en outre tirer parti pour sa popularité de deux heureux événements qui se produisirent pendant son ministère : la réunion de la Lorraine à la France, où il ne fut pour rien, puisqu'elle était la conséquence du traité de 1738[1], et l'acquisition de la Corse.

Le roi Stanislas mourut en février 1766. Il avait laissé introduire dans son duché l'administration française, dont le principal personnage fut l'intendant La Galaizière, qui eut les mains rudes. Stanislas avait vécu en bon seigneur, accordant comme il pouvait son confesseur et sa maîtresse, ami des Philosophes sans être ennemi des Jésuites, libéral, « bienfaisant », fondateur d'une académie, grand bâtisseur; il a embelli Lunéville, et donné à la ville de Nancy un des plus beaux quartiers qu'il y ait au monde, spécimen exquis et original de l'art du XVIIIᵉ siècle. Par lui fut préparée la réunion d'une province longtemps disputée entre l'Allemagne et la France, convoitée par les rois de France depuis le XVᵉ siècle, annexée par morceaux, par moments occupée tout entière, et qui, après avoir beaucoup souffert, allait devenir, elle la dernière venue, une des provinces les plus françaises du royaume de France.

La Corse avait été convoitée depuis des siècles par les peuples maritimes, Phéniciens, Phocéens, Carthaginois; puis Rome l'avait conquise; les Byzantins l'avaient gardée; Charlemagne l'avait annexée à son empire; les Arabes l'avaient attaquée. Elle s'était mise sous la

---

1. Voir plus haut p. 122.

protection du Saint-Siège ; mais elle vivait en pleine anarchie, conséquence de son état géographique et des mœurs de ses habitants. Les
deux principales cités maritimes de l'Italie septentrionale, Gênes et
Pise, se la disputèrent ; Gênes prévalut sur sa rivale, mais ne posséda
jamais véritablement ce pays ; les révoltes, où intervinrent des étrangers, furent perpétuelles. A partir du XVIᵉ siècle, les interventions de
la France se succédèrent. Au XVIIIᵉ siècle, la France eut à craindre
les menées de la Hollande et de l'Angleterre ; les Hollandais soutinrent
un curieux aventurier allemand, Théodore de Neuhoff [1], qui prit en
1736 le titre de roi de Corse. Une petite armée française le chassa de
l'île en 1739. La France obtint des Génois, par des accords dont le
dernier est de 1764, le droit de tenir garnison dans plusieurs villes
de Corse ; enfin, en mai 1768, Gênes vendit à Louis XV ses droits de
suzeraineté sur l'île. Une rude campagne contre les partisans de
l'indépendance, dont le chef était Paoli, se termina, l'année d'après,
par la soumission de la Corse, où Choiseul vit une compensation de
la perte du Canada.

Ce fut la politique étrangère de Choiseul qui causa sa perte.

Il continua la politique de l'alliance de famille. Les rois d'Espagne
et de Naples et le duc de Parme ayant expulsé les Jésuites de leurs
états, il projeta une démarche des quatre Cours à Rome, pour obtenir la suppression de l'Ordre. Le pape ayant prononcé la déchéance
du plus faible des alliés, le duc de Parme, Choiseul riposta en occu-
pant Avignon, pendant que les Espagnols occupaient Bénévent. En
Orient, il intervint pour sauver la Pologne, mais inefficacement [2].
Toute sa pensée était tournée contre l'Angleterre.

Les conflits entre l'Angleterre et la France se multipliaient aux *LES QUERELLES*
colonies : conflit à propos d'un archipel situé entre Saint-Domingue *COLONIALES.*
et les îles Bahama ; conflit à propos de la pêche à Terre-Neuve
et aux îles de Saint-Pierre et Miquelon ; conflit au Bengale, où le
gouverneur anglais avait fait combler un fossé creusé par les Français à la limite de la factorerie de Chandernagor et laissé insulter
le pavillon français, ce pourquoi Choiseul demanda réparation.

Choiseul suivait avec attention les querelles coloniales, très
fréquentes aussi entre Anglais et Espagnols. Celle qui éclata à propos
des îles Malouines, appelées Falkland par les Anglais, s'annonça très
grave. Cet archipel avait été reconnu en 1763 par Bougainville, qui y
avait installé quelques familles acadiennes. Le roi d'Espagne

1. Voir A. Le Glay, *Théodore de Neuhoff, roi de Corse*, Monaco, 1907.
2. Voir plus loin, p. 406.

Charles III l'ayant revendiqué comme dépendance de l'Amérique espagnole, la France le lui avait cédé en 1767; mais des Anglais, débarqués dans une des îles, y avaient fondé Port d'Egmont, et, le gouverneur espagnol de Buenos Ayres ayant fait occuper cette place en 1770, ils en réclamèrent la restitution. Choiseul crut alors tenir l'occasion d'une guerre qu'il cherchait, peut-être bien parce qu'elle l'aurait rendu indispensable au Roi. Il écrivit, le 7 juillet, à l'ambassadeur de France à Madrid, d'Ossun, qu'il faisait présenter à Londres un mémoire sur l'affaire de Chandernagor, et que, si les Anglais refusaient la satisfaction demandée, la France saurait bien se la procurer. Il demanda à l'ambassadeur ce que, de son côté, comptait faire l'Espagne. L'ambassadeur répondit que Charles III et son ministre Grimaldi désiraient « infiniment la continuation de la paix », parce qu'il leur fallait « au moins deux ans » pour être « en état de faire la guerre ». Le 20 août, Choiseul répliqua :

« Ce que je vois de plus certain dans la réponse de M. de Grimaldi à mes communications, c'est que l'Espagne meurt de peur de tous les incidents qui peuvent amener la guerre. »

RECUL DE CHOISEUL.

Or, le même jour, une lettre de Grimaldi à Fuentès, ambassadeur d'Espagne en France, prouvait que l'Espagne n'était pas si peureuse et, le 27 août, d'Ossun annonçait à Choiseul que les Espagnols se préparaient à la guerre, et il donnait le détail de leurs armements. Mais à ce moment, en France, la querelle du Gouvernement et des Parlements était à l'état aigu. Obtenir du Parlement de Paris qu'il consentît à enregistrer les édits fiscaux que la guerre rendrait nécessaires parut à Choiseul chose impossible, et ce fut alors à lui de temporiser. Il recommanda à Madrid de « traîner » les choses en longueur, même de céder. C'était trop tard. L'amour-propre espagnol s'exaltait; d'Ossun écrivit, le 3 octobre, que Grimaldi ne donnerait jamais au roi le conseil de céder, « par la crainte de se faire lapider par les Espagnols ». Charles III était si décidé à la résistance que, le 4 décembre, Choiseul, dans une dépêche à d'Ossun, convenait qu'il ne restait que « fort peu d'espérance de maintenir la paix ».

SA DISGRÂCE.

Le 29 novembre, il avait parlé au Conseil des préparatifs de guerre faits en Espagne et en Angleterre. Louis XV l'avait interrompu et renvoyé la délibération à une autre séance. Le 6 décembre, Terray déclara au Conseil que le trésor était vide et la France sans crédit; de son côté, le 9, Choiseul-Praslin, comme secrétaire d'État de la Marine, attaqua si vivement l'administration du Contrôleur général que le Roi leva la séance. Louis XV avait à choisir entre Choiseul et ses

PROJET DE GUERRE AVEC L'ANGLETERRE.

adversaires, Maupeou et Terray, entre une revanche contre l'ennemi extérieur, l'Angleterre, et une guerre aux ennemis de l'intérieur, les Parlements. Il prit parti pour le Chancelier et le Contrôleur général. Le 21 décembre, il manda l'abbé de la Ville, premier commis des Affaires étrangères, pour lui faire rédiger une lettre où il priait le roi d'Espagne de faire tous les sacrifices à la paix; le 23, il eut avec Choiseul une explication, lui ordonna d'enjoindre à d'Ossun de tout faire pour amener l'Espagne à subir les conditions de l'Angleterre. Le 24, il fit remettre au ministre ce billet :

« J'ordonne à mon cousin, le duc de Choiseul, de remettre la démission de sa charge de Secrétaire d'État et de Surintendant des Postes entre les mains du duc de La Vrillière, et de se retirer à Chanteloup jusqu'à nouvel ordre de ma part. »

Quand Choiseul quitta Versailles, on vit la foule courir à son hôtel, rue Grange-Batelière. Quand il partit pour Chanteloup, le beau monde l'acclama des fenêtres; le peuple suivit son carrosse jusqu'à la barrière d'Enfer. On vendait son portrait dans les rues. Les courtisans allèrent le visiter dans sa retraite. Dédaigneusement le Roi répondit à ceux qui lui demandaient la permission d'aller à Chanteloup : « Faites comme vous voudrez ». *SA POPULARITÉ.*

Ni Bernis à Soissons, ni d'Argenson aux Ormes, ni Machault à Arnouville, ni Maurepas à Bourges, n'avaient provoqué de telles démonstrations. C'est qu'aucun d'eux n'avait poussé dans tout le royaume, comme Choiseul, les ramifications d'un parti, ni prodigué tant de grâces. Aucun non plus n'était en état de déployer comme lui un luxe royal : chasse à courre et à pied, concerts et représentations théâtrales, tournois poétiques, réceptions grandioses, personnel domestique de quatre cents individus. Le « Roi-Choiseul » reçut à sa Cour les Boufflers, les Beauffremont, les Gontaut, les Lauzun, les Besenval, les Beauvau, les Du Châtelet, les Castellane, Mmes de Luxembourg, d'Enville et de Coigny, Mmes de Fleury, de Brionne et de Simiane. Pour perpétuer la fidélité de ses amis, il construisit une « pagode » à sept étages, et il fit graver leurs noms sur le marbre.

Au reste Choiseul fut, de beaucoup, le plus brillant ministre du règne. Il n'a pas droit au titre de grand homme d'État, n'ayant pas eu de vues profondes, ni de système suivi. Sa guerre contre l'Angleterre, s'il avait réussi à l'engager, aurait été une terrible aventure. Mais il fut très intelligent, très actif, il eut une haute idée de la dignité nationale. Il comprit la nécessité de reconstituer les forces militaires et maritimes de la France, pour la relever de la décadence où elle était tombée après la guerre de Sept Ans.

LIVRE IV

LES DERNIÈRES ANNÉES DU RÈGNE (1770-1774)

I. LE TRIUMVIRAT; LA DESTRUCTION DES PARLEMENTS. — II. LE DÉCLIN DE L'INFLUENCE FRANÇAISE EN EUROPE. — III. LES FINANCES; L'ANARCHIE DANS LE MINISTÈRE. — IV. LA COUR; LA MORT DU ROI.

I. — LE TRIUMVIRAT; LA DESTRUCTION DES PARLEMENTS[1]

PAR la disgrâce de Choiseul, trois ministères devinrent vacants : ceux de la Guerre et des Affaires étrangères qu'avait occupé le principal ministre, et celui de la Marine qu'avait dirigé Choiseul-Praslin. L'événement avait été si subit que rien n'était prévu pour donner des successeurs à ceux qui partaient. Le duc d'Aiguillon aurait volontiers pris le secrétariat d'État de la Guerre, ce qu'expliquait son passé militaire, mais il ne se souciait pas des Affaires étrangères. Le chef de la diplomatie secrète, le comte de Broglie, semblait désigné pour ce département, et d'Aiguillon appuyait sa candidature, mais le prince de Condé, pour qui Louis XV avait une affection particulière, fit écarter de Broglie des Affaires étrangères et d'Aiguillon de la Guerre; il craignait que le maréchal de Broglie, s'il avait un frère ministre, ne prît trop d'ascendant sur l'armée, et il obtint du Roi qu'on fît secrétaire d'État de la Guerre, le 4 janvier 1771, un

REMANIEMENTS MINISTÉRIELS.

1. SOURCES. *Rapports des agents diplomatiques étrangers*, Augeard, Besenval (t. I), Bernis, Grimm (t. VIII et XI), Hardy (t. I et II), Moreau (t. I), *Mémoires secrets de la République des lettres* (Add. V, XIX, XXI, XXIV), Moreau (t. I), Isambert, *Anciennes lois françaises* (t. XXII), déjà cités. *Journal de nouvelles du marquis d'Albertas* (B. N., mss fr. n. a. 4389 et suiv.). *Papiers d'Eprémesnil, Papiers de Fitz-James* (B. N., mss fr. 6828-6834). Miromesnil, *État de la magistrature* (B. N., mss fr. 10986). Regnault, *Histoire des événements arrivés en France depuis le mois de septembre 1770* (B. N., mss fr. 13735). Soulavie, *Mémoires du ministère du duc d'Aiguillon, pair de France* (rédigés par le comte de Mirabeau), Paris, 1790 et 1792, 3ᵉ éd. Du même, *Histoire de la décadence de la monarchie française*, Paris, 1803, 3 vol. et atlas.

OUVRAGES À CONSULTER. Flammermont (*Maupeou*), Floquet (t. VI), Jobez (t. VI), de Nolhac (*Marie-Antoinette dauphine*), Rocquain, déjà cités. Les ouvrages sur madame du Barry, indiqués p. 379.

lieutenant général, inspecteur d'infanterie et Commandant du Dauphiné, le marquis de Monteynard. Il ne fut plus possible à d'Aiguillon d'être ministre qu'en demandant les Affaires étrangères ou la Marine. Mais, la Marine semblant de trop peu d'importance pour un homme comme lui, on l'attribua, en avril, à un ancien intendant de Besançon, devenu conseiller d'État, Bourgeois de Boynes; et, malgré son incompétence en diplomatie, dont ni le Roi ni lui-même ne doutaient, d'Aiguillon, soutenu par Richelieu et par Mme du Barry, obtint, le 6 juin, les Affaires étrangères.

Le ministère, composé de Maupeou, Terray, d'Aiguillon, Monteynard, Bourgeois de Boynes et La Vrillière, ne subit jusqu'à la mort de Louis XV qu'une modification, en janvier 1774 : Monteynard s'étant démis, d'Aiguillon joignit la Guerre aux Affaires étrangères. Des six ministres, trois furent tout de suite au premier plan, Maupeou, Terray et d'Aiguillon; on les appela les *Triumvirs*. L'un d'eux, le Chancelier Maupeou, prit le pas sur les autres, quand il entreprit la réforme des Parlements.

Dès les derniers jours de Choiseul, la lutte s'était engagée. Dans un lit de justice tenu le 3 septembre, Maupeou s'était fait remettre les minutes de toutes les procédures relatives à l'affaire de Bretagne; défense avait été faite au Parlement de Paris de s'en occuper à nouveau, mais le Parlement, le 6 septembre, avant de prendre ses vacances, avait fixé au 3 décembre la délibération sur cette défense. Ce jour-là, Maupeou déposa un édit interdisant aux Parlements d'user des termes d'*unité*, d'*indivisibilité*, ou de *classes* de la magistrature, — par lesquels ils prétendaient n'être qu'un seul et même corps, — de correspondre entre eux et de cesser leurs fonctions, sous peine de forfaiture et de confiscation d'offices. L'enregistrement ayant été refusé, le Roi l'avait ordonné, le 7 décembre, en lit de justice; mais le Parlement avait rédigé de nouvelles remontrances et suspendu la justice en attendant qu'il y fût fait droit.

La disgrâce de Choiseul, où il aurait dû voir un avertissement, ne le rendit pas plus prudent. Après avoir reçu de nouvelles lettres de jussion, le 3 janvier 1771, les magistrats reprirent leur service, mais en protestant qu'ils ne reconnaîtraient jamais l'édit du 3 décembre; puis, le 15 janvier, ils le suspendirent de nouveau, et répondirent aux ordres du Roi par un refus formel d'obéissance. Alors, dans la nuit du 19 au 20 janvier, des mousquetaires portèrent à chacun des magistrats une lettre de cachet, lui enjoignant de déclarer par écrit si, oui ou non, il consentait à reprendre le service. La plupart refusèrent; puis, ceux même qui avaient d'abord consenti déclarèrent ne pas vouloir se séparer de leurs collègues. La nuit suivante, cent trente reçurent des lettres d'exil, avec signification d'un arrêt du Conseil qui portait confiscation de leurs charges [1]. Quelques-uns obtinrent de se retirer dans leurs terres ; les autres furent dispersés en différentes provinces.

Le Chancelier jusqu'au dernier moment avait espéré que la Grand'Chambre se détacherait, pour le moins en partie, des Enquêtes et des Requêtes, et que des dissidents pourraient administrer la justice jusqu'à ce qu'il eût constitué une nouvelle cour. Trompé dans son attente, il dut recourir à un expédient grave. Le 23 janvier, Louis XV fit appel au dévouement du Conseil d'État, c'est-à-dire du Conseil privé ou des parties [2], et, le 24, le Chancelier installa ce Conseil au Palais comme Parlement « par intérim ». Les Avocats généraux, le Procureur général et les substituts de la cour dissoute reçurent l'ordre de faire leur service auprès du nouveau tribunal et obéirent. Les greffiers résistèrent ; l'un d'entre eux, le greffier en chef civil, Gilbert des Voisins, protesta contre les ordres du Roi, et sa charge, qui valait près d'un million, fut confisquée. Quant aux procureurs et avocats, ils refusèrent d'exercer leurs fonctions ; le Parlement intérimaire ne put donc pas fonctionner. Les conseillers d'État venaient au Palais, tenaient audience quelques minutes, et s'en allaient.

PARLEMENT
INTÉRIMAIRE.

L'attente de la grande réforme annoncée préoccupait l'opinion. Il s'agissait, en effet, de détruire une institution très vieille, contemporaine de la monarchie, à laquelle elle semblait liée indissolublement avec fonction de contrepoids. L'affaire parut si grave que les princes du sang eux-mêmes, depuis si longtemps habitués et résignés au silence, y intervinrent. Le duc d'Orléans, le prince de Condé, rédigèrent un premier mémoire qu'après une vive explication du Roi avec le duc d'Orléans ils s'abstinrent de publier ; puis un second, qu'ils ne publièrent pas non plus, le Roi leur ayant signifié par lettre le déplaisir qu'il en aurait ; mais leurs idées transpirèrent. Les Princes protestaient contre ces exils de magistrats et ces confiscations d'offices, par lesquels étaient compromises « la propriété et la liberté des sujets », et ils disaient :

PROTESTATIONS
DES PRINCES.

« Ces actes font craindre que l'accès du trône ne soit fermé à toute réclamation et qu'un arbitraire absolu ne s'introduise dans le Gouvernement. »

1. Bien que ce fût un principe établi par les ordonnances de ne prononcer de confiscation d'offices qu'après forfaiture jugée, l'arrêt du Conseil de janvier 1771, confisqua ceux du Parlement de Paris et les déclara « vacants ». Mais les réclamations furent vives contre cette violation du droit de propriété, et Maupeou se déjugea : un édit d'avril 1771, dont il sera parlé, accorda aux anciens officiers du Parlement un délai de six mois, qui fut prolongé par la suite, pour faire liquider leurs offices, avec intérêt de 5 p. 100 de leur finance jusqu'à la liquidation.

2. Voir *Hist. de France*, t. VII, 1, pp. 152 et 153.

D'autre part, en janvier, février et mars, par arrêts ou par remontrances, ou par l'un et par l'autre moyen réunis, les Parlements de Rouen, de Rennes, de Dijon, de Toulouse, d'Aix, de Bordeaux, de Besançon, de Grenoble se plaignirent et s'indignèrent. La même pensée se retrouve partout : c'est « le pouvoir arbitraire » qui va s'établir. Il y a longtemps qu'il existe « en acte », disait le Parlement de Rouen, et « chaque ordre de l'État en a successivement éprouvé les effets meurtriers »; mais voilà qu'il est « lassé de lutter sans cesse contre la loi », et il « ose enfin s'ériger en loi pour écarter à jamais tous les obstacles ».

Toute la théorie de la magistrature est exprimée dans les remontrances de la Cour des Aides que rédigea le Premier Président Malesherbes, et qu'il fit adopter par sa compagnie, le 18 février :

« Notre silence nous ferait accuser par toute la nation de trahison et de lâcheté.

« Les droits de cette nation sont les seuls que nous réclamons aujourd'hui... .

« Les cours sont aujourd'hui les seuls protecteurs des faibles et des malheureux; il n'existe plus depuis longtemps d'États généraux, et, dans la plus grande partie du royaume, d'États provinciaux; tous les corps, excepté les Cours, sont réduits à une obéissance muette et passive. Aucun particulier dans les provinces n'oserait s'exposer à la vengeance d'un commandant, d'un commissaire du Conseil, et encore moins à celle d'un ministre de Votre Majesté.... »

A la fin, la Cour des Aides reparlait des États généraux, qui n'avaient pas été convoqués depuis un siècle et demi, et concluait :

« Jusqu'à ce jour au moins la réclamation des cours suppléait à celle des États quoiqu'imparfaitement; mais aujourd'hui l'unique ressource qu'on ait laissée au peuple lui est enlevée.

« Interrogez, Sire, la nation elle-même, puisqu'il n'y a plus qu'elle qui puisse être écoutée de Votre Majesté. »

Ces remontrances, que Malesherbes fit imprimer clandestinement, se répandirent partout et devinrent le commun manifeste des opposants.

Le Chancelier ne se laissa pas émouvoir. Le 23 février fut publié un édit qui devait transformer l'administration de la justice. En premier lieu, le Roi, considérant « que l'étendue excessive du ressort de notre Parlement de Paris était infiniment nuisible aux justiciables », crée dans cette étendue cinq Conseils supérieurs, à Blois, Châlons, Clermont-Ferrand, Lyon et Poitiers. Le Conseil provincial d'Artois est en outre transformé en Conseil supérieur. Chaque Conseil aura, dans son ressort, la connaissance de toutes les matières, civiles et criminelles, qu'avait le Parlement. Le Parlement de Paris est du reste maintenu, pour juger toutes les questions qui intéressent la couronne, et les pairs; il conserve l'enregistrement des lois et le droit de remontrances.

Outre le démembrement du ressort de Paris, l'édit introduisait deux innovations considérables :

« Nous avons reconnu, disait le Roi, que la vénalité des offices, introduite par le malheur des temps, était un obstacle au choix de nos officiers, et éloignait souvent de la magistrature ceux qui en étaient les plus dignes par leurs talents et par leurs mérites ; que nous devions à nos sujets une justice prompte, pure et gratuite, et que le plus léger mélange d'intérêt ne pouvait qu'offenser la délicatesse des magistrats chargés de maintenir les droits inviolables de l'honneur et de la propriété. »

En conséquence, les offices des nouveaux magistrats étaient déclarés gratuits, et c'était l'abolition de la vénalité des offices ; les magistrats, appointés par le Roi — six mille livres au premier président, quatre mille aux présidents et procureurs généraux, trois mille aux avocats généraux, deux mille aux conseillers — et pourvus de l'inamovibilité, de la noblesse personnelle avec tous ses privilèges, ne percevraient aucun droit à quelque titre que ce fût, sur les justiciables ; et c'était l'abolition de la vénalité de la justice : deux grandes réformes, depuis longtemps désirées. L'abolition de la vénalité des charges surtout était une véritable révolution dans la société française, où « les officiers constituaient un ordre » très puissant [1]. Aussi était-il certain qu'elle provoquerait une forte résistance.

Tout de suite protestèrent les Parlements de Dijon, de Toulouse, d'Aix, de Rouen, de Besançon. Ils représentèrent que la réforme était trompeuse, que, par exemple, la gratuité de la justice n'existait pas, puisque les épices et vacations étaient conservées dans les tribunaux inférieurs, et que les greffiers, procureurs et huissiers, dont les offices demeuraient vénaux, continueraient à percevoir leurs droits. A Paris, la Chambre des Comptes protesta le 23 mars contre l'édit ; trois jours après, le Châtelet se joignit à elle.

Cependant, Maupeou cherchant des magistrats pour son nouveau Parlement de Paris, s'adressait à d'anciens conseillers, à des membres du Grand Conseil et de la Cour des Aides, à des maîtres des requêtes. Les remontrances de la Cour des Aides, dont il vient d'être parlé, ayant alors paru, il supprima cette cour le 9 avril. Finalement, le Grand Conseil accepta de remplacer le Parlement. Le 13 avril, il fut réuni à Versailles, dans la grande salle des gardes du Corps où le Roi tint un lit de justice ; les princes du sang et les pairs étaient convoqués. Le Chancelier fit enregistrer l'édit de suppression de la Cour des Aides et donna lecture d'un autre édit qui établissait les officiers du Grand Conseil « conseillers au Parlement

---

1. Voir *Hist. de France*, t. VII, 1, p. 359 et suiv.

de Paris [1] ». Les propriétaires des offices supprimés avaient un délai de six mois pour produire leurs titres de propriété et demander qu'on les remboursât. Les nouveaux officiers étaient déclarés, comme les anciens, « inamovibles », mais on leur concédait leurs offices « gratuitement et sans finance [2] ». Ils étaient au nombre de soixante-quinze : un premier président, quatre présidents, quinze conseillers clercs, cinquante-cinq conseillers laïques ; ils devaient former une grand'chambre et une chambre des enquêtes ; des conseillers tirés des deux chambres feraient le service de la Tournelle. Les pairs protestèrent contre l'édit qui n'en fut pas moins enregistré, et Louis XV dit aux magistrats :

PAROLES DU ROI.

« Vous venez d'entendre mes volontés. Je vous ordonne de vous y conformer et de commencer vos fonctions dès lundi.

« Mon chancelier vous installera aujourd'hui.

« Je défends toute délibération contraire à mes édits et toute démarche au sujet des anciens officiers de mon Parlement.

« Je ne changerai jamais. »

Maupeou installa d'autorité le Procureur général Joly de Fleury, et l'Avocat général Séguier, qui bientôt, d'ailleurs, quittèrent la place ; il donna la première présidence à l'intendant de Paris, Berthier de Sauvigny, rallia les greffiers et une centaine de procureurs ; nombre d'avocats se remirent à plaider.

Les nouveaux juges entrèrent en fonctions. Ils n'avaient point sans doute, à Paris, la considération de leurs prédécesseurs ; ils ne portaient pas de grands noms, et ne comptaient guère dans le monde des salons. Beaucoup étaient sans expérience. Mais, somme toute, avec eux « la machine marcha ». On pouvait espérer remplacer les inhabiles et les insignifiants par des exilés qui se résigneraient à se soumettre.

PARLEMENTS PROVINCIAUX.

Maupeou avait cru pouvoir limiter la réorganisation de la magistrature au Parlement de Paris, mais l'attitude des Parlements provinciaux ne le lui permit pas. Ils crurent que le Chancelier allait établir un Conseil supérieur dans chaque généralité, qu'il leur enlèverait l'enregistrement des lois. Ils se déclarèrent solidaires de leurs confrères de Paris.

Devant la nécessité, Maupeou se résolut sans peine à remplacer les Parlements provinciaux par des Conseils supérieurs, de façon à ne conserver le droit de vérifier les lois et de faire des remontrances qu'au

---

1. Le Grand Conseil devenant Parlement, conserva une partie de ses attributions antérieures ; le reste fut transféré partie au Conseil privé, partie au tribunal des maîtres des requêtes de l'hôtel.

2. En cas de vacance, la Cour devait désigner trois candidats au choix du Roi.

seul Parlement de Paris; il soumit même ce projet au Roi, mais Louis XV l'accueillit froidement et les autres ministres le combattirent. Maupeou ne supprima que deux Parlements, qui furent remplacés par des Conseils supérieurs : celui de Rouen, pour le punir de l'éclat de son opposition, et celui de Douai, impopulaire dans un pays où l'on détestait les Parlementaires par affection pour les Jésuites. Les autres Parlements furent conservés; mais les anciens offices y furent, comme à Paris, supprimés, et leurs propriétaires invités à se faire « liquider »; puis des offices « inamovibles » furent distribués « gratuitement », et il fut interdit aux nouveaux officiers de percevoir des épices et des vacations. Partout le nombre des magistrats fut diminué. L'opération réussit tant bien que mal. A Besançon, Maupeou trouva dans l'ancien Parlement presque tout le personnel du nouveau. A Grenoble, un petit nombre — les plus riches — refusa d'entrer dans la combinaison Maupeou. A Rennes, Dijon, Toulouse, l'opposition fut si forte qu'on exila nombre de magistrats dans leurs terres : dix-sept à Dijon, soixante-quinze à Rennes, quatre-vingt-sept à Toulouse; le recrutement des nouvelles cours fut assez difficile. A Bordeaux, le maréchal de Richelieu, Commandant de Guyenne, trouva cinquante officiers disposés à obéir au Roi, mais dut en exiler une trentaine. En Provence, on les exila tous, et la Chambre des Comptes prit leur place.

L'opposition à la réforme de Maupeou groupa des éléments divers. La Noblesse prit parti pour les Parlements. C'est que les Parlements se recrutaient de plus en plus parmi les nobles : nobles de robe ou nobles d'épée. En certains pays, en Provence surtout, les gentilshommes n'avaient jamais dédaigné les offices de magistrature. Des Parlements exigeaient des candidats aux offices quatre degrés de noblesse paternelle. Depuis la réformation de la Noblesse faite au temps de Colbert, les roturiers étaient exclus du Parlement de Bretagne. Il y avait longtemps que les nobles de robe se donnaient des airs de nobles d'épée par l'habit, les manières et les mœurs légères. En élargissant le fossé entre elle et le Tiers d'où elle était sortie, en se confondant avec la Noblesse autant que possible, en prétendant que les offices de Parlements, comme les évêchés et les hauts grades de l'armée, ne pouvaient être dévolus qu'à des nobles, la magistrature s'exposait à des périls qui devaient bientôt apparaître. Elle ne s'en doutait pas; elle faisait de l'union nécessaire de la noblesse et de la magistrature une maxime de droit public et même de salut public. Miromesnil, ancien Président et qui deviendra Garde des Sceaux, condamnait la réforme de Meaupou en disant : « Décomposer les

*OPPOSITION
ARISTOCRATIQUE.*

Parlements, c'est en fermer pour ainsi dire l'entrée à la Noblesse, avilir cet ordre et, par conséquent, les détruire. »

Les Parlementaires et les nobles faisant cause commune, réveillèrent l'esprit provincial. C'était pour une province une déchéance que la perte ou l'amoindrissement d'un Parlement. Qu'étaient-ce que ces magistrats pauvres, qui ne représentaient pas? Que valait un nouveau président de Parlement à Dijon, en comparaison du président de Brosses, qui menait si grande vie en son château de Neuville-les-Comtesses? Si la Chambre des Comptes de Provence, devenue Parlement, fut moins discutée que d'autres cours souveraines, ne serait-ce pas parce que son Premier Président, le marquis d'Albertas, donna des bals où figuraient jusqu'à quatre mille masques?

Mais ce qui était plus grave, c'est que les vieux souvenirs d'indépendance reparaissaient. États et Parlements étaient d'ordinaire très unis dans les Pays d'États [1]. Ensemble ils donnaient à la province un air d'autonomie. La crise de la magistrature fut pour la noblesse normande une occasion de revendiquer à la fois les États et le Parlement, et de se plaindre que la province fût réduite à l'état de pays conquis.

Les Jansénistes et les Gallicans demeurèrent les alliés d'une magistrature qui, de vieille date, partageait leurs idées et pratiquait leurs maximes.

C'est une chose curieuse qu'en même temps que l'ancienne France s'essayait à un réveil, et qu'on parlait de « lois fondamentales du royaume », d'États provinciaux et d'États généraux, on invoquait les droits naturels de l'homme, la liberté individuelle, la liberté politique, même les théories du contrat social. On disait aussi beaucoup d'injures. On afficha des placards traitant Maupeou de « scélérat », bon à « écarteler ». On le menaça de mort. Les Conseils supérieurs furent accablés, deux années durant, d'épigrammes, odes et diatribes, pamphlets et estampes. Les écrits sont des compilations où les gens de loi cherchent des arguments pour établir les droits des Parlements; ou bien des dissertations de doctrinaires qui nient que le principe de la royauté soit en Dieu; ou bien des protestations d'individus et de corps attachés au Parlement; ou bien des attaques violentes et grossières, *les Chancelières* par exemple, et *le Maire du Palais*. Le pamphlet qui eut le plus de succès fut le *Maupeouana ou Correspondance secrète et familière du chancelier Maupeou avec son cœur, Sorhouet, membre inamovible de la cour des pairs de France.* Cette correspondance commence d'être publiée en 1771 par petites brochures. L'auteur est un fermier général, Augeard, qui avait dans ses entours des magis-

1. Voir *Hist. de France*, t. VII, 1, p. 164.

trats. Au temps où le Chancelier se dépense en efforts pour constituer son Parlement de Paris, il imagine des entretiens entre un raccoleur du nom de Sorhouet et le Chancelier lui-même. Sorhouet demande des conseils à son patron, lui soumet des cas de conscience, et, chemin faisant, attribue aux nouveaux juges toutes sortes de turpitudes.

Maupeou, pour se défendre, eut l'appui du Roi, qui lui demeura obstinément fidèle, et celui de Mme du Barry, qu'il flattait par ses complaisances. Les Philosophes, surtout Voltaire, le soutinrent. Voltaire détestait les Parlements, persécuteurs des gens de lettres, et « bourreaux » de Calas et de La Barre. Il applaudit à la révolution de 1771, en demeurant insensible d'ailleurs aux théories des Parlementaires sur la liberté politique ; il disait qu'il valait mieux obéir à un beau lion qu'à deux cents rats de son espèce, et à un roi absolu qu'à une oligarchie de robins. Il écrivit : *Les peuples aux Parlements*, les *Sentiments des six Conseils établis par le Roi*, l'*Avis important d'un gentilhomme à toute la noblesse du royaume*, la *Réponse aux remontrances de la Cour des Aides*, et la *Lettre d'un jeune abbé*. Il annonçait les bienfaits de la réforme judiciaire, évoquait les iniquités de l'ancienne magistrature, et se moquait de ses procédés d'opposition systématique. « Il pleut, disait-il, des remontrances. On lit la première, on parcourt la seconde, on baille à la troisième, on ignore les dernières. »

ALLIÉS DE MAUPEOU : VOLTAIRE ;

Il arriva que les dévots, les Rohan, le prince de Soubise, la comtesse de Marsan, l'archevêque de Paris, Beaumont, le cardinal de La Roche-Aymon firent campagne avec Voltaire. Ils détestaient le Parlement, ami des Jansénistes et des Gallicans, persécuteur des Jésuites. L'archevêque de Paris, d'autres prélats, célébrèrent la messe du Saint-Esprit, la « messe rouge », devant les nouveaux tribunaux. D'ailleurs, bien qu'il fût, en religion, un parfait sceptique, le Chancelier leur donna des gages. La Roche-Aymon reçut la feuille des bénéfices, qu'avait eue jusque-là Jarente, évêque d'Orléans et ami de Choiseul. Beaumont obtint, le 15 juin 1771, une Déclaration du Roi qui amnistiait les prêtres bannis ou décrétés à l'occasion du refus des sacrements. Le ministère se mit à poursuivre les écrits qui réclamaient la confiscation des biens d'Église.

LES DÉVOTS ;

Les mêmes préoccupations inspirèrent Maupeou dans sa conduite envers le Pape. Le Parlement de Paris avait, par un arrêt du 26 février 1768, renouvelé la défense à tous archevêques, évêques et particuliers de recevoir, faire lire, publier et imprimer aucuns brefs, provisions et expéditions de la cour de Rome, sauf les brefs concernant le for intérieur et les dispenses de mariages, avant qu'ils

LES JÉSUITES.

n'eussent été présentés en la cour de Parlement. — Maupeou fit publier, le 18 janvier 1772, des lettres patentes, ordonnant qu'il serait sursis à l'arrêt du Parlement.

Mais, à ce moment, le ministère poursuivait à Rome, de concert avec l'Espagne et Naples, l'effort pour contraindre le Pape à l'abolition de l'ordre des Jésuites. D'Aiguillon et la majorité des ministres, à la suite des représentations des alliés, se prononcèrent contre les lettres patentes, qui furent annulées par la Déclaration du 8 mars 1772. Quand l'abolition de l'Ordre fut prononcée par Clément XIV, en juillet 1773[1], le Chancelier craignit de voir sa réforme compromise : le clergé de France s'agitait, parlait de faire appel de la décision du Pape à un Concile général. Mais les évêques préférèrent, en définitive, ménager un gouvernement qui leur était au fond très favorable, et décidèrent de ne pas protester. L'alliance des dévots et du Chancelier persista.

POURSUITES CONTRE LES ÉCRITS.

Maupeou et ses tribunaux se défendirent contre les libelles. La police poursuivait les auteurs, imprimeurs, ou distributeurs, surveillait les promenades publiques et perquisitionnait chez les libraires ou les particuliers. Des publicistes officiels glorifiaient, l'œuvre de Maupeou ; on distribua leurs écrits par les rues et les magistrats nommés dans les Conseils supérieurs les emportèrent par ballots ; mais c'étaient, le plus souvent, de médiocres ouvrages.

MODÉRATION DE MAUPEOU.

Maupeou se garda de trop sévères rigueurs à l'égard des juges exilés. Sur soixante-quinze magistrats du Parlement de Bretagne, une quarantaine obtinrent de quitter leur exil, sous prétexte de maladies ou d'affaires d'intérêts ; d'autres rentrèrent chez eux sans que le ministre les inquiétât. Quand le commissaire chargé de disperser le Parlement de Provence vint demander à Maupeou ses instructions, le ministre lui dit : « Faites venir une liste de leurs maisons de campagne ; faites régler les lieux d'exil de manière que tout le monde soit content ». Dans le ressort de Paris, le Président de Lamoignon, d'abord assez rigoureusement traité, obtint vite la permission de retourner dans sa terre de Bâville.

L'opposition désarma. Les Princes, excepté Conti, reparurent à la Cour, et reconnurent au Parlement l'autorité de Cour des Pairs.

L'APAISEMENT SE FAIT.

La plupart des membres des anciens Parlements se résignaient à la liquidation de leurs offices. Dès la fin de 1772, Maupeou les juge si assagis qu'il négocie avec eux pour les amener à reprendre du service. Parmi les avocats, l'apaisement gagne tous les jours ; plus des deux tiers plaident devant les nouveaux juges. Les libelles se

1. Bien qu'officiellement supprimés, les Jésuites continuèrent à être employés aux missions dans les provinces, et même un des leurs, le P. Lenfant, prêcha l'Avent de 1774 à Versailles.

font plus rares ; l'opinion publique se désintéresse de cette querelle qui avait été si bruyante et avait paru si dangereuse. Les Parlementaires s'avouent vaincus ; le Procureur général Joly de Fleury fait cet aveu : « Le Chancelier avait tout prévu de ce qui est arrivé, et la nation a vu d'un œil tranquille l'anéantissement de la justice ». On pouvait donc croire que cette réforme était définitive ; le Roi avait promis de s'y tenir ; il avait dit : « Je ne changerai jamais ».

La réforme de Maupeou plaisait à Louis XV parce qu'elle affranchissait la Couronne du contrepoids du Greffe, et il est bien probable que la principale intention du Chancelier fut de parfaire la monarchie absolue. Mais c'était une réforme utile en soi que le ressort du Parlement de Paris, dont l'étendue avait de si graves et de si coûteux inconvénients pour les justiciables, fût diminué par l'institution des Conseils supérieurs. C'était un bienfait que l'abolition des épices. Sans doute, la justice ne deviendrait pas gratuite ; d'abord, les offices n'étaient pas supprimés dans les tribunaux inférieurs ; puis il restait aux justiciables à payer les taxes des greffiers, huissiers et procureurs, le papier timbré ; mais, somme toute, les charges des plaideurs furent allégées, et la dignité de la magistrature était intéressée à la suppression de la vilaine pratique de la rétribution du juge par le justiciable. Enfin c'était une capitale réforme que l'abolition de la vénalité et de l'hérédité des offices parlementaires, dont les inconvénients et les vices surpassaient de beaucoup les avantages.

Maupeou avait d'autres projets : réduire au nécessaire le nombre des juridictions inférieures, dont beaucoup furent supprimées par lui, reviser la procédure civile, unifier les lois et coutumes, etc. Mais la puissance du Chancelier ne devait pas survivre au prince, qui avait pour ainsi dire fait cause commune avec lui.

L'UTILITÉ DE LA RÉFORME.

II. — LE DÉCLIN DE L'INFLUENCE FRANÇAISE EN EUROPE (1769-1774)[1]

LA diminution de la puissance française, conséquence des fautes commises, mais aussi de l'entrée en scène de deux puissances nouvelles, la Prusse et la Russie, fut révélée avec éclat dans les événe-

---

1. Sources. *Rapports des agents diplomatiques étrangers.* Campan (t. I), Georgel (t. I), *Correspondance inédite de Louis XV* (Boutaric, t. I et II), *Correspondance de Mercy* (t. I). *Recueil des Instructions aux ambassadeurs* (Autriche ; Pologne), Moufle d'Angerville (t. IV), Talleyrand (t. I et IV), déjà cités. Favier, *Conjectures raisonnées*, 1773 (dans Boutaric, t. II). Saint-Priest (*Mémoire du Conseil du Roi*, du 18 mai 1763). Rayneval (Mémoire cité par Sorel, *L'Europe et la Révolution*, t. I, p. 293). Campan (Mme), *Mémoires sur la vie privée de Marie-Antoinette, reine de France*, Paris, 1823, 2 vol. t. I. *Briefwechsel zwischen Heinrich Prinz v. Preussen und Katharina II v. Russland*, p. p. Krauel, Berlin, 1903.
Ouvrages a consulter. Arneth (*Geschichte Maria Theresia's*, t. VIII). Bonneville de Mar-

ments qui se produisirent en Orient, et dont le plus considérable fut
le démembrement de la Pologne.

Depuis très lontemps, puisqu'on trouve au moyen âge des projets
de partage de ce pays anarchique, l'indépendance de la Pologne était
menacée. Comme elle ne disposait pas de forces régulières, — au
temps d'Auguste III elle n'avait qu'une dizaine de mille hommes de
troupes permanentes, dont une centaine d'artilleurs — elle était à la
discrétion de ses voisins, qui intervenaient dans ses affaires, surtout
pour l'élection du roi [1], et qui à plusieurs reprises violèrent son territoire. A la mort d'Auguste III, qui survint le 5 octobre 1763, la
France, qui avait renoncé à patroner la candidature d'un prince français, aurait voulu faire élire le fils du roi défunt, et l'Autriche était
d'accord avec elle ; mais Frédéric II de Prusse et Catherine de Russie
conclurent en avril 1764 un traité par lequel ils s'engageaient à suivre
en Pologne une politique concertée, et à faire élire roi un ancien
amant de la tsarine, Stanislas Poniatowski, de la famille des Czartoriski. Stanislas, avec l'appui d'une armée russe qui parut dans les
faubourgs de Varsovie, fut élu, le 7 septembre 1764. L'Autriche et la
France avaient laissé faire.

Cependant le nouveau roi, conseillé par les Czartoriski, essaya de
réformer la constitution polonaise. Déjà, dans la diète de « convocation » qui avait précédé la diète où il fut élu, les Czartoriski avaient
fait instituer des « commissions » de la justice, des finances, des
affaires intérieures et de la guerre, qui enlevaient l'administration
aux grands officiers de la Couronne. Deux ans après, les réformateurs s'en prenaient au *liberum veto*, cause principale de l'anarchie
polonaise [2]. La Diète décréta que, dans les diétines où étaient élus
les députés à la Diète, l'élection se ferait non plus à l'unanimité, mais
à la majorité. Elle décréta aussi que, dans les Diètes, une majorité
suffirait pour le vote des impôts. La Prusse et la Russie, qui s'étaient
engagées à maintenir la constitution polonaise, surveillaient et contenaient ces efforts. L'affaire des dissidents leur donna le moyen
d'intervenir.

sangy (*Le Chevalier de Vergennes*, et *Le comte de Vergennes et son ambassade en Suède*), de
Broglie (*Le secret du Roi*), Flammermont (*Maupeou*), Green (t. II), Jobez (t. VI), Nolhac
(*Marie-Antoinette Dauphine*), Rocquain et Vatel, déjà cités. Geffroy, *Gustave III et la cour
de France*, Paris, 1867, 2 vol. Rousseau (François), *Règne de Charles III d'Espagne* (1759-1788),
2 vol. Sorel, *L'Europe et la Révolution française*, Paris, 1885-1904, 8 vol., t. I. Du même :
La question d'Orient au XVIIIᵉ siècle, Paris, 1889. Pulaski (Kazimierz), *Zdziejów konfe-
deracyi Barskiej. Teki Teodora Wessla, podskarbiego*. Lwów, 1905. Luninski (Ernest), *Ksiezna
Tarakanowa a konfederaci Barscy*, Lwów, 1907. Lehtonen, *Die Polnischen Provinzen Russ-
lands unter Katharina II in den Jahren 1772-1782*, traduit du finnois par Gustav Schmidt,
Berlin, 1907.

　1. Voir plus haut, p. 120, et t. VII, 2, pp. 201 et suiv.
　2. Voir, sur la Constitution de la Pologne, *Hist. de France*, t. VII, 2, pp. 199 et suiv.

Les dissidents, orthodoxes et protestants, étaient en Pologne exclus de la vie politique, et vivaient pour ainsi dire hors la loi. Les orthodoxes ayant demandé la protection de Catherine II, et les luthériens celle de Frédéric, la Russie et la Prusse réclamèrent l'abolition des lois contre les dissidents. La Diète de 1766 refusa, et, en même temps, rétablit le *liberum veto*. Mais l'année d'après, la Diète fut entourée par les troupes russes, et contrainte d'accorder l'égalité politique aux dissidents. Alors les « patriotes » polonais, formèrent à Bar la « confédération de la sainte religion catholique »; on se battit dans diverses parties de la Pologne : en Ukraine, les paysans orthodoxes massacrèrent leurs seigneurs catholiques; les troupes russes prirent d'assaut Cracovie et même poursuivirent des Polonais jusqu'en territoire Turc, où elles prirent la ville de Balta, en 1768.

Ce fut l'occasion d'une guerre ouverte entre la Turquie et la Russie. Depuis longtemps avaient commencé les entreprises russes en Turquie. L'Angleterre, qui voulait étendre son commerce à la fois dans le Nord, au Levant et dans la mer Noire, s'était entendue avec la Tsarine et la laissait agir en Turquie. En 1769, une armée russe occupa la Moldavie et détruisit l'armée turque; en 1770, une flotte partit de Cronstadt, passa par Londres où elle se munit d'agrès, de pilotes et d'officiers, et alla détruire la flotte ottomane, le 8 août 1770, à Tchesmé, en face de l'île de Chio.

Pendant ce temps, la guerre avait continué en Pologne entre les Russes et les confédérés de Bar, incapables d'une résistance sérieuse, et un revirement de la politique autrichienne avait accru le péril de la Pologne. L'Autriche, la guerre de Sept Ans à peine finie, avait songé à se dégager de l'alliance avec la France; bientôt elle en vint à une entente avec la Prusse. En août 1769, l'empereur Joseph II et le roi Frédéric se rencontrèrent à Neisse, en Silésie. Ils convinrent que la paix de l'Allemagne et de l'Europe dépendait d'une entente entre Vienne et Berlin; qu'il y avait lieu pour les deux puissances d'établir un « système patriotique allemand », une « neutralité allemande ». Ils ne conclurent pas de traité en règle, mais échangèrent par lettres cet engagement :

« Foi de roi et parole d'honnête homme, si jamais le feu de la guerre se rallume entre l'Angleterre et la maison de Bourbon, ils maintiendront la paix heureusement rétablie entre eux, et même en cas qu'une autre guerre survienne, dont actuellement il est impossible de prévoir la cause, ils observeront la plus exacte neutralité pour leurs possessions actuelles. »

Par cet engagement, les deux puissances jusque-là ennemies acharnées s'accordaient pour se libérer de leurs anciennes obligations, l'Autriche avec la France, la Prusse avec l'Angleterre, dans le cas d'une guerre — que la politique de Choiseul rendait vraisemblable — entre l'Angleterre et la France. En même temps, elles ouvraient la voie à une politique commune en Pologne. Déjà, en 1770, les Autrichiens occupent un petit territoire polonais qui avait été jadis donné en gage par la Hongrie à la Pologne; au printemps de l'année d'après, Frédéric fait en Pologne une razzia de quelques milliers de filles pour repeupler la Poméranie.

La France n'avait rien fait de sérieux pour éviter la ruine de la Pologne. L'ambassadeur de France à Constantinople, Vergennes, avait agi pour mettre les Turcs en campagne contre la Russie; Choiseul s'était demandé un moment s'il n'arrêterait pas la flotte russe au Pas de Calais; mais il ne pouvait s'engager dans une guerre contre la Russie au moment ou il pensait à une guerre contre l'Angleterre. En 1768, les confédérés de Bar s'étaient adressés à Louis XV; l'un d'eux, Mokranowski, lui promettait que, s'il accordait seulement 2 millions de subsides aux confédérés, la Pologne se soulèverait et mettrait sur pied plus de 100 000 hommes. Choiseul fournit quelque argent et envoya des agents qui devaient aider les confédérés de leurs conseils. Un de ceux-ci, Dumouriez, passant par la Bavière, en 1770, acheta à l'Électeur 22 000 fusils pour les Polonais. Il trouva l'armée polonaise dans le plus grand désordre, moins nombreuse qu'on n'avait espéré : 17 000 hommes au lieu de 40 000, et des chefs qui gaspillaient le temps en fêtes.

Tel était l'état des affaires en Pologne et en Turquie, lorsque d'Aiguillon arriva aux Affaires étrangères. Tout était compromis, et d'Aiguillon, homme de petits moyens, « sans vues et sans nerfs », n'était pas capable de remonter le courant. Il n'avait d'ailleurs aucun moyen d'agir, pas même de subsides à distribuer en la quantité qu'il aurait fallu. La diplomatie française était en plein désarroi. Le Roi demeurait partisan de l'alliance autrichienne. Il continuait à pratiquer une politique à lui, par les agents de son « secret ». A Varsovie, depuis que son ambassadeur, marquis de Paulmy, avait été insulté lors de l'élection de Poniatowski, il n'y avait plus d'ambassadeur de France. A Vienne, l'ambassade de France resta vacante de mai 1770 à janvier 1772, où fut envoyé en Autriche le prince Louis de Rohan. Le Roi n'était renseigné sur les affaires d'Orient que par ses agents privés. D'Aiguillon fit, dès son arrivée au ministère, un coup d'éclat contre ceux-ci. Le comte de Broglie fut exilé à Ruffec; Dumouriez et Favier furent mis à la Bastille; et le Roi abandonna sans mot dire ses serviteurs personnels. Les choses n'en allèrent du reste pas mieux ensuite : d'Aiguillon lui-même employa des agents secrets, eut une

politique personnelle, qu'il cachait à ses ambassadeurs. D'autres
ministres se mêlaient de diplomatie à tort et à travers. C'était la
pleine anarchie.

Cependant, les événements se précipitaient en Pologne. Les confédérés furent battus par Souwarof en 1771 ; Poniatowski fut déposé
par les Polonais et le trône déclaré vacant, ce qui accrut encore le
désordre. Enfin la coalition fut conclue entre l'Autriche, la Prusse et
la Russie. *DÉPOSITION DU ROI STANISLAS.*

L'Autriche s'inquiétait du progrès des Russes en Turquie. Elle
conclut, en juillet 1771, un traité d'alliance défensive avec le sultan,
et fit suspendre la guerre pendant deux ans, par sa médiation. Le
roi de Prusse craignit alors une guerre austro-russe, dans laquelle il
pourrait être impliqué comme allié de la Russie. Il s'imagina de
détourner l'attention des deux puissances du côté de la Pologne,
d'y offrir à la Russie le dédommagement de sa renonciation aux
conquêtes en Turquie, et d'amener Marie-Thérèse à l'idée du
partage. *L'AUTRICHE FAIT SUSPENDRE LA GUERRE RUSSO-TURQUE.*

D'Aiguillon, avisé par le roi de Suède de ce qui se passait, mais
sans rien savoir de précis, essaya d'empêcher le partage en se rapprochant de la Prusse. Il crut pouvoir ranimer les défiances de
Frédéric à l'égard de Marie-Thérèse, et il eut des pourparlers avec le
chargé d'affaires de Prusse en France, dans l'automne de 1771. Pour
cacher cette négociation à la cour de Vienne, d'Aiguillon accablait
Mercy de protestations d'attachement ; mais Mercy lui fit avouer sa
tentative de rapprochement avec Frédéric, et s'autorisa du double
jeu de la France pour excuser sa propre duplicité. Comme, au début
de 1772, d'Aiguillon lui manifestait quelque inquiétude, il protesta de
la pureté des intentions de l'Autriche. D'autre part, l'envoyé prussien
affirmait le désintéressement de son maître. Des deux côtés, on se
moqua de la France ; et d'Aiguillon apprit enfin que, le 15 janvier 1772,
la Russie et la Prusse avaient conclu un traité pour le partage de la
Pologne, et que, le 19 février suivant, l'Autriche s'était jointe à elles.
Marie-Thérèse, en effet, s'était décidée. Elle avait eu des scrupules,
ne comprenant pas, disait-elle, « une politique qui permet que, dans
le cas où deux se servent de leur supériorité pour opprimer un innocent, le troisième puisse et doive les imiter, et commettre la même
injustice ». Une fois résignée, elle souhaita la plus grosse part, et
Frédéric admira « son bon appétit ». *LE TRAITÉ DE PARTAGE DU 15 JANVIER 1772.*

Pour maintenir le gouvernement français dans l'incertitude
jusqu'au bout, l'ambassadeur d'Autriche avait fait jouer à la Dauphine un rôle singulier. Il l'avait poussée à témoigner moins d'éloignement à d'Aiguillon, qui en était devenu moins défiant à l'égard *RÔLE DE LA DAUPHINE.*

de l'Autriche. Il l'avait même poussée à se rapprocher de Mme du Barry, pour faire plaisir au Roi et l'amadouer ; la Dauphine, malgré sa répugnance, adressa quelques paroles banales à la favorite.

Ce fut le 20 avril 1772 que Kaunitz invita Mercy à communiquer au gouvernement français la nouvelle du traité de partage. Marie-Thérèse était inquiète et l'écrivait :

« Si le duc de Choiseul était encore en place, il voudrait sans doute profiter de l'occasion pour nous enlever quelque partie des Pays-Bas où nous ne serions pas en état de faire la plus légère résistance. »

Cependant elle indiquait les raisons qu'il y avait à faire valoir pour justifier l'Autriche auprès de la France, et ces raisons furent données par Mercy :

« On pourrait, disait-elle, dire à la France :
« Que c'est elle qui est la première cause de tous les événements actuels par les mouvements qu'elle s'est donnés pour exciter la Porte à déclarer la guerre à la Russie;... qu'elle ne s'est pas inquiétée de tous les embarras, frais et dangers que doit naturellement nous occasionner la guerre allumée dans notre voisinage...; que, voyant le danger dont, par le succès de la Russie et sa liaison intime avec le roi de Prusse, nous étions menacés sans avoir d'aucun côté quelque secours efficace à espérer, nous avions dû aviser par nous seuls aux moyens de nous en tirer;... que c'eût été nous exposer de gaîté de cœur à notre propre ruine que d'entreprendre une guerre difficile contre la Russie, et de nous attirer par là une attaque certaine de la part de la Prusse...; que le ministère français... ayant fait sans notre participation l'acquisition importante de la Corse et du comté d'Avignon..., on aurait lieu d'être surpris si, après n'avoir essuyé de notre part ni obstacle ni reproche dans ces occasions, il se croyait permis d'en user autrement à notre égard en la présente circonstance. »

Il semble que l'indifférent Louis XV ne se soit pas ému outre mesure de la communication de Mercy. Le 15 juin cet ambassadeur écrit à l'Impératrice que le Roi Très Chrétien envisage les événements de Pologne « d'un œil d'équité et de modération », qui peut rassurer l'Autriche sur la stabilité « de ses sentiments et de son attachement à l'Alliance... »

Le traité de partage attribuait à l'Autriche la Russie rouge, la plus grosse part; à la Prusse, la Prusse polonaise, moins Dantzig et Thorn; à la Russie, la Lithuanie à l'Est de la Duna. En 1773, la Diète, cernée par les troupes des trois puissances co-partageantes, se soumit aux conditions du traité.

En 1773, la guerre recommença entre la Russie et la Turquie. L'armée russe était passée sur la rive droite du Danube et menaçait Constantinople : le sultan signa le traité de Kaïnardji, en juillet 1774. Il cédait à la Russie le droit de libre navigation sur la mer Noire, la liberté de passer le Bosphore, la protection des chrétiens orthodoxes dans toute la Turquie, et lui abandonnait Azof et Taganrog. Ainsi la Turquie était également ouverte aux ambitions de la politique russe, et l'on pouvait envisager l'hypothèse du partage de son empire.

La politique française trouva au moins en Suède la consolation d'un succès. Le pays était menacé, comme la Pologne, par la Prusse qui voulait prendre aux Suédois ce qu'ils avaient encore de la Poméranie, et par la Russie, qui convoitait la Finlande. Au traité d'avril 1764, Frédéric II et Catherine avaient stipulé pour la Suède en même temps que pour la Pologne. En 1769, ils s'étaient promis d'agir par la force, si on tentait de changer la constitution. *LA SUÈDE MENACÉE PAR LA PRUSSE ET LA RUSSIE;*

Le pouvoir en Suède appartenait à la Diète, composée de quatre ordres — noblesse, clergé, bourgeoisie, paysans — et à un Sénat, de seize membres, choisis parmi la haute noblesse. Le roi n'avait d'autre prérogative qu'un double vote au Sénat, et voix prépondérante en cas de partage des voix. Deux partis divisaient le pays, le parti des « Chapeaux », qui voulait accroître la puissance du Sénat et du roi, et celui des « Bonnets », qui défendait l'omnipotence de la Diète et les libertés publiques. Les États étrangers intervenaient dans cette querelle; la Russie et la Prusse soutenaient les Bonnets, et la France, les Chapeaux. *SA CONSTITUTION.*

Quand mourut le roi de Suède Adolphe-Frédéric, le 12 février 1771, Gustave III, son fils, se trouvait à Paris. Il avait vingt-cinq ans. Épris de gloire et de belles actions, il était l'idole des salons, où il laissa des regrets et de belles correspondantes, les comtesses d'Egmont, de Boufflers, de La Marck. Il avait su plaire à la fois à Louis XV, à Mme du Barry, à d'Aiguillon, aux Choiseul, aux Philosophes. Pour relever son pouvoir en Suède, il demanda et obtint des subsides. Enfin on lui donna un conseiller avisé, l'ancien ambassadeur en Turquie, Vergennes. *AVÈNEMENT DE GUSTAVE III (1771).*

Vergennes avait mission de resserrer l'alliance franco-suédoise, de fortifier le parti français dans la Diète et de travailler à un accord entre la Suède et le Danemark. Neuf mois d'efforts et une dépense de deux millions n'aboutirent à rien. Gustave III écrivait : « J'attends en tremblant le moment où les puissances voisines voudront profiter de nos troubles pour nous assujettir ». *INSTRUCTIONS DE VERGENNES.*

Cependant Vergennes, obéissant aux instructions de son ministre et à celles du Secret du Roi, d'accord sur ce point, conseillait des moyens dilatoires et recommandait la prudence. Mais Louis XV et d'Aiguillon conseillèrent à Gustave III un coup d'État à l'insu de Vergennes, qui ne fut mis au courant qu'en février 1772, six mois *LE COUP D'ÉTAT DE GUSTAVE III.*

avant la crise. Les 19, 20 et 21 août, le coup d'État s'accomplit. La Diète, puis le Sénat, acceptent une nouvelle Constitution et jurent de la respecter. D'après cette Constitution, le roi, « seul responsable à Dieu et à la Patrie », nomme les sénateurs, et il a le droit de convoquer et de dissoudre la Diète. Le Sénat ne délibère qu'à titre consultatif sur les affaires que lui soumet le roi ; la Diète ne peut ni abroger les lois existantes, ni en faire de nouvelles, sans le consentement du roi.

LA FRANCE SOUTIENT LA SUÈDE.

　　La Tsarine et Frédéric adressèrent à Gustave des lettres menaçantes ; Russes et Prussiens armèrent, un projet de traité d'alliance entre Gustave III et Louis XV fut rédigé, par lequel la France mettait à la disposition de la Suède 12 000 hommes d'infanterie, de l'artillerie et une escadre. Grâce à Vergennes, le Danemark, qui avait pris une attitude menaçante à la suggestion de la Russie, se rapprocha de la Suède à la fin de 1772. D'Aiguillon obtint des Anglais une assurance de neutralité, et la Tsarine, occupée en Pologne et en Turquie, accepta le fait accompli.

LA FRANCE ET L'ESPAGNE.

　　Pendant que ces événements se succédaient au Nord et à l'Est, la France et l'Espagne resserraient leur alliance par leur action commune contre les Jésuites, et s'accordaient de plus en plus dans la politique à suivre à l'égard de l'Angleterre. Elles espéraient une revanche prochaine. Des hommes d'État, des diplomates, des publicistes affirmaient alors que l'Angleterre était en décadence ; que les marines réunies de France et d'Espagne pouvaient la vaincre ; qu'elle était démoralisée par son régime parlementaire, déchirée par les factions ; que l'Écosse, l'Irlande, les colons d'Amérique la détestaient ; que l'État anglais, « comme la Pologne », pouvait se dissoudre au premier choc. Charles III et son ministre Grimaldi étaient convaincus que l'alliance française leur permettrait de recouvrer Minorque, Gibraltar, la Jamaïque, la Floride. Le successeur de Fuentès à l'ambassade d'Espagne en France, le comte d'Aranda, arrivé à Paris en septembre 1773, devait mêler à ces projets un plan d'annexion du Portugal.

　　La ville de Boston ayant, en 1773, donné le signal de la révolte contre les Anglais, l'Espagne et la France suivirent les événements d'Amérique avec une attention passionnée. Les cabinets de Versailles et de Londres demeuraient en relations courtoises ; mais la France envoyait des missions secrètes en Amérique pour observer les progrès de la révolution, et s'apprêtait à nouer des relations avec les démagogues anglais, notamment avec Wilkes. Depuis plusieurs années, les agents secrets de Louis XV écrivaient des mémoires sur l'éventualité d'une rupture avec l'Angleterre, et les bureaux des

Affaires étrangères, de la Marine, de la Guerre préparaient en secret les plans qui, au temps de Louis XVI, réglèrent l'intervention dans la guerre de l'Indépendance.

En attendant que la monarchie française prît cette revanche, le discrédit de la royauté était au comble. On ne lui tenait pas compte des grands changements survenus en Europe, de l'avènement de puissances nouvelles, la Prusse et la Russie, ni de la décadence profonde de la Pologne et de la Turquie, toutes choses que ne pouvait empêcher le gouvernement de la France. On voyait seulement que le vieux système des alliances orientales était ruiné. On passait sa colère sur l'alliance avec l'Autriche, qui avait gêné toute la politique orientale de la France, et qui fut en effet une duperie. En somme, la France n'avait plus de crédit dans le Levant; son influence sur les états secondaires de l'Allemagne n'existait plus, ces états se trouvant désormais à la discrétion de l'Autriche et de la Prusse. Et comme l'écrivit un commis des Affaires étrangères, l'opinion s'établit « chez toutes les nations... qu'il n'y avait plus en France ni force ni ressources; l'envie, qui jusque-là avait été le mobile de la politique de toutes les cours à l'égard de la France, dégénéra en mépris. Le cabinet de Versailles n'avait ni crédit, ni influence dans aucune cour. Au lieu d'être, comme autrefois, le centre de toutes les grandes affaires, il en devint le paisible spectateur; on ne comptait même plus pour rien son suffrage et son improbation. »

HUMILIATION DE LA FRANCE.

Or la France, passionnée comme elle était pour la gloire, et qui aurait excusé bien des fautes du gouvernement intérieur, ne pardonna pas au Roi ni aux Triumvirs son humiliation.

III. — LES FINANCES; L'ANARCHIE DANS LE MINISTÈRE[1]

LE désordre et la pénurie des finances épuisées par la guerre, par la diplomatie, par les prodigalités du Roi, par les dépenses de la Cour, et par la mauvaise administration, firent plus de mal encore

---

1. Sources. Moufle d'Angerville (t. IV), *Rapports des agents diplomatiques étrangers*, Augeard, Besenval (t. I), des Cars (t. I), Grimm (t. X), Hardy (t. II), *Correspondance* de Mercy (t. I et II), Moreau (t. I), Regnault (t. I et II), Sénac, déjà cités. Terray, *Mémoires* [rédigés par Coquereau], Londres, 1776, 2 vol.

Ouvrages a consulter. Biollay, Boissonnade (*Le socialisme d'État*), Bord, Afanassiev, Clamageran (t. III), Bonneville de Marsangy, Flammermont (*Maupeou*), Clément (*Portraits historiques*), de Goncourt (*La du Barry*), Saint-André (*Mme du Barry*), Jobez (t. VI), de Nolhac (*Marie-Antoinette Dauphine*), Rocquain, Sorel, déjà cités. (De Monthyon), *Particularités et observations sur les ministres des finances de France les plus célèbres depuis 1660 jusqu'en 1791* (l'abbé Terrai), Paris, 1812. Dumas (F.), *La généralité de Tours au XVIIIᵉ siècle;*

à la monarchie que la querelle parlementaire et la mauvaise politique étrangère.

Le Contrôleur général Terray avait été conseiller au Parlement, et, pendant des années, chargé des remontrances sur les finances; il connaissait mieux que personne le département où il entrait. De sens droit et d'intelligence rapide, il saisissait en toute question le point essentiel. C'était un plaisir de l'entendre parler des matières les plus difficiles; il aurait fait comprendre à un enfant de six ans « le calcul différentiel et intégral ». L'état des finances, la recette et la dépense, la dette et les moyens de l'éteindre, tout cela, quand il l'expliquait, paraissait simple comme « un compte de blanchisseuse ». Homme d'autorité, pour lui les droits individuels ne comptaient pas au regard des droits de l'État; la fortune de chacun n'était qu'une parcelle de la fortune publique. D'aspect dur, presque effrayant, faisant peu de cas des hommes, il demeurait indifférent à la haine et aux insultes. Terray avait donc des qualités. Un jour, à l'Assemblée Constituante, Le Brun le comparera à Sully et à Colbert. Mais quel ministre aurait pu rétablir les finances du royaume?

Lorsque Terray entra au Contrôle général, il fit voir au Roi que le déficit prévu pour l'année 1770 était de 63 millions, que la dette arriérée exigible était de 110 millions; qu'en 1769 les « anticipations » avaient absorbé 153 millions; Louis XV lui laissa les mains libres pour apporter à la situation les remèdes qu'il jugerait nécessaires.

Des rentes viagères avaient été constituées sous forme de « tontines », c'est-à-dire qu'au fur et à mesure des décès de porteurs la part des survivants s'accroissait; Terray, par un arrêt du 18 janvier 1770, transforma les tontines en simples rentes viagères, et désormais ce fut l'État qui bénéficia des décès. Par arrêt du 19 janvier, il procéda à des « retranchements » ou réductions sur les pensions au-dessus de six cents livres, en ménageant toutefois selon la coutume les personnes influentes. Le 19 février il suspendit le payement des « rescriptions » des receveurs généraux et celui des billets des fermes pour l'année courante. C'était deux cents millions d'effets qu'il laissait impayés. Analogues à nos bons du Trésor, ces effets constituaient des placements temporaires que les capitalistes préféraient aux rentes; Terray émit un emprunt de 160 millions et les accepta pour

Administration de l'intendant du Cluzel (1766-1783), Paris, 1894. Loménie (de), *Beaumarchais et son temps*, Paris, 1873, 2 vol. Lintilhac, *Beaumarchais*, Paris, 1897. Hallays, *Beaumarchais*, dans la collection « Les grands écrivains français, » Paris, 1897.

partie dans les versements. Les détenteurs des effets devinrent créanciers de l'État. Le public se récria [1], mais à ceux qui lui reprochaient de prendre leur argent dans leurs poches, le Contrôleur général répondait : « Où diable voulez-vous donc que je le prenne? »

Les Parlements demandèrent à Terray de supprimer d'un coup les « acquits de comptant », c'est-à-dire les ordonnances de dépense, signées du Roi, qui ne portaient pas mention de l'objet de la dépense, et qui devaient être acceptées sans examen par la Chambre des Comptes. En supprimant ces « acquits de comptant » peut-être aurait-on pu établir l'équilibre des recettes et des dépenses; mais autant valait réclamer la suppression du pouvoir absolu puisque c'eût été interdire au Roi de puiser à discrétion dans le Trésor et l'obliger à justifier toutes ses dépenses. Les acquits subsistèrent, et Terray continua d'alimenter l'État par des expédients.

LES ACQUITS DE COMPTANT MAINTENUS.

Le 15 juin 1771, un arrêt du Conseil opère une réduction d'un quizième sur les rentes perpétuelles et d'un dixième sur les rentes viagères; et, comme on crie à la spoliation, Terray répond que, le cours des rentes ayant baissé, l'intérêt devait baisser aussi. En février, mars et septembre, il établit des taxes sur l'amidon, sur les papiers et cartons, sur les livres; en novembre il proroge le second vingtième [2]. Dans le préambule de l'édit de novembre il prête au Roi ce langage :

EXPÉDIENTS DIVERS.

« Nous ne doutons pas que nos sujets... ne supportent ces charges avec le zèle dont ils ont donné des preuves en tant d'occasions, et nous y comptons d'autant plus que le prix des denrées, une des causes de l'augmentation de nos dépenses, a en même temps bonifié le produit des fonds de terre dans une proportion supérieure à celle de l'accroissement des impositions. »

D'ailleurs Terray voulait faire des vingtièmes une imposition juste. On voit dans sa correspondance avec les intendants qu'il prescrivait une répartition plus équitable; il faisait ressortir combien la valeur des terres avait augmenté depuis leur établissement, indiquait le moyen de faire des dénombrements nouveaux des terres, et d'aboutir à un impôt territorial. Dans la généralité de Tours, il fit opérer la revision des cotes, et couvrit les dépenses de ce travail avec la seule augmentation annuelle des produits. Ailleurs, les résultats obtenus furent bien plus considérables.

Terray essaya d'obtenir des fermiers généraux des conditions plus avantageuses pour l'État, en leur offrant de supprimer les « croupes » et les pensions dont ils étaient grevés. Les « croupes » étaient les parts de bénéfice que les fermiers assuraient à certaines

PROJET DE SUPPRESSION DES CROUPES.

---

1. L'inquiétude était fondée, car malgré des remboursements effectués par Turgot et Necker, en 1781 il était encore dû 80 millions sur les 200 que Terray s'était abstenu de payer.
2. Le second vingtième avait été prorogé jusqu'en 1772; en 1771, il le fut jusqu'en 1781.

personnes, soit pour avoir leurs faveurs, soit pour rémunérer des capitaux prêtés. Mais, s'étant fait adresser par les fermiers, confidentiellement, la liste des « croupiers », la lecture du document lui enleva tout espoir de donner suite à ses idées de réforme. Le Roi figurait en personne pour un quart dans l'entreprise du fermier de La Haye, pour un quart aussi dans celle du fermier Saleur, pour une moitié dans celle du fermier Poujaud. La Dauphine participait aux bénéfices de M. de Borda pour une somme de 6 000 livres; la comtesse de Provence et Mmes Adélaïde et Sophie à ceux de M. Chalut de Verin, chacune pour 6 000 livres; Mme Victoire à ceux de M. Bertin de Blagny pour 6 000 livres encore, qu'elle devait distribuer à divers protégés; M. de Mesjean faisait tenir 15 000 livres à Mme Louise; M. d'Erigny 20 000 livres à Mme du Barry. Le bail des fermes fut renouvelé le 2 janvier 1774; le prix était de 152 millions par an, ce qui donnait au Roi 3 442 918 livres de plus qu'en 1768.

Ces diverses opérations fournirent, en cinq ans, une ressource supplémentaire de 180 millions; Terray justifiera, devant Louis XVI, de l'emploi de 144, et, pour les 36 autres, produira des acquits de comptant.

OPINIONS
DE TERRAY
EN MATIÈRE
ÉCONOMIQUE.

En matière économique, Terray oscilla entre le parti de la réglementation et celui de la liberté. A la présidence du Bureau du commerce, il maintint Trudaine, adversaire de la réglementation; mais, sur la question des règlements de fabrique et de police, il demeura fidèle aux vieux errements; de même pour le commerce des blés. En juillet 1770, le blé étant très cher, il en interdit l'exportation, que L'Averdy avait permise; puis, le 23 décembre, il fit rendre un arrêt qui rétablissait la libre circulation entre les provinces; mais, en 1771, le blé redevenant cher, il interdit de l'exporter en Franche-Comté, en Alsace, dans le Pays Messin, en Lorraine et Barrois, et de le laisser sortir par les ports de mer.

Comme ses prédécesseurs, il crut qu'en faisant des approvisionnements de blé à grands frais, il influerait sur le prix des subsistances. Bien qu'il n'agît que dans l'intérêt public, il fut dénoncé comme établissant le monopole du commerce des grains au profit du Roi. Il aurait voulu que les intendants fissent comprendre aux populations que l'État ne spéculait pas sur la misère; le 28 septembre 1773, il leur écrivait :

« Je dois vous prévenir que le peuple, les bourgeois des villes, et même les personnes distinguées, sont imbus de l'idée fausse qu'il existe une compagnie chargée exclusivement de l'approvisionnement du royaume et du commerce des grains. On accuse cette prétendue compagnie d'être la cause, par le monopole qu'elle exerce, du prix excessif des grains. De pareilles opinions rendraient le Gouvernement odieux, si elles s'enracinaient. Vous savez que si le Gouvernement a fait passer des grains dans les différentes provinces, c'était pour les faire vendre à perte, et pour le soulagement des peuples. Il est de votre devoir de détromper ceux qui sont dans l'erreur. »

L'impopularité du Contrôleur général n'en allait pas moins crois-sant. On lui reprochait ses mœurs. Il avait des maîtresses qu'il ne payait pas, mais auxquelles il faisait faire des affaires. On l'accusait d'autre part de n'être l'allié de Maupeou que par politique, mais d'espé-rer que le Chancelier serait culbuté par d'Aiguillon, afin de devenir lui-même Garde des Sceaux; on disait aussi qu'il rêvait un chapeau de cardinal. On l'appelait l'*Enfant Gâté* parce qu'il « touchait à tout », le *Grand Houssoir* parce qu'il « atteignait partout ». On fit sur lui cette épigramme :

IMPOPULARITÉ DE TERRAY.

> En abbé voudriez-vous voir
> Comme un vautour se déguise?
> Regardez bien ce Grand Houssoir
>   En casaque d'église.
> Chaque jour, par mille moyens,
>   Cette espèce de moine,
> Du bien de ses concitoyens
>   Grossit son patrimoine.

Quoi qu'il fût riche avant d'entrer au Contrôle général, le public croyait que c'était là qu'il s'enrichissait. « Il est, disait-on, pire que la sangsue qui quitte du moins la peau quand elle est pleine. »

Il faut tenir compte à Terray de l'impossibilité où il fut de réformer le Roi, la Cour, les mœurs, la société, et aussi des circons-tances générales qui étaient déplorables pour les finances. La guerre turco-russe ruinait le commerce français du Levant; les événements d'Amérique gênaient les relations avec le Nouveau-Monde; une crise industrielle sévissait. En un an, on compta à Paris 2 500 faillites. De mauvaises récoltes s'ajoutèrent. En 1773, des émeutes éclatèrent à Aix, Montpellier, Toulouse, Bordeaux, Limoges, dans une foule de villes et de bourgs. Les paysans affluèrent dans les villes pour y mendier. Ce fut « un cri général et puissant » contre Terray, et l'on put craindre, quelque temps, une révolution.

Pour que rien ne manquât au désordre général, les ministres conspiraient les uns contre les autres. Les Triumvirs, disait-on, s'en-tendaient « à couteaux tirés ». D'Aiguillon reprochait à Maupeou de l'avoir mal secondé lors de son procès. Il entreprit de renverser son rival en détruisant son œuvre. Il entra en négociations avec les Par-lementaires, surtout avec le président de Lamoignon, auquel il soumit un projet de Parlement mixte, dont Lamoignon devait être Premier Président; une partie du nouveau personnel judiciaire serait

RIVALITÉ ENTRE MAUPEOU ET D'AIGUILLON.

remplacée par d'anciens magistrats. Entre les Parlementaires intraitables et le parti Maupeou, d'Aiguillon essayait, en somme, comme feront, sous le règne suivant, Maurepas et Miromesnil, de former un parti intermédiaire.

Il fut grandement aidé dans sa lutte contre le Chancelier lorsque Beaumarchais entra en campagne contre le Parlement Maupeou. Caron de Beaumarchais, né à Paris en 1732, avait pratiqué d'abord le métier d'horloger, qui était celui de son père ; puis, étant bon musicien, harpiste et guitariste, il donna des leçons aux filles du Roi. Introduit dans le beau monde, ambitieux de faire fortune, doué pour les affaires, il se lia avec Pâris du Verney, qui lui fit place dans ses entreprises, et il commença une grande fortune. A la mort de du Verney, en 1770, Beaumarchais présenta au légataire universel de celui-ci une reconnaissance de quinze mille livres, qui était un règlement de comptes fait avec du Verney peu de temps avant sa mort. Le légataire, M. de La Blache, déclara la pièce fausse. L'affaire étant venue au Parlement de Paris, le rapporteur désigné fut un certain Goëzman ; Beaumarchais, pour se le rendre favorable, envoya à Mme Goëzman un rouleau de cent louis et une montre à répétition, plus quinze louis pour le secrétaire du juge. Il perdit tout de même son procès. Mme Goëzman lui rendit les cent louis et la montre, mais prétendit retenir le cadeau du secrétaire. D'où réclamations de Beaumarchais ; d'autre part, Goëzman poursuivit Beaumarchais pour calomnie et tentative de corruption.

La cause de Beaumarchais était si mauvaise qu'il ne trouva point d'avocat pour la défendre ; mais il la porta devant le public par des écrits : un *Mémoire à consulter pour Pierre Caron de Beaumarchais, écuyer, conseiller-secrétaire du Roi, et lieutenant général des chasses au bailliage et capitainerie de la Varenne du Louvre, grande Vénerie et Fauconnerie de France, accusé* ; un *Supplément au Mémoire à consulter...* ; une *Addition au supplément du Mémoire à consulter...* ; un *Quatrième Mémoire à consulter pour Pierre-Augustin Caron de Beaumarchais... accusé de corruption de Juge, contre M. Goezman, Juge accusé de subornation et de faux ; Madame Goezman, et le sieur Bertrand, accusés ; les sieurs Marin, gazetier, Darnaud-Baculard, conseiller d'Ambassade*. Les trois premiers mémoires parurent en 1773, le quatrième en 1774. Aussitôt Beaumarchais, qui n'avait encore écrit que des pièces médiocres, — le *Barbier de Séville*, son premier succès, est de 1775, — passa écrivain célèbre. L'ancienne magistrature, et tout ce qui tenait à elle, et le parti d'Aiguillon applaudirent à outrance. On fit ce mot : « Louis XV a détruit le Parlement ancien ; quinze louis détruiront le nouveau ». Il est vrai qu'une puissance se révélait en Beaumarchais par sa verve endiablée, sa plaisanterie mordante, — un peu grossière, — son éloquence un peu déclamatoire, son talent de mettre en scène et de faire parler des personnages de façon à les rendre pleinement ridicules. Beaumarchais fut condamné au blâme, et ses mémoires lacérés et brûlés par l'exécuteur ; mais il fut le héros du jour. Des femmes du monde lui écrivirent des lettres enthousiastes; on s'inscrivit en foule à sa porte; le prince de Conti le reçut à sa table. Même Louis XV et Mme du Barry s'amusèrent de la façon dont il traitait les Goëzman.

D'Aiguillon fut fortifié par le discrédit des juges de Maupeou. En février 1774, il fit disgracier le ministre de la Guerre, Monteynard, dont il prit le portefeuille; à la tête de deux ministères, appuyé sur le Contrôleur général et sur le ministre de la Marine qu'il détacha de Maupeou, il parut capable de renverser le Chancelier. Mais Maupeou se défendait. Louis XV, qui se désennuyait à regarder la lutte des deux ministres, permettait les intrigues de d'Aiguillon avec les Parlementaires, mais demeurait attaché au Chancelier qui l'avait vengé des insolences des Parlements. Maupeou serait probablement demeuré vainqueur si le Roi n'était venu à mourir.

D'AIGUILLON
MINISTRE
DE LA GUERRE.

IV. — LA COUR; LA MORT DU ROI

LOUIS XV survivait à trois de ses enfants, Mme Henriette, morte en 1751, Mme Louise-Élisabeth, la duchesse de Parme, morte en 1759, le Dauphin, mort en 1765; à sa belle-fille, la Dauphine, morte en 1767, et à la Reine, morte en 1768.

La succession au trône était assurée par les trois petits-fils du Roi, Louis le Dauphin, Louis-Xavier, comte de Provence, Charles, comte d'Artois. Le Dauphin s'annonçait honnête, simple, fruste, sans grâce aucune, médiocre en tout si ce n'est en sa passion pour la chasse. La Dauphine Marie-Antoinette aurait bien voulu vivre une vie insouciante et gaie, un peu à la façon de la duchesse de Bourgogne jadis; mais elle était mal à l'aise dans cette Cour, où se trouvaient des personnes cérémonieuses. Elle n'aimait pas son mari, ce « pauvre homme », comme elle l'appela un jour. Elle était gênée dans ses relations avec le Roi, si bon qu'il se montrât pour elle, par la répugnance et le dédain qu'elle ressentait pour Mme du Barry. Enfin sa mère, l'impératrice Marie-Thérèse, lui donnait, il est vrai, de sages avis, mais trop souvent la grondait ou la faisait gronder par l'ambassadeur Mercy, la tracassait, et, en exigeant d'elle qu'elle servît en toute chose la

LE DAUPHIN,
LE
COMTE D'ARTOIS,
LE COMTE
DE PROVENCE.

politique de la Cour de Vienne, risquait de compromettre ainsi « l'Autrichienne ». D'ailleurs, la Dauphine était frivole, capricieuse, et se plaisait aux coteries. Le comte de Provence et le comte d'Artois avaient épousé deux sœurs, filles du roi de Sardaigne, médiocres de toutes façons, et jalouses de la brillante Dauphine. Le comte de Provence était intelligent, rusé, hypocrite ; le comte d'Artois, espiègle, frivole, aimable, plaisait à la Dauphine.

LE LUXE DE MADAME DU BARRY.

La famille royale vivait comme à l'écart, ou tout au moins au second plan ; au premier, brillait auprès du Roi Mme du Barry. Elle menait grand train de vie. Le banquier de la Cour, Beaujon, lui remettait 300 000 livres par mois. Elle avait une « grande livrée », écarlate et or, une « petite livrée », chamois et argent, des cochers, piqueurs, postillons et palefreniers, des maîtres d'hôtel, cuisiniers, valets de garde-robe, suisses et jardiniers. Ses piqueurs achetaient ses chevaux à Londres. Le peintre Vallée décorait ses carrosses et ses chaises de scènes galantes ou pastorales. Elle occupait au « Château » un appartement dans l'aile de la chapelle, et logeait ses gens et ses équipages dans un hôtel de la rue de l'Orangerie. Le Roi lui avait donné Louveciennes, domaine de la Couronne, à deux pas de Marly ; là, sur les plans de l'architecte Ledoux, elle avait fait construire un pavillon dont le vestibule, qui servait de salle à manger, était une merveille. Les murs étaient revêtus de marbre gris, coupés de pilastres corinthiens à chapiteaux de bronze doré ; entre les chapiteaux, des amours et des écussons aux armes du Roi et de la favorite formaient bas-reliefs ; des statues de marbre, sculptées par Pajou, Lecomte et Moineau, portaient des flambeaux de bronze ; Boucher avait peint le plafond, Gouthière ciselé les bronzes. Moreau le Jeune, dans une aquarelle, a représenté un souper de féerie dans cette salle à manger. Mme du Barry acheta en outre à Versailles, avenue de Paris, une villa italienne qu'elle projetait d'abattre pour construire à la place un grand hôtel où elle aurait transporté toute « sa maison ».

MEUBLES ET BIBELOTS.

Lanoix fut son ébéniste, Guichard son sculpteur, Rœttiers son ciseleur d'argenterie, Cagny son doreur. Elle aimait les meubles en bois blanc satiné, ornés de tableaux de porcelaine, les meubles garnis de bronze doré, les commodes plaquées en ébène, les étagères de laque, les étoffes riches, les bibelots rares, les ivoires, les biscuits de Sèvres, les miniatures et les camées.

Chaque matin, à sa toilette, défilaient les fournisseurs, des joailliers comme Bœhmer, Roüen, Demay et Straz, les couturières Singlay et Pagelle, des marchands d'étoffes, des marchands de dentelles de Valenciennes et de Venise, les coiffeurs Nokelle et Berline, le parfumeur Vigier. Elle faisait la mode à Paris et dans toute l'Europe.

Des artistes s'inspiraient de sa beauté. Drouais la peignait en robe de Cour et en travestis allégoriques ; des copies de la favorite en « Flore » coururent le monde. Pajou la représentait en terre cuite et en marbre ; une manufacture du faubourg du Temple donnait d'elle, d'après cet artiste, un buste en porcelaine. Des gens de lettres la célébraient et quêtaient sa bienveillance. L'abbé de Voisenon rimait en son honneur des couplets ; Cailhava composait pour elle une comédie-ballet. Elle fit obtenir à Marmontel le titre d'historiographe, et détermina le Roi à agréer d'Alembert comme secrétaire perpétuel de l'Académie française. Delille et Suard lui demandaient d'intervenir auprès du Roi pour qu'il ne s'opposât pas à leur admission dans cette compagnie. C'était un honneur que de lire des manuscrits chez elle ; l'abbé Delille lui récita sa traduction du quatrième chant de l'*Énéide* ; il fut un de ses poètes favoris. Voltaire espéra un moment obtenir du Roi, par l'intermédiaire de la comtesse, la permission de revenir à Paris, qu'il désirait fort. Elle fut aimable pour ce vieux philosophe, ce grand distributeur d'injures et d'éloges. Elle lui fit dire un jour qu'elle lui envoyait « deux bons baisers ». Il remercia :

> « Quoi ! deux baisers sur la fin de ma vie !
> Quel passeport vous daignez m'envoyer !
> Deux, c'est trop d'un, adorable Égérie,
> Je serais mort de plaisir au premier.

Puis, après avoir avoué qu'il avait rendu deux baisers à un portrait de la dame :

> Vous ne pouvez empêcher cet hommage,
> Faible tribut de quiconque a des yeux ;
> C'est aux mortels d'admirer votre image ;
> L'original était fait pour les Dieux !

La Cour, que les deuils avaient attristée, redevint, grâce à Mme du Barry, joyeuse comme au milieu du siècle. Les mariages du Dauphin, du comte de Provence et du comte d'Artois furent l'occasion de fêtes que la comtesse organisa en partie. Elle prit la direction du théâtre de la Cour ; elle faisait représenter de préférence des opéras-comiques, genre qui plaisait à Louis XV. En 1771 Grétry et Marmontel lui dédiaient une comédie-ballet, *Zémire et Azor*, qui fut jouée à Fontainebleau. Elle écartait les pièces ennuyeuses, ne voulant, disait-elle, ennuyer personne. Elle fit venir à Fontainebleau le chanteur Larrivée, le danseur Vestris ; à Versailles, en 1773, Mlle Raucourt, de la Comédie-Française, à qui elle donna un costume de théâtre du prix de 6 600 livres.

LES RÉCEPTIONS.
LE PARTI
DE MADAME
DU BARRY

Les réceptions se multipliaient chez Mme du Barry et ses amis. Ce n'était que dîners d'apparat, « grands soupers », bals masqués, « divertissements » de toutes façons. En février 1773, les courtisans admirèrent chez la comtesse, dans sa villa de l'avenue de Paris, une allégorie de Voisenon et Favart, *le Réveil des Muses, des Talents et des Arts*, suite de scènes, de danses et de couplets, où jouèrent Raucourt et Préville, de la Comédie-Française, et d'Auberval de l'Opéra. Les Gazettes et les Correspondances en parlèrent tout un mois.

Mme du Barry avait un grand parti à la Cour. Aux amis de la première heure, à Richelieu, Soubise, d'Aiguillon, Maupeou, Terray, au comte de La Marche, elle joignait le duc de Cossé, le baron de Montmorency, et bien d'autres, tous ceux à peu près qui avaient quelque grâce à solliciter. Parmi les dames de la Cour, les premières qui se rallièrent à la favorite furent la maréchale de Mirepoix, qui avait des dettes à payer, la marquise de l'Hôpital, maîtresse de Soubise, la princesse de Talmont, Mme de Montmorency, les duchesses d'Aiguillon, mère et femme du ministre ; puis ce furent la duchesse de Valentinois qui, par l'intervention de Mme du Barry, devint dame d'atours de la comtesse de Provence, la duchesse de Mazarin, d'autres encore. Mme du Barry s'était fait ce cortège de grandes dames, par la réserve qu'elle gardait avec elles et le respect qu'elle leur témoignait.

SON RÔLE
POLITIQUE.

Mme du Barry n'a pas, comme Mme de Pompadour, souhaité d'être un personnage politique, mais elle a été amenée à le devenir. Anti-choiseuliste, puisque Choiseul s'était déclaré son ennemi, elle fut l'amie des adversaires du duc. Comme le Roi, elle détestait les Parlements. Elle s'est occupée de politique étrangère, parce que l'Europe lui a fait des avances. Le 28 juillet 1771, deux mois après l'élévation de d'Aiguillon au secrétariat d'État des Affaires étrangères, dans un souper donné à Compiègne par Mme de Valentinois, la comtesse fut l'objet des attentions du Nonce. Les ambassadeurs d'Angleterre, de Venise, de Hollande et de Suède lui faisaient visite ; Mercy-Argenteau, qui d'abord s'était tenu à l'écart, se montre fort aimable pour elle, espérant « tirer parti de cette femme »[1]. Le roi de Suède lui témoigne une vive amitié, qui semble avoir été sincère.

ELLE FAIT FIGURE
DE REINE.

Mme du Barry fait donc figure de reine. Si elle est maltraitée par les pamphlets, elle a pour elle l'adulation des courtisans, du monde officiel, des gens de lettres, de ceux qui vivent du luxe et des fêtes de Cour. Elle a partout des succès de beauté ; au camp de Com-

---

1. Voir ci-dessus, p. 408.

piègne, en 1769, les officiers n'ont de regards que pour elle. Même le populaire sur les routes de Choisy ou de Compiègne admire son visage et son air. Dans certaines fêtes où la famille royale n'assiste pas, comme en septembre 1772, à l'inauguration du pont de Neuilly, elle est traitée en souveraine. En 1773, la ville de Bordeaux lance un navire qui s'appelle « La comtesse du Barry ».

LES PROJETS DE MARIAGE AVEC LE ROI.

Elle faillit devenir reine de France. Après la mort de la Reine, les enfants de France désirèrent que le Roi se mariât, espérant faire cesser par ce moyen le scandale de ses amours illégitimes. Il fut question d'un mariage avec une archiduchesse, mais le projet n'aboutit pas ; alors on parla, à la fin de 1772, d'un mariage avec Mme du Barry. La chose plaisait à Maupeou et à d'Aiguillon, même à Mme Louise, entrée au Carmel, l'année d'avant, qui craignait pour son père l'impénitence finale et la damnation. Mais il fallait obtenir en Cour de Rome l'annulation du mariage de Guillaume du Barry ; la négociation aurait pour le moins duré longtemps ; on ne l'entama point. La famille royale continua de bouder la maîtresse ; pourtant le duc d'Orléans et le prince de Conti obtinrent des grâces par l'intermédiaire de Mme du Barry. On a vu que la Dauphine condescendit à lui parler. Un jour, elle dit, en la regardant : « Il y a bien du monde aujourd'hui à Versailles », et, un autre jour : « Il fait mauvais temps, on ne pourra pas se promener dans la journée ». Même le Dauphin assista à des soupers que la comtesse présidait.

L'AMOUR DU ROI.

Le Roi adorait sa maîtresse, jeune, fraîche, amusante à son perpétuel ennui, ni tracassière, ni ambitieuse. Il la défendait contre les cabales et lui épargnait autant qu'il pouvait les dédains de sa famille. Il réclamait de tous des égards « pour les personnes qu'il affectionnait » comme il disait sans la nommer. Cependant, à mesure qu'il vieillissait, la peur de la damnation se faisait plus présente. Chaque année, le moment de Pâques était critique pour la favorite : qui serait le plus fort, de la religion ou de la chair ? Les Pâques de 1774 passèrent sans que le Roi communiât, bien que, le jeudi saint, l'abbé de Beauvais, prêchant devant la Cour, eût fait une terrible citation du prophète : « Encore quarante jours, et Ninive sera détruite ». Mais la fortune de la favorite dépendait d'un trouble de conscience du maître, en un moment où le péril du corps lui ferait mieux sentir le péril de l'âme.

LA MALADIE DU ROI.

Or, le mercredi 27 avril 1774, le Roi étant à Trianon, prêt à monter à cheval pour aller à la chasse, se sentit mal à l'aise ; il suivit les chasseurs dans sa calèche, et, le soir, assista au souper. La nuit, il fut pris de fièvre. Le lendemain, il retourna à Versailles, fut saigné deux fois ; le 29, il s'alita. Les médecins annoncèrent d'abord un érésipèle ; mais, quand on sut qu'ils avaient ordonné d'éloigner le Dauphin et la Dauphine, on devina la nature de la maladie. De la fièvre, des maux de tête, des vomissements, des douleurs d'entrailles, dénoncèrent la petite vérole. A la chapelle du Château commencèrent les prières des quarante heures. Mesdames et la favorite se succédaient auprès du lit du Roi ; Mesdames et la Dauphine demandaient qu'on le préparât à recevoir les derniers sacrements ; mais il eût fallu d'abord congédier Mme du Barry. Aussi d'Aiguillon déclara-t-il que les sacrements, « fort bons pour l'âme, couraient risque de tuer le malade ». Comme on parlait de faire venir de Saint-Denis Madame Louise, il invitait le Nonce à refuser à la carmélite l'autorisation de sortir de son couvent. Il fallut pourtant en arriver à l'extrémité si redoutée. Dans la nuit du 3 au 4 mai, Louis XV, qui voulait éviter à sa maîtresse l'affront fait jadis à Mme du Châtelet, lui dit : « Madame, j'ai la petite vérole. D'ici vingt-quatre heures, je puis être administré. Il faut prévenir l'aventure de Metz, et il est nécessaire que vous vous éloigniez. » Elle se retira à Rueil chez Mme d'Aiguillon.

LES DERNIERS MOMENTS.

Le 7 mai, comme son état s'aggravait, le Roi demanda son confesseur ordinaire, l'abbé Maudoux, et se confessa. Le cardinal de La Roche-Aymon lui apporta le viatique, en grande pompe, et lui dit : « Voici le Roi des Rois, le consolateur des souverains et des peuples ». Le Roi murmura quelques mots au cardinal qui se retourna vers les assistants, et déclara : « Messieurs, le Roi m'ordonne de vous dire que, s'il a causé du scandale à ses peuples, il leur en demande pardon ».

LA MORT (10 MAI 1774).

Le 9 mai, le malade voulut recevoir l'extrême-onction ; le lendemain, après une douloureuse agonie, il mourut, à trois heures de l'après-midi. Il était devenu méconnaissable ; ses traits s'étaient déformés et grossis ; son visage s'était couvert de croûtes ; il exhalait une odeur infecte ; on tenait constamment les fenêtres ouvertes.

LE SENTIMENT PUBLIC.

Durant le temps qu'il mit à mourir, personne, écrit Besenval, ne témoigna le moindre intérêt pour lui, tellement il était perdu dans « l'opinion générale ». Bien qu'on eût ordonné d'exposer le Saint-Sacrement dans les églises, et, à Saint-Étienne-du-Mont, la châsse de Sainte-Geneviève, les fidèles s'abstinrent de prier pour le salut du Roi. Au lieu de 6 000 messes qu'on avait célébrées en 1744, c'est à peine si l'on en compta trois en 1774. Le curé de Saint-Étienne-du-Mont déplora, en chaire, l'indifférence des Parisiens.

Le 12 mai, vers sept heures du soir, le corps fut mis dans un carrosse qu'escortèrent des gardes du corps et des gens de livrée ;

le grand aumônier venait ensuite en voiture; quelques récollets, avec le clergé des paroisses Saint-Louis et Notre-Dame de Versailles, suivaient à pied. A la place d'Armes, le cortège se disloqua. Les gardes et quelques domestiques allèrent seuls jusqu'à Saint-Denis. Pendant le voyage nocturne, des plaisants, par allusion aux deux principales passions du défunt, la chasse et l'amour, saluèrent le convoi des cris : « Taïaut! Taïaut! » et : «Voilà le plaisir des dames! Voilà le plaisir! »

TABLE DES MATIÈRES

Coulommiers. — Imp. PAUL BRODARD.

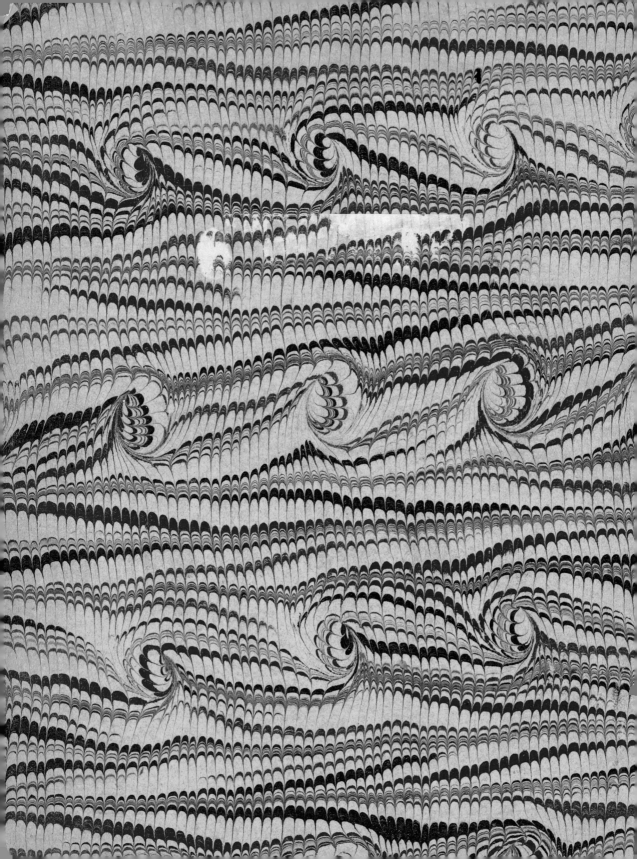